**Tidigare utgivet av Karin Slaughter
på HarperCollins Nordic**

Fristående:
De vackraste
De fördärvade
Den goda dottern
Bilder av henne
Det falska vittnet
Bortglömd flicka

I Will Trent-serien:
Triptyk
Fraktur
I mörker gömd
Oskyldig
Vittne och misstänkt
Dolt i skuggorna
Okänt hot
De fångade
Den sista änkan
Den tysta kvinnan
Efter natten

Rent som guld (kortroman med Lee Child)

Karin Slaughter

Lögnen

Översättning
Villemo Linngård Oksanen

HarperCollins

HarperCollins

harpercollins.se
info@harpercollins.se

© Karin Slaughter 2024
Karta: © Karin Slaughter 2024 (the map artist is Tony Cliff but Karin owns the
copyright)
Utgiven på svenska av HarperCollins Nordic, 2024
Originalets titel: *This Is Why We Lied*
Översättning: Villemo Linngård Oksanen
Omslagsdesign: Anders Timrén
Omslagsfoto: Shutterstock, IStockphoto
Sättning: Type-it, AS, Norge
Tryckt hos ScandBook UAB, Litauen 2024 med el från 100% förnybara källor.
ISBN 978-91-509-7906-0

Den här boken är satt med teckensnittet HC Arc som ger en ökad
läsbarhet och ett lägre klimatavtryck.

Till David – för hans oändliga vänlighet och tålamod

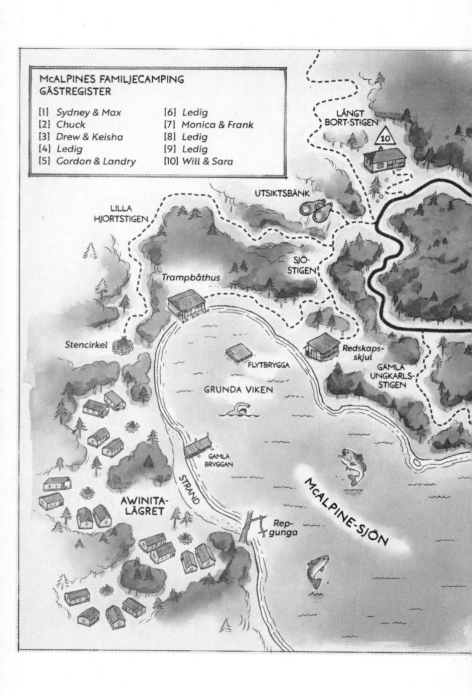

McALPINES FAMILJECAMPING GÄSTREGISTER

[1] Sydney & Max
[2] Chuck
[3] Drew & Keisha
[4] Ledig
[5] Gordon & Landry
[6] Ledig
[7] Monica & Frank
[8] Ledig
[9] Ledig
[10] Will & Sara

LÅNGT BORT-STIGEN

10

LILLA HJORTSTIGEN

UTSIKTSBÄNK

SJÖ-STIGEN

Trampbåthus

Stencirkel

FLYTBRYGGA

Redskaps-skjul

GAMLA UNGKARLS-STIGEN

GRUNDA VIKEN

GAMLA BRYGGAN

STRAND

AWINITA-LÄGRET

Rep-gunga

McALPINE-SJÖN

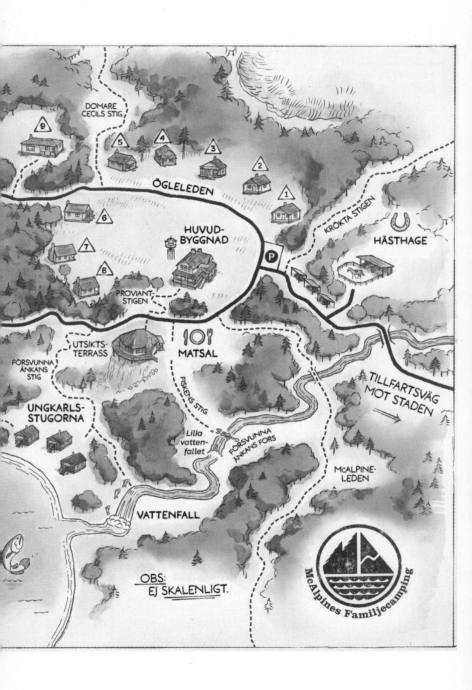

PROLOG

Will Trent satte sig ned vid sjöstranden för att dra av sig vandringskängorna. Klockans siffror lyste i mörkret. Det var en timme till midnatt. På avstånd hördes en uggla och en mild bris viskade mellan träden. Månen var en perfekt cirkel på natthimlen och skenet från den lyste upp figuren i vattnet. Sara Linton simmade mot flytbryggan. Svalt, blått ljus sköljde över kroppen när hon plöjde genom vattnets krusningar. Hon vände och simmade lojt åt andra hållet på rygg medan hon log mot Will.

"Kommer du?"

Will kunde inte svara. Han visste att Sara var van vid hans besvärade tystnader, men det här var ingen sådan. Han blev helt enkelt mållös av att se henne. Det enda han kunde tänka på var samma sak som alla andra tänkte när de såg dem tillsammans: Vad i helsicke gjorde hon med honom? Hon var så förbannat smart, rolig och vacker och han kunde inte ens få upp knuten på skosnöret i mörkret.

Han drog av sig skon med våld medan Sara kom simmande tillbaka mot honom. Det långa, kastanjeröda håret låg slickat mot huvudet. Hennes bara axlar stack upp ur det svarta vattnet. Hon hade slängt av sig kläderna innan hon dök i och bara skrattat åt Wills påpekanden att det lät som en dålig idé att hoppa i vattnet när man inte såg något och ingen visste var man befann sig.

Men det kändes som en ännu sämre idé att inte tacka ja när en naken kvinna ville att man skulle göra henne sällskap.

Will tog av sig strumporna och reste sig för att knäppa upp gylfen. Sara visslade lågt och uppskattande när han började klä av sig.

"Hallå där", sa hon. "Lite långsammare, tack."

Han skrattade, men visste inte vad han skulle göra med lycko-känslan som fyllde bröstet. Will hade aldrig upplevt den här sortens utdragen lycka förut. Visst hade glädjen glimtat till ibland – första gången han kysste någon, första gången ett samlag varade mer än tre sekunder, när han tog examen från college, när han löste in sin första lönecheck, dagen då han äntligen lyckades skilja sig från sin hemska exfru.

Det här var annorlunda.

Will och Sara hade gift sig två dagar tidigare och euforin han upplevt under ceremonin hade inte avtagit. Tvärtom blev den starkare för varje timme som gick. Sara log mot honom eller skrattade åt ett av hans dumma skämt, och det kändes som om hjärtat förvandlats till en fjäril. Han förstod att det inte var en särskilt manlig tanke. Men vissa saker höll man för sig själv och andra delade man med sig av och det här var en av många anledningar till att han alltid föredrog den där besvärade tystnaden.

Sara hojtade uppskattande till när Will lekfullt skalade av sig skjortan innan han klev ned i vattnet. Han var inte van vid att gå omkring naken, särskilt inte utomhus, så han doppade sig mycket fortare än han borde ha gjort. Vattnet var kallt, trots att det var sommar. Gåshuden slog upp överallt. Han kände hur dyn sög tag om fötterna på ett obehagligt vis. Sedan lindade Sara sin kropp om hans och Will kunde inte hitta något att klaga på längre.

"Hej", sa han.

"Hej." Hon strök tillbaka hans hår. "Har du badat i en sjö förut?"

"Inte frivilligt", medgav han. "Är du säker på att det är ofarligt att vara i vattnet?"

Hon tänkte efter. "Kopparhuvudormar är vanligtvis mest aktiva i skymningen. Vi är förmodligen för långt norrut för att råka på en vattenmockasin."

Will hade inte ens funderat på ormar. Han hade vuxit upp mitt i Atlanta, omgiven av smutsig betong och smutsiga kanyler. Sara hade vuxit upp i en lantlig collegestad i södra Georgia, omgiven av naturen.

Och ormar, tydligen.

"Jag måste erkänna en sak", sa hon. "Jag berättade för Mercy att vi ljugit för henne."

"Jag antog det", sa Will. Incidenten mellan Mercy och hennes familj tidigare på kvällen hade varit väldigt spänd. "Är hon okej?"

"Förmodligen. Jon verkar vara en bra pojke ändå." Sara skakade på huvudet åt hur onödigt alltihop var. "Det är svårt att vara tonåring."

Will försökte lätta upp stämningen. "Det finns i alla fall vissa fördelar med att växa upp på barnhem."

Sara lade fingret över hans läppar, vilket förmodligen var hennes sätt att säga *det där var inte lustigt.* "Titta upp."

Will tittade uppåt. Sedan lutade han vördnadsfullt huvudet ännu längre bakåt. Han hade aldrig sett riktiga stjärnor på himlen. Åtminstone inte sådana här stjärnor. Klara, isolerade små ljus på den sammetssvarta natthimlen. Inte fördunklade av ljusföroreningar. Inte dämpade av smog eller dis. Han drog djupt efter andan och kände hur hjärtslagen blev långsammare. Allt som hördes var ljudet av riktiga syrsor. Det enda ljus som skapats av människor var ett avlägset skimmer från verandan som löpte runt huvudbyggnaden.

Han älskade faktiskt det här stället.

De hade gått åtta kilometer genom stenig terräng för att nå McAlpines familjecamping. Stället hade funnits så länge att Will hört talas om det när han var barn. Då hade han drömt om att få åka dit en vacker dag. Åka kanot och paddelbräda, köra mountainbike, fotvandra och äta s'mores vid lägerelden. Att han nu gjort den resan med Sara och att han var en lyckligt gift man på smekmånad fyllde honom med ännu större förundran än åsynen av alla stjärnorna på himlen.

"På sådana här ställen kommer allt möjligt otäckt fram om man skrapar lite på ytan", sa Sara.

Will visste att hon tänkte på Mercy. Det häftiga grälet mellan Mercy och hennes son. Den kyliga responsen från hennes föräldrar. Hennes ynkliga bror. Hennes idiotiska exman. Hennes excentriska faster. Och så var det de övriga gästerna och deras problem, som bara förstärktes av de generösa mängderna alkohol som serverats vid den gemensamma middagen. Återigen blev Will påmind om att hans barndomsdrömmar om det här stället inte innefattat några andra gäster. Särskilt inte en viss idiot.

"Jag vet vad du tänker säga", sa Sara. "Det var därför vi ljög."

Det var inte precis vad han tänkt säga, men nära nog. Will var specialagent på Georgia Bureau of Investigation. Sara var utbildad barnläkare, men jobbade nu som rättsläkare på GBI. Båda yrkena fick främlingar att vilja ha långa samtal med dem. Alla samtalen var inte trevliga och en del var riktigt hemska. Att dölja vad de egentligen jobbade med hade känts som ett bra sätt att få njuta av smekmånaden.

Men att säga en sak hindrade inte att man var något annat. Både Will och Sara var den sortens människor som oroade sig för andra. I synnerhet Mercy. Hon verkade ha hela världen emot sig just nu. Will visste hur mycket styrka som krävdes för att hålla hakan uppe och fortsätta framåt när alla i närheten försökte dra ned en i djupet.

"Du." Sara höll hårdare om honom. "Jag måste erkänna en annan sak."

Will log eftersom hon log. Fjärilen i bröstet vaknade till liv. Sedan vaknade andra saker till liv, för han kände hennes hetta när hon tryckte sig närmare intill honom.

"Vad är det du vill erkänna?" frågade han.

"Jag kan inte få nog av dig." Sara kysste honom hela vägen upp längs halsen, använde tänderna för att locka fram ett gensvar. Gåshuden kom tillbaka. Känslan av hennes andedräkt mot örat fyllde hjärnan med begär. Will lät långsamt handen glida längre ned. Sara flämtade till när han rörde vid henne. Han kände brösten hävas mot hans bara bringa.

Plötsligt skar ett högt, skarpt tjut genom natten.

"Will." Saras kropp hade stelnat till. "Vad var det där?"

Han hade ingen aning. Han visste inte om det var en människa eller ett djur. Tjutet var gällt och blodisande. Inte ett rop på hjälp utan ett vrål av ohämmad skräck. Den sortens ljud som väckte kamp- eller flyktresponsen i hjärnans primitivare delar.

Flykt var inte Wills grej.

Han höll Saras hand medan de snabbt tog sig mot stranden. Han plockade upp sina kläder och gav Sara hennes saker. Will såg ut över vattnet medan han tog på sig skjortan. Enligt kartan var sjön formad nästan som en liggande snögubbe. Badplatsen låg uppe i huvudet. Strandkanten försvann i mörkret vid magens krökning. Det var alltid svårt att veta exakt varifrån ett ljud kom. Den uppenbara gissningen var att skriket hörts där resten av människorna var. Anläggningens övriga gäster var fyra andra par och en ensam man. De bodde i fem av stugorna som stod kring huvudbyggnadens gårdsplan. Familjen McAlpine sov i huvudbyggnaden. Saras och Wills stuga låg längre bort. Det innebar att arton personer befann sig på området.

Skriket kunde ha kommit från vem som helst av dem.

"Paret som grälade vid middagen", sa Sara medan hon knäppte klänningen. "Tandläkaren var berusad. IT-killen var ..."

"Den ensamma killen, då?" Will drog upp cargobyxorna över sina våta ben. "Han som pikade Mercy hela tiden?"

"Chuck", sa Sara. "Advokaten var osympatisk. Hur kom han in på wifit?"

"Hans hästtokiga fru irriterade alla." Will stoppade sina bara fötter i skorna och körde ned strumporna i fickan. "De lögnaktiga app-killarna har något på gång."

"Och Schakalen?"

Will tittade upp från skosnörena.

"Älskling?" Sara vände sandalerna med foten så att hon kunde ta på sig dem. "Är du ..."

Han lämnade skosnöret oknutet. Han ville inte prata om Schakalen. "Är du klar?"

De satte fart längs stigen. Will hade bråttom och ökade farten tills Sara började sacka efter. Hon var vältränad, men skorna var gjorda för promenader snarare än språngmarscher.

Han stannade och vände sig mot henne. "Gör det något om jag ..."

"Spring", sa hon. "Jag kommer efter."

Will lämnade stigen och genade rakt genom skogen. Han tog sikte mot verandalampan och banade sig fram mellan grenar och stickiga slingerväxter som fastnade i skjortärmarna. Skorna skavde mot hans våta fötter. Det hade varit ett misstag att lämna ett skosnöre oknutet. Han funderade på att stanna, men vinden vände och förde med sig en lukt som påminde om kopparslantar. Will visste inte om han verkligen kände lukten av blod eller om hans polishjärna trollade fram doftminnen från tidigare brottsplatser. Skriket kunde ha kommit från ett djur.

Inte ens Sara hade varit säker. Det enda Will var säker på var att den som skrikit fruktade för sitt liv. En prärievarg. Ett lodjur. En björn. Det fanns många djur i skogen som kunde få andra varelser att känna på det viset.

Överreagerade han?

Han slutade kämpa sig fram genom slyn och vände sig om för att hitta stigen igen. Han visste var Sara befann sig; inte för att han såg henne utan för att han hörde stegen i gruset. Hon var halvvägs mellan huvudbyggnaden och sjön. Deras stuga låg längst bort på området. Hon försökte förmodligen tänka ut en plan. Lyste det i någon av de andra stugorna? Skulle hon börja knacka dörr? Eller tänkte hon precis som Will att de var överdrivet vaksamma på grund av sina yrken och att det här skulle bli en lustig historia som hon kunde berätta för sin syster, om hur de hört ett djur ge ifrån sig ett dödstjut och rusat för att undersöka det i stället för att ha en het stund i sjön?

Will hade svårt att se det lustiga i saken just nu. Svetten hade klistrat fast håret mot huvudet. Hälen hade fått en blåsa. Blodet droppade från pannan, där en slingerväxt rivit upp ett sår. Han lyssnade på tystnaden i skogen. Inte ens syrsorna gav något ljud ifrån sig. Han slog en insekt som bitit honom på halsen. Något kilade längs en trädgren ovanför honom.

Kanske var han inte så förtjust i det här stället ändå.

Djupt inom sig skyllde han eländet på Schakalen. Inget gick som det skulle i Wills liv när det där svinet var i närheten, inte ens när de var barn. Det sadistiska rövhålet var som en stor otursamulett.

Will gned sig i ansiktet med händerna, som om han kunde sudda ut alla tankar på Schakalen. De var inga barn längre. Will var en vuxen man på smekmånad.

Han gick tillbaka till Sara, eller i alla fall åt det håll han trodde att hon gått. Han hade helt tappat lokalsinnet i mörkret. Han hade ingen aning om hur länge han sprungit genom skogen som om det var en bana i *Ninja Warrior*. Att ta sig fram genom slyn var mycket svårare utan adrenalinet som fått honom att störta rakt in bland de hängande slingerväxterna. Will funderade tyst ut en egen plan. När han kom ut på stigen skulle han ta på sig strumporna och knyta skosnöret, så att han slapp halta resten av veckan. Sedan skulle han hitta sin vackra fru och ta med henne tillbaka till stugan, så att de kunde fortsätta precis där de blivit avbrutna.

"*Hjälp!*"

Will tvärstannade.

Den här gången var det ingen tvekan om saken. Skriket var så tydligt att han visste att det kom från en kvinna.

Hon skrek igen.

"*Snälla!*"

Will rusade bort från stigen, mot sjön. Ljudet kom från området mittemot badplatsen, vid snögubbeformens nedre del. Han böjde ned huvudet. Benen pumpade. Han hörde blodet rusa i öronen tillsammans med ekot av skriken. Skogen tätnade snabbt. Låga grenar piskade hans armar. Knott svärmade runt ansiktet. Marken försvann plötsligt i en sluttning. Han klev snett och fotleden vek sig.

Will struntade i den skarpa smärtan och tvingade sig att fortsätta medan han kämpade för att få adrenalinet under kontroll. Han måste sakta ned. Huvudbyggnadens gård låg högre än sjön. Vid matsalen sluttade berget brant. Han hittade bakre delen av Ögleleden och följde sedan en slingrande väg nedåt. Hjärtat slog fortfarande hårt. Förebråelserna studsade runt i huvudet. Han borde ha lyssnat till sina instinkter och listat ut hur det hängde ihop. Tanken på vad han skulle hitta gjorde honom illamående. Kvinnan som skrikit hade fruktat för sitt liv och människan var det grymmaste rovdjuret i världen.

Han hostade till när luften blev tjock av rök. Månskenet bröt igenom trädkronorna precis i tid för att han skulle se att marken var terrasserad. Will snubblade ut i en glänta. Tomma ölburkar och cigarettfimpar täckte marken. Det låg verktyg överallt. Will spanade hit och dit medan han småsprang förbi sågbockar, förlängningssladdar och en generator som låg på sidan. Här fanns ytterligare tre stugor, samtliga på väg att rustas upp. Ett av taken täcktes av en presenning. Nästa stuga hade förspikade fönster. Den sista stugan brann. Lågorna slickade sig ut mellan timmerstockarna. Dörren var halvöppen. Röken slingrade sig ut genom ett trasigt fönster. Taket skulle inte hålla länge till.

Ropen på hjälp. Elden.

Någon måste vara där inne.

Will drog djupt efter andan innan han rusade upp för verandatrappan och sparkade upp dörren. Hettan som slog emot honom fick all fukt att försvinna från ögonen. Alla utom ett av fönstren var förspikade. Det enda ljuset kom från elden. Han hukade sig ned under röken och tog sig genom vardagsrummet. In i det lilla köket. Badrummet, som hade plats för ett litet badkar. Den lilla klädkammaren. Lungorna började värka. Han hade snart slut på luft. Han drog in en munfull svart rök på väg mot sovrummet. Ingen dörr. Ingen fast inredning. Ingen garderob. Stugans bakre vägg bestod bara av reglar.

De satt för tätt för att han skulle kunna ta sig ut mellan dem.

Över dånet från elden hörde Will ett högt knakande. Han sprang tillbaka ut i vardagsrummet. Taket var övertänt. Lågorna gnagde på bjälkarna. Taket var på väg att kollapsa. Brinnande träbitar regnade ned över honom. Will såg knappt något alls genom röken.

Ytterdörren var för långt borta. Han sprang mot det trasiga fönstret, hoppade i sista sekunden, kastade sig förbi de fallande spillrorna. Han rullade runt på marken. Hostningarna fick hela kroppen att skaka. Huden stramade, som om den ville börja koka i hettan. Han försökte resa sig, men tog sig bara upp på alla fyra innan han hostade upp en klump svart sot. Näsan rann. Svetten strömmade ned för ansiktet. Han hostade igen. Lungorna kändes som krossat glas. Han tryckte pannan mot marken. Leran fastnade i hans svedda ögonbryn. Han drog in ett skarpt andetag genom näsan.

Koppar.

Will satte sig upp.

Det fanns en utbredd tro bland poliser att man kunde känna doften av järnet i blodet när det blandades med syre. Det stämde inte. Järnet behövde en kemisk reaktion för att doften skulle aktiveras. På brottsplatser skedde det vanligtvis via fettföreningar på huden. Lukten förstärktes av vatten.

Will tittade ut över sjön. Blicken blev dimmig. Han torkade lera och svett ur ögonen. Tystade hostningen som ville ut.

En bit bort såg han sulorna på ett par Nike-skor.

Blodfläckade jeans neddragna till knäna.

Armar som flöt ut åt sidorna.

Kroppen låg på rygg, halvvägs ned i vattnet.

Ett ögonblick satt Will som hypnotiserad. Kvinnans hud såg så vaxartad och blå ut i månskenet. Kanske var det skämtet om att växa upp på barnhem som väckte tanken, eller också påverkade det honom fortfarande att det inte funnits en enda familjemedlem på hans sida av kyrkan under vigseln, men Will började plötsligt fundera på sin mamma.

Såvitt han visste fanns det bara två fotografier från hennes korta, sjuttonåriga liv. Det ena var ett daktningsfoto från ett gripande som gjorts ett år innan Will föddes. Det andra var taget av rättsläkaren som obducerade henne. Det var en urblekt polaroidbild. Hans mammas hud var lika vaxartad och blå som huden på den döda kvinnan som nu låg drygt fem meter ifrån honom.

Will reste sig upp och haltade mot kroppen.

Han inbillade sig inte att han skulle få se sin mammas ansikte. Magkänslan hade redan berättat för honom vad han skulle hitta. Ändå ristade vetskapen om att han haft rätt ytterligare ett ärr i hjärtats mörkaste vrå när han böjde sig över kroppen.

Ännu en förlorad kvinna. Ännu en son som skulle få växa upp utan sin mamma.

Mercy McAlpine låg i det grunda vattnet, vars krusningar fick hennes axlar att guppa upp och ned. Huvudet vilade på en samling stenar som höll näsan och munnen ovanför vattenytan. Det blonda håret som flöt runt huvudet fick henne nästan att se överjordisk ut – en fallen ängel, en stjärna på väg att blekna bort.

Dödsorsaken var inget mysterium. Will såg flera sticksår. Den vita skjortan Mercy burit vid middagen hade försvunnit in i den blodiga massan som varit hennes bröstkorg. Vattnet hade sköljt bort blodet ur vissa av såren. Will såg de djupa hålen i axeln, där kniven vridits runt. Mörkröda fyrkanter avslöjade att det enda som hindrat den från att gå ännu djupare var handtaget.

Will hade sett hemskare brottsplatser under sin tid som polis, men den här kvinnan hade levt, gått omkring, skämtat, flirtat, grälat med sin buttre son och bråkat med sin destruktiva familj för mindre än en timme sedan, och nu var hon död. Hon skulle aldrig bli sams med sonen. Hon skulle aldrig få se honom förälska sig. Aldrig sitta längst fram och se honom gifta sig med sitt livs kärlek. De skulle inte få fler storhelger eller födelsedagar eller examensceremonier eller tysta stunder tillsammans.

Och det enda Jon skulle ha kvar var den värkande sorgen som hennes frånvaro lämnade efter sig.

Will unnade sig några ögonblicks bedrövelse innan han satte sina färdigheter i arbete. Han såg sig omkring ifall mördaren fortfarande var i närheten. Han sökte efter vapen på marken. Förövaren hade tagit med sig kniven. Will tittade mot skogen igen. Lyssnade efter underliga ljud. Svalde sotet och gallan i halsen. Han sjönk ned på knä intill Mercy och lade fingrarna mot hennes hals för att kontrollera pulsen.

Han kände de flimrande hjärtslagen.

Hon levde.

"Mercy?" Will vred försiktigt hennes ansikte mot sig. Ögonen var öppna och ögonvitorna sken som blanka spelkulor. Han försökte låta bestämd. "Vem gjorde det här mot dig?"

Will hörde ett visslande ljud, men inte från Mercys näsa eller mun. Lungorna försökte dra in luft genom de gapande såren i bröstkorgen.

"Mercy." Han lade händerna om hennes ansikte. "Mercy McAlpine. Jag heter Will Trent. Jag är agent vid Georgia Bureau of Investigation. Du måste titta på mig nu."

Mercys ögonlock fladdrade.

"Se på mig, Mercy", beordrade Will henne. "Se på mig."

Ögonvitan skymtade fram. Pupillerna rullade bakåt. Det dröjde flera sekunder, kanske en minut, innan hon äntligen fäste blicken på Wills ansikte. Glimten av igenkännande ersattes av skräck. Hon var tillbaka i sin kropp nu, full av rädsla och smärta.

"Du kommer att klara dig." Will gjorde en ansats att resa sig. "Jag ska hämta hjälp."

Mercy grep tag i hans krage och drog ned honom igen. Hon såg på honom – ordentligt. De visste båda att hon inte skulle klara sig. I stället för att gripas av panik eller låta honom gå höll hon kvar honom där. Minnena klarnade. De sista orden hon sagt till sin familj, grälet med sonen.

"J-Jon ... säg åt honom ... säg att han måste ... han måste bort från h-heh..."

Will såg hur ögonlocken började fladdra igen. Han tänkte inte säga något till Jon. Mercy skulle få säga sina sista ord direkt till sonen. Han höjde rösten och skrek: "Sara! Hämta Jon! Skynda dig!"

"N-nej ..." Mercy började darra. Hon var på väg att hamna i chock.

"J-Jon får inte ... han får inte ... stanna ... Måste bort från ... från ..."

"Lyssna på mig", sa Will. "Ge din son en chans att säga farväl."

"Älskar ...", sa hon. "Älskar honom ... s-så mycket."

Will hörde sorgen i hennes röst. "Mercy, håll ut lite till. Sara kommer hit med Jon. Han måste få prata med dig innan ..."

"F-förlåt ..."

"Be inte om ursäkt", sa Will. "Stanna hos mig, bara. Snälla du. Tänk på det sista Jon sa till dig. Det får inte sluta så. Du vet att han inte hatar dig. Att han inte vill se dig död. Lämna honom inte på det viset. Snälla du."

"Förlåter ... honom ..." Hon hostade upp blod. "Förlåter honom ..."

"Säg det till honom själv. Jon behöver höra det från dig."

Hon vred tag om skjortan och drog honom ännu närmare. "F-förlåter honom ..."

"Mercy, snälla ..." Wills röst brast. Livet rann ur henne för snabbt. Plötsligt insåg han vad Jon skulle se om Sara tog med honom hit. Det här var inte rätt läge för ett ömsint farväl. Ingen son borde behöva leva med minnet av vilken våldsam död hans mamma gått till mötes.

Will försökte svälja sin sorg. "Okej, jag ska berätta det för Jon. Det lovar jag."

Mercy uppfattade löftet som en tillåtelse att släppa taget.

Kroppen blev slapp. Hon släppte hans krage. Will såg hennes hand falla ned så att vattnet skvalpade omkring den. Darrningarna hade upphört. Mercys mun var öppen. En långsam, plågad suck lämnade kroppen. Will väntade på ytterligare ett mödosamt andetag, men bröstkorgen förblev stilla.

Han greps nästan av panik i tystnaden. Han kunde inte låta henne dö. Sara var läkare. Hon kunde rädda Mercy. Hon skulle ta hit Jon så att han fick ta farväl av sin mamma.

"Sara!"

Wills röst ekade runt sjön. Han slet av sig skjortan och täckte över Mercys sår. Jon skulle inte se skadorna. Han skulle bara se sin mammas ansikte. Han skulle veta att hon älskade honom. Han skulle inte behöva undra resten av livet hur det kunde ha blivit.

"Mercy?" Will skakade henne så att huvudet föll åt sidan. "Mercy?"

Han daskade henne på kinden med handflatan. Huden var iskall. All färg hade försvunnit från den. Blodet hade slutat rinna. Hon andades inte. Han hittade ingen puls. Han måste påbörja hjärt-och lungräddningen. Will flätade samman fingrarna, placerade händerna på Mercys bröstkorg, låste armbågarna, spände axlarna och tryckte nedåt med full kraft.

Smärtan sköt som en blixt genom handen. Han försökte dra sig tillbaka, men satt fast.

"Stopp!" Sara hade dykt upp ur ingenstans. Hon grep tag om hans händer och höll fast dem mot Mercys bröstkorg. "Rör dig inte. Du kapar nerverna."

Det tog några ögonblick innan han förstod att det inte var Mercy Sara var orolig för. Hon försökte skydda Will.

Han tittade ned. Hjärnan kunde inte begripa vad han såg. Tankarna klarnade långsamt. Han tittade på mordvapnet. Angreppet hade varit rasande, våldsamt, fullt av vrede. Mördaren hade inte bara knivhuggit Mercy i bröstkorgen. Han hade huggit henne bakifrån, med sådan kraft att kniven knäckts och lämnat kvar bladet inuti Mercys bröstkorg.

Wills hand hade spetsats på den trasiga kniven.

1

TOLV TIMMAR FÖRE MORDET

Mercy McAlpine stirrade upp i taket och tänkte igenom veckan som gått. Alla tio paren som bott i stugorna hade checkat ut i morse. Fem nya par skulle komma vandrande idag. Ytterligare fem skulle komma på torsdag, så att de fick fullbelagt igen över helgen. Hon måste se till att rätt resväskor hamnade i rätt stugor. Bagagefirman hade lämnat de sista på parkeringen i förmiddags. Hon måste också lista ut vad hon skulle göra med sin brors idiotiska vän, som hela tiden dök upp hos dem som en hemlös hund. Kökspersonalen måste få veta att han var där igen, eftersom Chuck var allergisk mot jordnötter. Eller också skulle hon låta bli att säga något. Då skulle all skit hon tvingades hantera halveras i ett slag.

Andra halvan av den där skiten malde vidare ovanpå henne. Dave stånkade som ett ånglok som aldrig skulle nå slutet av tunneln. Ögonen stod ut. Kinderna var illröda. Mercy hade fått en diskret orgasm fem minuter tidigare. Hon borde förmodligen ha berättat det för honom, men hon avskydde att ge honom den segern.

Hon vred på huvudet och försökte se klockan på sängbordet. De låg på golvet i stuga fem, eftersom Dave var inte värd besväret att bädda rent i sängen. Klockan var förmodligen närmare tolv. Mercy fick inte komma för sent till familjemötet. Gästerna skulle börja droppa in runt två. Hon måste ringa några samtal. Två av paren ville ha massage. Ett annat hade anmält sig till forsränningen i sista sekunden. Hon måste bekräfta att turridningen var bokad på rätt tid imorgon bitti. Hon måste kontrollera väderprognosen igen och se om stormen fortfarande var på väg mot dem. Matleverantören hade gett dem nektariner i stället för persikor. Trodde han verkligen att hon inte kunde se skillnaden?

"Merce?" Dave tuffade fortfarande på, men hon hörde att han lät besegrad. "Jag tror jag måste ge upp."

Mercy klappade honom två gånger på axeln. Daves trötta penis daskade mot hennes ben när han rullade över på rygg. Han såg upp i taket. Hon såg på honom. Han hade just fyllt trettiofem, men såg snarare ut att närma sig åttio. Ögonen var vattniga. Brustna blodkärl bildade ett nät över näsan. Andhämtningen var väsande. Han hade börjat röka igen eftersom spriten och tabletterna inte tog livet av honom tillräckligt snabbt.

"Ledsen", sa han.

Mercy behövde inte svara. De hade gjort det här så många gånger att orden levde kvar som ett evigt eko. *Om du inte var hög, så kanske ... om du inte var full, så kanske ... om du inte varit en värdelös skithög, så kanske ... om jag inte varit en ensam, korkad idiot som jämt knullar sin förlorare till exman på golvet, så kanske ...*

"Vill du att jag ska ..." Han gjorde en gest nedåt.

"Det behövs inte."

Dave skrattade. "Du är den enda kvinna jag känner som fejkar att hon inte får orgasm."

Mercy ville inte skämta med honom. Hon gnällde för att Dave fattade dåliga beslut, men fortsatte själv att ha sex med honom, som om det var bättre. Hon drog på sig jeansen. Knappen satt åt. Hon hade gått upp något kilo. Förutom jeansen hade hon bara tagit av sig skorna. De lavendelblå Nike-skorna låg intill hans verktygslåda, och det fick henne att minnas något. "Du måste fixa toaletten i stuga tre innan gästerna kommer."

"Ska bli, chefen." Dave rullade över på sidan och förberedde sig på att resa sig upp. Han hade aldrig bråttom. "Tror du att du kan fixa fram lite pengar åt mig?"

"Ta det från underhållet."

Han gjorde en grimas. Han hade inte betalat underhåll på sexton år.

"Vad hände med pengarna som Papa gav dig för att laga ungkarlsstugorna?" frågade hon.

"Det var ett förskott. Jag var tvungen att köpa in material."

Hon gissade att större delen av materialet kom från hans langare och hans bookmaker. "En presenning och en begagnad generator kostar inte tusen dollar."

"Kom igen, Mercy Mac."

Mercy suckade tungt medan hon granskade sig själv i spegeln. Ärret i ansiktet lyste ilsket rött mot den bleka huden. Håret var fortfarande stramt tillbakadraget. Skjortan var inte ens skrynklig. Hon såg ut som om hon just fått en högst otillfredsställande orgasm av en man som var världens största besvikelse.

"Vad tror du om den där investeringsgrejen?" undrade Dave.

"Jag tror att Papa gör som han vill."

"Det var inte honom jag frågade."

Hon såg på Dave i spegeln. Hennes pappa hade avslöjat nyheten om de rika investerarna vid frukosten. Mercy hade inte blivit tillfrågad, så hon antog att det här var Papas sätt att påminna henne om att det fortfarande var han som bestämde. Stället hade tillhört familjen McAlpine i sju generationer. Då och då hade man tagit mindre lån, främst från återkommande gäster som ville se familjecampingen överleva. Det hade hjälpt till att reparera taken, skaffa nya varmvattenberedare och att – vid ett tillfälle – ersätta elledningen som dragits från vägen. Det här lät som något avsevärt mycket större. Papa hade sagt att pengarna skulle räcka till ett annex.

"Jag tycker att det är en bra idé", sa Mercy. "Den gamla lägerplatsen är vår bästa bit mark. Vi kan bygga ett par större stugor och kanske börja hålla bröllop och släktträffar."

"Ska den fortfarande heta Peddowinita-lägret?"

Mercy ville inte skratta, men gjorde det ändå. Awinita-lägret var en fyrahundra kvadratmeter stor lägerplats inom gångavstånd från sjön och en fors full av öring, med en magnifik utsikt över bergen. Lägerplatsen hade varit en pålitlig kassako för anläggningen ända tills för femton år sedan, då alla organisationer som hyrde den – från scouterna till baptistkyrkan – gick igenom någon form av pedofilskandal. Ingen visste hur många barn som utsatts där borta. Det enda alternativet var att stänga ned alltihop innan det dåliga ryktet fläckade av sig på resten av familjecampingen.

"Jag vet inte, jag", sa Dave. "Större delen av den marken omfattas av naturvårdsavtalet. Man kan egentligen inte bygga något bortanför stället där forsen möter sjön. Dessutom tror jag inte att Papa låter någon annan vara med och bestämma hur pengarna ska användas."

"'Det finns bara ett namn på skylten vid vägen'", citerade Mercy sin pappa.

"Det är ditt namn också", sa Dave. "Du är duktig på att sköta det här stället. Du hade rätt om badrumsrenoveringen. Marmorn var skitjobbig att släpa hit, men den ser verkligen imponerande ut. Kranarna och badkaren är som tagna ur en inredningstidning. Gästerna betalar mer för det lilla extra. De kommer tillbaka igen. Det är dina insatser som fått investerarna att ta fram plånboken."

Mercy motstod lusten att kråma sig. Komplimanger var ovanliga i hennes familj. Ingen hade sagt ett ord om fondväggarna i stugorna, kaffestationerna eller blomlådorna där det prunkade så överdådigt att gästerna trodde att de vandrat rakt in i en saga.

"Om vi investerar de här pengarna i rätt saker kommer folk att betala två, kanske tre gånger så mycket som de gör nu. Särskilt om vi ger dem möjlighet att köra hela vägen hit i stället för att fotvandra. Vi skulle till och med kunna skaffa några terränghjulingar som tar folk till bortre änden av sjön. Det är vackert där nere."

"Det är vackert här, det håller jag med om." Dave tillbringade större delen av dagarna på området, till synes för att renovera de tre urgamla stugorna. "Har Bitty sagt något om pengarna?" undrade han.

Mercys mamma tog alltid sin mans parti, men Mercy sa: "Det är troligare att hon skulle prata med dig än med mig."

"Jag har inte hört ett ljud." Dave ryckte på axlarna. Bitty skulle anförtro sig åt honom så småningom. Hon tyckte bättre om Dave än om sina egna barn. "Större betyder inte alltid bättre, om du frågar mig."

Större var precis vad Mercy hoppades på. Nu när chocken avtagit hade hon börjat gilla tanken på investerare. Pengar kunde ruska om saker och ting lite grann. Hon var trött på att försöka springa i kvicksand.

"Det är stora förändringar", sa Dave.

Hon lutade sig mot byrån och såg på honom. "Skulle det vara så illa om saker och ting var annorlunda?"

De stirrade på varandra. Frågan vägde tungt. Mercy såg förbi de vattniga ögonen och den röda näsan och såg den artonårige pojken som lovat att ta med henne härifrån. Sedan såg hon bilolyckan som trasat sönder hennes ansikte. Avvänjningskliniken. Avvänjningskliniken igen. Vårdnadstvisten om Jon. Risken för återfall. Och den eviga, obevekliga besvikelsen.

Mercys telefon plingade till borta på sängbordet. Dave tittade ned på notifikationen. "Det är folk vid början av vandringsleden."

Mercy låste upp skärmen. Kameran satt på gästparkeringen, vilket innebar att hon hade ungefär två timmar på sig innan de första gästerna tagit sig den åtta kilometer långa vandringen till anläggningen. Kanske ännu kortare tid. Mannen var lång och gänglig, byggd som en löpare. Kvinnan hade långa, röda lockar och bar på en ryggsäck som såg välanvänd ut.

Paret kysstes innerligt innan de satte kurs mot vandringsleden. Avundsjukan stack till i Mercy när hon såg dem gå hand i hand. Mannen tittade hela tiden ned på kvinnan. Hon tittade hela tiden upp på honom. Sedan skrattade båda två, som om de insåg hur fånigt förälskade de verkade.

"Han ser helt knullmosig ut", sa Dave.

Mercy blev ännu mer avundsjuk. "Hon verkar rätt tagen, hon också."

"BMW", kommenterade han. "Är det investerarna?"

"Rika människor är inte så där lyckliga. Det måste vara smekmånadsparet. Will och Sara."

Dave tog sig en närmare titt, trots att paret hade ryggen mot kameran nu. "Vet du vad de jobbar med?"

"Han är mekaniker. Hon är kemilärare."

"Var bor de?"

"Atlanta."

"Själva Atlanta eller närområdet?"

"Jag vet inte, Dave. Atlanta-Atlanta."

Han gick bort till fönstret. Mercy såg honom blicka ut över gården, mot huvudbyggnaden i andra änden. Hon visste att något störde honom, men orkade inte fråga vad. Mercy hade gjort sitt när det gällde Dave. Försökt hjälpa honom. Försökt läka honom. Försökt älska honom tillräckligt mycket. Försökt räcka till. Försökt, försökt, försökt att inte drunkna i hans kvicksandsliknande, skrikande behov.

Folk trodde att han var den nonchalanta, lättsamma, festliga Dave, men Mercy visste att han gick omkring med en stor knut ångest i bröstet. Dave var inte missbrukare för att han var så tillfreds med sin tillvaro. Han hade tillbringat sina första elva år på ett statligt barnhem. Ingen hade brytt sig om att leta efter honom när han rymde. Han hade hållit sig gömd på campingens mark tills Mercys pappa hittade honom sovande i en av ungkarlsstugorna. Hennes mamma hade lagat middag åt honom och Dave hade börjat dyka upp varje kväll. Sedan flyttade han in i huvudbyggnaden och adopterades av familjen McAlpine, vilket ledde till en rad otrevliga rykten när Mercy blev gravid med Jon. Det gjorde inte saken bättre att Dave var arton och Mercy femton när det hände.

De hade aldrig sett varandra som syskon. De var mer som två idioter som möttes i natten. Han hade avskytt henne tills han började älska henne. Hon hade älskat honom tills hon började avsky honom.

"Se upp", sa Dave från fönstret. "Fisktopher är på ingång."

Mercy stoppade telefonen i bakfickan när hennes bror öppnade dörren. Han höll i en av katterna, en knubbig ragdoll som hängde lealöst i hans famn. Christopher hade samma kläder som vanligt: fiskeväst, fiskehatt med fasthakade flugor, cargoshorts med många fickor och badtofflor som gjorde det möjligt att snabbt dra på sig vadarbyxorna och fiska ute i forsen hela dagarna. Det var så han fått sitt smeknamn.

"Blir det drag ikväll, Fisken?" frågade Dave.

"Vet inte." Fisken höjde på ögonbrynen. "Lite stimmigt, kanske."

Mercy visste att de kunde fortsätta på samma spår i timmar.

"Fisken, sa du till Jon att tvätta kanoterna?"

"Ja, och han bad mig dra åt helvete."

"Herregud." Mercy sneglade på Dave, som om han var ensam ansvarig för Jons uppförande. "Var är han nu?"

Fisken satte ned katten på verandan, intill den andra. "Jag skickade honom till stan för att köpa persikor."

"Varför då?" Hon tittade på klockan igen. "Familjemötet börjar om fem minuter. Jag betalar honom inte för att hänga nere i staden hela sommaren. Han måste hålla sig till schemat."

"Jag var tvungen att få iväg honom." Fisken lade armarna i kors på det där viset som han alltid gjorde när han tyckte att han hade något viktigt att säga. "Delilah är här."

Det skulle ha chockat henne mindre att höra att Lucifer själv dansade jigg på verandan. Mercy famlade automatiskt efter Daves arm. Hjärtat dunkade mot revbenen. Det hade gått tolv år sedan hon mötte sin faster i den trånga rättssalen. Delilah hade försökt få vårdnaden om Jon. Striden om sonen hade orsakat skador som fortfarande inte läkt.

"Vad gör den galna gamla kärringen här?" frågade Dave. "Vad vill hon?"

"Ingen aning", sa Fisken. "Hon gick raka vägen förbi mig på gångvägen och sedan in i huset med Papa och Bitty. Jag letade reda på Jon och skickade iväg honom innan han såg henne. Varsågod, förresten."

Mercy kunde inte tacka honom. Hon hade börjat svettas. Delilah bodde en timme bort, i sin egen lilla bubbla. Föräldrarna hade tagit hit henne för att de hade något på gång. "Satt Papa och Bitty på verandan och väntade på Delilah?"

"De sitter alltid på verandan på förmiddagarna. Hur ska jag veta om de väntade på henne?"

"Fisken!" Mercy stampade med foten. Han såg skillnad på olika abborrsorter på långt håll, men han saknade helt förmågan att läsa av folk. "Hur såg de ut när Delilah kom? Blev de förvånade? Sa de något?"

"Jag tror inte det. Delilah klev ur bilen. Hon höll i handväskan så här."

Mercy såg honom fläta samman händerna framför magen.

"Sedan gick hon upp för trappan och de försvann in."

"Klär hon sig fortfarande som Pippi Långstrump?" undrade Dave.

"Vem är Pippi Långstrump?"

"Tyst", väste Mercy. "Sa inte Delilah något om Papas rullstol?"

"Nej. Ingen av dem sa något, faktiskt. De var underligt tysta." Fisken höll upp ett finger för att visa att han kommit på något mer. "Bitty började skjuta in rullstolen, men Delilah tog över."

"Det låter som Delilah, ja", muttrade Dave.

Mercy skar tänder. Delilah hade inte blivit förvånad över att se sin bror i rullstol, vilket innebar att hon redan kände till olyckan, vilket innebar att föräldrarna hade pratat i telefon med henne. Frågan var vem som hade ringt. Hade hon blivit inbjuden eller bara dykt upp?

Som på beställning började telefonen ringa. Mercy tog fram den ur fickan. "Bitty", läste hon på skärmen.

"Slå på högtalaren", sa Dave.

Mercy tryckte på skärmen. Hennes mamma började alla samtal likadant, oavsett om hon ringde eller svarade. "Det här är Bitty."

"Ja, mamma", svarade Mercy.

"Kommer ni på familjemötet?"

Mercy tittade på klockan. Hon var två minuter sen. "Jag har skickat Jon till staden. Fisken och jag är på väg."

"Ta med er Dave."

Mercys hand hängde i luften ovanför telefonen. Hon hade varit på väg att avsluta samtalet. "Varför vill du att Dave ska vara med?"

Det hördes ett klick när hennes mamma lade på luren.

Mercy tittade på Dave och sedan på Fisken. Hon kände en tung svettdroppe rulla ned för ryggen. "Delilah försöker få tillbaka Jon."

"Nej. Jon fyllde år häromveckan. Han är nästan vuxen." För en gångs skull var Dave den som tänkte logiskt. "Delilah kan inte ta honom. Även om hon försökte skulle det att ta minst ett par år innan fallet gick till rättegång. Han hinner fylla arton innan dess."

Mercy lade handen över hjärtat. Han hade rätt. Jon betedde sig barnsligt ibland, men han var sexton. Mercy var ingen förlorare med två rattfyllor i bagaget som försökte trappa ned på heroinet med hjälp av Xanax längre. Hon var en ansvarstagande medborgare. Hon skötte familjeföretaget. Hon hade varit drogfri i tretton år.

"Hörni", sa Fisken. "Är det meningen att vi ska veta att Delilah är här?"

"Såg hon inte dig när hon kom?" undrade Dave.

"Kanske?" Fisken lät osäker. "Jag var vid vedskjulen och staplade ved. Hon körde ganska fort. Du vet hur hon är. Som om hon har ett mål i sikte."

Mercy kom på en förklaring som nästan var för hemsk för att uttala högt. "Cancern kanske är tillbaka."

Fisken såg förskräckt ut. Dave tog ett par steg bort och vände ryggen åt dem. Bitty hade fått diagnosen metastaserad melanom fyra år tidigare. Aggressiva behandlingar hade sett till att cancern var på tillbakagång, men det var inte samma sak som att vara frisk. Onkologen hade sagt åt henne att ha sina affärer i ordning.

"Dave?" sa Mercy. "Har du märkt något? Är hon annorlunda på något vis?"

Mercy såg honom skaka på huvudet. Han gned sig i ögat med knytnäven. Han hade alltid varit mammas pojke och Bitty klemade fortfarande bort honom. Mercy missunnade honom inte den extra uppmärksamheten. Hans biologiska mamma hade lämnat honom i en kartong utanför en brandstation.

"Hon ..." Dave fick harkla sig för att få fram orden. "Hon skulle ta mig åt sidan och berätta om den var tillbaka. Hon skulle inte överraska mig med det på ett familjemöte."

Mercy visste att det var sant, om så bara för att Dave var den första Bitty berättat sanningen för förra gången. Dave hade alltid haft ett särskilt band till hennes mamma. Det var han som gett henne smeknamnet Bitty, eftersom hon var så liten och späd. När hon kämpade mot cancern hade Dave kört henne till alla läkartider, alla operationer, alla behandlingar. Det var han som bytt bandagen efter operationerna, sett till att hon tog sina mediciner och tvättade hennes hår.

Papa hade varit upptagen av att sköta campingen.

"Vi missar det uppenbara", sa Fisken.

Dave torkade sig om näsan med tröjfållen när han vände sig tillbaka mot dem. "Vad?"

"Papa vill prata om investerarna", sa Fisken.

Mercy kände sig som en idiot att hon missat det. "Måste vi kalla till ett styrelsemöte och rösta om huruvida vi ska ta emot pengarna?"

"Nej." Dave kände till regelverket kring McAlpine-stiftelsen bättre än någon annan. Delilah hade försökt tvinga ut honom eftersom han var adopterad. "Papa är förvaltare, så han får bestämma sådana här saker. Dessutom kan en omröstning genomföras så länge ett visst antal deltagare är närvarande. Mercy, du röstar för Jons räkning, så han behöver bara dig, Fisken och Bitty. Det finns ingen anledning att kalla dit mig. Eller Delilah."

Fisken tittade nervöst på klockan. "Vi borde väl gå? Papa väntar."

"Väntar på att överrumpla oss", sa Dave.

Mercy trodde också att det var hennes pappas plan. Hon hyste inga illusioner om att det skulle bli någon ömsint familjeåterförening.

"Lika bra att få det överstökat", sa hon.

Hon ledde dem över gården. De två katterna travade med. Mercy försökte tygla sin vanliga ängslan. Jon var trygg. Hon var inte hjälplös. Hon var för gammal för att få stryk och dessutom kunde Papa inte springa ikapp henne längre.

Kinderna brände av skam. Hon var en hemsk dotter som ens kunde tänka så. Ett och ett halvt år tidigare hade hennes pappa lett en grupp längs mountainbikeleden när han flög över cykelstyret och föll ned i en ravin. Ambulanshelikoptern hade hissat upp honom på en bår inför gästernas förfärade blickar. Skallen var spräckt. Han hade två kotfrakturer i nacken. Ryggen var bruten. Det rådde ingen tvekan om att han skulle hamna i rullstol. Han hade nervskador i högerarmen. Med lite tur skulle han fortfarande ha viss kontroll över vänsterhanden. Han kunde fortfarande andas för egen maskin, men de där första dagarna hade läkarna pratat om honom som om han redan var död.

Mercy hade inte haft tid att sörja. Campingen hade fortfarande gäster. Ännu fler skulle komma under de följande veckorna. Scheman måste göras. Guider måste bokas in. Varor måste beställas. Räkningar måste betalas.

Fisken var äldst, men han hade aldrig varit intresserad av att leda företaget. Hans passion var att ta med sig gästerna ut i forsen. Jon var för ung och hatade dessutom hela det här stället. Man kunde inte lita på att Dave skulle dyka upp alls. Delilah var inget alternativ. Bitty lämnade förståeligt nog inte Papas sida. Jobbet hade alltså automatiskt gått till Mercy. Att hon faktiskt var bra på det borde ha gjort familjen stolt. Att hennes förändringar lett till en stor vinst det första året och att hon var på väg att dubbla den vinsten nu borde ha varit något att fira.

Men hennes pappa hade sjudit av ilska ända sedan han kom hem från rehabiliteringen. Inte på grund av olyckan. Inte för att han förlorat styrkan i kroppen. Inte ens på grund av sin förlorade frihet. Av någon outgrundlig anledning var all hans vrede, all hans fientlighet, riktad mot Mercy.

Varje dag körde Bitty runt honom på anläggningen i rullstolen. Varje dag hittade han något sätt att klaga på Mercy. Sängarna var inte bäddade på rätt sätt. Handdukarna veks inte på rätt sätt. Gästerna behandlades inte på rätt sätt. Måltiderna serverades inte på rätt sätt. Det rätta sättet var förstås *hans sätt*.

I början hade Mercy slitit hårt för att göra honom nöjd, för att blidka honom, för att låtsas att hon inte klarade sig utan honom och att hon behövde hans råd och godkännanden. Ingenting fungerade. Hans ilska bara växte. Även om hon skitit ut guldtackor skulle han ha hittat något fel på dem. Hon hade varit medveten om att Papa kunde vara en krävande tyrann. Det hon inte anat var att han kunde vara lika småsint som han var grym.

"Vänta." Fiskens röst var låg, som om de var barn på väg att smyga ned till sjön. "Hur ska vi göra det här, hörni?"

"Precis som vanligt", sa Dave. "Du ska stirra ned i golvet och hålla tyst. Jag retar upp alla. Mercy sätter ned foten och slåss."

Det där var i alla fall värt ett leende. Mercy kramade Daves arm innan hon öppnade ytterdörren.

Som vanligt möttes hon av mörker. Mörka, slitna väggar. Två små springor till fönster. Inget solsken. Huvudbyggnadens foajé var den ursprungliga stugan, som byggts efter inbördeskriget. På den tiden var det bara en liten fiskestuga. Man såg märkena efter yxan i plankorna som huggits ur träd som fällts på egendomen. Tur och nödtvång hade lett till att huset växte under åren som följde. En andra entré hade lagts till på sidan av verandan, så att fotvandrarna såg något inbjudande när de kom längs leden. Privata sviter byggdes för de rikare gästerna, vilket krävde en andra trappa upp till övervåningen. Salongen och matsalen lades till för folk som inbillade sig att de var Teddy Roosevelt och kom vällande för att utforska den nya nationalparken. Köket byggdes ihop med huset när man slutade använda vedeldade spisar. Verandan som löpte runt byggnaden var en eftergift åt den tryckande sommarhettan. En gång i tiden bodde tolv McAlpine-bröder i våningssängar på övervåningen. Hälften av dem hatade de andra sex, vilket ledde till att man måste bygga de tre ungkarlsstugorna vid sjön.

När depressionen slog till hade alla skingrats och lämnat en ensam, förbittrad McAlpine som klängde sig kvar för glatta livet. Han ställde deras urnor på en hylla i källaren när de, en efter en, kom tillbaka. Det var Mercys och Fiskens gammelfarfar, som också skapat den hårt kontrollerade familjestiftelsen. Hans bitterhet gentemot syskonen lyste igenom i vartenda stycke av stadgarna.

Han var också den enda anledningen till att anläggningen inte sålts för länge sedan. Större delen av marken omfattades av ett naturvårdsavtal och kunde aldrig bebyggas. Resten begränsades av servitut som dikterade hur marken fick användas. Stiftelsen krävde att styrelsen enades innan stora ändringar gjordes och många gånger genom åren hade olika skithögar vid namn McAlpine hamnat i bråk och vägrat ge sitt godkännande av ren illvilja. Att Mercys pappa var den största skithögen i en lång rad skithögar borde inte ha varit någon överraskning.

Men här stod de nu.

Mercy rätade på ryggen och gick längs den långa hallen till bakre delen av huset. Ögonen tårades i det skarpa solskenet som föll in först genom de öppningsbara fönstren, sedan genom det välvda dekorfönstret och de eleganta vikdörrarna som ledde ut till verandans baksida. Rummen var som årsringarna på ett träd. Man kunde bocka av tidens gång med hjälp av gipsväggarna, strukturtaken och de avokadogröna köksmaskinerna som samsades med den splitternya Wolf-hällen med sex plattor i köket.

Där inne satt hennes föräldrar och väntade. Papas rullstol var inskjuten under det runda pelarbordet som Dave byggt efter olyckan. Bitty satt intill honom, rak i ryggen, med trutande läppar och handen vilade på en hög med scheman. Hon såg på något vis tidlös ut. Det fanns knappt en rynka i ansiktet. Hon hade alltid sett mer ut som Mercys äldre syster än hennes mamma. Om man bortsåg från den ogillande uppsynen, alltså. Som vanligt började Bitty inte le förrän hon fick syn på Dave. Då sken hon upp som om Elvis just burit in Jesus själv över tröskeln.

Mercy lade knappt märke till det. Delilah syntes inte till, vilket fick tankarna att börja snurra igen. Var gömde hon sig? Varför var hon här? Vad ville hon? Hade hon mött Jon längs den smala vägen?

"Ska det vara så svårt att komma i tid?" Papa tittade demonstrativt på köksklockan. Han hade ett armbandsur, men det var ansträngande att vrida på handleden. "Sätt er."

Dave struntade i ordern och kysste Bittys kind. "Mår du bra, mamma?"

"Bara fint, raring." Bitty klappade honom på kinden. "Sätt dig nu."

Den lätta beröringen fick orosrynkorna i Daves panna att slätas ut en liten stund. Han blinkade åt Mercy när han drog ut stolen. *Mammas lilla pojke.* Fisken satte sig som vanligt på hennes vänstra sida, med blicken riktad ned i golvet och händerna i knäet. Inga överraskningar där.

Mercy såg på sin pappa. Han hade fler ärr i ansiktet än hon numera och djupa rynkor som letade sig ut från ögonvrårna tills de mötte fårorna som grävt sig in i kinderna. Trots att han fyllt sextioåtta i år såg han ut som en nittioåring. Han hade alltid varit en aktiv friluftsmänniska. Före cykelolyckan hade Mercy aldrig sett honom sitta still längre än vad det tog att skyffla in maten i munnen. Bergen var hans hem. Han kände till varje centimeter av vandringslederna. Kunde namnge alla fåglarna. Alla blommorna.

Gästerna avgudade honom. Männen ville ha hans liv. Kvinnorna ville ha hans målmedvetenhet. De kallade honom sin favoritguide, sin inspiration, sin mentor.

Han var inte deras pappa.

"Då så, barn." Bitty startade alltid familjemötet med samma fras, som om de fortfarande var småbarn. Hon lutade sig fram för att dela ut sina scheman. Hon var en liten kvinna, knappt över en och femtio, med mild röst och kerubansikte. "Det kommer fem par idag. Ytterligare fem på torsdag."

"Fullbelagt igen", sa Dave. "Bra jobbat, Mercy Mac."

Papas vänsterhand grep hårt om rullstolens armstöd. "Vi måste ta in extra guider till helgen."

Det dröjde lite innan Mercy hittade rösten. Skulle de verkligen ha det här mötet som om Delilah inte stod och lurade i skuggorna? Det var tydligt att Papa hade planerat något. Det enda hon kunde göra var att spela med.

"Jag har redan bokat Xavier och Gil", sa hon. "Jedediah står på standby."

"'Standby'?" frågade Papa. "Vad fan betyder det?"

Mercy svalde erbjudandet om att googla det åt honom. De hade strikta regler kring hur många guider som behövdes – inte bara av säkerhetsskäl utan också för att deras skräddarsydda upplevelser drog in stora pengar. "Ifall en gäst anmäler sig till fotvandringen i sista sekunden."

"Då säger du att det är för sent. Vi lämnar inte guiderna i sticket. De jobbar för pengar, inte löften."

"Jed har inget emot det, Papa. Han sa att han skulle komma om han kunde."

"Och om han inte kan?"

Mercy skar tänder. Han flyttade alltid fram målstolparna. "Då följer jag själv med gästerna längs vandringsleden."

"Och vem ska ta hand om det här stället medan du spatserar runt i bergen?"

"Samma människor som tog hand om det när du gjorde det."

Papas näsborrar vidgades ilsket. Bitty såg djupt besviken ut. Det hade gått mindre än en minut av mötet och de hade redan nått ett dödläge. Mercy skulle aldrig vinna. Hon kunde springa fort eller långsamt, marken bestod ändå av kvicksand.

"Jaha", sa Papa. "Du tänker bara göra som du vill, alltså."

Han gav sig inte. Han fick sista ordet samtidigt som han förmedlade att hon hade fel. Mercy var på väg att svara, men Dave tryckte sitt ben mot hennes under bordet för att få henne att släppa saken.

Papa hade ändå redan gått vidare. Han vände blicken mot Fisken. "Christopher, du måste visa dig från din bästa sida när du pratar med investerarna. De heter Sydney och Max och är en kvinna och en man, men det är hon som bestämmer. Ta med dem upp till vattenfallen så att de garanterat får napp. Tråka inte ut dem med ditt ekologisnack."

"Absolut. Jag förstår." Fisken hade en magisterexamen i naturresursförvaltning med inriktning mot fiskeri- och vattenvetenskap från UGA. Gästerna blev ofta hänförda över hans passionerade inställning. "Jag tänkte att de kanske skulle gilla ..."

"Dave", sa Papa. "Vad händer med ungkarlsstugorna?"

Dave tog god tid på sig att svara, och hans passiva aggressivitet sköljde över alla kring bordet. Långsamt lyfte han handen och kliade sig på hakan. "Jag hittade lite torröta i den tredje stugan", sa han till sist. "Jag blev tvungen att riva ut baksidan och börja om. Rötan kanske har spritt sig till grunden. Vem vet?"

Papas näsborrar vidgades igen. Han hade ingen möjlighet att kontrollera huruvida Dave talade sanning. Han kunde inte ta sig till den delen av anläggningen ens om de spände fast honom på en terränghjuling.

"Jag vill ha bilder", sa Papa. "Dokumentera skadorna. Och se till att ställa undan dina jäkla grejer. Det är en storm på väg. Jag tänker inte betala för en ny bordssåg bara för att du inte hade vett att skydda den gamla från regnet."

Dave petade bort smuts under en nagel. "Okej, Papa."

Mercy såg sin pappas vänsterhand släppa taget om rullstolens armstöd. För två år sedan skulle han ha kastat sig över bordet. Nu måste han spara all energi han hade för att ens orka klia sig i röven.

"När vill du att jag träffar investerarna?" frågade hon.

Frågan fick Papa att fnysa till. "Varför skulle du träffa dem?"

"För att det är jag som är föreståndare här. För att jag har kalkylbladen och balansräkningen. För att jag är en McAlpine. För att vi alla har lika stor del i stiftelsen. För att jag har rätt till det."

"Du har rätt att knipa igen truten innan jag gör det åt dig." Papa vände sig till Fisken. "Varför är Chuck här igen? Vi är inget härbärge för hemlösa."

Mercy sneglade på Dave. Han tog det som en uppmaning att låta bomben brisera. "Tänker ni berätta vad Delilah gör här?"

Bitty skruvade besvärat på sig i stolen.

Papa sprack upp i ett leende, vilket alltid väckte en särskild sorts rädsla. Hans grymhet lämnade alltid tydliga spår. "Varför tror ni att hon är här?"

"Jag tror ..." Dave trummade med fingrarna mot bordet. "Jag tror att investerarna inte är här för att investera utan för att köpa hela stället."

Fisken tappade hakan. "Vad?"

Mercy hade ingen luft kvar i lungorna. "S-så kan du inte göra. Stiftelsen ..."

"Det är redan klart", sa Papa. "Vi måste komma härifrån innan du kör stället i botten."

"Kör det i botten?" Mercy trodde knappt sina öron. "Vad i helvete säger du?"

"Mercy!" väste hennes mamma. "Svär inte."

"Vi är fullbokade hela säsongen!" Hon kunde inte sluta skrika. "Vinsten har ökat med trettio procent!"

"Och det slösade du bort på marmorbadrum och tjusiga lakan."

"Vilket vi redan tjänat in på återkommande bokningar."

"Och hur länge varar det?"

"Så länge du håller dig utanför!"

Mercy hörde hur ilsket gäll hennes röst lät när den studsade runt i rummet. Samvetskvalen fyllde henne. Hon hade aldrig talat till sin pappa på det viset förut. Det hade ingen av dem.

De hade varit för rädda.

"Mercy", sa Bitty. "Sätt dig, flicka lilla. Visa lite respekt."

Mercy sjönk långsamt ned på stolen. Tårarna rann. Det här var ett sådant svek. Hon var en McAlpine. Hon skulle bli den sjunde generationen här. Hon hade gett upp allt – precis allt – för att stanna kvar här.

"Mercy", upprepade Bitty. "Be din pappa om ursäkt."

Mercy skakade på huvudet. Hon försökte svälja de vassa skärvorna i halsen.

"Lyssna på mig nu, fröken Trettio procent." Papas röst skar upp huden som ett rakblad. "Vilken idiot som helst kan lyckas med en bra säsong. Det är de magra åren som kommer att krossa dig. Du klarar inte pressen."

Hon torkade tårarna. "Det vet du inte."

Han skrattade till. "Hur många gånger har jag behövt betala din borgen? Betala för din avvänjning? Dina advokater? Din villkorliga frigivning? Ge sheriffen en slant för att han ska se mellan fingrarna? Ta hand om din son för att du är så full att du pissar på dig?"

Mercy stirrade på spisen bakom hans ena axel. Det här var den djupaste delen av kvicksanden, den som hon aldrig någonsin skulle ta sig ur.

"Delilah kom hit för att rösta, eller hur?" sa Dave.

Papa svarade inte.

"Stiftelsens regler säger att man måste ha sextio procent av rösterna för att sälja den kommersiella delen av verksamheten. Du satte mig på att renovera stugorna för att vi skulle kunna inkludera dem i den kommersiella delen, eller hur?"

Mercy hörde knappt vad han sa. Familjestiftelsens regler var enormt invecklade. Hon hade aldrig riktigt satt sig in i formuleringarna eftersom det aldrig spelat någon roll. Varje generation under de föregående decennierna hade antingen hatat stället tillräckligt mycket för att lämna det eller motvilligt arbetat för allas bästa.

"Vi är sju stycken", sa Dave. "Det innebär att du behöver fyra röster för att sälja."

Mercy skrattade förvånat till. "Det har du inte. Jag röstar för Jons räkning tills han fyller arton. Vi säger nej, båda två. Dave säger nej. Fisken säger nej. Du har inte tillräckligt många röster. Inte ens om man räknar med Delilah."

"Christopher." Papa spände ögonen i Fisken. "Stämmer det?"

"Jag ..." Fisken tittade ned i golvet. Han älskade den här marken, kände till varje kulle och dal, varje fint fiskeställe och alla lugna små platser. Men det hindrade honom inte från att vara sitt vanliga jag. "Jag vill inte hamna i mitten här. Jag förklarar mig jävig. Eller avstår från att rösta. Vad ni nu vill kalla det. Jag säger inget."

Mercy önskade att reträtten förvånat henne. "Då har vi femtio procent var", sa hon till sin pappa. "Femtio är inte sextio."

"Nu ska du få höra en annan siffra", sa Papa. "Tolv miljoner dollar."

Mercy hörde Dave svälja. Pengar förändrade honom alltid. Det var doktor Jekyll-drycken som förvandlade honom till ett monster.

"Hälften går bort i skatt", sa Mercy. "Sex miljoner delat på sju personer. Papa och Bitty får lika stora delar. Fisken får sin del oavsett om han röstar eller inte."

"Jon också", sa Dave.

"Dave, snälla du." Hon väntade på att han skulle titta på henne. Han var för upptagen av att se dollartecken och fundera på allt han kunde köpa och alla han kunde imponera på. Mercy befann sig i ett rum fullt av människor, omgärdad av sin familj. Men som vanligt var hon alldeles ensam.

"Tänk på vad ni skulle kunna göra med så mycket pengar", sa Bitty. "Resa. Starta egna firmor. Kanske börja plugga igen?"

Mercy visste precis vad de skulle göra. Jon skulle inte kunna behålla pengarna. Dave skulle knarka och supa upp sin del och ändå vilja ha mer. Fisken skulle donera allt till något jäkla vatten-skyddsprojekt. Mercy skulle få hålla hårt i pengarna, för hon var en dömd brottsling med två rattfyllor som hoppat av high school för att få barn. Vem visste om pengarna skulle räcka tills hon blev gammal? Om hon ens överlevde så länge.

Men hennes föräldrar skulle klara sig fint. De hade livränta och pension. Olycksfallsförsäkringen hade täckt Papas sjukhusräk-ningar och rehabilitering. De omfattades av den allmänna sjuk-vårdsförsäkringen och fick både bidrag och vinstutdelning från campingen. De behövde inte pengarna. De hade allt de behövde.

Förutom tid.

"Hur lång tid tror du att du har kvar?" frågade hon sin pappa.

Han blinkade till. Ett ögonblick sänkte han garden. "Vad pratar du om?"

"Du gör ingen sjukgymnastik. Du vägrar göra dina andningsövningar. Du lämnar bara huset för att kontrollera vad jag gör." Mercy ryckte på axlarna. "Covid eller RS-virus eller en rejäl influensa kan ta död på dig nästa vecka."

"Merce", mumlade Dave. "Vi behöver inte bli elaka."

Mercy torkade tårarna. Den gränsen hade hon passerat för länge sedan. Hon ville såra dem på samma sätt som de hela tiden sårade henne. "Och du, mamma? Hur länge dröjer det innan cancern är tillbaka?"

"Herregud", sa Dave. "Nu går du för långt."

"Men att stjäla min födslorätt är okej?"

"Din födslorätt", fnös Papa. "Dumma kossa. Vill du veta vad som hände med din födslorätt? Ta dig en titt på ditt fula tryne i spegeln."

En vibration fortplantade sig genom Mercys kropp. En slags spänning. En vämjelig fasa.

Papa hade inte rört sig, men det kändes som om hon var en tonåring med hans händer om halsen igen. Som om han grabbade tag i hennes hår när hon försökte smita undan. Ryckte så hårt i hennes arm att det knakade i senorna. Hon var sen till skolan igen, sen till jobbet igen, hade inte gjort läxorna, hade gjort läxorna för snabbt. Han jagade alltid efter henne, boxade henne på armen, gav henne blåmärken på benen, slog henne med bältet eller piskade henne med repet i ladan. Han hade sparkat henne i magen när hon var gravid. Tryckt ned hennes ansikte i tallriken när hon mådde för illa för att äta. Låst hennes sovrumsdörr från utsidan så att hon inte kunde träffa Dave. Vittnat inför rätten om att hon förtjänade att sitta i fängelse. Sagt till en annan domare att hon var psykiskt sjuk. Till en tredje att hon var olämplig som mamma.

Nu såg hon honom med en plötslig, chockerande klarhet.

Papa var inte arg för att han förlorat så mycket i cykelolyckan.

Han var arg över att Mercy vunnit så mycket.

"Dumma gamla gubbe." Rösten som kom från hennes mun lät besatt. "Jag har slösat bort nästan hela livet på det här eländiga stället. Tror du inte att jag har hört era samtal och era viskningar och era telefonkonversationer och era nattliga bekännelser?"

Papa hajade till. "Våga inte ..."

"Håll tyst", snäste Mercy. "Allihop. Varenda en av er. Fisken. Dave. Bitty. Till och med Delilah, var fan hon nu gömmer sig. Jag kan förstöra era liv i ett enda svep. Med ett enda telefonsamtal. Ett enda brev. Minst två av er skulle hamna i fängelse. Resten av er skulle aldrig kunna visa er ute igen. Inga pengar i världen kan köpa tillbaka era liv. Ni blir helt krossade."

Deras rädsla skapade en maktkänsla som Mercy aldrig upplevt förut. Hon såg dem fundera över hoten, överväga oddsen. De visste att hon inte bluffade. Mercy kunde bränna dem till aska utan att ens tända en tändsticka.

"Mercy", sa Dave.

"Vad är det, Dave? Säger du mitt namn eller ger du upp, som vanligt?"

Han sänkte hakan mot bröstet. "Jag säger bara att du borde vara försiktig."

"Varför det?" frågade hon. "Du vet att jag kan ta smällarna. Alla mina hemligheter ligger redan i öppen dager. De står skrivna i mitt fula tryne. De är ristade i den där gravstenen på kyrkogården i Atlanta. Det enda jag har kvar att förlora är det här stället, men om det går så långt drar jag er andra med mig i fallet. Det svär jag på."

Hotet räckte för att få tyst på allihop en kort, ljuvlig stund. I tystnaden hörde Mercy en bil på grusgången. Den gamla pickupen behövde en ny ljuddämpare, men hon var tacksam för varningen. Jon var strax hemma från staden.

"Vi pratar om det här efter middagen", sa hon. "Gästerna är på väg. Dave, fixa toaletten i stuga tre. Fisken, rengör kanoterna. Bitty, påminn kocken om att Chuck är allergisk mot jordnötter. Och Papa ... Jag vet att du inte kan göra så mycket, men håll din förbannade syster borta från min son."

Mercy lämnade köket. Hon gick förbi vikdörrarna och fönstren. I den mörka hallen lade hon handen på dörrhandtaget, men hejdade sig innan hon öppnade. Jon försökte backa in pickupen på rätt plats. Hon hörde växlarna protestera när han slant på kopplingen. Hon drog djupt efter andan och pressade långsamt ut luften mellan tänderna.

Det mörka rummet var fullt av historia. Svett och hårt slit och mark hade gått i arv i över etthundrasextio år. Väggarna täcktes av fotografier som markerade viktiga milstolpar. En dagerrotyp av fiskestugan. Sepiafärgade bilder av olika McAlpines som jobbade på området. Grävde den första brunnen. Beredskapsarbetarna som drog in elektriciteten. Awinita-lägrets uppkomst. Scoutpojkar som sjöng runt lägerelden. Gäster som grillade marshmallows vid sjön. Det första färgfotot visade upp det nyindragna avloppet. Ungkarlsstugorna. Flytbryggan. Trampbåthuset. Familjefotografierna. Generationer av McAlpines; äktenskapen och begravningarna och barnen och livet.

Mercy behövde inga fotografier. Hon hade sin historia nedtecknad. Dagböcker från barndomen. Liggare som hon hittat gömda på kontoret och stoppat längst in i ett gammalt skåp i köket. Anteckningsböckerna hon börjat föra. Där fanns hemligheter som skulle tillintetgöra Dave. Avslöjanden som skulle slita Fisken i stycken. Brott som skulle skicka Bitty i fängelse. Och alla ondskefulla handlingar som Papa begått för att det här stället inte skulle glida ur hans våldsamma, giriga nävar.

Ingen av dem skulle ta familjecampingen ifrån Mercy.

I så fall fick de döda henne först.

2

TIO TIMMAR FÖRE MORDET

Will började snabbt bli varse om att det var skillnad på att springa åtta kilometer varje dag på Atlantas gator och att fotvandra upp för ett berg. Kanske hade det varit en dålig idé att bara träna benmusklerna för en enda sak hela livet. Det hjälpte inte att Sara skuttade längs leden genom bergspasset som en gasell. Han hade alltid uppskattat att titta på när hon utförde sin morgonyoga. Will hade aldrig insett att hon i hemlighet förberedde sig för en Iron Man-tävling.

Han tog fram vattenflaskan ur ryggsäcken för att få en ursäkt att stanna. "Vi får inte bli uttorkade."

Saras illistiga leende avslöjade att hon visste precis vad han höll på med. Hon vände sig runt och såg på utsikten. "Det är så vackert här. Jag hade glömt hur trevligt det är att ha träd omkring sig."

"Vi har träd i Atlanta."

"Inte på det här viset."

Will måste medge att hon hade rätt. Utsikten över bergen skulle ha tagit andan ur honom om det inte känts som om vaderna var angripna av bålgetingar.

"Tack för att du tog med mig hit." Sara lade händerna på hans axlar. "Det här är ett perfekt sätt att börja vår smekmånad."

"Gårdagskvällen var rätt fantastisk också."

"Morgonen med." Hon kysste honom innerligt. "När måste vi vara på flygplatsen?"

Han log. Sara hade ansvarat för bröllopsplaneringen. Will ansvarade för bröllopsresan och han hade gjort allt för att hålla den hemlig. Han hade till och med bett Saras syster att packa hennes väska. Resväskorna hade redan fraktats till campingen. Han hade sagt till Sara att de skulle fotvandra under dagen och ha en mysig picknick innan de åkte tillbaka till Atlanta och flög till resmålet.

"När vill du vara på flygplatsen?" frågade han.

"Flyger vi under natten?"

"Gör vi?"

"Blir vi sittande länge? Är det därför du vill motionera lite först?"

"Blir vi?"

"Du kan sluta nu." Sara drog honom lekfullt i örat. "Tessa har berättat allt för mig."

Will gick nästan på det. Sara stod sin syster väldigt nära, men det fanns ingen chans att Tessa skvallrat. "Bra försök."

"Jag måste veta vad jag ska packa", sa hon, vilket var sant men också listigt. "Behöver jag en baddräkt eller en tjock jacka?"

"Ska vi till stranden eller till Sydpolen, menar du?"

"Tänker du verkligen låta mig vänta ända till ikväll?"

Will hade funderat på när han skulle berätta vart de skulle. Skulle han vänta tills de nådde campingen? Borde han säga något innan de kom fram? Skulle hon bli nöjd med hans val? Trodde hon att de skulle åka till något romantiskt ställe, som Paris? Han kanske borde ha tagit med henne till Paris. Om han donerade tillräckligt mycket blod skulle han förmodligen ha råd att hyra in sig på ett vandrarhem.

"Älskling." Sara slätade ut rynkorna i Wills panna med tummen. "Var vi än hamnar blir jag lycklig eftersom jag är tillsammans med dig."

Hon kysste honom igen och han bestämde sig för att det här tillfället var lika bra som något annat. Om hon blev besviken skulle de åtminstone inte ha någon publik.

"Vi sätter oss", sa Will.

Han hjälpte henne med ryggsäcken. Plasttallrikarna slamrade mot tennbesticken när de landade på marken. De hade redan ätit lunch vid en äng full av betande hästar. Will hade ätit en flott macka från det franska bageriet i Atlanta, vilket bara bekräftat att han inte var den sortens man som gillade flotta mackor.

Men Sara hade varit förtjust och det var det enda som betydde något.

Will tog försiktigt Saras hand när de satte sig mittemot varandra på marken. Tummen sökte sig automatiskt till hennes ringfinger. Den lekte med den smala vigselringen som gjort hans mammas gamla ring sällskap där. Will tänkte på vigselceremonin, på lyckokänslan som inte lämnat honom sedan dess. Faith, hans partner på GBI, hade stått vid hans sida. Han hade dansat med sin chef, Amanda. Hon var mer som en mor för honom – den typen av mor som skulle skjuta honom i benet så att han blev det första offret om de var jagade av skurkar.

"Will?" sa Sara.

Han kände munnen dras till ett besvärat leende. Helt plötsligt var han nervös. Han ville inte göra henne besviken. Han ville inte pressa henne för mycket, heller. Campingen kanske var en hemskt dålig idé. Hon kanske skulle hata den.

"Vad tyckte du bäst om under bröllopet?" frågade hon.

Wills leende blev lite mer avslappnat. "Din klänning var vacker."

"Det var rart sagt", sa hon. "Jag tyckte bäst om när alla gick och du knullade mig mot väggen."

Han frustade till. "Får jag ändra mitt svar?"

Hon rörde lätt vid hans kind. "Berätta nu."

Will drog djupt efter andan och tvingade sig att sluta grubbla. "När jag var barn fanns det en kyrka som anordnade sommaraktiviteter för barnhemmet. De tog med oss till Six Flags, eller också gick vi till The Varsity och åt varmkorv eller på bio och såg en film."

Saras leende blev mjukare. Hon visste att livet på barnhemmet inte hade varit lätt.

"De skickade barn på sommarläger också. Två veckor i bergen. Jag fick aldrig åka, men de som fick det ... De pratade inte om något annat under resten av året. Kanoter och fiske och fotvandring. Allt sådant."

Sara knep ihop läpparna. Hon räknade efter i huvudet. Will hade varit på barnhemmet tills han fyllde arton. Det var statistiskt omöjligt att han inte fått åka till lägret en enda gång.

"De gav oss bibelverser som vi måste memorera", förklarade Will. "Man var tvungen att läsa upp dem inför hela kyrkan. Läste man rätt fick man åka på lägret."

Sara svalde hårt.

"Fan också, förlåt mig." Typiskt Will att göra Sara ledsen på bröllopsresan. "Jag valde att låta bli. Det berodde inte på dyslexin. Jag kunde memorera orden, men jag ville inte prata inför folk. De försökte hjälpa oss att träna bort blygheten, tror jag. Lära oss hur man talar inför främlingar eller håller en presentation eller ..."

Hon tog hans hand.

"Hur som helst." Han måste komma fram till poängen. "Jag fick höra allt om lägret i slutet av varje sommar – ungarna kunde inte sluta babbla om det – och jag tänkte att det skulle vara roligt att åka hit. Inte för att tälta, för jag vet att du hatar det."

"Det stämmer."

"Men de har en stugby med eko-inriktning som man kan fotvandra till. Det går inte att köra ända fram. Den har tillhört samma familj i åratal. De har guider som tar med en ut längs mountainbike-lederna och på fisketurer och på brädpaddling och ..."

Hon avbröt honom med en kyss. "Jag älskar det."

"Är det säkert?" frågade Will. "För det är inte bara sådant som jag gillar. Jag bokade massage åt dig och de har gryningsyoga vid sjön. Och det finns varken wifi eller TV eller mobiltäckning."

"Jösses." Hon såg riktigt häpen ut. "Vad ska du göra?"

"Jag ska knulla dig mot varenda vägg i stugan."

"Får vi en egen stuga?"

"Hallå där!"

De vände sig mot ljudet. En man och en kvinna kom gående knappt tjugo meter efter dem på stigen. De hade vandringskläder och ryggsäckarna såg så nya ut att Will undrade om de tagit bort prislapparna i bilen.

"Ska ni till campingen?" ropade mannen. "Vi har gått vilse."

"Det har vi inte alls", muttrade kvinnan. De bar vigselringar, men blicken hon gav sin man fick Will att misstänka att hon inte var helt nöjd med sin äktenskapliga status. "Det finns väl bara en vandringsled dit, eller hur?"

Sara såg på Will. Han hade visat vägen under deras vandring och det fanns mycket riktigt bara en led, men han tänkte inte lägga sig i. "Jag heter Sara", sa hon till paret. "Det här är min man, Will." Will harklade sig medan han reste sig. Det var första gången Sara kallade honom det.

Mannen tittade upp på Will. "Oj, hur lång är du? En och nittio? En och nittiotre?"

Will svarade inte, men det verkade inte bekymra mannen.

"Jag heter Frank. Det här är Monica. Har ni något emot att vi slår följe med er?"

"Det går bra." Sara lyfte upp ryggsäcken. Blicken hon gav Will var en tydlig påminnelse om att det var skillnad på besvärade tystnader och ren oartighet.

"Jaha", sa han. "Fin dag, eller hur? Bra väder."

"Jag hörde att det kanske skulle bli storm", sa Frank.

Monica muttrade lågt.

"Hitåt, eller hur?" Frank tog ledningen och började gå framför Sara. Stigen var så smal att Will inte hade något annat val än att gå sist, bakom Monica. Flåsandet antydde att kvinnan inte njöt särskilt mycket av vandringen. Hon var inte heller helt rustad för den. Hennes slip on-sneakers gled hela tiden på stenarna.

"... fick idén att komma hit", sa Frank. "Jag älskar friluftsliv, men jag är så upptagen på jobbet."

Monica fnös igen. Will såg på Frank över hennes huvud. Mannen hade använt någon slags spray för att täcka över sin skära flint. Svetten fick färgen att rinna ned och bilda en mörk ring på kragen.

"... och sedan sa Monica, 'Om du lovar att sluta tjata om det följer jag med'." Franks röst påminde om en slagborr. "Och då blev jag tvungen att ta ledigt från jobbet, vilket inte var enkelt. Jag basar över åtta personer."

Franks sätt att prata fick Will att tro att mannen tjänade mindre pengar än frun och att det störde Frank. Will tittade på klockan. Enligt campingens hemsida brukade vandringen dit ta två timmar. Will och Sara hade stannat för att äta lunch, så de hade kanske tio eller femton minuters gångväg kvar. Eller tjugo, eftersom Frank gick så långsamt.

Sara sneglade på Will över axeln. Hon tänkte inte ta hela smällen själv. Will skulle bli tvungen att småprata lite till.

"Hur hörde ni talas om det här stället?" frågade han Frank.

"Google", sa Frank.

"Tack för det, Google", mumlade Monica.

"Vad jobbar ni med?" undrade Frank.

Will såg Sara räta på axlarna. Ett par veckor tidigare hade de kommit överens om att det skulle vara enklare att ljuga om vad de jobbade med, oavsett vart de åkte på bröllopsresa. Will ville inte bli hyllad eller nedvärderad för att han jobbade som polis. Sara ville inte behöva lyssna på underliga medicinska problem eller livsfarliga vaccinteorier.

Innan Sara tappade modet, sa Will: "Jag är mekaniker. Min fru är kemilärare på high school."

Han såg Sara le. Det var första gången han kallade henne sin fru.

"Åh, jag var värdelös på NO", sa Frank. "Monica är tandläkare. Läste du kemi, Monica?"

Monicas svar liknade snarare en grymtning. Will gillade henne.

"Jag jobbar med IT på försäkringsbolaget Afmeten", sa Frank. "Oroa er inte, ingen har hört talas om dem. Vi vänder oss främst till individer med hög förmögenhet och institutionella investerare."

"Titta, fler fotvandrare", sa Sara.

Tanken på mer folk gav Will en klump i magen. Mannen och kvinnan måste ha slunkit förbi dem på vandringsleden när Sara och Will åt lunch. De var lite äldre, förmodligen runt femtiofem, men mer beslutsamma och bättre rustade för vandringen.

Båda log medan de väntade in gruppen.

"Ni måste vara på väg till McAlpines familjecamping", sa mannen. "Jag heter Drew och det här är min sambo Keisha."

Will väntade på att det skulle bli hans tur att skaka hand och försökte låta bli att tänka på hur ljuvligt det känts att vara ensam med Sara. Bilder från campingens hemsida flimrade förbi i hjärnan. Måltider lagade av en riktig kock. Guidade vandringar. Flugfiskeutflykter. På nästan alla bilder fanns två eller tre par som njöt av tillvaron. Det var först nu som Will insåg att de där paren förmodligen inte känt varandra innan de kom till campingen.

Det här skulle sluta med att han fick paddla bräda med Frank.

"Ni missade just Landry och Gordon", sa Keisha. "De skyndade före oss. Det är första gången de är här. De är apputvecklare."

"Jaså?" sa Frank. "Nämnde de vilken app de utvecklat?"

"Vi var för upptagna av utsikten för att prata om något annat." Drew lade handen på Keishas höft. "Vi har lovat varandra att inte prata om jobbet på hela veckan. Vill ni vara med?"

"Absolut", sa Sara. "Ska vi gå?"

Will hade aldrig älskat henne så mycket som han gjorde just då.

Tystnaden sänkte sig över sällskapet när de gick längs den vindlande stigen upp för berget. Trädkronorna blev allt tätare. Stigen smalnade igen och de blev tvungna att gå på led. En välvårdad gångbro tog dem över ett forsande vattendrag. Will tittade ned på det strömmande vattnet. Han undrade hur ofta forsen svämmade över, men släppte tanken när Frank började debattera skillnaden mellan bäckar och floder med sig själv. Sara log plågat mot Will medan Frank snattrade som en and precis bakom henne. Will hade på något vis hamnat näst längst bak i raden. Han hade Drew framför sig. Monica gick sist, med nedböjt huvud. Hon halkade fortfarande på stenarna. Will hoppades att hon hade vandringskängor i väskorna som körts till campingen. Själv bar han militärkängor från HAIX. Han skulle förmodligen kunna klättra upp för en husfasad, om inte vaderna exploderade först.

Frank slutade äntligen prata när de blev tvungna att ta sig över en stenig bit av leden. Tack och lov fortsatte tystnaden när stigen breddades och det blev enklare att gå. Sara lyckades släppa förbi Frank så att hon kunde prata med Keisha. Snart skrattade de båda kvinnorna tillsammans. Will älskade att Sara var så lättsam. Hon kunde hitta något hon hade gemensamt med nästan vem som helst. Det kunde inte Will, men han fick inte glömma att de skulle umgås med de här människorna i sex dagar. Inte blicken Sara gett honom tidigare, heller. Han måste dra sin del av lasset i samtalet. Will var egentligen bara bra på att småprata när han satt mittemot en misstänkt brottsling.

Han tänkte på de övriga gästerna och funderade på vilken sorts brottslingar de hypotetiskt sett skulle kunna vara. Med tanke på campingens höga priser borde minst tre av dem luta åt ekonomisk brottslighet. Frank skulle säkerligen vara inblandad i något som hade med kryptovalutor att göra. Keisha såg ut att vara slug och kompetent nog för förskingring. Drew påminde Will om en kille han satt dit för ett Ponzibedrägeri som involverade kosttillskott. Då återstod Monica, som faktiskt såg ut att vilja mörda Frank. Will trodde att hon skulle ha störst chans att komma undan med sitt brott. Hon skulle ha alibi. Hon skulle ha en advokat. Hon skulle definitivt inte prata med utredarna.

Och han skulle ha rätt svårt att klandra henne för mordet.

"Will", sa Drew. Det var så man påbörjade ett samtal om man inte gick och föreställde sig folk som brottslingar. "Är det första gången ni åker hit?"

"Ja." Will talade lågt eftersom Drew gjorde det. "Ni, då?"

"Tredje gången. Vi älskar det här stället." Han satte tummarna i ryggsäckens öglor. "Keisha och jag har en cateringfirma i West Side. Det är svårt att ta ledigt. Hon fick släpa hit mig första gången. Jag trodde att jag var på väg in i chocktillstånd första dagen. Men sedan ..."

Will såg honom slå ut med armarna och dra in ett djupt, renande andetag.

"Att vara i naturen liksom nollställer en", sa Drew. "Förstår du vad jag menar?"

Will nickade, men var ändå orolig. "Sker alla aktiviteter i grupp?"

"Man äter tillsammans. Vid aktiviteterna är man aldrig mer än fyra personer per guide."

Will gillade inte oddsen. "Hur sker fördelningen?"

"Man kan be om att paras ihop med ett visst par", sa Drew. "Varför tror du att jag sackade efter för att få prata med dig?"

Det var rätt uppenbart. "Finns det verkligen ingen internetuppkoppling? Ingen mottagning?"

"Inte för oss." Drew log. "De har en fast telefon för nödlägen. Personalen har wifi, men får inte lämna ut lösenordet. Tro mig, jag försökte beveka dem första gången vi var där. Men Papa är stenhård."

"Papa?"

"Jisses!" hojtade Frank.

Will såg ett rådjur pila över stigen. Nästan hundra meter längre fram låg en stor glänta. Solskenet strålade ned mellan träden. Will såg en regnbåge kröka sig över den blå himlen. Det liknade en film. Det enda som saknades var en sjungande nunna. Han kände hur hjärtat saktade ned i bröstet. Lugnet tog över. Sara tittade på honom igen. Hon hade ett stort leende på läpparna. Will andades ut luften han inte visste att han hållit kvar i lungorna.

Hon var glad.

"Här." Drew räckte en karta till Will. "Den är gammal, men den hjälper er att hitta."

Gammal var rätta ordet. Kartan såg ut att vara från sjuttiotalet, med ditklistrade bokstäver och linjer som markerade olika intressanta platser. I den övre fjärdedelen löpte den större vandringsleden som en oregelbunden lassoögla, medan streckade linjer markerade de mindre stigarna. Will såg gångbron över forsen. Skalan måste vara felaktig. De hade gått i minst tjugo minuter för att nå hit. Kartan hade McAlpines logga i hörnet och Will gissade att ägarna inte varit ute efter en exakt återgivning.

Han granskade bilden medan han gick. Det stora huset längst ned i lassoöglan verkade vara anläggningens mittpunkt. Han antog att de mindre husen var stugor. De var numrerade från ett till tio. Den åttakantiga byggnaden var matsalen, om man fick tro bilden av en tallrik och bestick som ritats intill den. En annan stig ledde till ett vattenfall där fiskstim hoppade genom luften. En annan till ett redskapsskjul med kanoter. Ytterligare en slingrade sig till ett båthus. Sjön var formad som en lutande snögubbe. Huvudet var tydligen en badplats. Där fanns en flytbrygga. Det fanns en utsiktsplats med en bänk.

Will lade märke till att det bara fanns en väg in på området. Den slutade vid huvudbyggnaden. Han antog att vägen korsade älven någonstans i närheten av gångbron och fortsatte in till staden. Familjen bar knappast in varuleveranserna själva. Ett ställe i den här storleken måste kunna ta emot stora leveranser och ha ett sätt för personalen att ta sig dit och därifrån. De behövde också vattenledningar och elektricitet. Han antog att telefonledningen var nedgrävd. Ingen ville bli fast i en Agatha Christie-deckare.

"Ja, jäklar", sa Drew. "Det här tröttnar man aldrig på."

Will tittade upp. De hade kommit ut i gläntan. Huvudbyggnaden var en enda röra av dålig arkitektur. Övervåningen såg ut att ha slängts dit utan eftertanke. Bottenvåningen hade tegel på ena sidan och fjällpanel på den andra. Det verkade finnas två huvudingångar, en på framsidan och en på sidan. En tredje, mindre trappa fanns på baksidan, tillsammans med en rullstolsramp. Den rymliga verandan som löpte runt huset gjorde sitt bästa för att få allt att se enhetligt ut, men inget kunde förklara de omaka fönstren. En del av de smala fönsterspringorna påminde Will om cellerna i Fulton Countys häkte.

En kvinna som såg ut att vara van vid friluftsliv stod vid sidotrappan. Hennes blonda hår var samlat i en stram hästsvans. Hon bar cargoshorts och en vit skjorta ihop med lavendelfärgade Nike-skor. På bordet intill henne fanns en uppsjö av tilltugg, vattenmuggar och champagneglas. Will tittade bakom sig för att försäkra sig om att Monica var kvar. Hon hade vaknat till liv när hon fick se bordet. Hon passerade Will på upploppet, snappade åt sig ett champagneglas och tömde det i en klunk.

"Jag heter Mercy McAlpine och är campingens föreståndare", sa friluftskvinnan till gruppen. "På egendomen bor tre generationer McAlpine. Vi vill hälsa er välkomna till vårt hem. Låt mig gå igenom några regler och säkerhetsföreskrifter som hastigast medan jag har er uppmärksamhet, så ska jag gå vidare till de roliga bitarna sedan."

Sara stod som väntat längst fram och lyssnade uppmärksamt, som den vackra nörd hon var. Frank lämnade inte hennes sida. Keisha och Drew höll sig i bakgrunden med Will, som klassens värstingar. Monica tog ett glas champagne till och satte sig på nedersta trappsteget. En muskulös katt strök sig mot hennes ben. Will såg ytterligare en katt slänga sig på marken och rulla över på rygg. Apputvecklarna Landry och Gordon hade säkert redan hört introduktionen och kunde nu njuta av ensamheten.

"Om det mot förmodan skulle uppstå ett nödläge – en eldsvåda eller farligt väder – kommer ni att höra oss ringa i den här klockan." Mercy pekade på en stor klocka som hängde på en stolpe. "Om ni hör klockan ber vi er att samlas på parkeringen på andra sidan huset."

Will åt brownies och chips medan Mercy gick igenom utrymningsplanen. Sedan började det kännas lite för mycket som en genomgång på jobbet, så han slutade lyssna och såg sig omkring i stället. Gården påminde om ett collegecampus från någon TV-serie. Blommor prunkade i lerkrukor. Det fanns parkbänkar och gräsmattor och stenlagda ytor där katterna säkert brukade ligga och sola sig.

Åtta stugor med små trädgårdar stod runt huvudbyggnaden. Will antog att de andra två låg längre bort längs lassoöglan. Det betydde förmodligen att familjen bodde tillsammans i huvudbyggnaden. Will gissade att det fanns minst sex sovrum på övervåningen. Han kunde inte begripa varför folk valde att bo så tätt inpå varandra. Å andra sidan bodde Saras syster i lägenheten under hennes, så Will kanske bara tänkte för mycket på barnhemmet och för lite på TV-seriefamiljen Walton.

"Och nu till det roliga", sa Mercy.

Hon började dela ut broschyrer. Tre par, tre uppsättningar. Sara bläddrade ivrigt. Hon älskade informationspaket. Wills uppmärksamhet drogs till Mercy igen medan kvinnan gick igenom hur aktiviteterna fungerade, var de skulle träffas och vilken utrustning som tillhandahölls. Hennes ansikte var oansenligt, så när som på det långa ärret som löpte från pannan, över ena ögonlocket, ned längs näsan och sedan gjorde en skarp sväng mot käken. Will var väl förtrogen med ärr som uppstod på grund av våld. En knytnäve eller en sko kunde inte vara så precis. Ett knivblad kunde inte gå så rakt. Ett basebollträ kunde slå upp ett rakt sår, men ärren brukade bli veckade där slaget träffat som hårdast. Om Will fick gissa hade Mercys ärr orsakats av en vass metallbit eller glas. Det betydde en industriolycka eller någon slags bilolycka.

"Då fördelar vi stugorna." Mercy tittade ned på skrivtavlan hon hade i handen. "Sara och Will bor längst bort, i stuga tio. Min son Jon visar er vägen."

Mercy vände sig mot huset och ett varmt leende fick hennes ansikte att mjukna. Tonåringen som långsamt kom ned för verandatrappan missade helt hennes tillgivna min. Han verkade vara i sextonårsåldern och hade den där sortens hårda muskler som tonårspojkar fick bara av att existera. Will lade märke till att Jons blick dröjde sig kvar vid Sara. Sedan strök pojken tillbaka sitt lockiga hår och log så att hans raka, vita tänder blev synliga.

"Hejsan." Jon gick förbi Frank och riktade all sin charm mot Sara.

"Var det en trevlig vandringstur?"

"Ja, tack." Sara hade alltid haft god hand med barn, men hon missade att den här pojken inte alls tittade på henne som ett barn skulle ha gjort. "Heter du också McAlpine?"

"Japp. Jag är den yngsta generationen som bor här." Han körde fingrarna genom håret igen. Han kanske behövde en kam? "Kalla mig Jon. Jag hoppas att du ska trivas här hos oss."

"Jon." Will klev förbi Frank. "Jag är Will, Saras man."

Pojken fick böja huvudet bakåt för att möta Wills blick, men han fattade vinken och det var det viktigaste. "Den här vägen, sir."

Will gav tillbaka den handritade kartan till Drew, som nickade gillande. Det var ingen dålig start på veckan. Will hade gift sig med en vacker kvinna. Han hade bestigit ett berg. Han hade gjort Sara lycklig. Han hade avskräckt en pilsk tonåring.

Jon ledde dem över gården. Hans gångstil var lite larvig, som om han fortfarande försökte lära sig hur kroppen fungerade. Will mindes hur det kändes att inte veta från den ena dagen till den andra om man skulle vakna med mustasch eller en röst som gick upp i falsett som en liten flickas. Han skulle inte vilja återuppleva den tiden för alla pengar i världen.

De gick in på den ögleformade leden mellan stuga fem och sex. Här var gångvägen täckt av grus. En av katterna kilade in i snårskogen, förmodligen på jakt efter en jordekorre. Will uppskattade att det fanns lågspänningsbelysning som skulle hjälpa dem att hitta vägen på kvällarna. Mörkret i skogen var inte samma sak som mörkret i en stad. Trädkronorna bildade ett tak ovanför dem. Will kände temperaturen sjunka medan Jon drog ifrån dem längs stigen. Marken började slutta. Någon hade trimmat grenarna och slingerväxterna längs stigen, men det kändes ändå som om de var på väg djupt in i skogen.

"Den här stigen kallas Ögleleden." Sara hade slagit upp kartan i broschyren. Hon hade saktat ned så att avståndet mellan dem och Jon ökade. "Varvet runt är knappt en kilometer. Vi är på den övre halvan nu. Den nedre halvan kan vi kika på när vi går för att äta middag. Det tar oss förmodligen tio till femton minuter att gå till matsalen."

Wills mage kurrade.

Hon bläddrade fram kalendern och tittade förvånat upp på Will. "Du har anmält oss båda till morgonyogan."

"Jag tänkte ge det en chans." Will antog att han skulle göra bort sig fullständigt. "Din syster sa att du tycker om att fiska."

"Hon har rätt. Jag har inte fiskat sedan jag flyttade till Atlanta." Sara förde fingertoppen längs dagarna i kalendern. "Forsränning. Mountainbike. Det står inget om att du anmält dig till revirpinkning med tonåringar."

Will försökte dölja leendet. "Jag tror att de bjuder på första tillfället."

"Bra. Jag vill verkligen inte att du betalar för ett till försök."

Will fattade vinken, men Sara mildrade den genom att kroka fast sin arm i hans. Hon lutade huvudet mot hans axel medan de gick. En vänskaplig tystnad föll över dem. Sluttningen kändes inte så mycket, förutom att Wills vader påminde honom om att han inte var van vid den här sortens vandringar. Det var ingen kort promenad. Det hade säkert gått fem minuter innan stigen blev brantare igen. Träden glesnade. Himlen vecklades ut ovanför dem. På avstånd kunde Will se berg och dalar bre ut sig som en oändlig böljande matta. Han visste inte om det berodde på höjdskillnaderna eller solens gång, men utsikten var annorlunda varje gång han tittade. Världen omkring dem var en explosion av gröna nyanser. Luften var så ren att lungorna darrade.

Jon hade stannat. Han pekade på stället där stigen delade sig en bit framför dem. "Där nere ligger sjön. Man får inte bada när det är mörkt. Stuga tio ligger längst bort från huvudbyggnaden, men om ni tar vänster här leder stigen tillbaka runt till matsalen."

"Fanns det inte en lägerplats här någonstans?" sa Will.

"Awinita-lägret", sa Jon.

"Betyder *awinita* något särskilt på urbefolkningens språk?" frågade Sara.

"Det betyder hjortkalv på cherokesiska, men en gäst berättade att det egentligen är två ord och stavas med d – *ahwi anida*."

"Vet du var lägerplatsen ligger?" frågade Will.

"Den stängde när jag var liten." Jon ryckte på axlarna och fortsatte längs stigen. "Om ni är intresserade av sådant kan ni fråga min mormor, Bitty. Ni träffar henne under middagen. Hon vet mer om det här stället än någon annan."

Will såg Jon försvinna runt en krök. Han lät Sara gå före honom. Utsikten var ännu bättre bakifrån. Han tog in formen på hennes ben och rumpans rundning. De vältränade musklerna på hennes bara skuldror. Hon hade satt upp håret i en hästsvans. Nacken var täckt av en tunn hinna svett efter vandringen. Will var också svettig. De borde förmodligen ta en lång dusch tillsammans före middagen.

"Oj!" Sara tittade upp längs en utlöpare från stigen.

Will följde hennes blick. Jon var på väg upp för en stentrappa som såg ut att ha ristats in i berget av Tolkiens alver. Den kantades av ormbunkar. Mossa växte över stenarna kring den. Högst upp låg en liten stuga med rustik träpanel. Blomlådorna var fulla av färgglada växter. En soffgunga hängde på verandan. Will skulle inte ha kunnat bygga något så perfekt ens om han ägnat tio år åt att försöka.

"Det är som en saga." Saras röst var så behaglig. Hon var alltid vackrast när hon log. "Jag älskar det."

"Man ser tre stater från det här krönet", berättade Jon.

Sara tog kompassen från ryggsäcken. Hon slog upp kartan och pekade ut i luften. "Det där måste vara Tennessee, eller hur?"

"Det stämmer." Jon gick ned för trappan för att peka, han också. "Det där är östra sidan av Lookout Mountain. Stigen vid sjön har en utsiktsplats med en bänk där man ser den bättre. Vi befinner oss på Cumberlandplatån."

"Alltså ligger Alabama ditåt." Sara pekade bakom Will. "Och North Carolina ligger ditåt."

Will vände sig om. Det enda han såg var miljoner och åter miljoner träd som täckte bergskedjan. Han snurrade runt och såg hur eftermiddagssolen förvandlade en del av sjön till en spegel.

Häruppifrån såg sjön inte riktigt ut som en snögubbe, utan snarare som en enorm amöba vars bortre ände försvann i fjärran.

"Det där är Grunda viken", sa Jon. "Vattnet kommer från bergstopparna, så det är fortfarande ganska kallt så här års."

Sara höll upp broschyren som en bok och läste. "'McAlpine-sjön är cirka etthundrasextio hektar stor och upp till tjugo meter djup. Grunda viken, som nås via Sjöstigen, är fyra och en halv meter djup, vilket gör platsen perfekt för bad. Här finns svartabborre, glasögongös, blågälad solabborre och nordamerikansk abborre. Åttio procent av sjön omfattas av ett naturvårdsavtal och kan aldrig exploateras. Stuganläggningen gränsar till den trehundratusen hektar stora Muscogee-nationalparken i väster och den trehundratjugotusen hektar stora Cherokee-nationalparken i öster.'"

"Cherokee och Muscogee är två av stammarna som levde i det här området", sa Jon. "Campingen grundades efter inbördeskriget, för sju McAlpine-generationer sedan."

Will antog att markpriset hade varit minst sagt förmånligt – åtminstone för köparna. Ursprungsbefolkningen hade däremot förts bort från sina hem och tvingats marschera västerut.

Sara tittade på kartan. "Varför heter den här biten 'Försvunna änkans stig'?"

"Den går längs en brant ned mot sjön", berättade Jon. "Historien säger att den förste Cecil McAlpine, mannen som grundade det här stället, fick halsen avskuren av banditer. Hans fru trodde att han var död. Hon försvann längs den där stigen. Cecil överlevde, men det visste hon inte. Han sökte länge, men hittade henne aldrig."

"Du vet mycket om det här stället", sa Sara.

"Min mormor drillade mig varje dag när jag var liten. Hon älskar det här stället." Jon ryckte på axlarna, men Will såg att han rodnade av stolthet. "Är ni redo?"

Jon väntade inte på svar. Han gick upp för trappan och öppnade stugans dörr. Det fanns ingen nyckel. Alla fönstren var redan öppna, så att brisen kunde göra nytta.

Sara log igen. "Det är så vackert, Will. Tack."

"Resväskorna är redan i sovrummet." Jon påbörjade en uppenbart inövad rutin. "Där är kaffemaskinen. Kapslarna ligger i lådan och muggarna hänger på krokarna. Under bänken finns en liten kyl full med allt ni bett om."

Will såg sig omkring i rummet medan Jon pekade ut alla uppenbara bekvämligheter. Han hade bokat en stuga med två sovrum eftersom utsikten skulle vara bättre från den. Den extra kostnaden innebar att han förmodligen skulle få ta med sig matlåda till lunch resten av året, men det märktes på Sara att det varit värt priset.

Will var också ganska nöjd. Stugans vardagsrum rymde en soffa och två fåtöljer. Skinnmöblerna såg använda och bekväma ut. Mattan fjädrade mjukt under fötterna. Lampornas design var från mitten av förra århundradet. Allt verkade noggrant utplacerat och andades hög kvalitet. Will antog att man ville vara säker på att saker skulle hålla länge om man gjorde sig besväret att släpa dem upp för berget.

Han följde efter Jon och Sara in i det större sovrummet. Väskorna stod vid sängen, som var hög och täckt av ett mörkblått sammetsöverkast. Ännu en mjuk matta. Matchande lampor. Ännu en bekväm skinnfåtölj och ett litet bord i hörnet.

Will stack in huvudet i badrummet och förvånades över hur modernt det var. Vit marmor, modern inredning i industriell stil. Ett stort badkar stod framför det enorma fönstret med utsikt över dalen. Will kunde inte komma på fler sätt att beskriva den fantastiska utsikten, utan tänkte bara på att sitta i badkaret tillsammans med Sara. Han bestämde sig för att det varit värt ett års jordnötssmörgåsar till lunch.

"Någon av oss går runt Öglan klockan åtta på morgonen och klockan tio på kvällen", sa Jon. "Om ni behöver något, lägg en lapp under stenen i trappan eller vänta på verandan tills vi går förbi. Annars får ni promenera tillbaka till huvudbyggnaden. Är det något annat jag kan göra?"

"Vi klarar oss, tack." Will sträckte sig efter plånboken.

"Vi får inte ta emot dricks", sa Jon.

"Vad sägs om att jag köper den där vejpen du har i bakfickan?" sa Sara.

Will blev lika förvånad som Jon. Sara var barnläkare och hatade vejp-pennor. Hon hade sett för många ungdomar förstöra lungorna. "Snälla, säg inget till min mamma." Jons desperata bönande fick honom att verka fem år yngre. Rösten gick upp i falsett och han såg darrig ut. "Jag köpte den i stan idag."

"Jag ger dig tjugo dollar för den", sa Sara.

"Verkligen?" Jon hade redan halat fram metallbehållaren. Den var klarblå med silver i änden och kostade kanske tio dollar på 7-Eleven.

"Det är lite Red Zeppelin kvar i den. Behöver du en tank till?"

"Nej tack." Sara nickade åt Will att betala.

Han skulle hellre ha konfiskerat tobaksprodukten från den minderårige pojken, men det var nog inget en mekaniker skulle göra. Will räckte motvilligt över pengarna.

"Tack." Jon vek noggrant ihop sedeln. Will kunde praktiskt taget se hjulen snurra i hjärnan när han försökte tänka ut hur han skulle få tag i mer. "Vi får egentligen inte säga något, men ... Alltså om ni behöver det har jag wifi-lösenordet. Det funkar inte ända här borta, men i matsalen och ..."

"Nej tack", sa Sara.

Will öppnade dörren för att få pojken att röra på sig. Jon vinkade åt dem på väg ut. Det var svårt att inte följa efter honom. Att ha wifi-lösenordet vore kanske inte så dumt ändå.

"Du funderar väl inte på att be honom om lösenordet?" sa Sara.

Will stängde dörren och låtsades att han var en man som inte brydde sig om hur det gick för Atlanta United i matchen mot FC Cincinnati. Han såg Sara ta en förslutningsbar plastpåse ur ryggsäcken. Hon stoppade vejpen i den och lade hela påsen i väskans framficka.

"Jag vill inte att Jon ska plocka upp den ur soporna", förklarade hon.

"Du vet väl att han bara kommer att köpa en ny?"

"Ja, förmodligen", sa hon. "Men inte ikväll."

Will brydde sig inte om vad Jon gjorde. "Gillar du stället?"

"Det är underbart. Tack för att du tog med mig till en så speciell plats." Hon nickade åt honom att följa med in i sovrummet. Innan Will hann börja hoppas på något annat knappade hon in låskombinationen på resväskan. "Vad kommer jag att hitta i den här?"

"Jag bad Tessa packa åt dig."

"Det var väldigt listigt av dig." Sara öppnade dragkedjan och slog upp väskan, men stängde den igen. "Vad ska vi göra först? Gå ned till sjön? Ta en promenad runt anläggningen? Träffa de andra gästerna?"

"Vi behöver duscha före middagen, båda två."

Sara tittade på klockan. "Vi kan ta ett långt bad och sedan prova sängen."

"Det låter som en bra plan."

"Ligger du bra på de här kuddarna?"

Will kände efter. Skumgummit var fast som en sälrumpa. Han föredrog platta kuddar.

"Efter att du slutat lyssna sa Jon att vi kunde få andra kuddar uppe i huvudbyggnaden." Sara log igen. "Jag kan packa upp och fylla badkaret medan du hämtar dem."

Will kysste henne innan han gick.

Solskenet dansade över Grunda viken när han gick ned för stentrappan. Han höll upp handen för att slippa bli bländad tills han nådde stigen. I stället för att följa Ögleleden tillbaka till huvudbyggnaden gick han ned till sjön för att bekanta sig med vägen dit. Omgivningen förändrades när han närmade sig vattnet. Han kände fukten i luften och hörde vågorna klucka lågt. Solen stod lägre på himlen nu. Han passerade utsiktsbänken som – precis som utlovat – hade fin utsikt. Will kände friden sänka sig över honom igen. Drew hade rätt i att man nollställdes av att vara i naturen. Och Sara hade rätt om träden. Allt kändes annorlunda här. Långsammare. Mindre stressigt. Det skulle bli svårt att åka hem när veckan var över.

Will stirrade ut i intet och tillät sig att släppa alla tankar och bara njuta av stunden. Han hade inte insett hur spänd kroppen varit förrän den slappnade av. Han såg ned på ringen han bar på fingret. Utöver Timex-klockan bar han sällan smycken, men han gillade den mörka finishen på titanringen som Sara valt ut åt honom. De hade i stort sett friat till varandra samtidigt. Will hade läst att man skulle lägga ungefär tre månadslöner på ringen. Saras läkarlön innebar att han gjort det största klippet.

Han borde förmodligen hitta på fler sätt att tacka henne för det i stället för att stå här och gapa över utsikten. Will vände och gick tillbaka. Han kunde betrakta solnedgången från badkaret med Sara. Det var uppenbart att hon velat att han skulle lämna stugan en stund. Will försökte låta bli att tänka som en polis när han gick förbi stentrappan. Sara visste att det skulle vara enklare att hämta kuddarna efter middagen. Hon hade förmodligen en trevlig överraskning åt honom. Tanken fick honom att le när han rundade en skarp krök.

"Hallå där, Sophögen."

Will tittade upp. Det stod en man knappt tjugo meter framför honom. Han förpestade den rena luften genom att röka en cigarett. Det var länge sedan Will hört det där smeknamnet. Han hade fått det på barnhemmet och anledningen till det var inte ens särskilt vitsig. Polisen hade hittat honom i en soptunna när han var späd-barn.

"Kom igen nu, Sophögen", sa mannen. "Känner du inte igen mig?"

Will granskade främlingen. Han hade målarbyxor och en fläckig t-shirt på sig. Kortare än Will. Rundare. Ögonvitornas gula nyans och spindelnätet av brustna blodkärl över näsan tydde på ett lång-varigt missbruk. Men det var ingen vidare ledtråd. Större delen av barnen som Will vuxit upp med hade utvecklat missbruksproblem. Det var svårt att inte göra det.

"Skämtar du med mig?" Mannen blåste ut rök medan han lång-samt gick närmare Will. "Känner du verkligen inte igen mig?"

Will fylldes av fasa. Det var de överdrivet långsamma rörelserna som fick minnet att vakna. Ena stunden stod Will på en bergsstig med en främling, i nästa satt han i vardagsrummet på barnhemmet och såg pojken som kallades *Schakalen* långsamt komma gående ned för trappan. Ett trappsteg. Sedan ett till. Fingret drogs längs räcket som om det varit eggen på en skära.

I adoptionsvärlden fanns det en oskriven regel om att ingen ville ha ett barn som fyllt sex år. Efter den åldern var de för långt gångna. För trasiga. Will hade sett det dussintals gånger på barnhemmet. Äldre barn skickades till fosterfamiljer eller blev i sällsynta fall adopterade. De som kom tillbaka hade alltid något visst i blicken. Ibland berättade de vad de varit med om. Andra gånger syntes det på ärren de fått. Brännmärken från cigaretter. Det tydliga avtrycket av kroken på en galge. Det veckade ärret efter ett basebollträ. Bandagen runt handlederna, eftersom de försökt avsluta eländet på sina egna villkor.

Alla försökte läka sina skador på olika sätt. Hetsätning och uppkastningar. Mardrömmar. Utåtagerande. Vissa kunde inte sluta skära sig själva. Vissa sökte glömskan i crackpipor eller flaskor. Vissa kunde inte kontrollera sin ilska. Andra blev mästerliga på besvärade tystnader.

Några få lärde sig att använda sina sår som ett vapen mot andra. De fick smeknamn som *Schakalen* eftersom de var listiga, aggressiva rovdjur. De skaffade inga vänner. De formade strategiska allianser som övergavs när något bättre dök upp. De ljög en rakt upp i ansiktet. Stal ens saker. Spred hemska rykten om en. Bröt sig in på kontoret och läste ens journaler. Tog reda på vad man råkat ut för, saker som man inte ens visste själv. Sedan hittade de på smeknamn åt andra, som "Sophögen". Och det fick man bära med sig resten av livet.

"Så där, ja", sa Schakalen. "Nu minns du mig."

Will kände hur alla muskler i kroppen spändes igen. "Vad vill du, Dave?"

3

Mercy pekade mot det lilla köket i stuga tre. "Där är kaffemaskinen. Kapslarna ligger i lådan och muggarna ..."

"Vi vet." Keisha log sitt vänliga leende. Hon hade en cateringfirma i Atlanta. Hon visste hur det var att gå igenom samma rutiner dag efter dag. "Tack, Mercy. Vi är så glada över att vara tillbaka."

"Extra glada." Drew stod vid de öppna glasdörrarna som ledde ut från vardagsrummet. Stugorna med ett sovrum hade utsikt över Cherokee Ridge. "Jag känner redan hur blodtrycket sjunker."

"Men du ska ändå ta dina mediciner." Keisha vände sig till Mercy. "Hur mår din pappa?"

"Han mår", sa Mercy och försökte låta bli att bita ihop käkarna. Hon hade inte sett till någon ur familjen sedan hon hotat med att förstöra deras liv. "Det är tredje gången ni är här. Vi är så glada över att ni ville komma tillbaka."

"Påminn Bitty om att vi fortfarande vill prata med henne", sa Keisha.

Mercy hörde en viss skärpa i kvinnans röst, men hon hade tillräckligt att oroa sig över utan att ta på sig mer. "Det ska jag."

"Det är visst en fin grupp den här gången", sa Drew. "Med ett par undantag."

Mercy såg till att fortsätta le. Hon hade träffat tandläkaren och hennes snattrande make. Det hade inte kommit som någon överraskning när Monica räckte fram kreditkortet och bad Mercy se till att spriten flödade.

"Jag gillade verkligen den där läraren – Sara", sa Keisha. "Vi bekantade oss lite under promenaden hit."

"Mannen verkar trevlig", sa Drew. "Kan vi paras ihop med dem under aktiviteterna?"

"Inga problem", svarade Mercy glatt, trots att hon skulle få göra om hela schemat efter middagen. "Fisken har valt ut ett par toppenställen åt er. Jag tror att ni kommer att bli väldigt nöjda."

"Jag är redan nöjd", sa Drew och såg på Keisha. "Är du nöjd?"

"Jag är alltid nöjd, älskling."

Mercy gissade att det var dags att gå. De hade redan lagt armarna om varandra när hon stängde dörren. Hon borde ha blivit imponerad över att de fortfarande höll på med sådant, trots att de var tjugo år äldre än hon, men hon var bara avundsjuk. Och irriterad. Hon hade hört toaletten rinna inne i badrummet, vilket betydde att Dave inte brytt sig om att fixa den.

Hon gjorde en anteckning i blocket medan hon gick mot stuga fem. Mercy kunde känna hur Papas ogillande blick följde henne från verandan. Bitty satt intill honom och stickade något som ingen skulle använda. Katterna låg vid hennes fötter. Båda föräldrarna betedde sig som om familjemötet gått precis som vanligt. Delilah syntes fortfarande inte till. Dave hade försvunnit. Fisken hade slunkit iväg till skjulet där utrustningen förvarades. Han var förmodligen den enda av dem som gjorde precis vad Mercy sagt åt honom att göra. Han var förmodligen också den som var mest orolig.

Hon borde leta reda på sin bror och be om ursäkt. Hon borde säga till honom att allt skulle ordna sig. Det måste gå att övertyga Dave om att rösta emot försäljningen. Hon skulle bli tvungen att skrapa ihop pengar och muta honom. Dave skulle alltid välja hundra dollar i handen framför ett löfte om femhundra dollar nästa vecka. Sedan skulle han gnälla om de förlorade fyrahundra dollarna resten av livet.

"Mercy Mac!" brölade Chuck tvärs över anläggningen. Han släpade som vanligt på en enorm vattenflaska, som om han var någon sorts elitidrottare i desperat behov av vätska. Det var Dave som gett honom smeknamnet Chuck. Mercy kunde inte ens minnas hans riktiga namn längre, men hon visste att han var enormt förälskad i henne och att det alltid fått det att krypa i skinnet på henne.

"Fisken väntar på dig vid skjulet", ljög hon.

"Åh." Han blinkade bakom de tjocka glasögonen. "Tack. Men jag letade efter dig. Jag ville bara vara säker på att du visste om min ..."

"Jordnötsallergi", fyllde Mercy i. Hon hade känt till den i sju år, men han påminde henne alltid. "Jag bad Bitty säga till kocken. Du borde höra efter om hon gjort det."

"Okej." Han sneglade åt Bittys håll, men gick inte dit. "Behöver du hjälp med något? Jag är starkare än jag ser ut."

Mercy såg honom spänna en fettinpackad muskel. Hon bet sig i underläppen för att inte be honom att vara snäll och dra åt helvete. Han var hennes brors bästa vän. Christophers enda vän, faktiskt. Det minsta hon kunde göra var att stå ut med det slemmiga lilla krypet. "Det är bäst att du pratar med Bitty. Det tar minst en timme för ambulansen att komma hit. Vi vill ju inte att du ska dö av jord-nötsförgiftning."

Hon vände sig bort för att slippa se besvikelsen i hans runda ansikte. Hela Mercys liv hade varit fullt av män som Chuck. Välme-nande, fåniga typer med bra jobb och grundläggande hygienvanor. Mercy hade dejtat ett flertal av dem. Träffat deras mammor. Till och med gått i kyrkan med dem. Sedan hade hon alltid lyckats förstöra allt genom att gå tillbaka till Dave.

Kanske Papa hade rätt i att Mercys största olycka var att hon var tillräckligt smart för att veta hur dum hon var. Inget i hennes förflutna tydde på något annat. Det enda bra hon gjort var att få tillbaka sonen. För det mesta skulle Jon nog hålla med henne om det. Hon undrade vad han skulle säga när han fick veta att Mercy satt stopp för försäljningen. Men den dagen, den sorgen.

Mercy gick upp för trappan till stuga fem. Hon knackade hårdare än hon tänkt på dörren.

"Ja?" Dörren öppnades av Landry Peterson. De hade träffats vid incheckningen, men nu hade han bara en handduk runt midjan. Han såg bra ut. Höger bröstvårta var piercad. Över hjärtat satt en tatuering en massa färgglada blommor och en fjäril kring namnet *Gabbie* i skrivstil.

Mercys ögon började svida när hon läste namnet. Munnen blev torr. Hon tvingade sig att vända bort blicken från tatueringen och tittade upp på Landry.

Hans leende var inte otrevligt. "Du har visst ett rejält ärr", sa han sedan.

"Jag ..." Mercys hand for upp till ärret i ansiktet, men det gick inte att dölja helt.

"Ursäkta att jag snokar. Jag var käkkirurg en gång i tiden." Landry lade huvudet på sned och studerade henne som om hon legat på ett provglas. "De gjorde ett bra jobb. Det måste ha krävts ganska många stygn. Hur lång tid tog operationen?"

Mercy lyckades äntligen svälja. Hon slog på McAlpine-energin, som lät henne låtsas att allt var toppen. "Jag vet inte riktigt. Det var länge sedan. Hur som helst ville jag titta in och höra om allt är som det ska. Behöver ni något?"

"Jag tror att vi klarar oss." Han tittade bakom henne, först åt vänster och sedan åt höger. "Trevligt litet ställe ni har här. Det försörjer väl hela familjen?"

Mercy blev förvånad. Hon undrade om mannen hade några kopplingar till investerarna. Hon försökte återgå till ett mer hemtamt samtalsämne. "Det finns ett schema i mappen. Middagen serveras ..."

"Älskling?" ropade Gordon Wylie inifrån stugan. Mercy kände igen hans fylliga barytonröst. "Kommer du?"

Mercy tog ett par steg tillbaka. "Jag hoppas att ni ska trivas."

"Ett ögonblick, bara", sa Landry. "Vad sa du om middagen?"

"Cocktails klockan sex. Maten serveras halv sju."

Mercy tog fram anteckningsblocket och låtsades skriva i det medan hon gick ned för trappan. Hon hörde inte dörren stängas bakom henne. Landry såg efter henne. Hans blick brände i ryggen tillsammans med Papas heta ogillande. Det kändes som om hon fattat eld när hon gick mot Ögleleden.

Betedde sig Landry underligt? Gjorde Mercy alltihop konstigt? Gabbie kunde vara vad som helst. En sång, en plats, en kvinna. Många homosexuella män experimenterade innan de gick ut med sin läggning. Eller också var Landry bisexuell. Kanske flirtade han med Mercy. Det hade hänt förut. Eller också var hon alldeles upp-skärrad eftersom den där jäkla tatueringen fått hjärtat att kännas som om det dragits med i en lavin.

Gabbie.

Mercy rörde vid ärret i ansiktet. Aldrig hade något markerat *före* och *efter* så tydligt. Före händelsen, när Mercy bara var en stor besvikelse som alltid klantade sig. Efteråt, när Mercy förstört det enda goda som hänt i hennes liv. Inte bara det goda, utan hennes enda chans att bli lycklig. Att finna ro. Att få en framtid där hon inte desperat önskade att hon kunde förändra det förflutna.

Hon tvingade igång McAlpine-energin igen och låtsades att allt var bra. Mercy hade tillräckligt med saker att oroa sig över utan att leta efter fler. Hon tittade ned på listan. Hon måste titta till smek-månadsparet. Hon borde gå förbi köket. Bitty hade definitivt inte pratat med kocken om Chucks allergi. Hon måste hitta Fisken och bli sams. Hon måste fixa den trasiga toaletten själv. Investerarna skulle dyka upp. De var tydligen för fina för att fotvandra och skulle köra längs infartsvägen. Mercy hade inte funderat så mycket på hur hon skulle bete sig i deras närhet. Hon valde mellan kylig artighet och att klösa ögonen ur dem.

Gabbie.

McAlpine-energin svek henne. Hon lämnade stigen och lutade sig mot ett träd. Svetten rann längs ryggen. Hon mådde illa. Hon böjde sig framåt och hostade upp galla. Dropparna som stänkte fick ormbunkarnas blad att böjas mot marken. Mercy kände likadant; som om en tung sjuklighet hela tiden tyngde ned henne.

"Mercy Mac?"

Den där jävla Dave.

"Varför gömmer du dig bland träden?" Dave plöjde genom snåren. Han luktade billig öl och cigaretter.

"Jag hittade en vejp i Jons rum", sa hon. "Det är ditt fel."

"Vad?" Han visade upp sin förolämpade min igen. "Herregud, ska du skälla på mig varenda gång du ser mig idag?"

"Vad vill du, Dave? Jag måste jobba."

"Kom igen nu", sa han. "Jag tänkte berätta något lustigt, men jag vet inte om du är på rätt humör för det."

Mercy lutade sig mot trädet. Han skulle inte låta henne gå. "Vad är det?"

"Inte om du ska vara sådan."

Hon ville smälla till honom. För tre timmar sedan hade han vältrat sig ovanpå henne som en strandad val. För två timmar sedan hade hon hotat att förstöra hans liv. Och nu ville han berätta en rolig historia.

Hon gav med sig. "Förlåt. Vad ville du berätta?"

"Är du säker?" Han väntade inte på att hon skulle truga mer. "Minns du den där grabben från barnhemmet som jag berättade om?"

Han hade berättat många historier om barnhemmet. "Vilken av dem?"

"Sophögen", sa han. "Det är den långa killen som dök upp idag. Will Trent. Han som är tillsammans med den rödhåriga kvinnan."

Mercy kunde inte låta bli att fråga. "Hon som gav dig din första avsugning?"

"Nej, det var en annan tjej. Angie. Jag antar att hon äntligen dumpat den där förloraren. Eller också ligger hon död i något dike. Jag trodde aldrig att den dumma jäveln skulle få en normal flickvän."

Normal var Daves benämning på folk som inte blivit helt förstörda av sin jobbiga barndom. Mercy hade sällan träffat någon som platsade i den kategorin, men Sara Linton verkade vara en de få, lyckliga individerna. Hon utstrålade den där känslan som bara andra kvinnor kände av. Hon hade full koll på tillvaron.

Mercy torkade sig om munnen med baksidan av handen. Hennes tillvaro låg utspridd över golvet som trasigt lego.

"Det är konstigt att se honom här", sa Dave. "Jag berättade ju att han var dålig på att läsa. Kunde inte memorera bibelverserna. Ganska patetiskt av honom att åka till lägret så här många år senare. Kom igen, liksom. Du missade chansen. Dags att gå vidare."

Mercy lutade sig mot trädet. Hon svettades fortfarande. Ormbunken med spyorna var mindre än trettio centimeter från Daves fot. Som vanligt var han för självupptagen för att lägga märke till det. Som vanligt fick Mercy låtsas att hon var intresserad. Fast *låtsas* var kanske inte rätt ord, den här gången var hon fak-

67

tiskt nyfiken. Sophögen förekom flitigt i Daves historier om sin tragiska barndom. Nästan alla hans skämt handlade om den tafatta pojken.

Det vore inte första gången Dave fått fel uppfattning om någon. Mercy hade inte pratat med Will Trent, men hans fru var inte typen som blev tillsammans med ett vandrande skämt. Det var snarare Mercys stil.

"Vad handlar det här om egentligen?" sa hon. "Du betedde dig rätt konstigt när du såg honom på skärmen."

Dave ryckte på axlarna. "Gammalt groll. Om jag fick bestämma skulle han få promenera raka vägen hem igen."

Mercy var nära att brista i skratt över hans idiotiska skrävlande. "Vad har han gjort dig?"

"Inget. Det handlar om vad han *tror* att jag har gjort mot honom." Dave suckade, överdrivet och rosslande. "Han är förbannad på mig eftersom han tror att det var jag som gav honom det där smeknamnet."

Dave slog ut med armarna, som om han var helt oskyldig till vanan att ge folk dumma smeknamn – som till exempel Bitty, Mercy Mac, Chuck och Fisken.

"Och oavsett vad som hände på barnhemmet försökte jag vara storsint idag. Men han var ett jävla rövhål."

"Har du pratat med honom?"

"Jag var på väg längs stigen för att laga den där toaletten. Vi sprang på varandra."

Mercy undrade hur dum Dave trodde att hon var. Stuga tio låg längst bort i Öglan. Den läckande toaletten fanns i stuga tre, precis bakom henne.

"Vad hände?" frågade hon ändå.

Dave ryckte på axlarna igen. "Jag försökte göra det rätta. Det var inte mitt fel att han råkade illa ut, men jag tänkte att en ursäkt kanske skulle hjälpa honom att bearbeta lite av traumat. Jag önskar att någon varit lika trevlig mot mig."

Mercy hade hört en och annan av Daves halvhjärtade ursäkter. De var inte särskilt trevliga. "Vad sa du till honom, mer exakt?"

"Jag vet inte. Något i stil med att vi skulle lägga det förflutna bakom oss." Dave ryckte på axlarna igen. "Jag försökte vara ädelmodig."

Mercy bet sig i underläppen. Dave brukade inte använda så svåra ord. "Vad sa han?"

"Han började räkna ned från tio." Dave krokade fast tummarna i byxfickorna. "Var det meningen att jag skulle känna mig hotad, eller? Jag sa ju att han inte var så smart."

Mercy tittade ned i marken så att Dave inte skulle se hennes ansikte. Will Trent var tre decimeter längre än Dave och hade mer muskler än Jon. Hon skulle sätta hela sin andel av campingen på att Dave slank iväg innan Will Trent hann räkna till fem. I annat fall skulle de ha fått bära honom därifrån i en liksäck.

"Vad gjorde du?" frågade hon.

"Jag gick. Vad skulle jag annars göra?" Dave kliade sig på magen, vilket var en av de många avslöjande gester han gjorde när han ljög. "Som jag sa är han en ganska patetisk typ. Han var alltid tyst och visste inte hur man pratade med folk. Och nu kommer han hit, trots att det gått så många år? En del barnhemsbarn kan aldrig släppa vad de gått igenom. Det är inte mitt fel att han inte är helt riktig i huvudet."

Mercy visste en hel del om folk som vägrade släppa saker.

"Hur som helst", sa Dave med ett stön. "Det där du sa på familjemötet. Det var väl bara skitsnack, eller hur?"

Mercy stelnade till. "Nej, det var inte bara skitsnack, Dave. Jag tänker inte låta Papa ta det här stället ifrån mig. Eller från Jon."

"Så du tänker snuva din son på nästan en miljon dollar?"

"Jag snuvar honom inte på något", sa Mercy. "Se dig omkring, Dave. Titta på det här stället. Jon kan leva på campingens inkomster resten av livet. Han kan lämna den i arv till sina barn och barnbarn. Namnet på skylten är hans namn också. Han behöver bara jobba för det. Så mycket är jag skyldig honom."

"Du är skyldig honom ett val", sa Dave. "Fråga Jon vad han vill göra. Han är nästan en vuxen man. Han borde få vara med och bestämma."

Mercy började skaka på huvudet innan han ens pratat klart. "Aldrig i livet."

"Som jag trodde." Dave fnös besviket. "Du vägrar fråga Jon eftersom du är för feg för att höra svaret."

"Jag frågar honom inte eftersom han är ett barn", sa Mercy. "Jag vill inte lägga den pressen på honom. Jon kommer att förstå att du vill sälja och att jag inte vill det. Det vore som att be honom välja mellan oss. Vill du verkligen utsätta honom för det?"

"Han borde gå på college."

Förslaget förvånade Mercy. Inte för att hon inte ville att sonen skulle få en utbildning, utan för att Dave ägnat åratal åt att pränta i Jon att college var slöseri med pengar. Han hade gjort samma sak med Mercy när hon började ta kvällskurser för att få sin high school-examen. Han ville aldrig att någon skulle ha något mer än vad han själv hade.

"Merce", sa Dave. "Tänk på vad det är du tackar nej till. Du har längtat bort från det här berget ända sedan vi träffades."

"Jag ville lämna berget med *dig*, Dave. Och jag var femton när jag sa det. Jag är inget barn längre. Jag tycker om att driva det här stället. Du sa att jag var bra på det."

"Det var bara ..." Han viftade med handen för att avfärda komplimangen som gjort henne så stolt. "Du måste tänka logiskt. Vi pratar om summor som kan förändra hela livet."

"Inte på något bra sätt", sa Mercy. "Jag ska inte säga precis vad jag tänker, men vi vet båda hur destruktiv du blir när du har pengar."

"Passa dig."

"Jag har inget att passa mig för. Det spelar ingen roll. Vi skulle lika gärna kunna diskutera priset på luftballonger. Du ska inte få ta det här stället ifrån mig. Inte nu, när jag har plöjt ned själ och hjärta i det. Inte efter allt jag gått igenom."

"Vad fan har du gått igenom?" undrade Dave. "Visst var det tufft, men du hade alltid någonstans att bo. Du hade alltid mat på bordet. Du sov aldrig utomhus i regnet. Du fick aldrig ansiktet nedtryckt i marken av någon pervers jävel."

Mercy stirrade någonstans ovanför hans axel. Första gången Dave berättade om de sexuella övergreppen han utsatts för som barn hade sorgen nästan krossat henne. Andra och tredje gången hade hon gråtit tillsammans med honom. Fjärde och femte och hundrade gången hade hon gjort allt han bad om för att hjälpa honom undan de mörka tankarna, oavsett om det innebar att laga mat eller att städa eller att ställa upp på något i sovrummet. Något som gjorde ont. Något som fick henne att känna sig smutsig och liten. Vad som helst för att han skulle må bättre.

Sedan hade Mercy insett att det inte spelade någon roll vad Dave råkat ut för som barn. Det som betydde något var helvetet han utsatte henne för nu när han var vuxen.

Hans behov var det bottenlösa hålet i kvicksanden.

"Det är ingen idé att vi pratar om det här", sa hon. "Jag har bestämt mig."

"Menar du allvar? Tänker du inte ens diskutera det? Tänker du bara förstöra allt för ditt enda barn?"

"Det är inte jag som kommer att förstöra för honom, Dave!" Mercy struntade i att gästerna kunde höra henne. "Det är dig han borde oroa sig för."

"Mig? Vad fan ska jag göra?"

"Du kommer att ta hans pengar."

"Skitsnack."

"Jag har sett vad du gör när du kommer över lite pengar. Du gjorde av med de tusen dollarna som Papa gav dig på en dag."

"Jag sa ju att jag köpte material!"

"Vem är det nu som snackar skit?" frågade Mercy. "Du kommer aldrig att nöja dig med en miljon. Du kommer att slösa det på bilar och fotbollsmatcher och fester och på att bjuda i baren och spela allan, och inget av det kommer att förändra ditt liv. Det kommer inte att göra dig till en bättre människa. Det suddar inte bort allt som hände när du var liten. Och sedan vill du ha mer, för sådan är du, Dave. Du tar och tar och bryr dig inte ett skit om att den andra personen blir helt tom."

"Det där var jävligt taskigt sagt." Han ruskade på huvudet och började gå, men vände sig om igen. "Har jag någonsin lyft en hand mot pojken?"

"Du behöver inte slå honom. Du behöver bara nöta ned honom. Du kan inte hjälpa det, du bara är sådan. Du försöker fortfarande göra samma sak mot den där stackars killen i stuga tio. Hela livet har du fått alla andra att känna sig små eftersom det är ditt enda sätt att känna dig stor."

"Håll käften, för fan."

Hans hand for ut och grabbade tag om Mercys hals. Hon trycktes upp mot trädet med sådan kraft att luften försvann ur lungorna. Så här blev det när Mercy slutade tycka synd om Dave. Då hittade han andra sätt att få hennes uppmärksamhet.

"Lyssna på mig, kärringjävel."

Mercy hade för länge sedan lärt sig att inte lämna märken i Daves ansikte eller på hans händer. Naglarna grävde sig djupt in i huden på hans bröst när hon klöste honom i ett desperat försök att komma loss.

"Lyssnar du?" Greppet hårdnade. "Du tycker alltså att du är så jävla smart? Att du vet precis vem jag är?"

Mercys fötter sprattlade. Hon såg stjärnor framför ögonen.

"Fundera över vem som röstar för Jons räkning om du dör", sa Dave. "Hur ska du kunna stoppa försäljningen från andra sidan graven?"

Mercys lungor vibrerade. Daves arga, uppsvällda ansikte flöt omkring framför hennes ögon. Hon skulle förlora medvetandet. Kanske dö. Ett ögonblick ville hon göra det. Det vore så enkelt att ge upp en sista gång. Låta Dave få pengarna. Låta Jon förstöra sitt liv. Låta Fisken hitta ned från berget på egen hand. Papa och Bitty skulle bli lättade. Delilah skulle bli överlycklig. Ingen skulle sakna Mercy. Hon skulle inte ens få ett bleknat foto på familjeväggen.

"Jävla käring." Dave släppte taget innan hon svimmade. Hans äcklade min sa allt. Han klandrade redan Mercy för att hon låtit det gå så här långt. "Jag har aldrig stulit från någon jag älskar. Aldrig. Det är för jävligt av dig att säga så."

Mercy sjönk ned på marken medan han klampade iväg genom skogen. Hon lyssnade på hans ilskna klagande och väntade på att rösten skulle klinga bort innan hon vågade röra sig igen. Hon lade fingertopparna mot huden under ögonen, men kände inga tårar. Hon lutade bakhuvudet mot trädet. Tittade upp mot trädkronorna. Solskenet flimrade mellan löven.

I början hände det att Dave bad om ursäkt för att han gjort henne illa. Sedan hade han gått över till de där halvhjärtade ursäkterna där han sa orden men ändå lyckades få det till att han inte gjort något fel. Nu var han helt säker på att det var Mercy som lockade fram elakheten hos honom. Avslappnade Dave. Lättsamme Dave. Festlige Dave. Ingen insåg att den Dave han visade upp för dem bara var en föreställning. Den riktige Dave, den sanne Dave, var den som just försökt strypa henne.

Och den riktiga Mercy var den som ville att han skulle göra det.

Hon rörde vid halsen för att känna efter var det ömmade. Hon skulle definitivt få blåmärken. Möjliga ursäkter vällde genom hjärnan. Kanske en lassoolycka. Föll på cykelstyret. Halkade när hon klev ur en kanot. Fastnade i en fiskelina. Det fanns dussintals lättillgängliga förklaringar. Det enda hon behövde göra imorgon bitti var att se sig i spegeln och välja en som matchade de ilskna, blå märkena.

Mercy kämpade sig upp på fötter. Hon hostade i handen. Den blev prickig av blod. Dave hade verkligen gått hårt åt henne den här gången. Medan hon letade sig tillbaka till stigen lekte hon en slags lek där hon drog sig till minnes alla de gånger han skadat henne. Oräkneliga örfilar och slag. För det mesta gick det snabbt. Han slog till och drog sig tillbaka. Det var sällan han fortsatte slå som en boxare som vägrade höra gonggongen. Han hade bara strypt henne tills hon förlorade medvetandet två gånger, med knappt en månads mellanrum. Båda gångerna på grund av skilsmässan.

Hon hade upptäckt att Dave var otrogen mot henne. Sedan var han otrogen igen. Och en gång till. För när Dave kom undan med något tyckte han alltid att det var fritt fram att göra om det. När Mercy tänkte tillbaka på saken nu var hon rätt säker på att han inte hade älskat någon av kvinnorna. Eller ens varit attraherad av dem. En del av dem var mycket äldre. En del var otränade eller hade ett halvdussin ungar eller var väldigt otrevliga människor. En av dem hade kvaddat hans bil. Bilen som Bitty betalat för. En stal från honom. En lämnade honom stående med en påse gräs i handen när polisen knackade på villavagnens dörr.

Det var inte sexet som gjorde att Dave gillade att vara otrogen. Hans pitt var ändå inget att lita på. Det han gillade var själva otroheten. Att smyga runt. Skicka hemliga meddelanden med en kontantkortstelefon. Scrolla i dejtingappar. Ljuga om vart han skulle, när han tänkte komma tillbaka, vem han var med. Veta att Mercy skulle bli förödmjukad. Veta att kvinnorna han lockat till sig var dumma nog att tro att han skulle lämna Mercy och gifta sig med dem. Veta att han kunde göra som han ville.

Veta att Mercy ändå skulle ta honom tillbaka.

Visst lät hon honom jobba för det, men Dave gillade den biten också. Låtsas att han förändrats. Gråta krokodiltårar. De dramatiska, sena telefonsamtalen. Strömmen av textmeddelanden. Att dyka upp med blommor och en romantisk spellista och en dikt som han skrivit på baksidan av servetten i en bar. Att tigga och be och skrapa och buga och laga mat och städa och visa ett plötsligt intresse för att ta föräldraansvar och vara sliskigt sockersöt tills Mercy tog honom tillbaka.

Och sedan spöa skiten ur henne en månad senare för att hon släppt nycklarna för hårt på köksbordet.

Strypningen var en enorm varningsflagga. Det hade Mercy åtminstone läst på nätet. Om en man gav sig på en kvinnas hals löpte hon sex gånger större risk att utsättas för kraftigt våld eller att bli mördad.

Första gången han ströp henne var när Mercy bad om skilsmässa. Bad, inte sa till – som om hon behövde hans tillåtelse. Dave hade exploderat. Kramat åt så hårt om hennes hals att hon känt brosket knycklas ihop. Hon hade svimmat i villavagnen och vaknat täckt av sin egen urin.

Andra gången var när hon berättade att hon hittat en liten lägenhet åt henne och Jon i staden. Efteråt mindes Mercy inte vad som hänt, förutom att hon verkligen trott att hon skulle dö. Tiden hade försvunnit. Hon visste inte var hon befann sig. Hur hon kommit dit. Sedan insåg hon att hon var i den lilla lägenheten. Jon snyftade i rummet intill. Mercy hade rusat till hans spjälsäng. Han var röd i ansiktet och täckt av snor. Blöjan var full. Han var skräckslagen.

Ibland kunde Mercy fortfarande känna hur desperat hans små armar klängt sig fast vid henne. Hela kroppen hade skakat när han vrålade. Mercy lugnade honom, höll om honom hela natten, såg till att allt blev bra. Jons hjälplöshet fick henne till sist att slita sig loss från Dave. Hon ansökte om skilsmässa nästa morgon. Lämnade lägenheten och flyttade tillbaka till campingen. Det var inte för hennes egen skull. Hon hade inte fått nog på grund av de eviga förödmjukelserna eller rädslan för brutna ben eller ens döden, utan för att hon till sist insett att Jon inte skulle ha någon alls om hon dog.

Den här gången måste hon bryta mönstret helt. Hon skulle sätta stopp för försäljningen. Hon skulle göra allt som krävdes för att hindra Dave från att nöta ned sonen. Papa skulle dö så småningom. Bitty hade förhoppningsvis inte så långt kvar. Mercy skulle inte döma Jon till ett liv i kvicksanden.

Som om han hört henne kom Jon gående längs Öglan. Han hade armarna utsträckta, så att händerna seglade ovanför buskarna som flygplansvingar. Mercy betraktade honom tyst. Han brukade gå på det viset när han var liten. Hon mindes hur uppspelt han brukade bli när han såg henne på stigen. Han brukade rusa in i hennes famn så att Mercy kunde hissa upp honom i luften. Numera var hon glad om han ens såg åt hennes håll.

Han sänkte armarna när hon klev ut på stigen. "Jag gick till skjulet för att hjälpa Fisken med kanoterna, men han sa att det inte behövdes", sa han. "Gästerna i stuga tio är incheckade."

Mercys hjärna började genast leta efter en ny uppgift åt honom, men hon hejdade sig. "Hurdana är de?"

"Kvinnan är trevlig", sa Jon. "Mannen är rätt läskig."

"Du kanske ska låta bli att flirta med hans fru."

Jon log fåraktigt. "Hon ställde en massa frågor om anläggningen."

"Svarade du på alla?"

"Japp." Jon lade armarna i kors. "Jag sa åt henne att söka upp Bitty under middagen om hon ville veta mer."

Mercy nickade. Hon hade ändrat på många av Papas rutiner, men det var självklart att hennes son inte skulle stå svarslös när någon frågade om familjens mark.

"Något annat?" frågade han.

Mercy tänkte på Dave igen. Han följde ett visst mönster efter deras gräl. Han skulle gå till baren och dricka bort ilskan. Det var morgondagen hon behövde oroa sig för. Det fanns inte en chans att Dave inte skulle leta reda på Jon och berätta för honom om investerarna. Mercy skulle utan tvivel bli skurken i den historien.

"Vi går till utsiktsbänken", sa hon. "Jag vill att vi sätter oss en stund."

"Måste inte du jobba?"

"Det måste vi båda", sa hon, men gick ändå längs stigen i riktning mot utsiktsbänken. Jon följde efter på avstånd. Mercy rörde vid sin hals. Hon hoppades att han inte såg märkena. Hon avskydde blicken som Jon brukade ge henne när Dave gick över gränsen. En blandning av förebråelser och medlidande. Oron hade försvunnit för länge sedan. Hon antog att det var som att se någon springa in i en vägg med huvudet före, resa sig och sedan göra om samma sak.

Han hade inte fel.

"Okej." Mercy satte sig på bänken och klappade på platsen intill sig. "Nu får vi det här överstökat."

Jon sjönk ned på andra änden av bänken, med händerna djupt nere i shortsfickorna. Han hade fyllt sexton för en månad sedan och puberteten hade till sist hunnit ikapp honom, nästan över en natt. Den plötsliga anstormningen av hormoner var som en pendel. Ena minuten svassade han runt och flirtade med någon av de kvinnliga gästerna, i nästa stund såg han ut som en vilsekommen liten pojke. Han var så lik Dave att Mercy hade svårt att få fram orden.

Den trumpne tonåringen gjorde entré. "Varför tittar du så konstigt på mig?"

Mercy öppnade munnen, men stängde den igen. Hon behövde mer tid. Just nu rådde det en ängslig fred mellan dem. I stället för att förstöra den genom att läxa upp Jon för vejpandet eller för att han inte städat sitt rum eller alla de andra sakerna hon brukade tjata om, tittade Mercy på utsikten. På allt det gröna och på de små vågorna som vinden skapade på sjöns yta. Om höstarna kunde man sitta här och se löven skifta nyans tills all färg runnit bort från bergstopparna. Hon måste rädda den här platsen åt Jon. Det var inte bara hans framtid som var tryggad här. Det var hela hans liv.

"Ibland glömmer jag hur vackert det är här", sa hon.

Jon sa ingenting. De visste båda att han lika gärna skulle bo i en fönsterlös låda i staden. Han hade Daves sätt att skylla sin ensamhet på andra. Båda kunde känna sig ensamma i ett rum fullt av folk. I ärlighetens namn var Mercy ofta likadan.

"Faster Delilah är här", sa hon.

Han såg på henne, men sa ingenting.

"Jag vill att du ska minnas att hon älskar dig, oavsett vad som hände när du var barn. Det var därför hon gick till domstolen. Hon ville behålla dig."

Jon stirrade ut i fjärran. Mercy hade aldrig sagt ett ont ord om Delilah. Det enda bra hon lärt sig av Dave var att den som alltid gnällde och var jobbig sällan fick sympatier. Det var därför Dave bara visade upp sin fulaste sida för Mercy.

"Är det hennes Subaru som står på parkeringen?" frågade Jon.

Mercy kände sig som en idiot. Självklart hade Jon sett Delilahs bil. Här uppe kunde man inte hålla något hemligt. "Jag tror att Papa och Bitty haft kontakt med henne. Det var därför hon körde hit."

"Jag vill inte bo hos henne." Jon sneglade på Mercy och vände sedan bort blicken. "Om det är därför hon är här ... Jag åker inte härifrån. Inte med henne, i alla fall."

Det var länge sedan Mercy gjort slut på alla sina tårar, men säkerheten i hans röst fyllde henne med en djup sorgsenhet. Han försökte ta hand om sin mamma. Det kanske var sista gången på ett tag som han gjorde det. Kanske skulle han aldrig mer göra det.

"Vad vill hon?" frågade Jon.

Mercys hals värkte som om hon försökt svälja småspik. "Du måste prata med Papa. Han kommer att berätta för dig vad som pågår."

"Varför kan inte du berätta det?"

"För att ..." Mercy hade svårt att förklara. Det var inte feghet. Det skulle vara så enkelt att leda Jon in på samma spår som hon själv valt. Men hon visste att hon skulle vara lika illa som Dave om hon försökte manipulera sonen. För visst skulle hon kunna göra det. Trots att han var sexton var Jon fortfarande formbar. Han var full av hormoner och väldigt godtrogen. Hon kunde övertala honom till vad som helst. Dave skulle köra över honom totalt.

"Mamma?" sa Jon. "Varför kan inte du berätta det själv?"

"För att du behöver höra den andra sidan av historien av någon som vill att det ska hända."

Han log. "Du låter helknäpp."

"Säg till när du vill höra min sida av det hela, okej? Jag ska vara så ärlig jag kan. Men du måste höra det från Papa först. Förstår du?" Mercy väntade på hans nick. Sedan mötte hon hans klarblå blick, och det kändes som om någon kört in händerna i hennes bröst och slitit hjärtat i två delar.

Det var Daves verk. Han skulle ta ytterligare något från Mercy, det hon värderade allra mest, och hon skulle aldrig få det tillbaka.

Jon stirrade på henne. "Är du okej?"

"Jadå", sa hon. "Frun i stuga sju vill ha en flaska whiskey. Kan du hämta en åt henne?"

"Visst." Jon reste sig. "Vilken sort?"

"Den dyraste sorten. Och fråga om hon vill ha mer imorgon." Mercy reste sig också. "Sedan kan du ta ledigt resten av kvällen. Jag städar efter middagen."

Hans breda leende kom tillbaka och plötsligt var han hennes lille pojke igen. "Är det säkert?"

"Ja." Mercy njöt av hans glädje. Hon ville hålla kvar den här stunden så länge som möjligt. "Du har jobbat så duktigt, vännen. Jag är stolt över dig."

Hans leende var bättre än alla droger hon någonsin injicerat. Mercy måste se till att ge honom fler komplimanger, fler möjligheter att vara barn. Hon var på väg att krossa hela familjen. Hon måste krossa McAlpines cykel av elakheter också.

"Kom ihåg att jag älskar dig, oavsett vad som händer", sa hon. "Glöm inte det. Du är det bästa som hänt mig och jag älskar dig så jäkla mycket."

"Mamma", stönade han.

Men sedan lade han armarna om henne och det kändes som om Mercy var i sjunde himlen.

Det varade i ungefär två sekunder innan Jon släppte henne. Hon följde honom med blicken när han travade iväg längs stigen och motstod lusten att ropa tillbaka honom.

Mercy vände sig om innan Jon försvunnit helt. Hon unnade

sig ett par sekunders vila för att samla sig innan hon återgick till arbetet.

Hon höll vänster där stigen delade sig och följde vägen mot sjön.

Hon kände den friska doften av vatten blandas med skogens mustiga undertoner.

Varje lördagskväll tände de en lägereld vid sjön för att fira av veckans gäster. S'mores och varm choklad medan Fisken plinkade på mandolinen, eftersom Fisken så klart var den sortens känsliga själ som spelade mandolin. Gästerna älskade det. Det gjorde faktiskt Mercy också. Hon tyckte om att se deras leenden och veta att hon hade bidragit till deras glädje. Som mamma till en tonåring, som exfru till en våldsam alkoholist, som dotter till en elak far och en kylig och avståndstagande mor fick hon suga åt sig av den lilla glädje hon kunde hitta.

Mercy såg ut över vattnet. Hon undrade hur Papa skulle förklara historien om investerarna för Jon. Skulle han måla ut Mercy som skurken? Skulle han skrika och förbanna henne? Hade hon utan att mena det manipulerat någon i smyg? Folk som betedde sig som svin fick sällan någon sympati. Jon skulle vilja beskydda henne även om han inte höll med henne.

Det enda hon kunde göra var att vänta på att han skulle komma och prata med henne.

Arbetet skulle få tiden att gå fortare. Mercy tog fram anteckningsblocket. På vägen tillbaka upp för berget skulle hon titta till smekmånadsparet. Hon skulle laga den rinnande toaletten själv. Hon skulle bli tvungen att gå förbi köket. Hon måste skriva upp den där whiskeyflaskan som Jon skulle leverera till stuga sju. Hon hade en känsla av att tandläkaren skulle göra av med ganska stora summor före utcheckningen på söndag. Självklart skulle Monica få köpa de finaste flaskorna på sitt platinakort från American Express. Papa var nykterist. Han försökte aldrig sälja på folk alkohol. De exklusiva whiskeysorterna som Mercy tagit in förra året stod för nästan hela vinstökningen.

Mercy stoppade blocket i bakfickan medan hon gick längs stigen. Hon såg Fisken borta vid skjulet där utrustningen förvarades. Han spolade ur kanoterna med vattenslangen. Det sved i hjärtat att se brodern stå på knä på det viset. Fisken var så uppriktig och trofast. Han var äldst, men Papa hade alltid avfärdat honom. Sedan dök Dave upp och Bitty visade tydligt vem hon egentligen såg som sin son. Det var inte underligt att Fisken valt att blekna bort helt.

Hon skulle just ropa hans namn när Chuck kom ut ur skjulet. Han hade tagit av sig tröjan. Ansiktet och bröstet var så röda att de såg solbrända ut. Han hade en bit utplattad aluminiumfolie i ena handen och en tändare i den andra. Lågan flammade till. Rök steg från folien. Medan Mercy såg på höll han fram den mot Fisken. Fisken viftade till sig röken och tog ett djupt andetag.

"Mercy?" sa Chuck.

"Era dumma jävlar", väste hon och vände sig för att gå.

"Mercy", ropade Fisken. "Snälla Mercy ..."

Ljudet av hennes springande steg längs stigen dränkte resten av orden. Hon kunde knappt tro att hennes bror var så korkad. Det här var precis vad hon varnat honom för under familjemötet. Han brydde sig inte ens om att dölja det längre. Tänk om hon varit en gäst? Jon hade precis varit nere vid skjulet. Tänk om han kommit gående och fått se dem på det viset? Hur fan skulle de ha bortförklarat den saken?

Mercy tog inte vägen mot Öglan. Hon saktade inte ned förrän hon nått båthuset. Hon torkade svetten ur ansiktet och undrade om den här dagen kunde bli värre. Hon tittade på klockan. Om en timme måste hon hjälpa till att förbereda middagen. Hon hade fortfarande inte pratat med köket om Chucks dumma jordnötsallergi.

"Herregud", suckade hon. Det var för mycket. I stället för att gå tillbaka upp för backen sjönk hon ned på den steniga stranden. Hon tvingade ut luften ur lungorna i en lång suck och tog in naturen omkring sig. De prasslande löven. De kluckande vågorna. Lukten av gårdagens lägereld. Det varma solskenet ovanför henne.

Hon andades ut igen.

Det här var hennes fridfulla plats. Grunda viken var som ett osynligt ankare som höll henne fjättrad vid den här marken. Hon kunde inte släppa det här stället. Ingen skulle någonsin älska det lika mycket som hon gjorde.

Mercy såg flytbryggan gunga fram och tillbaka. Hon hade sökt skydd här så många gånger. Papa hatade vatten och vägrade lära sig simma. När han fick ett utbrott simmade Mercy ut till flytbryggan för att komma undan. Ibland somnade hon under stjärnorna. Ibland fick hon sällskap av Fisken. Senare hade hon fått sällskap av Dave också, men av helt andra anledningar.

Mercy skakade på huvudet. Hon ville inte tänka på allt det dåliga. Hennes bror hade lärt henne simma här. Han hade lärt Dave trampa vatten, eftersom Dave var för rädd för att doppa huvudet under ytan. Mercy hade visat Jon det bästa stället att dyka från flytbryggan, platsen där vattnet var som djupast och där man enkelt kunde smita iväg om någon av gästerna dök upp. När Jon var yngre gick de hit på söndagsmorgnarna. Han pratade om skolan eller tjejer eller vad han ville göra med sitt liv.

Så öppen var han aldrig numera, men Jon var ändå en bra grabb. Han tände inte eld på skolan och även om han knappast var populär frodades han i jämförelse med hur hans föräldrar haft det. Det enda Mercy ville var att han skulle vara lycklig.

Det var hennes högsta önskan.

Jon skulle hitta vänner så småningom. Det kanske skulle ta tid, men det skulle hända. Han var snäll. Mercy hade ingen aning om varifrån han fått det draget. Visst, han hade samma korta stubin som Dave. Han fattade lika dåliga beslut som Mercy. Men han tog hand om sin mormor. Han klagade bara en aning när Mercy satte honom i arbete. Självklart hade han tråkigt här uppe. Det hade alla barn. Tolvåriga Mercy hade inte börjat smygdricka ur spritflaskorna för att hennes liv var så spännande och roligt.

"Fan", andades hon. Hjärnan vägrade sluta tänka på hemskheterna.

Hon tvingade fram McAlpine-energin igen och stirrade tomt upp på den omöjligt blå himlen tills solen vände nedåt mot bergskrönet. Hon slöt ögonen mot det heta skenet. En vit cirkel brändes in i näthinnorna. Hon såg färgen mörkna till en nästan marinblå nyans. Sedan formade den ett ord. Skrivstil. Precis över Landry Petersons hjärta.

Gabbie.

Gästerna i stuga fem hade bokat under namnet Gordon Wylie.

Det fanns en kopia av Gordons körkort i bokningspärmen. Depositionsavgiften hade betalats med Gordons kreditkort, som också registrerats för resten av betalningen. Lexusen på parkeringen tillhörde Gordon. Gordons hemadress stod på adresslapparna på resväskorna.

Landrys namn dök bara upp en gång i bokningen, där den andra gästen i sällskapet namngavs. Han hade samma arbetsgivare som Gordon: Wylie App Co. Så här i efterhand lät det som något ur en tecknad film. Namnet Landry kunde för all del vara falskt. Familjen McAlpine kollade bara upp personen som ansvarade för betalningen. De utgick från att folk talade sanning om sina jobb, sina intressen och sin erfarenhet av hästar, bergsklättring och forsränning.

Vilket betydde att Landry Peterson kunde vara vem som helst. Han kunde vara en hemlig älskare. En gammal knullkompis. En kollega som ville ha något mer. Eller också var han släkt med den unga kvinnan som Mercy dödat för sjutton år sedan.

Hon hette Gabriella, men familjen hade kallat henne *Gabbie*.

4

Sara sjönk ned på sängkanten och lät tårarna rinna. Känslorna var så överväldigande att hon faktiskt snyftade. Tiden före bröllopet hade varit så stressig. De hade fått skjuta upp vigseln en månad så att hon blev av med gipset kring handleden. Hon hade fått boka av saker och flytta runt i schemat och ordna med arbetsuppgifter och skjuta fram utredningar. Sedan var det hela cirkusen med kusiner och mostrar och farbröder som skulle ha hotellrum och bil och mat och ställen att besöka eftersom en del av dem flugit dit från utlandet för att stanna hela veckan och ville veta vilka sevärdheter som fanns och Sara tydligen var deras privata Lonely Planet-guide.

Hennes syster och mamma hade hjälpt till och Will hade dragit sin del av lasset med råge, men Sara hade aldrig varit så lättad över att något äntligen var avklarat.

Hon såg ned på ringarna på fingret och drog ett djupt, lugnande andetag. Hon förtjänade en Oscar för att hon hållit god min i morse, när Will berättade att de skulle börja bröllopsresan med en fotvandring. Två timmar bort. I bergen. När flygplatsen låg tjugo minuter från hans hus.

Deras hus.

Hon hade försökt låta bli att reta sig på det. När de packade ryggsäckarna. När de satte sig i bilen. När de lämnade staden. När de parkerade vid början av vandringsleden. Will ansvarade för bröllopsresan. Sara måste låta honom bestämma. Men de hade stannat för att äta lunch på en äng och när Sara såg tiden rinna iväg började hon oroa sig för att han skulle överraska henne med någon slags tältsemester.

Sara hatade att tälta. Hon verkligen avskydde det. Den enda anledningen till att hon stått ut med flickscouterna var att hon velat ta alla märken.

Det var typiskt Sara. Hon hade alltid pressat sig till det yttersta. Hon hade tagit examen från high school ett år i förtid. Dragit igenom kandidatstudierna på rekordtid. Kämpat sig fram till en plats bland de främsta på läkarutbildningen. Gett allt hon hade under specialisttjänstgöringen. Sedan kom barnläkarmottagningen och övergången till att bli rättsläkare på heltid. Hon hade alltid använt sin utbildning för att hjälpa andra. För att ta hand om barn på landsbygden och på ett offentligt finansierat sjukhus. För att ge familjer till brottsoffer ett avslut. Samtidigt hade hon sett efter sin syster. Tagit hand om sina föräldrar. Hållit sin moster Bella sällskap. Stöttat sin första man. Sörjt hans död. Arbetat hårt för att bygga en meningsfull relation med Will. Överlevt hans hemska exfrus inblandning. Navigerat genom hans underliga förhållande till sin chef. Blivit god vän med hans partner. Förälskat sig i hans hund.

När Sara tittade tillbaka på sitt liv såg hon en kvinna som alltid fortsatte framåt och som alltid såg till att alla andra hade det bra.

Ända till nu.

Sara tittade på sin öppna resväska. Will hade laddat ned hennes böcker på Ipaden. Han hade uppdaterat poddarna på hennes telefon. Hennes syster hade packat precis vad hon behövde, till och med lagt ned rätt saker och rätt hårborste i necessären. Hennes pappa hade packat ned en handknuten fiskefluga och en lista med väldigt usla pappa-skämt. Hennes moster hade skickat med en stor halmhatt för att skydda Saras bleka hy från solen. Hennes mamma hade skickat med en liten fickbibel, något som känts lite påstridigt tills Sara såg att det fanns ett bokmärke. Hennes mamma hade strukit under ett stycke ur Rut 1:16 med tunna blyertsstreck.

Ty dit du går vill också jag gå, och där du stannar vill också jag stanna. Ditt folk är mitt folk och din Gud är min Gud.

Att läsa stycket blev droppen för Sara. Hennes mamma hade prickat in precis vad Sara kände för Will. Hon skulle följa med honom vartsomhelst. Hon skulle ligga hos honom var han än valde att vara. Hon skulle behandla hans familj som sin egen. Hon skulle till och med låtsas att hon tyckte om att tälta, om det behövdes. Hon var helt och hållet hans.

Och det var därför tårarna övergått i riktig gråt, som i sin tur blivit till hulkande snyftningar. Sara hade sjunkit ned på sängen som en överväldigad ung dam från den viktorianska eran. Hon kunde inte hjälpa det. Allt var för perfekt. Den underbara vigseln. Den här vackra stugan. Gåvorna från familjen. Wills omtänksamhet. Han hade till och med bett att hennes favorityoghurt skulle finnas i stugans lilla kyl. Sara hade aldrig känt sig så väl omhändertagen.

"Så ja", sa hon till sig själv. Det var dags att samla sig. Will skulle snart vara tillbaka.

Hon hittade en ask näsdukar i badrummet och snöt sig. Intill det djupa badkaret fanns flera badsalter att välja mellan. För Wills skull valde Sara det som luktade minst innan hon vred på kranen. Hon tittade sig i spegeln. Huden var rödflammig. Näsan lyste nästan. Ögonen var blodsprängda. Will skulle komma tillbaka från huvudbyggnaden och vänta sig hett sex i badkaret, men i stället skulle han hitta en fru som såg ut som en förrymd mentalpatient.

Sara snöt sig igen. Hon släppte ut håret eftersom hon visste att Will tyckte om att se det så. Sedan gick hon till sovrummet och packade upp väskorna. Hennes lillasyster hade inte haft helt osjälviska motiv när hon hjälpte till med packningen. Tessa hade skämtat till det genom att lägga en sexleksak längst ned i resväskan. Just när Sara stängde påsen hörde hon en hög röst utanför fönstret på framsidan.

"Paul!" ropade en man. "Vänta, för fan!"

Sara gick ut i vardagsrummet. Fönstren var öppna. Hon höll sig gömd och betraktade de två grälande männen nere på stigen. De var äldre, väldigt vältränade och uppenbart frustrerade.

"Gordon, jag struntar i vad du tycker", sa Paul. "Det här är det enda rätta."

"Det rätta? Sedan när bryr du dig om vad som är rätt?"

"Sedan jag såg hur hon har det, för helvete!" skrek Paul. "Jag står helt enkelt inte ut med det!"

"Älskling." Gordon lade händerna om hans överarmar. "Du måste släppa det."

Paul vred sig ur hans grepp och började småspringa ned mot sjön.

Gordon rusade efter honom. "Paul!"

Sara drog för de tunna gardinerna. Det där var intressant. På vandringsleden hade Keisha sagt att apputvecklarna hette Gordon och Landry. Sara undrade om Paul var en annan gäst eller någon som jobbade på campingen. Sedan tvingade hon sig att sluta undra. Hon var inte här för att lista ut saker om folk. Hon var här för att ha sex i badkaret med sin man.

Sin man.

Sara log när hon gick tillbaka till badrummet. Hon hade sett Wills min när hon kallade honom sin man för första gången. Den speglade förtjusningen hon själv känt när han kallade henne sin fru.

Hon tittade ut genom det stora panoramafönstret framför badkaret. Gordon och Paul syntes inte till. Stugan låg mycket högre än stigen. Hon kunde inte ens se sjön. Utsikten bestod av träd och fler träd. Hon kontrollerade vattentemperaturen, som var perfekt. Badkaret skulle fyllas mycket snabbare än hon trott. Sara var dotter till en rörmokare och visste en del om hur vattenflöden fungerade. Hon visste också hur hennes man fungerade. Kanske skulle han inte märka att hon gråtit om han hittade henne naken och redo. Vilket var precis vad som hände när han kom in i badrummet fem minuter senare.

Will släppte kudden han höll i. "Vad har hänt?"

Sara lutade sig tillbaka i badkaret. "Kliv i."

Han sneglade ut genom fönstret. Han tyckte inte om att visa sig utan kläder. Där Sara såg slanka muskler och senor, konturen av hans fantastiska magmuskler och hans vackra, starka armar, såg Will bara ärren han bar med sig från barndomen. De skrumpna, runda brännmärkena efter cigaretter. Avtrycket av kroken på en galge. Hudtransplantationen där såret varit för stort för att läka på egen hand.

Tårarna brände bakom Saras ögonlock igen. Hon ville resa tillbaka i tiden och mörda alla som gjort honom illa.

"Är du okej?" frågade Will.

Hon nickade. "Jag bara njuter av utsikten."

Will brydde sig inte om att känna efter hur varmt vattnet var. Han gled ned mittemot henne i badkaret. De fick knappt plats. Hans knän stack upp flera centimeter över badkarskanten. Sara vände sig så att hon kunde luta huvudet mot hans bröst. Will lade armarna om henne. De tittade ut över trädtopparna. Ett dis svävade ovanför bergskammen. Sara gillade tanken på att höra regnet smattra mot plåttaket.

"Jag måste erkänna en sak", sa hon.

Han kysste hennes hjässa.

"Jag blev lite överväldigad av alltihop."

"På ett dåligt vis?"

"På ett bra vis." Hon tittade upp på honom. "Glatt överväldigad."

Will nickade. Hon kysste honom mjukt innan hon lutade huvudet mot hans bröst igen. Det fanns utrymme för honom också i det här samtalet. Sara visste att även han känt sig en aning överväldigad. Men Will skulle hellre ta en löptur på en och en halv mil upp för bergsväggen än sätta sig på sängen och gråta.

"Packade din syster allt du behövde?" frågade han.

"Ja, plus en tjugofem centimeter lång, rosa dildo."

Will dröjde med svaret. "Jag antar att vi kan testa den om du vill ha något mindre."

Sara skrattade och han drog henne närmare intill sig. Inte ett ljud hördes i marmorbadrummet. Inte ens vatten som droppade från kranen. Sara lyssnade på Wills trygga, regelbundna andetag. Hon slöt ögonen. Hon låg i hans famn tills vattnet började bli kallt. Hon hade inte tänkt somna, men det var precis vad hon gjorde. När hon vaknade till hade regndimman långsamt svept ned över berget.

Hon suckade djupt. "Vi borde väl gå och göra något?"

"Kanske det." Will strök långsamt handen över hennes arm. Sara motstod lusten att spinna som en katt. "Jag måste erkänna en sak", sa han.

Sara visste inte om han skämtade eller menade allvar. "Vad?"

"Det finns en kille här som bodde på barnhemmet samtidigt som jag."

Det kom så oväntat att Sara behövde en liten stund för att smälta informationen. Will pratade sällan om folk som bott på barnhemmet. Hon tittade upp på honom. "Vem då?"

"Han heter Dave", sa Will. "Han var helt okej i början. Sedan hände något. Han förändrades. Barnen började kalla honom Schakalen. Kanske kom han på namnet själv. Dave gav alltid folk smeknamn."

Sara vilade bakhuvudet mot hans bröstkorg och lyssnade till hans långsamma hjärtslag.

"Vi var vänner ett tag", sa Will. "Vi gick i samma klass. En hjälp-klass. Jag tyckte att vi kom rätt bra överens."

Sara visste att Will bara gått i hjälpklass på grund av sin dyslexi. Han hade inte fått diagnosen förrän han gick på college och behandlade den fortfarande som en skamlig hemlighet. "Vad hände med honom?"

"Han skickades till en riktigt hemsk fosterfamilj. De riggade systemet. Hittade på alla möjliga problem med Dave för att få pengar till behandlingar. Och sedan började han få infektioner. Så ..."

Will tystnade. Återkommande urinvägsinfektioner hos barn kunde vara tecken på sexuella övergrepp.

"Han togs från fosterhemmet, men när han kom tillbaka var han elak. Jag förstod det inte först. Han låtsades att vi fortfarande var vänner. Jag hörde en massa hemska saker om honom, men alla sa hemska saker om varandra. Ingen av oss var riktigt som vi skulle."

Sara kände hur hans bröstkorg höjdes och sänktes.

"Han började mobba mig. Mucka gräl. Jag ville slå till honom ett par gånger, men det skulle ha varit orättvist. Han var mindre och yngre än jag. Jag kunde ha skadat honom ordentligt." Wills hand fortsatte stryka över Saras arm. "Sedan började han hänga ihop med Angie och ... Jag är ingen idiot. Det är inte som om han släpade ned henne i källaren mot hennes vilja. Hon var med många killar. Det fick henne att känna att hon hade någon form av kontroll över sitt liv. Jag antar att det var likadant för Dave. Men det gjorde ont att se honom med Angie. Jag trodde att vi var vänner, men han vände sig mot mig. Angie visste om det, men gjorde det ändå. Det var en jobbig situation."

Sara kunde inte ens greppa hälften av Wills skruvade relation till sin före detta fru. Det enda bra som fanns att säga om den kvinnan var att hon var borta nu.

"Dave var på henne hela tiden. Han såg till att jag visste om det, gnuggade in det ordentligt. Det var som om han ville att jag skulle ge honom stryk. Som om det skulle bevisa att han kunde knäcka mig." Will var tyst en lång stund. "Det var Dave som började kalla mig för Sophögen."

Saras hjärta kändes tungt i bröstet. Hon kunde knappt föreställa sig hur det måste ha varit för Will att springa på den här otrevlige mannen så snart efter bröllopet och att få alla hemska barndomsminnen kastade i magen. Särskilt smeknamnet måste kännas som ett slag i ansiktet. Under de senaste dagarna hade Will kommit med en del skämt om att hans sida av kyrkan varit så tom, men Sara hade sett sanningen i hans ögon. Han saknade sin mamma, vars sista kärleksfulla handling varit att gömma sonen i en soptunna för att rädda hans liv. Sedan hade det här vidriga svinet utnyttjat det för att plåga Will.

"Dave försökte be om ursäkt", sa Will. "Nyss, ute på stigen."

Sara tittade förvånat på honom. "Vad sa han?"

"Det var ingen riktig ursäkt." Will skrattade torrt, trots att det inte fanns något lustigt i den här situationen. "'Kom igen, Sophögen', sa han. 'Titta inte på mig så där. Jag får väl be om ursäkt då, om det hjälper dig att släppa hela grejen.'"

"Vilken idiot", muttrade Sara. "Vad sa du?"

"Jag började räkna ned från tio." Will ryckte på axlarna. "Jag vet faktiskt inte om jag skulle ha slagit honom. Han smet iväg när jag kom till åtta, så det får vi aldrig veta."

Sara skakade på huvudet. En liten del av henne önskade att han slagit idioten sönder och samman.

"Jag är ledsen att det blev så här", sa Will. "Jag lovar att det inte ska få förstöra vår smekmånad."

"Inget kommer att förstöra den." Sara kom på ett tillägg till bibelversen hennes mamma skickat. Wills fiender var hennes fiender.

Det vore bäst för Dave att han inte träffade på Sara under veckan. "Är han en av gästerna?"

"Jag tror att han jobbar här. Som vaktmästare, av kläderna att döma." Will fortsatte stryka hennes arm. "Det är lustigt. Dave rymde från barnhemmet några år innan jag blev arton. Polisen förhörde oss allihop och jag sa till dem att han förmodligen var här uppe. Dave älskade lägret. Han försökte få en plats varje år. Jag brukade hjälpa honom med bibelverserna. Han läste dem så många gånger att jag memorerade dem. Han övade med mig på bussen, under idrotten, i studierummet. Om han lagt hälften så mycket energi på skolan skulle han inte ha behövt gå i samma klass som oss dumskallar."

Sara lade fingret över hans läppar. Han var inte dum.

Will tog hennes hand och kysste handflatan. "Har vi erkänt allt nu?"

"Jag har en sak till att berätta."

Han skrattade. "Okej."

Hon satte sig upp så att de kunde se på varandra. "Det finns en stig på kartan som heter Lilla hjortstigen. Den leder till andra sidan sjön."

"Jon sa att *awinita* är cherokesiska för hjortkalv, alltså en liten hjort."

"Tror du att stigen leder till lägerplatsen?"

"Vi kan väl ta reda på det?"

5

SEX TIMMAR FÖRE MORDET

Kökspersonalen stressade som vanligt för att hinna färdigt till middagen när Mercy klev in i köket. Hon hoppade ur vägen och lyckades med nöd och näppe undgå att krocka med en stapel tallrikar som nådde över huvudet på diskplockaren. Hon mötte Alejandros blick. Han nickade att allt var i sin ordning.

"Har ni fått informationen om jordnötsallergin?" frågade hon ändå.

Han nickade igen, och den här gången sa vinkeln på hakan att hon borde gå därifrån.

Mercy tog det inte personligt. Hon hade inget emot att låta honom jobba ifred. Den förre kocken var en tafsande gammal tok som var beroende av oxy och hade gripits för langning veckan efter Papas olycka. Alejandro var en ung kock från Puerto Rico som just tagit examen från kockskolan i Atlanta. Mercy hade lovat honom full kontroll över köket om han började genast. Gästerna älskade honom. De två ungdomarna från staden närmast anläggningen som jobbade i köket var alldeles hänförda. Mercy visste bara inte hur länge han skulle nöja sig med att tillaga intetsägande "lagom stark mat för vita" uppe i bergen.

Hon sköt upp dörren till matsalen. En plötslig våg av illamående fick magen att vilja vända sig. Mercy stödde sig mot dörren. Hjärnan kunde tränga undan stressen, men kroppen påminde henne om att den fanns kvar. Hon öppnade munnen för att dra ett djupt andetag och återgick sedan till jobbet.

Mercy gick runt bordet och rättade till en sked här och en kniv där. Ett av glasen hade en vattenfläck som syntes i ljuset. Hon använde skjortsnibben för att gnugga bort den medan hon såg sig om i rummet. Två långa bord löpte tvärs igenom utrymmet. På Papas tid hade man suttit på bänkar, men Mercy hade investerat i riktiga stolar. Folk drack mer när de kunde luta sig tillbaka. Hon hade också köpt högtalare för att spela låg musik och belysning som kunde dämpas för att skapa rätt stämning. Papa hatade båda delarna, men kunde inte göra mycket åt det eftersom han inte förstod sig på knapparna.

Hon ställde tillbaka glaset, rättade till ytterligare en gaffel och flyttade en ljusstake till mitten av bordet. Hon räknade kuverten under tystnad. Frank och Monica, Sara och Will, Landry och Gordon, Drew och Keisha. Investerarna Sydney och Max skulle sitta med familjen. Chuck hade fått platsen bredvid Fisken så att de kunde sura ihop. Delilah hade placerats vid kortänden som om hon lagts till i sista sekunden, vilket verkade passande. Mercy visste att Jon inte skulle dyka upp. Inte bara för att han förmodligen pratat med Papa om investerarna vid det här laget, utan också för att hon varit dum nog att ge honom ledigt. Alejandro diskade inte och ungdomarna ville lämna berget senast halv nio. Mercy skulle få vara uppe till midnatt för att hinna röja undan och förbereda frukosten.

Hon tittade på klockan. Cocktailstunden skulle snart börja. Hon gick ut på altanen, som också förbättrats efter Papas olycka. Mercy hade fått Dave att bygga ut den lilla balkongen så att plankorna sköt ut över klippkanten. Han hade blivit tvungen att ta in hjälp för att få dit stödpelarna och han och vännerna hade druckit öl medan de dinglade i rep över den femton meter djupa ravinen. Som kronan på verket hade han lindat ljusslingor kring räcket. Terrassen hade bänkar och plats att ställa ifrån sig drinkarna på, och den var faktiskt helt perfekt om man inte visste att den blivit ett halvår försenad och kostat tre gånger så mycket som Dave först sagt.

Mercy granskade tyst flaskorna i baren. De exotiska etiketterna syntes väl i kvällssolen. När Papa bestämde hade campingen bara haft ett "husets vin", med samma smak och konsistens som fruktsirap. Nu sålde de whiskey sours och gin och tonics för löjligt stora summor. Mercy hade alltid misstänkt att deras klientel gärna skulle betala för Tito's och Macallan. Det hon inte väntat sig var att anläggningen skulle dra in lika mycket på spritförsäljningen som den gjorde på stugornas högsäsongspriser.

Penny, som också bodde nere i staden, förberedde baren. Hon var äldre än resten av personalen, lite sliten och förståndig. Mercy hade känt henne i åratal, ända sedan Penny började städa stugorna som tonåring. De hade festat som galningar på den tiden och sedan fått kämpa för nykterheten. Som tur var behövde Penny inte dricka för att veta vad som smakade bra. Gästerna älskade hennes enorma kunskap om obskyra drinkar, som fick dem att beställa ännu mer.

"Går det bra?" frågade Mercy.

"Det går." Penny tittade upp från limen hon skivade, när ekot av röster hördes längs stigen. Sedan tittade hon på klockan med rynkad panna.

Mercy blev inte förvånad över att Frank och Monica var tidiga till cocktailstunden. Tandläkaren tålde åtminstone sprit. Hon var inte högljudd eller otrevlig, bara kusligt tyst. Mercy hade träffat många fyllon. De tystlåtna var vanligtvis värst. Inte för att de kunde bli elaka eller var oberäkneliga, utan för att de försökte dricka ihjäl sig. Frank var irriterande, men Mercy tyckte inte att han var tillräckligt illa för att man skulle vilja supa sig till döds.

Å andra sidan var det precis vad folk trodde om Dave.

"Välkomna!" Mercy klistrade fast leendet på läpparna när de nådde altanen. "Är allt bra?"

Frank log tillbaka. "Fantastiskt. Jag är glad att vi kom hit."

Monica gick raka vägen till baren. Hon knackade på en flaska. "Dubbel, utan is", sa hon till Penny.

Mercy kände hur det vattnades i munnen när Penny öppnade flaskan med WhistlePig Estate Oak. Hon intalade sig att den plötsliga längtan hon kände berodde på att halsen fortfarande ömmade efter Daves strypförsök. En liten klunk rågwhiskey skulle lindra smärtan. Det var precis vad hon intalat sig förra gången hon fick ett återfall, förutom att det gällde majswhiskey den gången.

Monica drog till sig glaset och svepte halva innehållet i en klunk. Mercy undrade vilken sorts lyxtillvaro man måste leva om man kunde supa sig full för tjugo dollar glaset. Efter två glas smakade allt ändå likadant.

Gruset som knarrade under rullstolens hjul kungjorde att Papa anlänt. Bitty sköt rullstolen framför sig med samma bistra min som vanligt. En man och en kvinna gick på varsin sida om rullstolen. Det måste vara investerarna. Båda var förmodligen en bra bit över femtio, men rika nog att se ut som fyrtioåringar. Max var klädd i jeans och svart t-shirt. Snittet på dem fick honom att se fantastisk ut. Sydney hade likadana kläder, men i stället för Hoka-sneakersen som Max bar hade hon ett par välanvända ridstövlar i läder. Det blekblonda håret var samlat i en hög hästsvans uppe på huvudet. Kindbenen var skarpa som glasbitar. Axlarna var tillbakadragna. Brösten pekade framåt. Hakan var höjd.

Mercy gissade att hon var en hästmänniska. Sådan där hållning fick man inte av att hasa runt på köpcentret. Kvinnan hade förmodligen ett stall fullt av varmblodshästar och en heltidsanställd tränare i sitt lyxiga hem i Buckhead. Om man betalade någon tio tusen i månaden för att lära ponnyhästar värda tvåhundratusen styck att dansa square dance, skulle tolv miljoner för ett andra eller tredje hem inte vara något bekymmer.

Bitty försökte fånga Mercys blick. Hon såg ilsken och ogillande ut. Det var tydligt att hon fortfarande var arg över familjemötet. Hon föredrog när allt flöt smidigt. Bitty hade alltid varit Papas fixare, den som fick alla andra att lyda och förlåta genom att ge dem skuldkänslor.

Mercy orkade inte med sin mamma just nu. Hon gick tillbaka in i matsalen. Magen protesterade igen. Mercy unnade sig ett ögonblicks sorg. Hon hade halvt om halvt hoppats att Jon skulle komma traskande efter Papas rullstol. Att sonen skulle be henne förklara sin ståndpunkt, att de skulle prata igenom saken och att Jon skulle förstå att han hade en bättre framtid här, inom familjeföretaget. Att han inte skulle hata henne, utan åtminstone acceptera att de tyckte olika. Men Jon syntes inte till alls. Det enda som mött henne där ute var hennes mammas hånfulla blick.

Mercy skulle förlora alla innan den här kvällen var över. Jon var inte som Dave. Hans humör puttrade en stund innan det sjöd över och när han väl explodera tog det dagar – ibland veckor – innan han återgick till normalläge igen. Eller hittade ett nytt normalläge. Jon samlade på bedrövelser som vore det fotbollskort.

Ett lågt klick hördes. Mercy tittade upp. Bitty stängde försiktigt matsalsdörren efter sig. Mercys mamma gjorde allt på ett utstuderat tyst vis, oavsett om hon kokade ägg eller gick över golvet. Hon kunde smyga sig på folk som ett spöke. Eller som Döden själv, beroende på hennes humör.

Just nu lutade humöret ordentligt åt det senare hållet. "Papa är här med investerarna", sa hon till Mercy. "Jag vet vad du tycker, men du får se till att hålla god min."

"Trots mitt fula tryne, menar du?" Mercy såg Bitty rycka till, men hon hade bara citerat Papa. "Varför ska jag vara trevlig mot dem?"

"För att du inte kommer att göra allt det där som du pratade om. Det gör du helt enkelt inte."

Mercy såg på sin mamma. Bitty hade satt händerna i sidan. Kinderna var röda. Det kerubliknande ansiktet och den späda kroppen fick henne att likna ett barn.

"Jag bluffar inte, mamma", sa Mercy. "Jag ska krossa er allihop om ni försöker driva igenom försäljningen."

"Det ska du verkligen inte." Bitty stampade otåligt med foten, men hennes stampande var snarare ett tyst hasande. "Sluta upp med de där dumheterna."

Mercy var på väg att skratta henne rakt upp i ansiktet, men kom på en sak. "Vill du sälja det här stället?"

"Din pappa sa åt dig att ..."

"Jag frågar vad *du* vill göra, mamma. Jag vet att du inte får vara med och bestämma särskilt ofta." Mercy väntade, men hennes mamma svarade inte. Hon upprepade frågan. "Vill du sälja det här stället?"

Bitty knep ihop läpparna till ett smalt streck.

"Det här är vårt hem." Mercy försökte vädja till någon slags känsla för rättvisa. "Farfar sa alltid att vi inte äger marken, utan att vi förvaltar den. Du och Papa har gjort ert. Det är inte rättvist att fatta beslut för kommande generationers räkning när det inte påverkar era liv alls."

Bitty stod tyst, men lite av ilskan i hennes blick hade försvunnit.

"Vi har ägnat hela våra liv åt det här stället." Mercy nickade mot matsalen. "Jag hjälpte till att spika fast de här plankorna när jag var tio. Dave byggde verandan där gästerna dricker cocktails just nu. Jon har skurat köksgolvet. Fisken fångade en del av maten som köket tillagar ikväll. Jag har ätit nästan alla middagar i hela mitt liv uppe på det här berget. Det har Jon också. Och Fisken. Vill du ta det ifrån oss?"

"Christopher sa att det inte spelade någon roll."

"Han sa att han inte ville hamna i kläm", rättade Mercy henne. "Det är inte samma sak som att inte bry sig om det. Tvärtom."

"Du har gjort Jon alldeles förtvivlad. Han ville inte ens följa med och äta middag."

Mercys hand for upp till hjärtat. "Är han okej?"

"Nej, det är han inte", sa Bitty. "Stackars liten. Jag kunde inte göra mer än att hålla om honom medan han grät."

Mercys hals snördes samman och den skarpa smärtan efter Daves stryptag hjälpte henne att stålsätta sig. "Jag är Jons mamma. Jag vet vad som är bäst för honom."

Bittys skratt klingade falskt. Hon hade alltid försökt vara Jons vän snarare än hans mormor. "Han pratar inte med dig som han pratar med mig. Han har drömmar. Han vill åstadkomma något."

"Det hade jag också", sa Mercy. "Du sa att jag aldrig skulle vara välkommen tillbaka om jag flyttade."

"Du var gravid", sa Bitty. "Femton år gammal. Förstår du hur genant det var för mig och Papa?"

"Förstår du hur svårt det var för mig?"

"Då skulle du ha låtit bli att sära på benen", snäste Bitty. "Du vet aldrig när du ska sluta, Mercy. Det var precis vad Dave sa om dig. Du går alltid för långt."

"Har du pratat med Dave?"

"Ja, jag pratade med Dave. Jon grät mot min ena axel och Dave mot den andra. Han är alldeles uppriven över det här, Mercy. Han behöver pengarna. Han har skulder."

"Pengar kommer inte att förändra den saken", sa Mercy. "Han kommer bara att skaffa sig nya skulder."

"Det är annorlunda den här gången." Bitty hade rapat upp samma sak i tio år. "Dave vill förändras. Pengarna ger honom en chans att bättra sig."

Mercy skakade på huvudet. När det gällde Dave var Bitty beredd att förlåta vad som helst. Han kunde alltid förändras. Mercy, däremot, hade fått lämna övervakade urinprov i ett år innan hennes mamma lät henne vara ensam med Jon.

"Dave vill att vi ska köpa ett hus tillsammans nedanför berget", sa Bitty.

Mercy skrattade. Listigt av Dave att lägga beslag på Bittys och Papas del av pengarna också. Hon gissade att han skulle börja tulla på deras pensionspengar redan nästa år.

"Han sa att vi kunde hitta ett stort enplanshus, så att Papa inte behöver sova i matrummet. Med pool, så att Jon kan bjuda hem sina vänner. Pojken är ensam här uppe", sa Bitty. "Dave kan skapa ett gott liv åt oss och Jon. Åt dig också, om du slutar vara så förbannat envis."

Mercy skrattade. "Varför är jag förvånad över att du tar Daves parti? Jag är precis lika lättlurad som du."

"Han är fortfarande min lille pojke, oavsett hur mycket du förvridit den saken i tankarna. Jag har aldrig behandlat honom annorlunda än dig och Christopher."

"Förutom all kärlek och tillgivenhet han fått, då."

"Sluta tycka synd om dig själv." Bitty stampade tyst med foten igen. "Papa hade tänkt berätta det här för dig senare, men oavsett hur det går med investerarna får du sparken."

För andra gången den dagen kändes det som om någon boxat Mercy rakt i magen. "Ni kan inte sparka mig."

"Du har vänt dig mot familjen", sa Bitty. "Var ska du bo? Inte i mitt hem, i alla fall."

"Mamma."

"Låt inte så där. Jon stannar, men du ska ut innan veckan är slut."

"Du får inte behålla min son."

"Hur ska du kunna försörja honom? Du äger inte ett öre." Bitty satte arrogant hakan i vädret. "Vi får väl se hur långt ned för berget du tar dig när du är arbetslös och har ett mordåtal hängande över huvudet."

Mercy klev närmare henne. "Vi får väl se hur ditt beniga arsle klarar sig i fängelset."

Bitty backade chockat ett par steg.

"Tror du inte att jag vet vad du har haft för dig?" Glimten av rädsla i hennes mammas ögon var oerhört tillfredsställande. Mercy ville se mer av den. "Testa mig, du. Jag kan ringa polisen när som helst."

"Hör nu här." Bitty hytte med pekfingret i Mercys ansikte. "Någon kommer att hugga en kniv i ryggen på dig om du hotar folk på det där viset."

"Jag tror att min mamma just gjorde det."

"När jag ger mig på någon gör jag det ansikte mot ansikte." Hon blängde på Mercy. "Du har till söndag på dig."

Bitty vände på klacken och gick ut genom dörren. Att hon försvann utan ett ljud kändes mycket värre än om hon skulle ha stampat och smällt igen dörren. Det skulle inte bli några ursäkter och inget skulle tas tillbaka. Bitty hade menat vartenda ord.

Mercy hade fått sparken. Hon hade en vecka på sig att flytta från huset.

Insikten var som ett slag mot huvudet. Mercy sjönk ned på en stol. Hon kände sig yr. Händerna darrade. Handflatan lämnade ett svettigt märke på bordet. Kunde de sparka henne? Papa var stiftelsens förvaltare, men nästan allt annat behövde de rösta om. Mercy kunde inte räkna med Dave. Fisken skulle sticka huvudet i sanden. Mercy hade inget bankkonto och inga pengar utom de två tiorna i fickan, och de kom från växelkassan.

"Tuff dag?"

Mercy behövde inte vända sig om för att veta vem som ställt frågan. Fasterns röst hade inte förändrats de senaste tretton åren. Det fanns en slags grym logik i att Delilah hade valt just det här tillfället att träda fram ur skuggorna.

Mercy sa: "Vad vill du, din skrumpna gamla ..."

"Fitta?" Delilah satte sig mittemot henne. "Djupet kanske jag har, men värmen saknas definitivt."

Mercy stirrade på sin faster. Tiden hade inte förändrat Papas äldre syster alls. Hon såg fortfarande precis ut som det hon var: en gammal hippie som tillverkade tvål hemma i garaget. Det långa, grå håret var samlat i en fläta som räckte ned till rumpan. Hon bar en enkel bomullsklänning som kunde ha varit gjord av en mjölsäck. Händerna var valkiga och ärrade av tvåltillverkningen. Ett djupt hugg i överarmen hade läkt som en hopknölad bit säckväv.

Ansiktet var fortfarande vänligt. Det var den svåraste biten. Mercy kunde inte få ihop bilden av den Delilah som hon älskade under uppväxten med monstret som hon börjat hata. Hon hade ungefär samma känsla när det gällde nästan alla andra personer i sitt liv just nu.

Utom Jon.

"Det är häpnadsväckande att tänka på de hjältemodiga sagorna som berättats om det här gamla stället genom åren", sa Delilah. "Som om inte hela området var en skådeplats för folkmord. Visste du att det ursprungliga fiskelägret byggdes av en sydstatssoldat som deserterade efter slaget vid Chickamauga?"

Mercy kände inte till deserteringen, men hon visste att platsen bebyggts efter inbördeskriget. Enligt familjehistorien var den förste Cecil McAlpine en vapenvägrare som flytt upp i bergen med en förrymd kammarjungfru.

"Glöm det romantiska svamlet", sa Delilah. "Hela historien om den försvunna änkan är rena dyngan. Kapten Cecil tog med sig en tillfångatagen kvinna upp hit. Idioten trodde att de var förälskade. Hon såg det mer som kidnappning och våldtäkt. Hon skar halsen av honom mitt i natten och rymde med släktsilvret. Han dog nästan. Men du vet att McAlpines är svåra att ta död på."

Det visste Mercy definitivt. "Tror du att du kan göra mig så chockad att jag går med på försäljningen genom att berätta att mina förfäder var hemska människor? Du har väl träffat min far?"

"Jodå." Delilah pekade på det fula ärret på överarmen. "Det här är inte från någon ridolycka. Din pappa svingade en yxa mot mig när jag sa att jag ville ta över anläggningen. Jag föll så hårt i marken att jag bröt käken."

Mercy fick bita sig i underläppen för att inte reagera. Det där var en sanning hon redan kände till. Hon hade suttit gömd i den gamla ladan bakom paddocken när det hände. Mercy hade aldrig berättat för någon vad hon bevittnat. Inte ens för Dave.

"Jag låg på sjukhus i en vecka på grund av Cecil. Förlorade en bit av muskeln i armen. De var tvungna att surra käken. Hartshorne brydde sig inte om att försöka höra mig som vittne. Jag kunde inte prata på två månader." Delilahs ord var brutala, men leendet var milt. "Du kan skämta om det, Mercy. Jag vet att du vill."

Mercy svalde klumpen i halsen. "Vad är du ute efter? Menar du att jag ska offra det här, precis som du, innan jag blir skadad?"

Sanningen fick Delilah att le igen. "Det är ju väldigt mycket pengar."

Mercy kände syran samlas i magen igen. Hon var så jäkla trött på att slåss. "Vad vill du, Dee?"

Delilah rörde vid sin kind. "Jag ser att ditt ärr läkte bättre än mitt."

Mercy vände bort blicken. Hennes ärr var fortfarande som ett öppet sår. Det var inristat i hennes själ, precis som namnet som stod ristat på gravstenen på kyrkogården.

Gabriella.

Delilah frågade: "Varför tror du att din pappa inte lät mig vara med vid familjemötet?"

Mercy var för sliten för gissningslekar. "Jag vet inte."

"Mercy, fundera på det. Du har alltid varit smartast här uppe. Åtminstone sedan jag flyttade härifrån."

Det var hennes sjungande tonfall som skar mest i hjärtat – så lugnande och välbekant. De hade stått varandra nära innan allt gick åt helvete. Som barn bodde Mercy hos Delilah under somrarna. Delilah skickade brev och vykort från sina resor. Hon var den första som fick veta att Mercy var gravid. Hon var den enda som följde med Mercy till sjukhuset när Jon föddes. Mercy hade varit fastlåst i sängen med handbojor eftersom hon var gripen. Delilah hade hjälpt henne att hålla Jon mot bröstet så att hon kunde amma honom.

Och sedan hade hon försökt stjäla honom för alltid.

"Du försökte ta min son ifrån mig", sa Mercy.

"Jag tänker inte be om ursäkt för det som hände. Jag gjorde det jag trodde var bäst för Jon."

"Att skilja honom från hans mamma?"

"Du for in och ut ur fängelset, in och ut på torken. Sedan hände det där hemska med Gabbie. De lyckades knappt sy ihop ditt ansikte igen. Du kunde lika gärna ha dött själv."

"Dave var ..."

"Värdelös", avslutade Delilah meningen. "Mercyhjärtat, jag har aldrig varit din fiende."

Mercy fnös roat till. Hon hade bara fiender nu för tiden.

"Jag gömde mig i vardagsrummet medan Cecil höll i familje-mötet." Delilah behövde inte påminna Mercy om att väggarna var tunna. Hon måste ha hört allt, inklusive Mercys hot. "Du spelar ett högt spel, flicka lilla."

"Jag kan inga andra spel."

"Skulle du verkligen skicka dem i fängelse? Förödmjuka dem? Krossa dem?"

"Titta vad de försöker göra med mig."

"Det har du åtminstone rätt i. De har alltid varit hårda mot dig. Bitty skulle välja Dave framför sina barn i alla lägen."

"Försöker du muntra upp mig?"

"Jag försöker prata med dig som en vuxen."

Mercy överväldigades av lusten att göra något barnsligt. Det var hennes dumma sida. Den som skulle bränna en bro samtidigt som hon sprang över den.

"Är du inte trött?" undrade Delilah. "På att slåss mot alla dessa människor som aldrig ger dig vad du behöver?"

"Vad behöver jag?"

"Trygghet."

Mercys bröst snördes samman. Hon hade fått många slag i magen idag, men ordet träffade henne som en slägga. Trygghet var något hon aldrig upplevt. Rädslan för att Papa skulle explodera hade alltid funnits där. Rädslan för att Bitty skulle göra något elakt. För att Fisken skulle överge henne. För att Dave skulle – jisses, den listan var inte ens värd att räkna upp. Dave gjorde allt *utom* att ge henne trygghet. Inte ens Jon fyllde henne med frid. Mercy var alltid livrädd att han skulle vända sig mot henne, som de andra gjort. Att hon skulle förlora honom. Att hon alltid skulle förbli ensam. Hon hade ägnat hela livet åt att vänta på nästa slag.

"Gumman." Utan förvarning sträckte sig Delilah över bordet och tog Mercys hand. "Prata med mig."

Mercy tittade ned på deras händer. Där syntes det att Delilah åldrats. Leverfläckar. Ärr från het lut och oljor. Valkar efter att ha packat upp och packat ihop träformarna. Delilah var för skarp. För smart. Det var inte kvicksand Mercy sprang i nu. Det var vatten som snart skulle börja koka.

Mercy lade armarna i kors och lutade sig tillbaka mot stolsryggen. Delilah hade varit tillbaka på egendomen i mindre än en dag, men fick redan Mercy att känna sig hudlös och sårbar. "Varför lät inte Papa dig vara med på familjemötet?"

"För att jag sa till honom att jag skulle rösta med dig. Jag stöttar dig, vad du än väljer."

Mercy skakade på huvudet igen. Det här var någon slags fint. Ingen stöttade henne, allra minst Delilah. "Nu är det du som försöker spela spel."

"Jag spelar inte, Mercy. Stiftelsens regler ser till att jag fortfarande får besked om hur den går. Efter vad jag kan se har du hållit stället flytande under en ganska tuff tid. Dessutom har du lyckats komma på fötter själv." Delilah ryckte på axlarna. "I min ålder skulle jag hellre ta pengarna, men jag tänker inte straffa dig för att du fått livet på rätt köl igen. Jag stöttar dig. Jag kommer att rösta emot försäljningen."

Ordet *stöttar* skavde som en spikmatta. Delilah hade inte kommit för att erbjuda sitt stöd. Hon hade alltid dolda motiv. Mercy var för trött för att se dem nu. Eller också var hon bara helt utmattad på grund av sin lögnaktiga, vidriga familj.

Hon sa det första som dök upp i huvudet. "Jag behöver inget jävla stöd från dig."

"Jaså?" Delilah såg road ut, vilket var ännu mer irriterande.

"Ja." Mercys röst var hård. Hon ville slå bort flinet ur Delilahs ansikte. "Du kan köra upp ditt stöd där solen aldrig skiner."

"Du har visst kvar ditt berömda humör." Delilah såg fortfarande road ut. "Är det här så klokt?"

"Vet du vad som skulle vara klokt? Att du ger fan i att lägga dig i mitt liv."

"Jag försöker hjälpa dig, Mercy. Varför beter du dig så här?"

"Lista ut det på egen hand, Dee. Du är ju smartast här uppe."

Det kändes fantastiskt att gå genom rummet, som det mest givande *dra åt helvete* hon någonsin slängt ur sig. Varm luft svepte över Mercy när hon sköt upp dubbeldörrarna. Hon såg ut över gästerna. Altanen var full av folk. Chuck stod nära Fisken, som vägrade se på henne när hon försökte fånga hans blick. Papa satt i mitten av gruppen och drog någon idiotisk historia om sju generationer McAlpines kärlek till varandra och marken. Jon syntes fortfarande inte till. Han åt förmodligen en fryst middag på rummet. Eller också tänkte han på alla tomma löften som Dave hade kastat ur sig om ett stort hus i staden med pool och en enda stor lycklig familj utan Jons jävla mamma.

Ett plötsligt obehag grep Mercy. Hon tog stöd mot räcket när verkligheten träffade henne som en slägga i huvudet. Vad fan var det för fel på henne som stormat ut ur matsalen på det där viset? Delilahs stöd skulle ha betytt att Mercy bara behövde slita en person till från Papas sida. Men Mercy hade gladeligen satt krokben för sig själv för en flyktig sekunds njutning. Det var den här dåliga beslutsförmågan som fick henne att gå tillbaka till Dave hela tiden. Hur många gånger måste hon kasta sig i tegelväggen innan hon insåg att hon kunde sluta skada sig själv?

Hon rörde vid sin ömma hals och svalde saliven som stigit upp i munnen. Ignorerade svetten som droppade längs ryggen. Mercys berömda humör. Snarare Mercys berömda galenskap. Hon tvingade händerna att sluta skaka. Hon måste sluta tänka på samtalet. Sluta tänka på Delilah. På Dave. På familjen. Ingen av dem spelade någon roll just nu. Hon måste bara ta sig igenom middagen.

Mercy var fortfarande chef här. Åtminstone till på söndag. Hon granskade gästerna. Monica satt lite vid sidan av med ett glas i handen. Frank stod nära Sara, som artigt log åt Papas historia om hur någon McAlpine brottats med en björn. Keisha visade Drew en vattenfläck på glaset. Jäkla catering-människor. Hur bra skulle de själva hantera hårt vatten och påtända småstadsbor som alltid kom en halvtimme sent till jobbet?

Hon letade efter de övriga gästerna. Magen gjorde en kullerbytta när hon såg Landry och Gordon komma gående längs stigen. De var sist. De hade huvudena tätt intill varandra medan de pratade. Investerarna såg ut över ravinen och diskuterade förmodligen hur många andelslägenheter de kunde sälja. Mercy hoppades att någon skulle knuffa dem över räcket. Hon såg sig om igen och fick syn på Will Trent. Hon hade missat honom första gången. Han stod på knä i hörnet och klappade en av katterna. Han såg fortfarande knullmosig ut, vilket betydde att Dave var det sista han tänkte på.

Sådan tur hade inte Mercy.

"Hallå där, Mercy Mac." Chuck lade handen på hennes arm. "Kan jag få ..."

"Rör mig inte!" Mercy insåg inte att hon skrikit förrän allas blickar vändes mot henne. Hon ruskade på huvudet och tvingade sig att skratta. "Ursäkta. Du skrämde mig, din tokstolle."

Chuck såg förvirrad ut när Mercy gned hans arm. Mercy rörde aldrig vid honom. Hon undvek det till varje pris.

"Oj, vilka muskler du har, Chuck." Hon vände sig till gästerna. "Vill någon ha påfyllning?"

Monica höll upp ett finger. Frank tryckte ned hennes hand igen.

"Hur som helst, den där björnen", sa Papa. "Ryktet säger att han öppnade en tobaksbutik i North Carolina."

Artiga skratt bröt den spända stämningen. Mercy tog tillfället i akt att gå mot baren. Den låg fyra och en halv meter bort, men det kändes som flera kilometer. Hon vände på flaskorna, radade upp de blekta etiketterna och längtade tyst efter att få smaka på innehållet i en av dem – eller allihop.

"Mår du bra?" viskade Penny.

"Fan heller", viskade Mercy tillbaka. "Ta det lugnt med spriten till damen där borta. Hon kommer att ramla ihop under middagen."

"Blandar jag mer vatten i hennes glas kommer det att se ut som ett urinprov."

Mercy sneglade på Monica. Kvinnans blick var tom. "Hon kommer inte att märka det."

"Mercy", ropade Papa. "Kom och hälsa på de här trevliga människorna från Atlanta."

Hans gemytliga tonfall fick det att krypa i skinnet. Det här var den Papa som alla avgudade. Som barn hade Mercy älskat att se den här versionen av honom. Sedan hade hon börjat undra varför han inte kunde vara lika glad och charmig mot sin egen familj.

Gästerna gjorde rum för henne när hon gick mot honom. Investerarna stod på varsin sida om rullstolen. Bitty stod bakom honom. Hon rörde tyst vid ena mungipan för att påminna Mercy om att le.

Mercy lydde och klistrade på ett falskt leende. "Hallåjsan. Välkomna till berget, hörni. Jag hoppas ni har allt ni behöver."

Den bonniga dialekten fick Papas näsborrar att vidgas, men han fortsatte med presentationen. "Sydney Flynn och Max Brouwer, det här är Mercy. Hon sköter stället tillfälligt medan vi letar efter någon mer kvalificerad som kan ta över."

Mercys leende bleknade. Han hade inte ens sagt att hon var hans dotter. "Just det. Lilla pappa trillade utför berget rätt ordentligt. Det kan vara rätt farligt här uppe."

"Ibland vinner naturen", sa Sydney.

Mercy borde ha anat att en hästägare skulle ha dödslängtan. "Jag ser på stövlarna att du vet vad som är fram och bak på en häst."

Sydney blev ivrigare. "Rider du?"

"Jösses, inte jag, inte. Min gamla farfar sa alltid att hästar antingen funderar på mord eller självmord." Mercy insåg plötsligt att alla gäster bokat en ridtur under veckan. "Såvida de inte är väldigt bra inridna, alltså. Här har vi bara terapihästar. De är vana vid att ridas av barn. Rider du, Max?"

"Verkligen inte. Jag är advokat. Hästar är inget för mig." Han tittade upp från telefonen. Papas wifi-förbud för gästerna gällde visst inte alla. "Jag bara betalar för dem."

Sydney gav ifrån sig det där gälla skrattet som rika hemmafruar har. "Mercy, du måste visa mig runt på egendomen. Jag skulle gärna se mer av marken som omfattas av naturvårdsavtalet. Vi har några flygbilder över betesmarkerna, men jag vill gärna se dem med egna ögon. Känna på själva marken. Du vet hur det är, jorden måste tala till en."

Mercy höll inne med det hon egentligen ville säga och nickade. "Jag tror att min bror har bokat in er på flugfiske imorgon bitti." "Fiske", sa Max. "Det är mer min stil. Man kan inte bryta nacken av att ramla ur en båt."

"Det kan man faktiskt." Fisken hade dykt upp från ingenstans. "När jag gick på college ..."

"Då så", avbröt Papa. "Nu går vi in och äter, gott folk. Det luktar som om kocken har lagat ännu en av sina utsökta rätter."

Mercy tvingade käkarna att slappna av för att inte tänderna skulle gå sönder. Papa hade inte gjort något annat än att klaga på Alejandros matlagning sedan kocken började.

Hon dröjde sig kvar ute medan gästerna följde Papa in i matsalen. Will gav henne ett medlidsamt leende när han föll in sist i kön. Mercy antog att han hade ett hum om hur det kändes att bli utskämd offentligt. Vem visste vilket slags helvete Dave utsatt honom för på barnhemmet? Det gladde henne att se att åtminstone en person hade lyckats skaka av sig Daves vidrigheter.

"Merce." Fisken stod lutad mot räcket. Han såg ned i glaset och snurrade den sista slatten läsk runt, runt. "Vad handlade det där om?"

Chockvågen efter konfrontation med Bitty och grälet med Delilah hade lagt sig. Nu började paniken växa. "Jag har fått sparken. Jag måste härifrån före söndag."

Fisken såg inte förvånad ut, vilket innebar att han redan vetat om saken. Hans tystnad och hela deras liv tillsammans sa Mercy att han inte sagt ett enda ord till hennes försvar.

"Tack för det, brorsan", sa hon.

"Det kanske är bäst ändå. Är du inte trött på det här stället?"

"Är du?"

Han höjde ena axeln. "Max säger att jag kan jobba kvar."

Mercy slöt ögonen en sekund. Den här dagen hade varit en enda lång rad av svek. När hon öppnade ögonen satt Fisken på knä för att klappa katten.

"Det är en bra lösning för mig, Mercy." Fisken såg upp på henne medan han kliade katten bakom örat. "Du vet att jag aldrig har förstått mig på affärer. De kommer att stänga campingen. Göra om den till ett privat boende. Bygga ett större område för hästarna. Jag blir markförvaltare. Jag kommer äntligen att få användning för min examen."

Sorgen överväldigade Mercy. På honom lät det som om stället redan var borta. "Så du har inget emot att ett gäng rika människor behåller marken för sig själva? Gör bäckarna och forsarna privata? I stort sett äger Grunda viken?"

Fisken ryckte på axlarna och såg på katten igen. "Det är bara rika människor som använder stället nu."

Hon kom bara på ett sätt att nå fram till honom. "Snälla Christopher, du måste vara stark för Jons skull."

"Jon klarar sig."

"Tror du verkligen det?" frågade hon. "Du vet precis vad pengar gör med Dave. Han är som en haj som känner blodlukt i vattnet. Han har redan hittat på någon galen historia om hur han ska köpa ett hus åt Papa och Bitty. Och åt Jon."

Fisken kliade katten lite för hårt på magen och fick en smäll med tassen. Han reste sig upp, men tittade över Mercys skuldra eftersom han inte kunde möta hennes blick. "Det vore kanske inte så illa? Dave älskar Bitty. Han kommer alltid att ta hand om henne. Jon har också ett särskilt band till henne. Du vet att hon avgudar honom. Papa kan inte skada någon nu när han sitter i rullstol. Att bo tillsammans skulle ge dem en nystart. Dave har alltid velat ha en familj. Det var därför han kom hit från första början – för att få vara någonstans där han hör till."

Mercy undrade varför hennes bror inte tyckte att hon förtjänade samma sak. "Dave kan inte låta bli. Se bara vad han har gjort mot mig. Jag kan inte ens skaffa ett checkkonto. Han kommer att lura av dem alla pengar och lämna dem utfattiga."

"De hinner dö innan det går så långt."

Sanningen kändes särskilt kallblodig när den kom från hennes milde bror. "Och Jon, då?"

"Han är ung", sa Fisken, som om det gjorde saken enklare. "Och jag måste tänka på mig själv för en gångs skull. Det vore trevligt att bara kunna göra mitt jobb varje dag utan att tänka på allt familjedrama och på ansvaret för affärerna. Dessutom kan jag börja ge något tillbaka. Jag kanske kan starta en välgörenhetsorganisation."

Hon kunde inte lyssna på hans förhoppningsfulla vanföreställningar längre. "Minns du inte vad jag sa på familjemötet? Jag tänker inte låta någon stjäla det här stället från mig. Tror du att jag kommer att hålla tyst om vad jag såg dig och Chuck göra vid skjulet idag? Jag kallar in federal polis så snabbt att du inte ens fattar vad som hänt förrän du sitter i häktet."

"Det kommer du inte att göra." Fisken såg henne rakt i ögonen nu och det var det mest skrämmande som hänt på hela dagen. Blicken var hård och minen bestämd. Hon hade aldrig sett sin bror vara så säker på något tidigare. "Du sa att all din skit ligger i öppen dager. Att du inte har något att förlora. Vi vet båda att det finns något som jag kan ta ifrån dig."

"Vad?"

"Resten av ditt liv."

6

FEM TIMMAR FÖRE MORDET

Sara lutade sig mot Will medan han vilade armen på ryggstödet till hennes stol. Hon såg upp på hans vackra ansikte och försökte låta bli att smälta som en pojktokig tonåring. Hans hud doftade fortfarande av det parfymerade badsaltet. Han bar en blågrå skjorta som var uppknäppt i kragen. Ärmarna var långa och rummet var lite för varmt. Hon såg en svettdroppe i *fossa jugularis* och det enda som räddade henne från att vara en fullkomlig nörd som använde det latinska namnet på hans halsgrop var hennes längtan efter att få utforska den med tungan.

Wills fingrar strök över hennes arm. Sara motstod lusten att sluta ögonen. Hon var trött efter den långa dagen och de måste upp tidigt imorgon bitti för att göra yoga, ta en vandringstur och paddla bräda. Alltihop lät roligt, men det skulle vara lika underhållande att stanna i sängen hela dagen.

Hon lyssnade medan Drew berättade för Will vad de kunde vänta sig av vandringsturen, den nedpackade lunchen och den fina utsikten. Hon visste att Will fortfarande var besviken över lägerplatsen. Inte för att de var säkra på att de verkligen hittat den. Ingen av medlemmarna i familjen McAlpine som fått frågan under cocktailstunden hade varit särskilt intresserad av att bekräfta eller förneka dess läge. Christopher hade låtsats att han inte visste något. Cecil hade kastat sig in i ytterligare en storfiskarhistoria. Till och med Bitty, som skulle vara familjens historiker, hade snabbt bytt samtalsämne.

De skulle pröva lyckan på Lilla hjortstigen igen imorgon eftermiddag. De hade inte haft tid att utforska den så mycket idag eftersom de kastat bort en hel timme på att göra precis det Sara hatade när det gällde tältsemestrar – det vill säga att svettande kämpa sig fram genom tjock undervegetation och sedan se till att ingen av dem fått några fästingar. Så småningom kom de ut i en övervuxen glänta med en stor stencirkel. Will hade skojat om att de råkat hitta stället där häxorna firade sin sabbat. Sara hade sett ölburkarna och cigarettfimparna på marken och gissat att de snarare upptäckt ett hångelställe för traktens tonåringar.

Det troligaste var att stencirkeln använts till lägereldar. Det innebär att lägerplatsen måste finnas i närheten. Barnen på barnhemmet hade pratat om sovbaracker och en mässhall och att smyga runt på baksidan av ledarnas stugor på kvällarna för att spionera. Det var många år sedan Will hört historierna, men det borde finnas rester av byggnaderna kvar. Saker som bars upp på berget brukade sällan bäras ned igen.

Saras fokus vändes mot samtalet igen, just som Will frågade Drew: "Vad gjorde ni i eftermiddags?"

"Åh, du vet. Lite av varje." Han armbågade Keisha, som var väldigt upptagen av att granska vattenfläckarna på sitt dricksglas. Drew skakade bestämt på huvudet för att få henne att släppa den saken och vände sig till Will igen. "Hur går smekmånaden?"

"Toppen", sa Will. "Vilket år träffades ni?"

Sara vek upp tygservetten i knäet och dolde ett leende när Drew inte bara berättade vilket år det var utan också vilket datum och precis var det skett. Will försökte bli bättre på att småprata, men oavsett vad han sa lät han alltid som en polis som kontrollerade ett alibi.

"Jag tog med henne på hemmamatchen mot Tuskagee", sa Drew.

"Stadion ligger vid Joseph Lowery Boulevard, eller hur?" sa Will.

"Känner du till universitetsområdet?" Drew lät imponerad över frågan, som var utformad för att verifiera fakta. "De hade precis börjat bygga RAYPAC."

"Konserthuset?" frågade Will. "Hur såg det ut?"

Saras blick vandrade mot Gordon, som satt på hennes vänstra sida. Hon försökte höra samtalet han förde med mannen bredvid sig. Tyvärr talade de för lågt. De två männen var de mest mystiska av alla gästerna. Under cocktailstunden hade de presenterat sig som Gordon och Landry, men Sara hade sett dem på stigen tidigare på dagen och utan tvekan hört Gordon kalla Landry för Paul. Hon visste inte vad de sysslade med, men hon gissade att Will skulle gå till botten med det hela när han väl började förhöra dem om huruvida de varit i närheten av stuga tio mellan klockan fyra och halv fem på eftermiddagen.

Hon lyssnade på Wills samtal med Keisha och Drew igen.

"Vilka andra befann sig i närheten?" frågade Will Keisha, eftersom det var en helt normal fråga när man pratade om någons första dejt.

Sara slutade lyssna igen och tittade bort mot Monica, som hade kraftig slagsida där hon satt intill Frank. Sara hade medvetet låtit bli att räkna antalet drinkar kvinnan druckit. Åtminstone efter de två första. Monica var nästan redlöst berusad. Frank var tvungen att stödja henne med ena armen. Han var en irriterande man, men verkade orolig för sin fru. Detsamma kunde inte sägas om de två nykomlingarna. Sydney och Max satt närmare bordets huvudände. Mannen hade näsan i telefonen, vilket var intressant med tanke på wifi-reglerna. Kvinnan slängde med hästsvansen på samma sätt som en häst slog efter flugor.

"Tolv stycken, sammanlagt", sa hon till en väldigt ointresserad Gordon. "Fyra Appaloosahästar, ett holländskt varmblod och ett gäng Trakehnare. De är yngst, men ..."

Sara slutade lyssna. Hon tyckte om hästar, men inte tillräckligt mycket för att bygga hela sin personlighet runt dem.

Will kramade hennes axel för att se efter om hon mådde bra.

Hon lutade sig fram och viskade i hans öra. "Har du hittat mördaren än?"

"Det var Chuck i matsalen med grissinin", viskade han tillbaka.

Sara lät blicken vandra bort till Chuck, som just slukade en grissini. Han hade en enorm vattenflaska intill sig eftersom ingen litade på hans njurar längre. Fiskeguiden Christopher satt på hans vänstra sida. Båda såg eländiga ut. Chuck hade förmodligen god anledning till det. Mercy hade praktiskt taget bitit huvudet av honom. Hon hade försökt släta över saken, men det var uppenbart att han gjorde henne obekväm. Till och med Sara hade märkt hans obehagliga vibbar och hon hade inte sagt något annat än hej till mannen.

Hon hade inte alls fått samma uppfattning om Christopher McAlpine, som verkade lika blyg som han var tafatt. Han satt intill sin underligt kyliga mor, som trutade bistert med läpparna. Bitty såg sonen sträcka sig efter ytterligare en bit bröd och slog undan hans hand som om han var ett barn. Han lade händerna i knät och stirrade ned i bordet. Den enda familjemedlemmen som verkade njuta av middagen var mannen vid bordets huvudände. Han hade förmodligen beordrat de andra att närvara. Det var uppenbart att han älskade att stå i uppmärksamhetens centrum. Gästerna verkade hänförda av hans historier, men Sara kunde inte låta bli att tänka att han var den sortens självrättfärdiga pösmunk som skulle ställa in skolbalen och förbjuda all dans.

Cecil McAlpine var stilig på ett robust vis med sin grå hårman. Nästan alla kallade honom Papa. De färska ärren i ansiktet och på armarna fick Sara att tro att han råkat ut för en allvarlig olycka någon gång de senaste åren. Han verkade åtminstone ha haft tur. Diafragmanerven utgick från tredje, fjärde och femte halskotans nervändar. En skada i det området innebar att man fick tillbringa resten av livet i en respirator, om man alls överlevde.

Hon såg Cecil lyfta ringfingret på vänsterhanden för att meddela frun att han ville ha en klunk vatten. Han hade skakat Wills och Saras händer ordentligt med högerhanden när de kom till cocktailstunden, men det hade uppenbarligen gjort honom utmattad.

Cecil svalde vattnet och vände sig till Landry/Paul. "Vattnet i sjön kommer från en källa i McAlpine-passet. Följ Försvunna änkans stig ned till sjön. Det tar ungefär en kvart att gå till forsen. Följ den i två mil. Det är en rejäl promenad rakt upp för berget. Man kan se bergstoppen från utsiktsbänken på vägen till sjön."

"Keesh", väste Dave. "Släpp det."

Sara visste att de grälade om vattenfläckarna på glaset. Hon vände sig artigt bort och hörde en annan konversation i andra änden av bordet. Cecils syster, en hemvävd batikhäxa i färggrann klänning, sa till Frank: "Folk tror att jag är lesbisk för att jag har Birkenstock-sandaler, men jag svarar alltid att jag är lesbisk för att jag gillar att ligga med kvinnor."

"Samma här!" Frank skrattade högt och höjde glaset i en skål.

Sara och Will log mot varandra. De satt för långt borta. Fasterns sida av bordet verkade vara roligast. Ärren på kvinnans händer och underarmar tydde på att hon arbetade med kemikalier. På överarmen fanns ett mycket större ärr. Det såg ut som om en yxa huggit bort en del av vävnaden. Hon jobbade förmodligen på en bondgård med stora maskiner. Sara hade inga problem att föreställa sig henne med majspipa och en flock vallhundar.

"Du." Will hade sänkt rösten igen. "Vad är Bitty för slags namn?"

"Det är ett smeknamn." Sara visste att Wills dyslexi gjorde det svårt för honom att uppfatta ordlekar. "Det kommer förmodligen från 'en liten bit', eftersom hon är så späd."

Han nickade. Sara såg att förklaringen hade fått honom att tänka på Dave och hans förkärlek för smeknamn. Båda hade glatt sig när den otrevliga typen inte dök upp under cocktailstunden. Sara ville inte att han skulle kasta sin långa skugga över deras kväll. Hon lade handen på Wills lår och kände hur musklerna stelnade till. Hon hoppades att middagen inte skulle dra ut på tiden. Det fanns trevligare saker att stoppa i munnen.

"Så där, ja!" Mercy kom ut ur köket med ett fat i var hand. Två tonårspojkar följde henne i hasorna med fler fat och såssnipor. "Kvällens förrätt är en liten buffé av empanadas, papas rellenas och kockens berömda tostones, efter ett recept som hans mamma finslipat hemma i Puerto Rico."

Folk mumlade imponerat när faten placerades ut i mitten av bordet. Sara trodde att Will skulle bli förskräckt, men mannen som tyckte att honungssenap var för exotiskt verkade ta det hela överraskande lugnt.

"Har du smakat puertoricansk mat tidigare?" frågade hon.

"Nej, men jag tittade på menyn på hemsidan." Han pekade på de olika rätterna. "Kött inuti friterat bröd. Kött inuti friterad potatis.

Friterade gröna kokbananer, som faktiskt är bananer och alltså en frukt, men det gills inte eftersom de är dubbelfriterade."

Sara skrattade, men kände sig nöjd. Han hade verkligen valt det här stället för hennes skull också.

Mercy gick runt bordet och fyllde på vattenglasen. Hon böjde sig ned mellan Chuck och sin bror. Sara såg henne bita ihop tänderna när Chuck mumlade något. Det riktigt syntes hur det kröp i skinnet på henne. Det måste finnas någon bakgrundshistoria där.

Sara vände bort huvudet. Hon ville inte bli indragen i andra människors problem.

"Mercy", sa Keisha. "Skulle du vilja byta ut våra glas?"

Drew såg irriterad ut. "Det behövs faktiskt inte."

"Inga problem." Mercys käkmuskler spändes ytterligare, men hon lyckades forma läpparna till ett leende. "Strax tillbaka."

Vattnet skvätte över bordet när hon lyfte upp de två glasen och gick tillbaka ut i köket. Drew och Keisha såg vasst på varandra. Sara antog att folk som sysslade med catering var lika oförmögna att stänga av jobbhjärnan som rättsläkare och brottsutredare. Och rörmokardöttrar. Glasen var rena. Fläckarna berodde på mineralerna i det hårda vattnet.

"Monica", sa Frank lågt. Han lade upp friterad mat på hennes tallrik och försökte få i henne något. "Minns du när vi åt sorullitos i San Juan på den där takbaren med utsikt över hamnen?"

Monica lyckades fokusera blicken när hon vände den mot Frank. "Vi åt glass."

"Det stämmer." Han lyfte hennes hand till munnen och kysste den. "Sedan försökte vi dansa salsa."

Monicas ansikte blev mjukare när hon tittade på sin man. "Du försökte. Jag misslyckades."

"Du har aldrig misslyckats med något."

Sara fick en klump i halsen när hon såg dem stirra in i varandras ögon. Det fanns något starkt och intensivt mellan dem. Kanske hade hon missbedömt paret? Oavsett vilket kändes det inkräktande att betrakta dem. Hon såg på Will. Han hade också sett det. Dessutom väntade han på att Sara skulle börja äta så att han kunde göra likadant.

Sara tog upp gaffeln och spetsade en empanada. Magen kurrade till och hon insåg att hon var utsvulten. Hon måste se till att inte äta för mycket, för hon tänkte inte bli kvinnan som hamnade i matkoma första kvällen på smekmånaden.

"Mamma!" Jon störtade in genom dörren. "Var är du?"

Oväsendet fick alla att vända sig om. Jon snarare raglade än gick genom rummet. Ansiktet var uppsvullet och svettigt. Sara misstänkte att han hade druckit nästan lika mycket som Monica.

"Mamma!" brölade han. "Mamma!"

"Jon?" Mercy kom farande ut ur köket med ett vattenglas i vardera handen. Hon såg vilket skick sonen var i, men behöll lugnet. "Kom ut i köket, lilla gubben."

"Nej!" skrek han. "Jag är ingen liten bebis! Förklara varför nu!"

Han sluddrade så mycket att Sara knappt förstod orden. Hon såg Will flytta stolen från bordet för att vara beredd ifall Jon skulle förlora balansen.

"Jon." Mercy skakade varnande på huvudet. "Vi pratar om det här senare."

"I helvete heller!" Han gick närmare sin mamma och hytte med fingret i luften. "Du vill förstöra allting. Pappa har en plan som ser till att vi kan vara tillsammans. Utan dig. Jag vill inte vara med dig. Jag vill bo med Bitty i ett hus som har pool."

Till sin förskräckelse hörde Sara hur Bitty gav ifrån sig ett nästan triumferande ljud.

Mercy hade också hört det. Hon sneglade på sin mamma innan hon vände sig till sonen igen. "Jon, jag ..."

"Varför förstör du allting?" Han grep henne om överarmarna och ruskade om henne så hårt att ett av glasen gled ur hennes hand och krossades mot stengolvet. "Varför är du alltid en sådan jävla kärring?"

"Hördu." Will hade rest sig när Jon grabbade tag i sin mamma. Han gick mot dem. "Vi går ut en stund", sa han till pojken.

Jon snodde runt. "Dra åt helvete, Sophögen!" skrek han.

Will stod som förstenad. Sara var lika chockad. Hur kände pojken till det där hemska smeknamnet? Och varför skrek han det nu?

"Dra åt helvete, sa jag." Pojken försökte knuffa bort Will, men han rörde sig inte en tum. Jon försökte igen. "Fan också!"

"Jon." Mercys händer darrade så mycket att vattnet i det andra glaset skvalpade över. "Jag älskar dig, och jag ..."

"Jag hatar dig", sa Jon och det faktum att han inte skrek ut orden gjorde dem långt mer förödande än hans tidigare utbrott. "Jag önskar att du var död."

Han lämnade matsalen och slog igen dörren efter sig. Det lät som om han spräckte ljudvallen. Ingen sa något. Ingen rörde sig. Mercy stod som fastfrusen.

"Titta nu vad du har gjort, Mercy", sa Cecil.

Mercy bet sig i underläppen. Hon såg så bedrövad ut att Sara blev het av medlidande.

Bitty smackade ogillande med tungan. "Herregud, Mercy. Städa bort de där glasbitarna innan du skadar fler människor."

Will sjönk ned på knä innan Mercy hann göra det. Han tog näsduken ur bakfickan och samlade glasskärvorna i den. Mercy hukade sig darrigt ned intill honom. Ärret i ansiktet praktiskt taget lyste av skam. Rummet var så tyst att Sara kunde höra glasskärvorna klirra mot varandra.

"Jag är verkligen ledsen", sa Mercy till Will.

"Ingen fara. Jag har ofta sönder saker."

Mercy skrattade till, men svalde hårt.

"Minsann." Chuck förvrängde rösten för att låta lustig. "Äpplet faller visst inte långt från det gamla trädet."

Christopher sa ingenting. Han sträckte sig efter en grissini till och bet ljudligt i den. Sara skulle ha blivit rasande om någon vågat håna hennes lillasyster det allra minsta, men Christopher bara tuggade vidare som en menlös fåne.

Alla stirrade faktiskt på Mercy som om hon var en attraktion på en gammaldags freak show.

Sara vände sig till de andra. "Vi borde nog äta upp den goda maten innan den kallnar."

"Bra idé." Frank var förmodligen van vid fylleutbrott. "Jag påminde just Monica om vår resa till Puerto Rico för ett par år sedan", sa han. "Deras salsa skiljer sig från den brasilianska samban."

Sara spelade med. "På vilket sätt?"

"Fan", väste Mercy. Hon hade skurit sig i tummen på en glasskärva. Blodet droppade ned på golvet. Trots avståndet mellan dem såg Sara att såret var djupt.

Sara ställde sig automatiskt upp. "Finns det en förbandslåda i köket?"

"Jag klarar mig. Jag ..." Mercy slog den oskadade handen för munnen. Hon var på väg att kräkas.

"Herregud", muttrade Cecil.

Sara lindade sin tygservett hårt runt Mercys tumme för att stoppa blödningen. Hon lämnade resten av det trasiga glaset till Will och ledde Mercy in i köket.

En av de unga servitörerna tittade upp, men återgick snabbt till att förbereda tallrikarna. Den andra var fullt upptagen av att fylla diskmaskinen. Kocken var den enda som verkade bry sig om Mercy. Han tittade upp från spisen och följde henne med blicken när hon gick igenom rummet. Pannan rynkades bekymrat, men han sa ingenting.

"Det är ingen fara med mig", sa Mercy. Hon nickade åt Sara. "Här borta."

Sara följde henne mot ett badrum som också såg ut att vara en genomgång till ett trångt kontor. På metallskrivbordet där inne stod en elektrisk skrivmaskin. Det låg pappersbuntar över hela golvet. Rummet hade ingen telefon. Den enda moderniteten var en stängd laptop ovanpå en hög med kassaböcker.

"Ursäkta röran." Mercy sträckte sig in under en rad krokar med varma jackor. "Jag vill inte förstöra din kväll. Om du bara räcker mig förbandslådan kan du gå tillbaka till middagen."

Sara tänkte inte lämna den stackars kvinnan blödande i badrummet. Hon sträckte sig efter förbandslådan på väggen när hon hörde Mercy hulka. Toalettlocket öppnades. Mercy föll på knä framför toaletten och spydde ut en ström av galla. Hon hostade några gånger till innan hon rätade på sig.

"Fan." Mercy torkade sig om munnen med baksidan av sin oskadade hand. "Ursäkta."

"Får jag titta på tummen?" frågade Sara.

"Jag klarar mig. Gå tillbaka till middagen, du. Jag ordnar det här."

För att bevisa att hon hade rätt tog Mercy förbandslådan och satte sig på toalettlocket. Sara såg henne försöka öppna lådan med en hand. Det var uppenbart att kvinnan var van vid att göra allting själv. Det var också uppenbart att hon inte kunde klara just den här situationen på egen hand.

"Får jag?" Sara väntade på Mercys motvilliga nick innan hon tog lådan, ställde den på golvet och öppnade den. Där fanns den vanliga uppsättningen bandage tillsammans med koksaltlösning, tre sutur-kit och två kit för att stoppa blödningar – ett stasband, en gasbinda och ett blodstillande förband. Där fanns också en flaska lidokain, som egentligen inte var laglig i en vanlig förbandslåda. Sara antog att de fick sköta en del av vården själva så här långt från civilisationen.

"Få jag se på tummen?" sa hon till Mercy.

Mercy rörde sig inte. Hon stirrade tomt på förbandslådan, förlorad i minnena. "Min pappa brukade sy ihop folk om det behövdes."

Sara hörde sorgen i hennes röst. Cecil McAlpine hade inte längre fingerfärdigheten som behövdes för att lappa ihop folk. Ändå var det svårt att tycka synd om mannen. Sara kunde inte ens föreställa sig att hennes egen far skulle tala till henne på det sätt som Cecil pratat med Mercy. Särskilt inte inför främlingar. Och hennes mamma skulle slita hjärtat ur bröstet på den som vågade säga ett ont ord om någon av hennes döttrar.

"Jag beklagar", sa hon till Mercy.

"Det är inte ditt fel." Mercys tonfall var korthugget. "Skulle du kunna öppna det där bandaget åt mig? Jag vet inte hur det fungerar, men det kommer att stoppa blödningen."

"Det har en blodstillande beläggning som absorberar vattnet i blodet och påskyndar koaguleringen."

"Jag glömde att du är kemilärare."

"Tja ..." Sara rodnade igen. Hon avskydde att behöva avslöja att hon ljugit, men hon tänkte inte låta Mercy nöja sig med ett hafsigt förband. "Jag är läkare. Will och jag bestämde oss för att hålla tyst om våra yrken."

Bedrägeriet verkade inte störa Mercy. "Vad jobbar han med? Är han basketspelare? Eller amerikansk fotbollsspelare?"

"Nej, han är agent på Georgia Bureau of Investigation." Sara tvättade händerna i handfatet medan Mercy tyst funderade över informationen. "Förlåt att vi ljög. Vi ville inte ..."

"Ingen fara", sa Mercy. "Med tanke på vad som nyss hände kan jag knappast döma någon."

Sara justerade vattentemperaturen. I det skarpa skenet från taklampan såg hon tre röda märken på vänstra sidan av Mercys hals. De var färska, förmodligen bara några timmar gamla. Om ett par dagar skulle de övergå i blåmärken.

"Det är bäst att vi spolar ur såret, ifall det finns glasbitar i det", sa hon till Mercy.

Mercy stack in handen under kranen. Hon rörde inte en min, trots att det måste göra väldigt ont. Det var uppenbart att hon var van vid smärta.

Sara passade på att granska de röda märkena på Mercys hals närmare. Det fanns skador på båda sidorna. Om Sara lade händerna om kvinnans hals skulle linjerna matcha fingrarna. Hon hade gjort samma sak många gånger med patienter på obduktionsbordet. Strypning var vanligt när någon misshandlades till döds av sin partner.

"Förresten", sa Mercy. "Innan du fortsätter hjälpa mig vill jag att du ska veta att Dave är min före detta man. Han är Jons pappa. Och han är uppenbarligen svinet som berättade för Jon att din man kallades för Sophögen för en miljon år sedan. Det är typiskt Dave att vara så jävlig."

Sara tog emot informationen utan att förlora lugnet. "Var det Dave som ströp dig?"

Mercy stängde långsamt av vattnet, men svarade inte.

"Det kan förklara illamåendet. Svimmade du?"

Mercy skakade på huvudet.

"Har du svårt att andas?" Mercy fortsatte skaka på huvudet. "Synförändringar? Yrsel? Problem att minnas saker?"

"Jag önskar att jag inte mindes allt."

"Får jag undersöka din hals?" frågade Sara.

Mercy satte sig på toalettstolen igen. Hon lyfte hakan för att visa att det gick bra. Brosket var inte rubbat. Tungbenet var helt. De röda märkena var framträdande och svullna. Trycket mot halspulsådern kombinerat med den hoptryckta luftstrupen kunde enkelt ha lett till hennes död. Det enda som var mer farligt var halslåsgrepp. Sara misstänkte att Mercy visste precis hur nära döden hon varit. Hon visste också att vidare misshandel aldrig kunde förhindras genom att man läxade upp offret. Allt Sara kunde göra var att låta kvinnan veta att hon inte var ensam.

"Det ser okej ut", sa hon. "Du kommer att få blåmärken. Jag vill att du söker upp mig om du känner att något är fel. När som helst på dygnet. Det spelar ingen roll vad jag håller på med. Det här kan vara allvarligt."

Mercy såg skeptisk ut. "Berättade din man för dig om Dave?"

"Ja."

"Det var Dave som gav honom smeknamnet."

"Jag vet."

"Han gjorde förmodligen mer ..."

"Det spelar faktiskt ingen roll", sa Sara. "Du är inte din exman."

"Nej", sa Mercy och stirrade ned i golvet. "Men jag är idioten som hela tiden tar honom tillbaka."

Sara lät henne samla sig lite. Hon öppnade suturkitet. Lade fram gasbindan, lidokainet, en liten spruta. När hon sneglade på Mercy såg hon att kvinnan var redo.

"Håll handen över handfatet", sa Sara.

Inte heller nu rörde Mercy en min, trots att Sara hällde jod i såret. Jacket var djupt. Mercy hade hanterat mat. Glasskärvan hade legat på golvet. Alla dessa saker kunde leda till en infektion. I vanliga fall skulle Sara ha gett Mercy ett recept på antibiotika för säkerhets skull. Men nu skulle hon bli tvungen att nöja sig med en varning.

"Om du får feber eller ser någon rodnad, eller om smärtan blir ..."

"Jag vet", sa Mercy. "Jag kan boka ett återbesök hos läkaren i staden."

Det hördes på tonfallet att hon inte tänkte gå på något återbesök. Sara läxade inte upp henne den här gången heller. Om det var något hon hade lärt sig av att jobba på akutmottagningen på Atlantas enda offentliga sjukhus var det att man kunde behandla skadan, men kanske inte alltid den bakomliggande sjukdomen.

"Låt oss få det här överstökat", sa Mercy.

Hon lät Sara bre ut pappershanddukar över hennes knä, följt av ett överdrag från förbandslådan. Sara tvättade händerna igen och spritade dem.

"Han verkar trevlig", sa Mercy. "Din man."

Sara ruskade på händerna för att de skulle torka. "Det är han."

"Är du ..." Mercy tystnade och samlade tankarna. "Känner du dig trygg med honom?"

"Helt och hållet." Sara såg upp i Mercys ansikte. Kvinnan verkade inte vara typen som hade lätt för att visa sina känslor, men en djup sorg stod ristad i hennes ansikte.

"Jag är glad för din skull." Mercy lät längtansfull. "Jag tror aldrig att jag har träffat någon som fått mig att känna trygghet."

Sara visste inte vad hon skulle säga, men Mercy verkade inte behöva något svar.

"Gifte du dig med din pappa?"

Frågan fick nästan Sara att skratta till. Det lät som nyfreudianskt hokus pokus, men det var inte första gången hon hört frasen. "När jag gick på college var jag så arg över att min moster påstod att flickor alltid gifter sig med sina pappor."

"Hade hon rätt?"

Sara tänkte på saken medan hon tog på sig engångshandskar. Både Will och hennes pappa var långa män, även om hennes far inte längre var så gänglig. Båda var sparsamma, om det var så man kallade vanan att ägna oräkneliga minuter åt att skrapa de sista resterna ur jordnötssmörsburken. Will drog inga pappaskämt, men han hade samma slags självförringande humor som Saras pappa. Han skulle hellre laga en trasig stol eller vägg själv än att ringa en snickare. Det var också troligt att han skulle förbli stående trots att alla andra satt sig.

"Ja", medgav Sara. "Jag gifte mig med min pappa."

"Jag också."

Sara antog att det inte var Cecil McAlpines trevliga drag hon tänkte på, men det fanns inget bra sätt att följa upp uttalandet. Mercy tystnade, förlorad i sina tankar medan hon stirrade på den skadade tummen. Sara drog upp lidokain i sprutan. Om Mercy kände smärta från sprutsticket visade hon det inte. Sara antog att någon som var van vid blåmärken och strypningar inte skulle tycka att en nål genom huden var så mycket att orda om. Ändå sydde hon såret så snabbt hon kunde. Hon satte fyra täta stygn i Mercys tumme. Mercy hade redan ett ärr i ansiktet som troligen påminde henne om något hemskt. Sara ville inte att hon skulle behöva se sin tumme och minnas ytterligare otrevligheter.

Sara rabblade upp de vanliga föreskrifterna medan hon lade om såret. "Håll det torrt i en vecka. Ta så mycket Tylenol du behöver mot smärtan. Jag vill gärna titta på det igen innan jag checkar ut."

"Jag är nog inte kvar här då. Min mamma har just gett mig sparken." Mercy skrattade förvånat till. "Kan du tänka dig? Jag hatade det här stället så länge, men nu kan jag inte låta bli att älska det. Jag kan inte tänka mig att bo någon annanstans. Den här platsen är hela min själ."

Sara fick påminna sig om att inte lägga sig i deras privata affärer. "Jag vet att det verkar illa nu, men saker och ting känns oftast bättre efter en god natts sömn."

"Jag tvivlar på att jag ens överlever till imorgon bitti." Mercy log, men orden var inte lustiga. "Det finns nästan ingen här uppe på berget just nu som inte önskar livet ur mig."

7

EN TIMME FÖRE MORDET

Sara vände sig om och upptäckte att Wills sida av sängen var tom. Hon tittade efter en klocka, men det enda som låg på sängbordet var hans telefon. Båda hade varit för illa till mods på grund av det som hänt vid middagen för att göra något roligare än att somna till en podcast om Bigfoot i norra Georgias bergsområden.

"Will?" Hon lyssnade, men inte ett ljud hördes. Stugan var så tyst att hon förstod att han inte var inomhus.

Sara hittade den tunna bomullsklänningen hon burit vid middagen på golvet. Hon gick ut i vardagsrummet. Knäet stötte i soffkanten. Hon svor till i mörkret. Hon gick fram till det öppna fönstret och tittade ut på altanen. Den tomma soffgungan svajade lätt. Det var svalare nu och luften kändes som om en regnstorm var på väg. Hon sträckte på nacken för att se stigen som ledde ned mot sjön. I det milda månskenet såg hon Will sitta på en bänk med utsikt över bergen. Armarna var utbredda längs bänkens ryggstöd. Han stirrade ut i intet.

Sara tog på sig skorna och gick försiktigt ned för stentrappan. Det var förmodligen ingen bra idé att använda sandaler vid den här tiden. Hon kunde kliva på något giftigt eller stuka fotleden. Men hon gick inte tillbaka för att hämta vandringskängorna. Hon drogs till Will. Han hade varit tyst och eftertänksam efter middagen. De var båda uppskakade efter scenen mellan Mercy och hennes familj.

För tusende gången påmindes Sara om vilken tur hon haft som fått en kärleksfull familj där alla stod varandra nära. Hon hade vuxit upp i tron att det var normen, men livet hade lärt henne att hon dragit det längsta strået.

Will tittade upp när han hörde Sara på stigen.

"Vill du vara ensam?" frågade hon.

"Nej."

Han lade armen om henne när hon satte sig. Sara lutade sig mot honom. Hans kropp kändes fast och tröstande. Hon tänkte på Mercys fråga: *Känner du dig trygg med honom?* Med undantag för sin pappa hade Sara aldrig varit så säker på en man i hela sitt liv. Det bekymrade henne att Mercy aldrig fått uppleva det. I Saras ögon var det ett av människans grundläggande behov.

"Det känns som om regnet är på väg", sa Will.

"Vad i all världen ska vi göra med all ledig tid om vi inte kan lämna stugan?"

Will skrattade. Hans fingertoppar kittlade Saras överarm. Men leendet bleknade snabbt när han såg ut i mörkret. "Jag har tänkt mycket på min mamma."

Sara rätade på sig så att hon kunde se på honom. Will hade vänt bort huvudet, men hon såg på hans spända käkmuskler att det här var svårt för honom.

"Berätta", sa hon.

Han drog djupt efter andan, som om han skulle doppa huvudet under vattenytan. "När jag var barn brukade jag fundera på hur mitt liv skulle ha sett ut om hon levt."

Sara lade handen på hans axel.

"Jag föreställde mig att vi skulle ha varit lyckliga. Att livet skulle ha varit enklare. Att skolan skulle ha varit enklare. Vänner. Flick-vänner. Allt." Käkmusklerna spändes igen. "Men nu ser jag tillbaka och – hon kämpade med sitt beroende. Hon hade sina egna demo-ner. Hon kunde ha tagit en överdos eller hamnat i fängelse. Hon skulle ha varit en ensamstående mor med en våldsam expojkvän. Kanske skulle jag ha hamnat på barnhem i alla fall. Men jag skulle åtminstone ha fått lära känna henne."

Sara fylldes av djup sorg över att han aldrig fått den möjligheten.

"Det var fint att ha Amanda och Faith på bröllopet", sa han och menade sin chef och sin partner, som var det närmaste han hade en familj. "Men jag kan inte låta bli att undra."

Sara nickade. Hon kunde inte föreställa sig vad han gick igenom. Allt hon kunde göra var att lyssna och låta honom veta att hon fanns där.

"Hon älskar honom", sa Will. "Mercy och Jon. Det är uppenbart att hon älskar honom."

"Ja."

"Den där jävla Schakalen."

"Fick ni aldrig reda på vad som hände honom efter att han rymde från barnhemmet?"

"Nej." Will skakade på huvudet. "Uppenbarligen tog han sig upp hit, lyckades överleva, lyckades gifta sig och få barn. Det är precis det där jag inte fattar. Det här livet, att få vara far och att ha fru och barn. Det var det han alltid önskade sig. Till och med när vi var barn brukade han säga att det skulle lösa alla hans problem om han bara fick en familj. Och här står han med allt han önskat sig, men har ändå förstört allting. Han beter sig helt samvetslöst mot Mercy, men det är tydligt att Jon behöver honom. Dave är fortfarande hans pappa."

Sara hade aldrig träffat mannen, men hon tyckte inte att Dave verkade vara mycket att ha. Hon visste inte om han var kvar på campingen. I vanliga fall skulle Sara aldrig avslöja vad en patient sagt, men Mercy var utsatt för partnervåld och Will var polis. Att Mercy uttryckte sig som om hennes liv var i fara fick Sara att känna att det var hennes plikt att rapportera saken. Hon hade inte funderat över hur det skulle påverka Will. Daves våldsamma drag hade gjort honom sömnlös.

"En sak gör mig riktigt arg", sa Will. "Det Dave gick igenom var hemskt. Värre än det jag utsattes för. Men skräcken, den obevekliga rädslan – de minnena lever kvar inuti kroppen hur mycket livet än förbättras. Ändå gör Dave samma sak mot en person som han egentligen borde älska."

"Det är svårt att bryta mönster."

"Men han vet hur det känns. Att vara rädd hela tiden. Att inte veta när de tänker göra en illa nästa gång. Man kan inte äta. Man kan inte sova. Man går bara runt med en klump i magen hela tiden. Och det enda som är bra när smärtan väl kommer är att man åtminstone vet att det kommer att dröja ett par timmar, kanske ett par dagar, innan de börjar om."

Sara kände tårarna välla upp i ögonen.

"Bekymrar det dig?" frågade han.

Sara ville vara säker på vad det egentligen var han frågade. "Vilket?"

"Att jag inte har någon familj."

"Älskling, jag är din familj." Hon vred hans ansikte mot sig. "Jag går dit du går. Jag stannar där du stannar. Ditt folk är mitt folk, och mitt folk är ditt."

"Du har mycket mer folk än jag." Han tvingade fram ett leende. "Och vissa av dem är rätt märkliga."

Sara log tillbaka. Hon hade sett det här förut. De få gångerna han pratade om sin barndom hanterade han de jobbiga känslorna genom att gömma sig bakom humorn. "Vem är märklig?"

"Kvinnan i fjäderhatten, till exempel."

"Faster Clementine", nickade Sara. "Hon är efterlyst för hönsstöld."

Will skrockade. "Tur att du inte berättade det för Amanda. Hon skulle gärna ha gripit någon på mitt bröllop."

Sara hade sett hur känslosam Amanda var när Will bad henne dansa med honom. Hon skulle aldrig ha förstört bröllopet. "Jag har redan berättat att moster Bellas andra man begick självmord. Han sköt sig i huvudet. Två gånger."

Wills leende var inte lika tafatt längre. "Jag vet inte om du skämtar."

Sara såg honom djupt i ögonen. Månskenet framhävde de små grå fläckarna i hans blå irisar. "Jag måste erkänna en sak."

Han log. "Vad?"

"Jag vill hemskt gärna ha sex med dig i sjön."

Han reste sig. "Sjön ligger ditåt."

De gick hand i hand längs stigen och stannade bara till för att kyssas. Sara lutade sig mot hans axel och lät honom bestämma takten. Bergens enorma tystnad fick det att kännas som om de var ensamma på jorden. När Sara tänkt på sin smekmånad var det här precis vad hon föreställt sig. Fullmånen som lyste på himlen. Den friska luften. Den trygga känslan av att ha Will intill sig. Den ljuvliga möjligheten att få tillbringa ostörd, rofylld tid med varandra.

Hon hörde sjön innan de nådde fram till den, det milda kluckandet av vågor mot den steniga stranden. På nära håll tog Grunda viken andan ur henne. Vattnet såg nästan neonblått ut. Träden följde den krökta stranden som en skyddande mur. Sara såg en flytbrygga flera meter ut i vattnet. Den hade en trampolin och en plattform där man kunde sola. Hon var uppvuxen vid en sjö och att vara så nära vatten gjorde henne lycklig. Hon klev ur sandalerna och drog av sig klänningen.

"Åhå", sa Will. "Inga underkläder?"

"Det är svårt att ha sex i sjön om man inte är naken."

Will såg sig omkring. Han var visst inte så förtjust i tanken på offentlig nakenhet. "Det verkar inte som någon bra idé att hoppa i vattnet utan att se något mitt i natten, när ingen vet var man är."

"Vi kan väl leva lite farligt?"

"Vi kanske borde ..."

Sara kupade handen över hans skrev och kysste honom innerligt. Sedan gick hon ut i vattnet. Den plötsliga kylan fick henne att undertrycka en rysning. Det var mitt i sommaren, men snön i Appalacherna hade smält sent. Kylan kändes uppfriskande när hon simmade ut mot flytbryggan.

Hon vände sig på rygg för att se på Will. "Kommer du?"

Will svarade inte, men han drog av sig strumporna och började knäppa upp gylfen.

"Hallå där", sa hon. "Lite långsammare, tack."

Will sköt lekfullt ned byxorna. Sedan vickade han på höfterna medan han knäppte upp skjortan. Sara hojtade uppskattande. Vattnet kändes inte så kyligt längre. Hon älskade hans kropp. Musklerna såg ut som om de karvats ur ett marmorblock. Han hade sexigare ben än någon man hade rätt att ha. Innan hon hann njuta ordentligt av åsynen gjorde Will samma sak som hon gjort – gick rakt ut i vattnet. Sara såg på hans sammanbitna tänder att kylan överraskat honom. Hon skulle få jobba hårt för att värma upp honom. Hon drog honom intill sig och lade händerna på hans starka axlar.

"Hej", sa han.

"Hej." Hon strök tillbaka hans hår. "Har du badat i en sjö förut?"

"Inte frivilligt. Är du säker på att det är ofarligt att vara i vattnet?"

Hon tänkte efter. "Kopparhuvudormar är vanligtvis mest aktiva i skymningen." Hon såg hur Wills ögon vidgades av förvåning. Han hade vuxit upp i Atlanta, där de flesta ormarna höll till på Capitol Hill. "Vi är förmodligen för långt norrut för att råka på en vattenmockasin."

Han såg sig nervöst omkring, som om han skulle hinna se en vattenmockasin innan det var för sent.

"Jag måste erkänna en sak", sa hon. "Jag berättade för Mercy att vi ljög för henne."

"Jag antog det", sa Will. Incidenten mellan Mercy och hennes familj tidigare på kvällen hade varit väldigt spänd. "Klarar hon sig?"

"Förmodligen." Sara var fortfarande orolig att Mercys tumme skulle bli infekterad, men det fanns inget hon kunde göra åt den saken. "Jon verkar vara en bra pojke. Det är svårt att vara tonåring."

"Det finns i alla fall vissa fördelar med att växa upp på barnhem."

Sara lade fingret över hans läppar och försökte distrahera honom. "Titta upp."

Will tittade upp. Sara tittade på Will. Halsmusklerna spändes. Hon kunde se hans halsgrop. Den fick henne att tänka på middagen och det i sin tur fick henne tyvärr att tänka på Mercy.

"På sådana här ställen kommer allt möjligt otäckt fram om man skrapar lite på ytan", sa hon.

Will sneglade på henne.

"Jag vet vad du tänker säga", sa Sara. "Det var därför vi ljög."

Will höjde ett ögonbryn, men lät bli att säga: *Vad var det jag sa?*

"Du", sa hon, för de hade ägnat tillräckligt av kvällen åt att prata om familjen McAlpine. "Jag måste erkänna en annan sak."

Han log. "Vad är det du vill erkänna?"

"Jag kan inte få nog av dig." Sara stack tungan i hans halsgrop och fortsatte kyssa honom längs halsen. Hon nafsade i hans hud.

Vattentemperaturen betydde plötsligt ingenting. Wills hand gled ned mellan hennes ben. Beröringen fick henne att stöna till. Hon sträckte ned handen för att återgälda tjänsten.

Plötsligt ekade ett högt, skarpt skrik över vattnet.

"Will." Sara klängde sig automatiskt fast vid honom. "Vad var det där?"

Han tog hennes hand och såg sig omkring medan de vadade tillbaka till stranden.

Ingen av dem sa något. Will räckte klänningen till Sara. Hon vände på den för att leta efter nederkanten. Tjutet ekade fortfarande i hennes huvud och hon försökte räkna ut varifrån det kommit. Mercy var den troligaste källan, men hon var inte den enda som varit upprörd den här kvällen.

Sara gick igenom de övriga i tankarna. Hon började med catering-paret. "Paret som grälade vid middagen. Tandläkaren var berusad. IT-killen var ..."

"Den ensamma killen, då?" sa Will medan han drog på sig byxorna. "Han som pikade Mercy hela tiden?"

"Chuck." Sara hade sett hur den obehaglige mannen stirrat på Mercy under middagen. "Advokaten var osympatisk. Hur kom han in på wifit?"

"Hans hästtokiga fru irriterade alla." Will tog på sig skorna. "De lögnaktiga app-killarna har något på gång."

Sara hade berättat för honom om Landrys/Pauls underliga namnbyte. "Och Schakalen?"

Wills min blev bister.

Sara tog på sig sandalerna. "Älskling? Är du ..."

"Är du klar?"

Will gav henne ingen chans att svara. Han gick före henne upp för stigen. De svängde vänster in på Öglan. Sara märkte att Will ansträngde sig för att hålla samma takt som hon. I vanliga fall skulle hon ha börjat springa, men det var omöjligt i sandalerna.

Till sist stannade han och vände sig mot henne. "Gör det något om jag ..."

"Spring. Jag kommer efter." Sara såg honom rusa in i den täta skogen. Han genade genom Öglan och sprang rakt mot huvudbyggnaden, vilket verkade vettigt eftersom det enda ljuset kom därifrån.

Sara vände sig mot sjön igen. Enligt kartan bestod området av tre terrasser staplade på varandra som en bröllopstårta. Hon kunde ha svurit på att skriket kommit från det understa lagret, i andra änden av sjön. Det kanske inte ens var något skrik. Kanske en uggla hade tagit en kanin i skogen. Eller kanske en puma hade råkat i bråk med en tvättbjörn.

"Stopp", sa Sara strängt till sig själv.

Det här var vansinne. De hade rusat iväg helt planlöst. Det var inte likt Sara att springa runt och väcka folk mitt i natten för att hon kanske hört någon skrika. Campingen hade haft nog med drama den här kvällen. Det var förmodligen Will och Sara som var problemet. Ingen av dem kunde stänga av jobbhjärnan helt och hållet. Det enda hon kunde göra nu var att fortsätta upp till huvudbyggnaden. Hon skulle sätta sig på verandatrappan och vänta på Will. Kanske någon av de fluffiga katterna skulle göra henne sällskap.

Sara var tacksam över belysningen längs stigen när hon gick mot huset. Hon visste inte om promenaden kändes längre eller kortare den här gången. Det fanns inga vägmärken att ta fasta på. Hon hade ingen klocka. Tiden verkade stå stilla. Sara lyssnade på skogens alla ljud. Syrsorna spelade, små djur kilade omkring. En lätt bris ryckte i klänningen. Löftet om regn låg tungt i luften. Sara skyndade på stegen.

Det dröjde ytterligare ett par minuter innan hon såg skenet från huvudbyggnadens verandalampa. Hon hade inte ens femtio meter kvar när hon såg en figur komma gående ned för trappan. Månen hade försvunnit bakom molnen. Beckmörkret tävlade med verandalampans bleka sken och gav figuren en mosterliknande silhuett. Sara skakade på huvudet åt sin rädsla. Hon måste sluta lyssna på Bigfoot-poddar innan hon somnade. Figuren var en man med ryggsäck på ryggen.

Hon skulle just ropa på honom, när han snubblade över gården, föll ned på knä och började kräkas.

Den sura stanken av alkohol spreds i luften. En kort sekund funderade Sara på att vända om, leta reda på Will och fortsätta kvällen som om inget hänt. Men hon kunde inte riktigt förmå sig att bara gå därifrån. Särskilt inte som hon misstänkte att den monsterliknande figuren egentligen var en ledsen tonåring.

"Jon?" försökte hon.

"Vad?" Han grep efter ryggsäcken medan han ostadigt försökte resa sig. "Gå härifrån."

"Mår du bra?" Sara kunde knappt se honom, men det var tydligt att han inte mådde bra. Han svajade fram och tillbaka som en vindstrut. "Ska vi inte sätta oss på altanen?"

"Nej." Han backade ett steg och sedan ytterligare ett. "Stick."

"Jag ska gå", sa Sara. "Men vi kan väl leta reda på din mamma först? Hon vill säkert …"

"*Hjälp!*"

Sara kände hjärtat frysa till is i bröstet. Hon vände sig mot ljudet. Nu hördes det tydligt att skriket kom från sjöns nedre del.

"*Snälla!*"

Ytterdörren hade redan slagit igen när hon vände sig tillbaka mot Jon. Sara hade inte tid för den berusade pojken. Hon var mer orolig för Will, för hon visste att han skulle springa rakt mot den skrikande kvinnan.

Hon hade inget annat val än att ta av sig sandalerna. Hon lyfte klänningsfållen och började springa över gården. Hjärnan försökte lista ut den bästa vägen. Vid cocktailstunden hade Cecil nämnt att Försvunna änkans stig ledde till nedre delen av sjön. Hon sprang vidare längs Öglan, utan att svänga in mot matsalen. Ingen skylt markerade var Försvunna änkans stig började. Sara hade inget annat val än att svänga av rakt ut i skogen.

Tallbarren stack under fotsulorna. Törnbuskar drog i klänningen. Sara avvärjde de flesta med armarna. Det här var inget sprinterlopp. Hon måste ta det lugnt. Om man fick tro kartan låg nedre delen av sjön ganska långt borta från gården. Hon saktade in och småsprang vidare medan hon funderade på allt hon borde ha gjort först. Hittat förbandslådan. Tagit på sig vandringskängorna. Varnat familjen, för Jon var full och bara ett barn och han hade förmodligen förlorat medvetandet inne på sitt rum.

Stackars Mercy. Hennes familj skulle inte komma springande.

De hade varit så hemska mot henne under middagen. Mammans snäsiga kommentarer. Avsmaken som skymtade i pappans ansikte. Broderns patetiska tystnad. Sara borde ha pratat mer med Mercy. Hon borde ha frågat ut kvinnan varför hon inte trodde att hon skulle överleva natten.

"Sara!"

Ljudet av Wills röst fick bröstet att snöras samman.

"Hämta Jon! Skynda dig!"

Hon snubblade till och stannade. Sara hade aldrig hört Will låta så uppriven. Hon vände sig åt samma håll som hon kommit ifrån. Hon hade ingen aning om hur lång tid som gått sedan hon pratade med Jon utanför huset. Hon visste att Will var i närheten. Hon visste också att det inte var till någon nytta för Jon att hon blint rusade tillbaka till huvudbyggnaden.

Något väldigt hemskt hade hänt Mercy. Will tänkte inte klart. Mercy skulle inte vilja att hennes son såg henne i det skicket. Om Dave fått tag i henne, om han verkligen gjort illa henne, tänkte inte Sara låta den minnesbilden ristas in i Jons hjärna.

"Sara!" skrek Will igen.

Hans nöd satte fart på henne igen och den här gången var hon mer målmedveten. Sara sprang så snabbt hon kunde, med armarna tätt intill kroppen. Ju närmare hon kom, desto tjockare blev luften av rök. Marken sluttade brant. Sara lät skora glida. Hon förlorade balansen i sista stund och rullade nästan sista biten. Fallet fick henne att tappa luften, men nu såg hon äntligen gläntan framför sig. Hon tog sig upp på fötter och började springa igen. Såg månskenet lysa upp ryggen på en sågbock, verktyg utspridda över marken, en generator och en bordssåg, innan hon till sist nådde sjön.

Luften var svart av rök. Sara sprang nedhukad över den steniga marken. Tre rustika stugor stod i gläntan. Den sista brann så kraftigt att det hettade i huden. Röken vajade som en flagga när vinden vände. Sara tog ännu ett steg närmare. Marken var blöt. Hon kunde känna lukten av blodet innan hon insåg vad hon stod i. Den välbekanta kopparlukten hade varit en del av nästan hela hennes vuxna liv.

"Snälla", sa Will.

Sara vände sig om. Blodspåret ledde ned till sjön. Will låg på knä över en kropp i vattenbrynet. Sara kände igen Mercy på de lavendelfärgade skorna.

"Mercy?" snyftade Will.

Sara gick mot sin man. Hon hade aldrig sett honom gråta på det här viset förut. Han var inte bara förtvivlad. Han var helt förstörd.

Sara sjönk ned på knä på andra sidan kroppen och lade försiktigt fingertopparna mot Mercys handled. Ingen puls kändes. Huden var iskall av vattnet. Sara såg på Mercys ansikte. Ärret var bara ett vitt streck. Kvinnans ögon stirrade livlöst upp mot stjärnorna. Will hade försökt täcka över henne med sin skjorta, men det gick inte att dölja spåren efter allt våld. Mercy hade fått flera knivhugg, några så djupa att skelettet förmodligen splittrats. Det var så mycket blod i vattnet att Saras klänning färgats röd.

Hon blev tvungen att harkla sig innan hon fick fram orden. "Will?"

Han verkade inte märka att Sara var där.

"Mercy?" bad Will. Han flätade samman fingrarna och placerade händerna på Mercys bröstkorg. Sara hade inte hjärta att hejda honom. Hon hade dödförklarat så många patienter under sin karriär. Hon visste hur döden såg ut. Hon visste när en patient redan gått bort. Men hon visste också att hon måste låta Will försöka.

Han lutade sig över Mercy och lade sin fulla tyngd bakom kompressionen.

Sara såg händerna sjunka nedåt.

Först gick det hela så fort att Sara inte förstod vad det var hon såg. Sedan insåg hon att en vass metallbit gått igenom Wills hand.

"Stopp!" skrek hon och fick tag i hans händer för att hålla dem stilla. "Rör dig inte. Du kapar nerverna."

Will tittade upp på Sara som om hon vore en främling.

"Will." Saras grepp hårdnade. "Kniven sitter inuti hennes bröstkorg. Du får inte röra handen. Förstår du?"

"Är Jon ... Kommer han hit?"

"Han är i huset. Det är ingen fara med honom."

"Mercy ville att jag skulle hälsa honom att ... Att hon älskar honom. Att hon förlåter honom för grälet." Sorgen fick Will att darra i hela kroppen. "Hon sa att hon ville att han skulle veta att det inte gjorde något."

"Du kan berätta allt det där för honom." Sara ville torka bort hans tårar, men var rädd att han skulle slita loss handen från kniven om hon släppte taget. "Men först måste vi hjälpa dig. Det finns viktiga nerver i den här delen av handen. De hjälper dig att känna hur saker känns. Som en basketboll. Eller en pistol. Eller jag."

Will kom långsamt till sans igen. Han stirrade ned på det långa knivbladet som gått igenom huden mellan tummen och pekfingret. Men han greps inte av panik. "Berätta vad jag ska göra", sa han.

Sara andades lättat ut. "Jag tänker flytta på mina händer så att jag kan bedöma situationen. Förstår du?"

Hon såg Will svälja, men han nickade.

Sara släppte försiktigt taget om hans händer och granskade skadan. Hon var tacksam över månskenet, men det räckte inte. Skuggorna låg kors och tvärs över platsen – från röken, träden, Will och kniven. Sara nöp tag om knivspetsen med tummen och pekfingret. Hon drog prövande i den för att se hur hårt kniven satt fast inuti Mercys kropp. Motståndet sa henne att den på något sätt fastnat mellan ryggkotorna eller i bröstbenet. Det skulle bara gå att avlägsna den med hjälp av råstyrka.

Om situationen varit annorlunda skulle Sara ha stabiliserat bladet och Wills hand så att en kirurg kunde avlägsna kniven under kontrollerade former. Den lyxen hade de inte nu. Mercy låg delvis under vatten. Trycket från Wills hand var det enda som hindrade kroppen från att guppa med vågorna. Gud visste hur långt det var till ett sjukhus eller närmaste specialutbildade ambulanspersonal. Inte ens med all hjälp i världen vore det rådigt att försöka bära både Mercys kropp och Will ut ur skogen med hans hand mot hennes bröstkorg. För att inte tala om hur riskabelt det var att ha en levande person fastnaglad vid en död kropp. Bakterierna från förruttnelsen kunde ge honom en livshotande infektion.

Hon var tvungen att lösa problemet här och nu.

Will satt på Mercys vänstra sida. Kniven stack ut ur högra sidan av bröstkorgen. Annars skulle den ha suttit rakt i hennes hjärta, vilket skulle ha avvärjt alla tankar på hjärt- och lungräddning. Wills fingrar var fortfarande sammanflätade, men skadan var begränsad till hans högra hand. Knivens sneda spets hade gått rakt igenom huden mellan tummen och pekfingret. Sju eller åtta centimeter av det tandade bladet stack upp. Sara såg att det var strax över en centimeter brett och sylvasst. Mördaren måste ha tagit den från familjens kök eller matsalen. Hon hoppades att de viktigaste delarna av Wills hand hade klarat sig. Det hände inte så mycket i vecket mellan tummen och pekfingret, men Sara tänkte inte ta något för givet.

Hon rabblade upp anatomin lika mycket för sin egen skull som för Will. "Tenarmusklerna innerveras av medianusnerven, här. Radialisnerven försörjer baksidan av handen från tummen till långfingret med känsel, här och här. Jag måste försäkra mig om att de är oskadda."

"Okej." Will såg stoisk ut. Han ville ha det här överstökat. "Hur kontrollerar man det?"

"Jag kommer att röra vid ytterkanten av dina fingrar. Du måste berätta om det känns som vanligt eller om något är annorlunda."

Sara kunde skymta hans oro när han nickade.

Hon drog försiktigt fingerspetsen längs tummen. Sedan gick hon vidare till pekfingret. Will sa ingenting. Hans tystnad var enerverande. "Will?"

"Det känns normalt. Tror jag."

Lite av Saras oro lättade. "Jag kan inte få loss kniven ur kroppen. Jag tänker lyfta upp din hand och lossa den från knivbladet, men du måste slappna av musklerna i armarna och låta bli att spänna armbågarna medan jag gör det. Försök inte hjälpa till. Okej?"

Han nickade. "Okej."

Hon höll fast Wills tumme medan hon stack in sina fingertoppar under hans handflata. Så långsamt hon kunde började hon lyfta handen uppåt.

Will sög in luft mellan tänderna.

Sara fortsatte lyfta tills handen äntligen blev fri från knivbladet.

Will andades långsamt ut. Trots att han kommit loss höll han kvar handen i samma läge, med utsträckta fingrar, svävande i luften ovanför kroppen. Han tittade på den. Chocken hade lagt sig. Nu kände han allt och insåg vad som hade hänt. Han rörde på tummen. Böjde fingrarna. Blod droppade från såret. Men det var bara en rännil, vilket tydde på artärerna var intakta.

"Tack och lov", sa Sara. "Vi borde åka till sjukhuset och låta dem titta på det här. Det kan finnas skador som vi inte ser. Du har fått dina stelkrampssprutor, men såret måste rengöras ordentligt. Någon får köra oss till vår bil via tillfartsvägen så att vi kan åka tillbaka till Atlanta."

"Nej", sa Will. "Det har jag inte tid med. Mercy blev inte bara knivhuggen. Hon blev helt lemlästad. Personen som gjorde det var galen, rasande, bortom all kontroll. Så mycket kan man bara hata en person man redan känner."

"Will, du måste till sjukhuset."

"Jag måste hitta Dave."

8

Will följde efter Sara in i matsalen. Lamporna var släckta, men någon hade lämnat musiken på. Han höll ut armen för att hindra henne från att gå mot köket. Dave kanske gömde sig här. Han kanske hade en kniv till.

Will gick in först. Han hoppades att Dave hade en kniv till. Will kunde fälla det där mordiska svinet med en hand. Under nästan tio år på barnhemmet hade han lagt band på sig själv, men de var inga barn längre. Han sparkade upp köksdörren och tände taklampan. Han kunde se hela vägen till toaletten och in på kontoret bortom den.

Det var tomt.

Han såg på knivarna som hängde på väggen och på dem som stack ut ur knivblocket. "Ingen verkar saknas."

Sara verkade inte bry sig om att identifiera mordvapnet. Hon gick mot toaletten.

"Finns det en telefon på kontoret?" frågade Will.

"Nej." Hon tog ned förbandslådan från väggen. "Tvätta händerna i vasken. Du är täckt av blod."

Will tittade ned. Han hade glömt att han använt sin skjorta för att täcka över Mercy. Hans bara bröstkorg var alldeles röd. Blodrött sjövatten hade lämnat mörka fläckar på hans marinblå byxor och fick honom att likna en dalmatinerhund. Han vred på kökskranen. "Vi måste tillkalla lokalpolisen och skicka ut folk för att leta. Om Dave rör sig till fots kan han vara halvvägs ned för berget nu. Vi slösar bort tid."

"Vi ska inte göra någonting förrän jag har stoppat blödningen." Sara ställde förbandslådan på köksbänken och öppnade den. Hon sprutade en generös klick diskmedel i handen och skrubbade Wills armar rena. "Berätta varför du är så säker på att Dave dödade Mercy."

Den frågan hade Will inte väntat sig. Det verkade uppenbart att Dave var skyldig. "Du sa att han redan försökt strypa Mercy en gång idag."

"Men han var inte med vid middagen. Vi såg honom ingenstans i skogen eller längs stigen." Sara tog en diskhandduk och började torka bort blod från hans mage. "För mindre än två timmar sedan sa Mercy: 'Det finns nästan ingen här uppe på berget just nu som inte önskar livet ur mig'."

"Du sa att hon tog tillbaka det. Att hon försökte låtsas som om det var ett skämt."

"Och sedan blev hon mördad", sa Sara. "Du fokuserar på Dave av uppenbara skäl, men det kan ha varit någon annan."

"Vem då, till exempel?"

"Vad sägs om mannen som presenterar sig som Landry, men kallas Paul av sin partner?"

"Vad har det med Mercy att göra?"

"Det här kommer att göra ont", sa hon i stället för att svara.

Will bet ihop tänderna när hon hällde desinfektionsmedel i hans öppna sår.

"Det kommer att kännas värre innan det blir bättre", varnade hon. "Chuck, då? Mercy ville uppenbarligen inte ha något med honom att göra. Trots att hon i stort sett sa åt honom att dra åt helvete, fortsatte han stirra på henne som om han var helt besatt."

Will skulle just svara när hon nöp fast en bit gasbinda mellan hans tumme och pekfinger. Det kändes som om hon satt eld på något. "Herregud, vad är det där?"

"QuickClot", sa hon. "Det kan orsaka brännskador på huden, men det kommer att stoppa blödningen. Jag måste hålla kvar trycket en stund. Bandaget behöver tas bort inom ett dygn. Eller också kan du åka till sjukhuset och få såret ordentligt omhändertaget."

Will hörde på hennes korthuggna ton vilket val hon ville att han skulle göra. "Sara, du vet att jag inte kan vända ryggen åt det här."

"Jag vet."

Hon höll kvar trycket på bandaget. Ingen av dem sa något, men båda tänkte. Sara funderade förmodligen på alla infektioner eller nervskador han kunde drabbas av, eller vad det nu var för medicinska saker som oroade henne. Will tänkte så intensivt på Dave att han helt glömde att det kändes som om handen höll på att explodera från insidan.

"Bara en minut till." Sara tittade på väggklockans sekundvisare.

Will tittade på henne för att få tiden att gå. Hon var lika svettig och tilltufsad som han själv. Han plockade en kvist från hennes hår. Hon var barfota. Mercys blod i vattnet hade förvandlat Saras gröna bomullsklänning till en batikfärgad skapelse som påminde honom om klänningen Mercys faster burit vid middagen.

Tanken på fastern fick honom att minnas resten av Mercys familj. Will hade varit så fokuserad på att hitta Dave att han inte funderat över vad som måste ske först. Just nu hade han ingen rätt att utreda mordet. Han var i bästa fall ett vittne och i värsta fall bara en ställföreträdare i väntan på att den lokala sheriffen dök upp.

Det skulle kanske dröja innan mannen nådde campingen. Will skulle bli tvungen att framföra dödsbudet. Jon måste få veta att hans mamma blivit mördad. Pojken ville förmodligen se hennes kropp. Mercy kunde inte lämnas flytande i vattnet. Will och Sara hade lyckats bära in henne i den andra stugan. De hade barrikaderat dörren med lite av timret som legat utspritt, så att inget djur kunde komma åt henne. Regnet som snart skulle falla betydde att brottsplatsen ändå skulle förstöras.

"Cecils rörelsehinder innebär väl att han kan strykas från listan." Sara funderade fortfarande på andra misstänkta. "Jon var med mig."

"Varför var Jon med dig?"

"Han var fortfarande full. Jag tror att han försökte rymma hemifrån." Sara höll kvar bandaget mot hans hand medan hon öppnade ett paket gasbinda. "Det var väldigt spänt mellan Mercy och hennes bror. Mellan henne och mamman också. Herregud, de var så hemska mot henne vid middagen."

Will visste att Sara försökte hjälpa till, men det här var inget komplicerat fall. "Branden i stugan var anlagd, förmodligen för att förstöra brottsplatsen. Mercys jeans var neddragna, så troligen blev hon utsatt för ett sexuellt övergrepp. Hon släpades till vattnet, förmodligen för att hon skulle drunkna. Att all dna sköljdes bort var en bonus. Angreppet var brutalt. Mördaren var arg, ohämmad och våldsam. Ibland finns det en anledning till att saker känns uppenbara."

"Och ibland kan en utredare få tunnelseende i början av en utredning och gå åt helt fel håll."

"Du ifrågasätter väl inte mina kunskaper?"

"Jag står alltid på din sida", sa hon. "Men jag ger dig en annan bild av situationen. Det är förståeligt att du hatar Dave."

"Berätta varför han inte skulle vara huvudmisstänkt."

Sara hade inget omedelbart svar på den frågan. "Titta på oss. Titta på våra kläder. Den som dödade Mercy måste vara täckt av blod."

"Det är därför det är bråttom", sa Will. "Brottsplatsen är i stort sett värdelös. Vi har knivbladet inuti Mercys bröst, men vi vet inte var det avbrutna handtaget är. Jag vill inte ge Dave mer tid att förstöra bevis, men jag tänker vänta på sheriffen. Han får ordna en sökinsats och inleda en formell utredning. Jag vet ändå inte hur jag skulle kunna ta mig härifrån. Jag har ingen juridisk rätt att konfiskera ett fordon."

Sara påbörjade tryckbandaget om hans hand. "Vi måste hitta en telefon. Eller wifi-lösenordet."

"Vi behöver mer än så. Jag har en SOS-funktion på telefonen. Du behöver bara hitta ett ställe med mottagning. Den använder satelliter för att skicka textmeddelanden med vår position till räddningstjänsten och utvalda kontakter."

"Amanda."

"Hon kan nästla sig in i utredningen", sa Will. GBI fick inte lov att ta över utredningar hur som helst. De måste tillfrågas av den lokala polisen eller kallas in av guvernören. "Vi befinner oss i Dillon

County. Sheriffen har förmodligen inte hanterat mer än ett mord under hela sin karriär. Vi behöver experter på anlagda bränder, kriminaltekniker och en obduktion. Om sökinsatsen fortsätter tills imorgon måste vi koordinera med den federala sheriffmyndigheten ifall Dave korsat gränsen in i en annan stat. Sådant finns det inte utrymme för i den lokala sheriffens budget. Han lär bli tacksam när Amanda dyker upp."

"Jag hämtar din telefon i stugan och skickar meddelandet." Sara knöt bandaget. "Gå och ring i klockan vid huvudbyggnaden. Då kommer alla att samlas där."

"Ifall det inte är Dave", sa Will. "Då kommer vi att få veta ganska snabbt om någon annan är inblandad. Antingen är de täckta av blod, eller också dyker de inte upp. Eller också har de ett avbrutet knivhandtag gömt någonstans. Vi måste söka igenom alla stugorna och huvudbyggnaden."

"Får du lov att göra det?"

"Om nöden kräver det. Mördaren rymde från platsen. Det kan finnas andra offer. Är du klar?"

"Vänta lite." Sara gick tillbaka till toaletten och hämtade en vit jacka som förmodligen tillhörde kocken. "Sätt på dig den här. Jag tar med något från stugan som du kan byta till."

Sara hjälpte honom på med jackan. Den var så trång över axlarna att hon hade svårt att knäppa den. Det tjocka tyget glipade längst ned, men det fanns inget de kunde göra åt saken. Sara föll på knä och knöt hans skosnöre. Will mindes att hon fortfarande var barfota. Han tog strumporna i fickan och räckte dem till henne.

"Tack." Sara tog på sig strumporna utan att släppa honom med blicken. "Lova mig att du är försiktig."

Han var inte orolig för egen del. Det slog Will att han skickade sin fru till stugan som låg längst bort från huvudbyggnaden, alldeles ensam i mörkret där en mördare gick lös. "Jag kanske borde följa med dig?"

"Nej. Gå och gör ditt jobb." Hon kysste hans kind lite längre än vanligt. "Familjen vill förmodligen se till att Mercy inte behöver vara ensam hela natten. Säg åt dem att jag sitter med kroppen tills hon kan föras därifrån."

Will rörde vid hennes kind. Saras medkänsla var en av många anledningar till att han älskade henne.

"Nu går vi", sa han.

De skildes åt där Proviantstigen nådde Öglan. Regnmolnen hade dragit in och dolde fullmånen. Wills alla sinnen var på helspänn. Det var så mörkt att Dave kunnat stå tre meter framför honom utan att han märkte det. Han ökade farten och småsprang mot huset utan att bry sig om att fotleden protesterade. Den brännande smärtan i handen kom långt ned på listan över allt han hade att tänka på.

Sara hade rätt i att de måste överväga andra misstänkta, men inte av den anledning hon trodde. En vacker dag skulle Will vittna inför en jury om nattens händelser. Han måste se till att han ärligt kunde svara på frågan om han övervägt alla andra misstänkta. Det skulle inte förekomma några misstag i den här utredningen som en försvarsadvokat kunde använda för att undvika en fällande dom. Så mycket var Will skyldig Mercy.

Han var definitivt skyldig Jon det.

Trästolpen med den gamla klockan högst upp stod någon meter från huvudbyggnaden. Det kändes som om det gått en hel livstid sedan Will stod på altantrappan och åt brownies och chips. Dagens händelser flimrade förbi hans inre syn, men i stället för de saker han trodde han skulle minnas från smekmånaden – Saras leende, vandringen upp till campingen, att hålla henne i famnen medan hon somnade i badkaret – mindes han alla laddade konfrontationer som Mercy McAlpine upplevt samma dag som hon blev brutalt mördad.

Dave hade tagit stryptag på henne. Chuck hade gjort henne rasande. Keishas klagomål på vattenglasen hade irriterat henne. Jon hade förödmjukat henne inför alla andra. Cecil hade varit elak. Bitty hade varit kall. Christopher hade varit feg. Den hästtokiga kvinnan hade gjort Mercy förbannad när hon bad om en rund-visning på betesmarkerna. Kocken hade gömt sig inne i köket när Jon ställde till med en scen. Kanske de lögnaktiga apputvecklarna dolde något för Mercy. Kanske tandläkaren eller IT-killen eller bartendern eller ...

Will hade inte tid att spekulera. Han sträckte sig efter repet. Klockan pinglade inte bara, utan skrällde ordentligt. Han ryckte i repet ett par gånger till. Ljudet kanske var upprörande högt i tystnaden, men det Mercy råkat ut för vid sjön var rent fördärv. Han sträckte sig just efter repet igen när lamporna började tändas. Först inne i huvudbyggnaden. Gardinen i ett av fönstren på övervåningen rörde sig. Will såg en morgonrocksklädd Bitty blänga ned på honom. Ännu ett fönster på andra våningen tändes, borta i bakre hörnet av huset. Ett knäppande ljud hördes och strålkastare lyste upp hela gården. Will hade inte sett lamporna i träden under dagen, men nu var han tacksam för dem eftersom han kunde se hela området.

Fönstren i två av stugorna lyste som om alla lampor tänts där inne. Han såg Gordon komma ut på verandan. Mannen hade bara ett par svarta kalsonger på sig. Landry/Paul syntes inte till. Två stugor längre bort snubblade Chuck ned för trappan iförd en gul badrock med gummiankor på. Han drog ihop frottérocken med händerna, men Will hann se att han var naken under den.

Lampor tändes i ytterligare en stuga. Will väntade sig att se Keisha och Drew, men det var Frank som öppnade dörren iklädd en vit undertröja och boxershorts. Han rättade till glasögonen och såg förvånad ut när han fick syn på Will. "Är allt som det ska?" frågade han.

Will skulle just svara när han hörde hur huvudbyggnadens dörr knarrande öppnades.

"Vem är det som är här ute?" Cecil McAlpines rullstol kom ut på verandan. Han hade ingen tröja på sig. Djupa ärr löpte kors och tvärs över bröstet. De var alldeles raka, som om han legat på vassa metallbitar. "Bitty, vem ringde i klockan?"

"Jag har ingen aning." Bitty stod bakom sin man med ansiktet hopskrynklat av oro medan hon knöt skärpet på sin mörkröda morgonrock. "Vad tusan är det som pågår?" frågade hon Will.

Will höjde rösten. "Jag vill att alla kommer ut nu."

"Varför då?" undrade Cecil. "Och varför tror du att du kan säga åt oss vad vi ska göra?"

"Jag är specialagent från Georgia Bureau of Investigation", sa Will. "Jag vill att alla kommer ut hit genast."

"Specialagent?" Gordon sneglade över axeln in i stugan medan han makligt gick ned för trappan.

Landry syntes fortfarande inte till.

"Tyvärr." Frank stod kvar på sin veranda. "Monica har slocknat helt. Hon drack lite för mycket och ..."

"Se till att hon kommer ut." Will började gå mot Gordons stuga.

"Var är Paul?"

"I duschen." Gordon rättade inte namnet. "Vad gör du?"

Will sköt upp dörren. Stugan var mindre än hans och Saras, men såg i stort sett likadan ut. Will hörde duschen stängas av. "Paul?" ropade han.

"Ja?" sa en röst.

Will behövde ingen vidare bekräftelse på att de två männen hade ljugit om Pauls namn. Han gick in i badrummet. Paul sträckte sig efter en handduk. Han sneglade på Will och hajade sedan till, förmodligen på grund av den trånga kockjackan. Munnen drogs till ett leende. "Tröttnade du på din fantasilösa fru?" frågade han.

Will tittade på klockan. Hon var sex minuter över ett på natten. Ingen vanlig tid för en dusch. Han såg att Pauls kläder låg i en hög på golvet och flyttade på dem med skospetsen. Inget blod. Inget avbrutet knivhandtag.

"Finns det någon anledning till att du står i mitt badrum och ser ut som om du kommer direkt från en Taylor Swift-konsert?" Paul torkade håret med handduken. Will såg en tatuering på hans bröst, blommor runt ett ord skrivet med skrivstil. Paul såg att Will lagt märke till den. Han lade handduken över ena axeln, så att tatueringen doldes. "Jag brukar inte gilla den starka, tysta typen, men jag kan göra ett undantag."

"Klä på dig och kom ut."

Den dåliga magkänslan Will fått av Paul hade blivit ännu värre. Han såg sig omkring i sovrummet och sedan i vardagsrummet på vägen ut. Inga blodiga kläder. Inget avbrutet knivhandtag.

Fler människor hade samlats medan han var inne i stugan. När Will gick över gården såg han Cecils stol högst upp i veran-datrappan. Christopher, som stod intill Chuck, hade också en gul badrock, fast med fiskar på. Allihop följde honom med blicken och tog in den trånga kockjackan och de mörka fläckarna på hans byxor.

Ingen ställde några frågor. Det enda ljudet kom från Frank, som klickade med tungan medan han hjälpte Monica att sätta sig på nedersta trappsteget. Hon bar något som såg ut som ett svart siden-nattlinne och var så full att hon inte kunde hålla huvudet rakt. Hästkvinnan Sydney stod med sin man Max. De bar fortfarande samma matchande jeans och tröjor som de hade vid middagen, men Sydney hade bytt ridstövlarna mot badtofflor. Det rika paret såg argast ut av alla de församlade människorna. Will visste inte om det var skuldkänslor eller privilegium som fick dem att ifrågasätta varför de körts upp ur sängen mitt i natten.

"Tänker du komma med någon förklaring?" Gordon stod lutad mot stolpen där klockan satt. Han hade fortfarande bara kalsonger på sig. Paul kom långsamt gående mot den. Han hade dragit på sig boxershorts och en vit t-shirt. Nu hånflinade han inte längre. Det såg ut som om han var orolig.

Ljudet av fotsteg på familjens altan fick Will att vända sig om. Jon gick ned för trappan, inte alls lika karsk som tidigare. Hans hår var blött. Ytterligare en nattduschare. Förmodligen hade han försökt nyktra till. Pojken var barfota och klädd i pyjamas. Ansiktet var uppsvällt och blicken glasartad.

"Var är Keisha och Drew?" frågade Will.

"I stuga tre." Chuck pekade på stugan som låg i en rak linje från verandans hörn räknat. Fönstren var stängda och gardinerna för-dragna. Inga lampor lyste.

"Finns det en telefon inne i huvudbyggnaden?" frågade Will Chuck.

"Ja, i köket."

"Gå in och ring sheriffen. Säg att en agent från GBI bett dig rap-portera en kod 1-2-2 och behöver omedelbar assistans."

Will stannade inte kvar för att förklara sig. Han småsprang mot stuga tre. Oron växte för varje steg. Återigen tänkte han på samtalet med Sara i köket. Hade han fått tunnelseende? Var angreppet mot Mercy helt slumpmässigt? Campingen låg i början av den stora vandringsleden Appalachian Trail, som sträckte sig över trehundra mil längs östkusten, från Georgia till Maine. Minst tio mord hade skett längs leden sedan man började hålla räkningen. Våldtäkt och andra brott var ovanliga, men förekom. Såvitt Will visste hade minst två seriemördare förföljt offer längs leden. Mannen bakom bombattentatet i Centennial Olympic Park hade gömt sig i de här skogarna i fyra år. Det var precis som Sara sagt: allt möjligt otäckt dök upp om man skrapade lite på ytan.

Will stampade hårt med fötterna när han gick upp för trappan till stuga tre. Precis som de andra stugorna saknade den lås. Han slängde upp dörren så hårt att den slog emot väggen med en smäll.

"Herregud!" skrek Keisha. Hon satte sig rakt upp i sängen och famlade blint efter sin man. Sedan lyfte hon på den rosa ögonmasken. "Will! Vad är det frågan om?"

Drew stönade. Han satt fast under en bläckfiskliknande sömnapnémask. Maskinen gav ifrån sig ett högt, mekaniskt ljud som ackompanjerades av surret från fläkten bredvid sängen. Han sköt undan masken och frågade: "Vad är det som har hänt?"

"Ni måste komma ut, båda två. Nu på en gång."

Medan Will lämnade stugan räknade han tyst ihop alla människor och försökte fundera ut vem som saknades. Gruppen var fortfarande samlad vid trappan. Chuck var inne i huset och ringde polisen. Sara var förhoppningsvis på väg tillbaka åt det här hållet längs stigen. "Var är kökspersonalen?" frågade han Christopher.

"De åker hem på kvällarna. De ger sig oftast av före halv nio."

"Såg du dem åka?"

"Vad spelar det för roll?"

Will kisade mot parkeringen. Tre bilar. "Vem kör ..."

"Nu räcker det med frågor", sa Bitty. "Varför berättade du inte att du är polis? I bokningen står det att du är mekaniker. Vad är sant, egentligen?"

Will struntade i henne och vände sig till Christopher. "Var är Delilah?"

"Här uppe." Hon lutade sig ut genom ett fönster på andra våningen. "Måste jag verkligen komma ned?"

"Vad tusan håller du på med?" Drew klampade aggressivt mot

Will. Han och Keisha var klädda i matchande blå pyjamasar. Mannens tidigare så vänliga ansikte var nu fullt av ilska. "Du har ingen rätt att skrämma slag på min fru på det där viset."

"Vänta lite", sa Keisha. "Var är Sara? Mår hon bra?"

"Ja", sa Will. "Men det har skett ett ..."

"Jag ringde sheriffen." Chuck travade ned för trappan. "Han sa att det skulle ta femton till tjugo minuter att köra upp hit. Jag kunde inte ge honom fler detaljer. Jag berättade att du är polis och gav honom koden och sa att han måste skynda sig."

"Är du polis?" Drew lät ännu argare. "Du sa att du jobbade med bilar. Vad fan är det som pågår?"

Will skulle just svara när Delilah kom ut på verandan. Hon ställde den enda fråga som borde betyda något just nu.

"Var är Mercy?"

Will såg på Jon. Han satt ett par trappsteg ovanför Monica. Bitty stod intill honom. Hon var så liten att hans axlar nådde henne till midjan. Hon höll hans huvud mot höften i ett våldsamt beskyddande grepp. När det lockiga håret var tillbakastruket såg Jon ung och sårbar ut, mer som en pojke än en man. Will ville ta honom åt sidan och förklara försiktigt vad som hade hänt. Försäkra honom om att han skulle hitta monstret som hade tagit Jons mamma ifrån honom.

Men hur kunde han berätta för det här barnet att monstret förmodligen var pojkens egen far?

"Snälla du", sa Delilah. "Var är Mercy?"

Will svalde sina känslor. Det bästa han kunde göra för Jon nu var att sköta sitt jobb ordentligt. "Det finns inget lätt sätt att säga det här."

"Åh nej." Delilah slog handen för munnen. Hon hade redan förstått hur det låg till. "Nej, nej, nej."

"Vadå?" gläfste Cecil. "Ut med det, för guds skull."

"Mercy är död." Will ignorerade gästernas flämtningar. Han såg på Jon medan han berättade sanningen. Pojken var fast någonstans mellan chock och vantro. Oavsett vilket hade han inte riktigt förstått ännu. Om ett par år kanske Jon skulle minnas den här stunden och undra varför han känt sig så förlamad där han satt med huvudet lutat mot sin mormor. Självförebråelserna skulle flöda in. Han borde ha krävt svar och skrikit ut sin sorg över förlusten.

Allt Will kunde erbjuda honom just nu var fler detaljer. "Jag hittade Mercy nere vid vattnet. Det finns tre byggnader ..."

"Ungkarlsstugorna." Christopher vände sig mot sjön. "Vad är det som luktar? Brinner det? Har hon brunnit inne?"

"Nej", sa Will. "Det brann, men elden slocknade av sig själv."

"Drunknade hon?" Christophers röst var svår att tyda. Han lät underligt avtrubbad. "Mercy är duktig på att simma. Jag lärde henne simma i Grunda viken när hon var fyra år gammal."

"Hon drunknade inte", sa Will. "Hon hade fått ett flertal skador."

"Skador?" Christophers röst var fortfarande tonlös. "Vilken slags skador?"

"Tyst", sa Bitty. "Låt honom prata."

Will funderade på hur mycket information han skulle ge dem inför gästerna, men familjen hade rätt att få veta. "Jag såg knivhugg. Dödsorsaken kommer att rubriceras som mord."

"Knivhuggen?" Delilah tog stöd mot räcket för att inte falla omkull. "Kära nån. Stackars Mercy."

"Mord?" upprepade Chuck. "Menar du att hon blev mördad?"

"Ja, din idiot", svarade Cecil. "Man blir inte knivhuggen flera gånger av misstag."

"Stackars liten." Bitty pratade inte om Mercy. Hon drog Jon närmare intill sig och kysste honom på hjässan. Han klängde sig förtvivlat fast vid henne. Ansiktet försvann in i morgonrockens tygmassor, men Will kunde höra hans dämpade snyftningar. "Det är ingen fara, älskade lilla vän. Jag är här."

Will fortsatte att rikta orden till hela familjen. "Vi har placerat kroppen i en av stugorna. Sara har erbjudit sig att sitta med henne tills hon kan föras härifrån."

"Det här är fruktansvärt." Keisha hade börjat gråta. "Varför skulle någon vilja skada Mercy?"

Drew drog henne intill sig, men lyckades ändå ge Will en blick full av otyglat hat.

Will struntade i honom. Han var mer intresserad av familjen.

Han hade väntat sig ett stort utbrott av sorg, men när han granskade var och en av dem såg han inget som ens kom i närheten. Christopher verkade lika avtrubbad som tidigare medan han stirrade ned i marken. Cecil såg snarare ut som om det hela var en stor olägenhet. Delilah hade ryggen mot Will, så han hade ingen aning om vad hon tänkte. Bitty fokuserade förstås på Jon, men kvinnan hade inte fällt några tårar för sin dotter, trots att dottersonen skakade av sorg intill henne.

Det Will reagerade mest på var att ingen av dem hade några frågor. Han hade överlämnat oräkneliga dödsbud. Familjerna ville veta saker. *Vem gjorde det? Hur gick det till? Led hon? När kunde de få se kroppen? Var han säker på att det var hon? Kunde det vara ett misstag? Var han verkligen helt säker? Hade han gripit mördaren? Varför var han inte ute och jagade mördaren? Vad skulle hända nu? Hur lång tid skulle det ta? Skulle åklagaren kräva dödsstraff? När kunde de begrava kroppen? Varför hade det här hänt? Herregud, varför?*

"Era skithögar." Delilahs tofflor dunsade dämpat mot plankorna när hon långsamt gick ned för trappan. Hon pratade med familjen. "Vem av er gjorde det?"

Will såg henne stanna framför Bitty. Fasterns ilska hade flammat upp som eld. Underläppen darrade. Tårarna strömmade.

"Du." Hon hytte med pekfingret framför Bittys ansikte. "Var det du? Jag hörde dig hota Mercy före middagen."

Chuck skrattade nervöst till.

Delilah vände sig mot honom. "Knip igen, din äckliga snuskhummer. Vi såg allihop hur du kladdade på Mercy. Vad handlade det om? Och du då, ditt värdelösa mähä?"

Christopher tittade inte upp, men det märktes att han visste att Delilah pratade med honom.

"Tro inte att jag inte vet vad du håller på med, *Fisken*", sa hon.

"Sluta för fan upp med de där dumheterna, Dee", sa Cecil. "Vi vet allihop vem som gjorde det."

"Våga inte." Bittys röst var låg, men bestämd. "Vi vet ingenting."

"Men herregud." Delilah satte händerna i sidorna. "Varför skyddar du alltid den där värdelösa skiten? Hörde du inte vad den här mannen sa? Din dotter har blivit mördad! Knivhuggen flera gånger!

Ditt eget kött och blod! Bryr du dig inte om det?"

"Som om du bryr dig?" svarade Bitty. "Du har varit borta i tretton år, men vet plötsligt allting?"

"Jag vet tillräckligt om dig, din förbannade ..."

"Nu räcker det." Will måste sära på dem innan de slet varandra i stycken. "Ni borde gå tillbaka till era sovrum. Ni som är gäster, var snälla och gå tillbaka till stugorna."

"Vem gav dig rätt att bestämma det?" undrade Cecil.

"Staten Georgia. Jag har ansvaret tills sheriffen anländer." Will vände sig till hela gruppen. "Jag behöver en utsaga från var och en av er."

"I helvete heller." Drew vände sig till Bitty. "Jag beklagar förlusten, men vi ger oss av så fort solen går upp. Ni kan skicka våra väskor. Debitera kostnaden på våra kreditkort. Glöm det där andra. Gör vad ni vill här uppe. Vi struntar i alltihop."

"Drew", försökte Will. "Jag behöver en utsaga och ..."

"Glöm det", sa Drew. "Jag behöver inte svara på dina frågor. Jag vet vad jag har för rättigheter. Du ska faktiskt inte säga ett enda ord till mig från och med nu, herr polis. Tror du inte att jag har sett sådana här *Dateline*-avsnitt förut? Det är folk som ser ut som vi som blir anklagade för saker som vi inte har ett dugg med att göra."

Drew släpade med sig Keisha tillbaka in i stugan innan Will hann komma på en anledning att hejda dem. Dörren slog igen så hårt att det lät som om någon skjutit med gevär.

Ingen sa något. Will tittade mot stigen som ledde till stuga tio. Den låg tom i det svaga lampskenet. Han borde inte ha låtit Sara vandra iväg på egen hand. Det här tog för lång tid.

"Ursäkta?" Max, den rike advokaten från Buckhead, väntade tills Will vände blicken mot honom. "Även om Syd och jag verkligen står på polisens sida avböjer vi vänligt men bestämt att lämna en utsaga."

Will måste sätta stopp för det här. "Ni är vittnen, allihop. Ingen har blivit delgiven någon misstanke. Jag behöver vittnesutsagor kring vad som hände vid middagen och uppgifter om var alla befann sig efteråt."

"Vad menar du med 'var alla befann sig'?" Frågan kom från Paul, som sneglade på Gordon. "Behöver vi alibin?"

Will försökte hitta ett sätt att hindra dem från att försvinna. "Jon berättade att någon går runt Öglan vid åtta på morgonen och tio på kvällen. Kanske den personen såg något?"

"Det var Mercy", sa Christopher. "Hon hade kvällsrundan den här veckan. Jag tog morgonrundan."

Will mindes att Jon berättat alla detaljer för dem, men han ville att alla skulle fortsätta prata. "Hur går det till? Knackar ni på?"

"Nej", sa Christopher. "Folk vinkar in oss om de vill något. Eller också lämnar de en lapp ute på trappan. Det finns en sten som håller fast lappen så att den inte blåser iväg."

"Titta." Monica hade tillfälligt kvicknat till. Hon pekade mot stugan. "Vi lämnade en lapp på verandan vid niotiden. Den är borta."

Det tydde på att Mercy levt vid den tidpunkten. "Levererade Mercy det ni bett om?"

"Nej." Frank sneglade på Monica.

Blicken fick Will att misstänka att lappen varit en beställning på mer alkohol. "Såg någon Mercy efter klockan tio?"

Ingen svarade.

"Hörde någon skrik eller rop på hjälp?"

Inte heller nu bröt någon tystnaden.

"Ursäkta att jag avbryter igen", sa Max, trots att han inte avbröt någonting. "Syd och jag måste åka tillbaka till Atlanta nu."

"Vi har hästar som måste matas och vattnas", sa Syd.

Det var en sämre ursäkt än Will väntat sig, men det var ingen mening med att ifrågasätta den. Han hade ingen laglig rätt att tvinga dem att prata, än mindre att hålla kvar dem på platsen.

"Cecil, Bitty." Max vände sig till familjen McAlpine. "Vi beklagar verkligen er förlust. Vi hade en mycket trevlig kväll innan den här oerhörda tragedin inträffade. Vi förstår att familjen behöver tid att sörja."

Cecil såg inte ut att behöva någon tid. "Vi är redo att gå vidare med saken. Mer än någonsin."

"Visst", sa Max, men han lät långt ifrån säker.

"Ni finns i våra böner", tilllade Sydney.

Paret gick sin väg, sida vid sida. Will undrade vad det var Cecil ville gå vidare med. Paret från Buckhead hade fått specialbehandling redan från början. Wifi-lösenordet var bara en liten del av det. Will gissade att Mercedesen värd hundrafemtiotusen dollar som stod parkerad mellan den urgamla Chevan och en smutsig Subaru betydde att de också sluppit vandra hela vägen till campingen.

"Åt helvete med det här", sa Gordon. "Jag behöver något att dricka."

Han gick mot sin stuga. Paul följde efter, men sneglade först på Will. Blicken fick Will att undra. Inne i badrummet hade Paul definitivt sett blodet på Wills byxor, men förblivit helt oberörd. Nu var han tydligt nervös. Beskedet om Mercys död hade förändrat hans uppträdande helt. Will måste se till att området var säkrat innan han kunde börja fundera på varför.

Sex av stugorna var upptagna, vilket innebar att fyra stod tomma. Dave kunde gömma sig i vilken som helst av dem. Will vägde tyst fördelen med att kontrollera stugorna mot nackdelen med att ge familjen tid att omgruppera. Magkänslan sa åt honom att stanna där han var. Något i deras beteende var oerhört fel. Paul var inte den enda som väckte misstankar. Kanske Sara hade haft rätt om tunnelseendet ändå.

"Ursäkta mig, Will." Frank och Monica var de enda gästerna som stod kvar. "Jag bryr mig inte om att du ljög om att du är polis. Det är tur att du är här. Och Monica och jag har inget att dölja. Vad vill du veta?"

Will tänkte inte börja med Frank och Monica. "Kan ni gå tillbaka till er stuga? Jag måste prata med familjen först. Det finns en del privata detaljer som måste diskuteras."

"Självklart." Frank hjälpte Monica upp på fötter. Kvinnan kunde knappt gå själv. "Knacka på när du vill. Vi hjälper till på alla sätt vi kan."

Will noterade att ingen i familjen McAlpine rört sig. Ingen av dem såg på honom. Ingen hade börjat ställa frågor. Ingen annan än Delilah hade visat några tecken på sorg. Beräkningen låg tung i luften.

"Will?"

Sara var äntligen tillbaka. Will var lättad över att hon mådde bra, men också över att få lite hjälp. Han småsprang mot henne så att de kunde byta några ord utan att familjen hörde. Hon hade bytt om till t-shirt och jeans och bar en av hans skjortor under armen. Sara räckte honom telefonen och skjortan. "Det tog ett tag att hitta mottagning, men sedan skickade jag meddelandet och fick en bekräftelse. Det gick fram till alla. Hur är det med handen?"

Handen kändes som om den satt fast i en björnfälla. "Du måste ta med familjen in och passa dem medan jag kontrollerar de andra stugorna. Låt dem inte prata ihop sig. Sheriffen borde komma snart. Se efter om någon kniv saknas från köket. Paul har en tatuering på bröstet. Om du har möjlighet att se den skulle jag gärna vilja veta vad det står."

"Uppfattat." Sara gick före honom mot huset. Hon använde sin professionella läkarröst när hon vände sig till familjen. "Jag beklagar verkligen er förlust. Jag vet att det här är en traumatisk stund för er allihop. Vi kan väl gå in? Jag kanske kan svara på några av era frågor."

Bitty var den första som öppnade munnen. "Är du också polis?"

"Jag är läkare och anställd som rättsläkare på Georgia Bureau of Investigation."

"Ni är ett par riktiga lögnare." Bitty verkade ännu mer bekymrad än Drew över att de tillhörde ordningsmakten. Will såg henne ta Jon i armen och dra med sig honom in i huset. Christopher sköt Cecils stol framför sig. Chuck följde snabbt efter. Bara Delilah stannade kvar. Will måste få henne att gå in. Om Dave gömde sig i en av de tomma stugorna kunde han vara beväpnad med kniv eller pistol. Will kunde inte riskera att Delilah träffades av en kula eller togs som gisslan.

Han lade skjortan på trappan och stoppade telefonen i fickan. Han tryckte handen mot bröstet för att lindra smärtan. Delilah såg vaksamt på honom. Hon hade fortfarande inte följt efter familjen in.

"Ville du berätta något för mig?" frågade han.

Hon hade uppenbarligen mycket att säga, men drog ut på det. Hon tog fram en näsduk ur fickan, snörvlade och torkade sig i ögonen. Will trodde inte att det var för syns skull. Hon var verkligen skakad över Mercys död. Man måste vara en riktig Meryl Streep för att kunna spela så förtvivlad.

"Led hon?" frågade Delilah till slut.

Will broderade inte ut svaret. "Jag var med henne på slutet."

"Är du säker ..." Hon hickade till. "Är du säker på att hon är död?"

Will nickade. "Sara dödförklarade henne på plats."

Delilah baddade ögonen med näsduken. "Jag har hållit mig borta från det här jäkla stället i över ett årtionde, men så fort jag kommer tillbaka dras jag in i deras skit."

Han fick en känsla av att hon menade mer än bara mordet. Will dubbelklickade på knappen på sidan av sin Iphone för att starta inspelningsappen. "Vad är det för skit du blivit indragen i?"

"Mer än man drömt om i filosofin, Horatio."

"Vi kan väl strunta i Shakespeare?" sa Will. "Jag är brottsutredare. Jag behöver fakta."

"Här är en sanning", sa hon. "Alla inne i det här huset kommer att ljuga för dig. Jag är den enda som kommer att vara ärlig."

Wills erfarenhet hade lärt honom att det oftast var de minst ärliga människorna som ansträngde sig för att berätta hur ärliga de var. Men han ville gärna höra fasterns version av sanningen. "Dra alltihop för mig, Delilah. Vem har ett motiv?"

"Vem har inte ett motiv?" frågade Delilah. "De där rika typerna från Atlanta är här för att köpa campingen. Familjen måste rösta för att godkänna försäljningen. Tolv miljoner dollar att delas i sju delar. Mercy har två röster, sin egen och Jons, eftersom han fortfarande är minderårig. Hon meddelade klart och tydligt att hon inte tänkte tillåta någon försäljning."

Wills beräkningar ändrade riktning.

"När var det här?"

"Vid familjemötet mitt på dagen idag. Jag gömde mig i vardagsrummet för att lyssna eftersom jag är nyfiken och älskar drama. Äntligen fick jag nytta av det." Delilah tog ytterligare en näsduk ur fickan och torkade näsan. "Cecil försökte skrämma Mercy att rösta ja, men hon vände sig mot honom. Mot dem allihop, faktiskt. Mercy sa att hon inte tänkte låta dem ta campingen från henne och Jon. Att hon skulle krossa dem allihop om det behövdes. Hon sa att om hon förlorade det här stället skulle hon dra alla med sig i fallet, och hon menade det. Det hördes på hennes röst att hon menade det."

Will gjorde nya beräkningar igen. De flesta brott berodde på pengar. Tolv miljoner var ett starkt motiv. "Vad hotade hon med att göra?"

"Avslöja deras hemligheter."

"Känner du till deras hemligheter?"

"Om jag gjorde det skulle jag berätta allihop för dig. Min bror är ett våldsamt svin, så mycket kan jag säga. Men han kan inte skada folk längre. Åtminstone inte fysiskt." Delilah sneglade över axeln, mot huset. "Mercys hot var inte lika tandlöst, om du förstår vad jag menar. Hon sa att några av dem skulle hamna i fängelse. Att de aldrig skulle få sitt goda rykte tillbaka. Jag önskar att jag kunde minnas fler detaljer. I min ålder får jag vara glad om jag fortfarande hittar hem. Men de där två sakerna fastnade åtminstone."

Will mindes något hon sagt tidigare. "Du sa till Bitty att du hörtde henne hota Mercy före middagen."

"Bitty gav henne sparken." Delilah skakade argt på huvudet. "Sedan sa hon till Mercy att om hon inte röstade ja till försäljningen riskerade hon att få en kniv i ryggen."

Det var ett anmärkningsvärt sammanträffande. Men Bitty var en liten kvinna. Hon kunde inte släpa ned Mercy till sjön. Åtminstone inte utan hjälp. "Dave, då?"

"Det giriga rövhålet." Delilahs mun förvreds i avsmak. "Han röstade också för försäljningen."

Det var inte det Will menat, men nu ville han veta. "Varför får Dave rösta?"

"Cecil och Bitty adopterade honom för ungefär tjugo år sedan, vilket tyvärr innebär att han tillhör familjestiftelsen. Alla medlemmar får rösta."

Will behövde ett ögonblick för att samla sig igen, men den här gången av personliga skäl. Dave hade inte bara fått en familj, utan två. "Hur kom det sig att de adopterade honom?"

"Han slank runt på området som en vildkatt. Cecil ville lämna över honom till sheriffen, men Bitty blev förtjust i honom. Hon brukar vara kall som en fisk, men hon är ohälsosamt förtjust i den pojken. Hon går hårt åt Mercy och behandlar Christopher styvmoderligt, men Dave kan inte göra något fel i hennes ögon.

Hon är likadan mot Jon, förmodligen för att han ser ut precis som sin far. Allihop beter sig som om det här är helt normalt, förresten."

Will sa ingenting om att Dave på sätt och vis var morbror åt sin egen son. Han hade unika förutsättningar för att förstå vilka underliga familjeband fosterbarnssystemet skapade.

"Christopher, då?" frågade han i stället. "Du kallade honom något annat?"

"Fisken. Det är ett smeknamn som han fick av Dave. Jag försökte vara taskig, för han avskydde det namnet en gång i tiden. Men jag antar att han har vant sig vid det. Det är så Dave fungerar. Han nöter ned folk tills de låter honom göra vad han vill."

Will försökte styra bort samtalet från Dave. "Skulle Christopher skada Mercy?"

"Vem vet?" frågade hon. "Han har alltid varit en enstöring. Inte en trevligt excentrisk enstöring, utan snarare en seriemörda-re-som-samlar-på-kvinnors-trosor-enstöring. Och Chuck verkar vara precis likadan. De smyger runt i skogen och gör gud vet vad."

"Du sa att du inte varit här på över ett årtionde. Hur vet du att de smyger runt?"

"Jag såg dem stå och konspirera vid vedstaplarna när jag kom hit i förmiddags. De hade huvudena tätt ihop och kastade förstulna blickar omkring sig. När de såg min bil kilade Chuck iväg som en skrämd ekorre, medan Cristopher hukade sig som om det höga gräset kunde göra honom osynlig. De hade absolut något skumt på gång." Hon fnös igen. "Sedan, efter familjemötet, såg jag båda två på samma ställe igen, med huvudena lika tätt ihop."

Will lade till vedstaplarna på listan över områden som behövde undersökas. "Är de ihop?"

"Som exhibitionisterna i stuga fem?" Hon skrattade frånvarande. "Sådan tur har inte Christopher. Han har alltid haft otur med kvin-nor. Hans flickvän i skolan blev gravid med en annan pojke. Och sen var det den där hemska historien med Gabbie."

"Vem är Gabbie?"

"Bara en annan flicka han miste. Det var länge sedan. Efter det dejtade han egentligen aldrig mer, inte såvitt jag vet. Men å andra sidan har jag inte direkt hållit mig uppdaterad."

Will fick en vattendroppe i huvudet. Regnet var på väg, men här stod han under bar himmel och väntade på att hon skulle prata.

"Du borde förmodligen rikta misstankarna mot Dave", sa hon. "Allihop hade anledning att vilja se henne död, men Dave brukade klå upp Mercy ordentligt. Brutna ben. Blåmärken. Ingen sa något. Ingen gjorde något för att stoppa det. Utom jag, och det hjälpte ju inte mycket. Man kan inte förändra människor genom att säga åt dem att de har fel. Den insikten måste de nå själva. Och jag antar ... jag antar att det här betyder att hon aldrig kommer att göra det."

Will såg henne svälja hårt. Nya tårar vällde upp i ögonen.

"Du själv, då?" frågade han. "Hade du någon anledning till att vilja se Mercy död?"

"Frågar du efter motiv?" Hon suckade tungt. "Jag var glad att Mercy äntligen fått livet på rätt spår igen. Jag erbjöd mig till och med att hjälpa henne blockera försäljningen, men Mercy är väldigt stolt. *Var* väldigt stolt. Herregud, hon var så ung. Jag vet inte ens vad jag ska säga till Jon. Han har aldrig haft en riktig pappa och att förlora sin mamma på det här viset ..."

Will bestämde sig för att pröva hur ärlig hon var. "Vad kommer de andra att säga när jag frågar dem huruvida du hade ett motiv?"

"Åh, de kommer absolut att skylla på mig." Delilah stoppade den hopvikta näsduken i fickan. "De kommer att säga att jag ville hämnas för att Mercy stal Jon från mig. Jag uppfostrade honom från födseln tills han var tre, nästan fyra år gammal. Mercy gick till domstol för att få tillbaka vårdnaden i januari 2011. Det var året efter bilolyckan."

"Var det så hon fick ärret i ansiktet?" gissade Will.

Delilah nickade. "Det skrämde visst upp henne. Fick henne att fundera över sina livsval och bestämma sig för att växa upp lite grann. Jag var tveksam. Heroin är en jobbig livskamrat. Hennes nykterhet kändes inte särskilt säker. Vårdnadstvisten var rena slagsmålet. Den varade i ett halvår. Vi slet varandra i stycken. Jag var förkrossad när hon vann. Jag sa till henne på rådhustrappan att jag hoppades att hon skulle dö. Hon skar av all min kontakt med Jon. Jag skrev brev och försökte ringa. Bitty blockerade alla mina kontaktförsök, men jag är säker på att Mercy visste att hon gjorde det. Så, där har du mitt motiv. Om du tror att det tog mig tretton år att förlora besinningen."

"Var fanns Dave medan allt det här pågick?"

"Mercy var tillsammans med honom. Sedan var hon det inte. Sedan var hon det igen. Sedan låg hon på sjukhus och det var slut mellan dem. Sedan skrevs hon ut från sjukhuset och blev tillsammans med honom igen." Delilah himlade uppgivet med ögonen. "Dave dök aldrig upp på någon av de övervakade umgängestillfällena. Han var väl för full eller för hög. Eller för rädd för mig? Det hade han god anledning att vara. Om det var Dave som låg död i sjön just nu skulle du kunna sätta mig överst på listan över misstänkta."

"Vad kommer att hända med Jon nu?"

"Ingen aning. Han känner inte mig längre. Det vore nog bäst om han stannade kvar hos Cecil och Bitty. De är det minst onda alternativet. Han har förlorat sin mamma. Finns det någon rättvisa i världen förlorar han sin pappa också. Det är bäst för Jon att han får behålla så mycket av sin vanliga tillvaro som möjligt. En vacker dag kanske vi kan få någon form av relation, men det är ju bara vad jag vill. Just nu måste allt handla om vad Jon behöver."

Will undrade om svaret var äkta eller något hon diktat ihop. "Var befann du dig mellan klockan tio och midnatt?"

Hon höjde ett ögonbryn, men svarade ändå. "Jag låg i mitt rum och läste till halv tio-tio. Inget alibi. Jag hade somnat när du ringde i klockan. I min ålder är man så hoptorkad att blåsan aldrig bråkar."

Will hörde en bil. Sheriffen var äntligen där. Den bruna bilen rullade in på parkeringen just när Sydney och Max drog sina resväskor mot Mercedesen. De reagerade inte på sheriffens närvaro, om de ens såg honom. De var för upptagna av att ta sig därifrån. Will tänkte att det sa en hel del om paret att de inte erbjudit några av de andra gästerna skjuts.

Delilah stönade irriterat när sheriffen klev ur bilen. De såg honom sträcka sig in i baksätet och ta fram ett stort paraply.

"Ingen fara, gott folk", muttrade Delilah. "Bullen är här."

"Bullen?"

"Ett smeknamn." Hon såg upp på Will. "Agent Vad-du-nu-heter, jag vet ingenting om dig. Men den där mannen litar jag inte ett dugg på."

Will kände fler regndroppar träffa huvudet medan han såg sheriffen komma gående. Mannen var förmodligen strax över en och sjuttio och lite knubbig under den bruna sheriffuniformen. Snittet var inte smickrande för någon kroppstyp, men han såg särskilt obekväm ut i de åtsittande byxorna och den styva kragen. Han verkade inte heller ha bråttom. Han stannade för att slå upp paraplyet när regnet tilltog. Will plockade upp sin hopvikta skjorta och småsprang upp för trappan. Han lade den i en gungstol och väntade med Delilah under altantaket.

Sheriffen gick långsamt upp för trappan. Han tittade ut över gården medan han skakade regnet av paraplyet. Han ställde det mot husväggen intill ytterdörren. Sedan tittade han på Will.

"Sheriffen." Will fick höja rösten för att höras över regnsmattret mot plåttaket. "Jag är Will Trent från GBI."

"Douglas Hartshorne." I stället för att be Will sammanfatta läget blängde sheriffen på Delilah. "Du dyker upp här efter tretton år, samma kväll som Mercy blir knivhuggen till döds. Hur kommer det sig?"

Will lät inte Delilah svara. "Hur vet du att hon blev knivhuggen?"

Mannens leende var en aning arrogant. "Bitty ringde mig medan jag körde hit."

"Så förvånande." Delilah vände sig till Will. "Hon lindar idioter som honom runt lillfingret."

Sheriffen struntade i henne och vände sig till Will. "Var är kroppen?"

"Nere vid ungkarlsstugorna", sa Delilah.

"Frågade jag dig?"

"Herregud, Bullen. Det är ju inte som om du försöker göra en ordentlig utredning."

"Kalla mig inte Bullen!" röt han. "Och om jag var du skulle jag hålla tyst, Delilah. Du är den enda här uppe som brukar ge dig på folk med vassa föremål."

"Det var för fan en gaffel." Delilah förklarade för Will. "Det hände innan Jon föddes. Mercy bodde i mitt garage. Jag kom på henne när hon försökte stjäla min bil."

"Säger du, ja", sa sheriffen.

Will bet ihop tänderna medan de två fortsatte tjafsa. Det här kostade dem tid som de inte hade. Sheriffen verkade mer intresserad av att vinna över Delilah än av mordet. Will tittade på klockan. Även om Amanda vaknat för att läsa meddelandet skulle det ta henne minst två timmar att köra hela vägen från Atlanta.

"Dra åt helvete." Delilah gick ned för trappan utan att bry sig om hällregnet. "Jag tänker sätta mig hos min brorsdotter nu."

"Rör ingenting", ropade sheriffen efter henne.

Hon visade långfingret för att berätta vad hon tyckte om hans order.

"En del saker blir inte bättre med åren", sa sheriffen till Will.

Will önskade att mannen skulle fokusera på det som var viktigt.

"Ska jag kalla dig sheriffen, eller ..."

"Alla kallar mig Bullen."

Will skar tänder igen. Ingen på det här stället kallades vid sitt rätta namn.

Men han sammanfattade de senaste två timmarna för sheriffen ändå. "Ungefär kring midnatt var jag vid sjön med min fru. Vi hörde tre skrik. Det var ungefär tio minuter mellan det första och de två andra, som kom närmare ihop. Jag sprang genom skogen och hittade de tre ungkarlsstugorna. Den sista stod i brand. Mercy låg vid strandkanten. Överkroppen befann sig i vattnet, men fötterna låg på land. Jag upptäckte att hon blivit knivhuggen flera gånger. Hon hade förlorat mycket blod. Vi pratade, men det enda hon tänkte på var sonen Jon. Jag fick ingen information om angriparen. Jag försökte utföra hjärt- och lungräddning, men knivbladet satt fortfarande fast inuti bröstkorgen. Det genomborrade min hand. Handtaget måste ha brutits av under angreppet. Jag kunde inte hitta det på brottsplatsen. Det verkar inte saknas några knivar i matsalens kök. Vi bör kontrollera köket i huvudbyggnaden och alla pentryn i stugorna. Så snart solen går upp kan vi påbörja en organiserad genomsökning av området. Jag rekommenderar att vi börjar med ytan kring huvudbyggnaden och rör oss i riktning mot brottsplatsen. Har du några frågor?"

"Nej, du fick med allt. Det var en jäkligt bra genomgång. Du får dra den igen när dödsfallsutredaren kommer hit. Det borde inte dröja mer än en halvtimme. Vägarna börjar bli besvärliga." Bullen såg ned på Wills bandagerade hand. "Jag undrade just vad som hänt med näven."

Will ville ruska om mannen för att väcka honom. Mercy var död. Hennes son sörjde inne i huset. "Jag kan visa dig kroppen."

"Hon kommer att vara lika död när regnet dragit förbi och solen gått upp." Bullen tittade ut över gården igen. "Delilah har rätt i att det inte finns mycket att utreda. Mercy har en före detta man, Dave McAlpine. Det är en lång historia hur alla fick samma efternamn, men de där två har klått upp varandra sedan de var tonåringar. Min lillasyster såg dem ge sig på varandra i high school. Den här gången gick det för långt och hon miste livet."

Will blev tvungen att andas djupt innan han svarade. Det lät precis som om sheriffen klandrade Mercy för att han blivit mördad. "Min chef ..."

"Wagner? Heter hon så?" Han väntade inte på svar. "Hon erbjöd sig att skicka hit fältagenter, men jag sa åt henne att lugna ned sig. Dave dyker upp så småningom."

Amanda visste inte hur man lugnade ned sig. "Vi borde söka igenom Mercys rum."

"Vilka 'vi', kompis?" Bullen log, men leendet var inte äkta. "Mitt county, min utredning."

Will visste att han hade rätt. "Jag hjälper gärna till att leta efter Dave."

"Slösa ingen tid på det. Jag har redan skickat min vicesheriff till hans villavagn och alla barer där han brukar hänga. Han finns ingenstans. Förmodligen sover han ruset av sig i något dike."

Will bytte taktik. "Han kanske gömmer sig i någon av de tomma stugorna. Jag har inget vapen, men jag kan hjälpa till att leta."

"Bry dig inte om det", sa Bullen. "Dave får inte vara här uppe efter klockan sex på kvällen. Papa bannlyste honom från området för ett tag sedan. Enda anledningen till att han varit här den senaste månaden är att han renoverar ungkarlsstugorna."

Will undrade om mannen själv förstod vad han sa. Dave var

misstänkt för mord. Han skulle inte respektera någon tidsgräns. Will gjorde ett nytt försök. "Vad kör han för bil?"

"Han har inget körkort. Rattfylla. Han har visst fått någon kvinna att köra honom upp hit. Dave är väldigt bra på att övertala folk att hjälpa honom."

Will väntade på att sheriffen skulle föreslå att de skulle prata med kvinnan i fråga, eller fundera över andra platser att genomsöka, eller till och med komma på tanken att Dave kunde köra bil trots att han saknade körkort. Men Bullen verkade nöjd med att betrakta det fallande regnet.

"Jahapp." Mannen vände sig mot Will igen. "Jag borde väl gå in och titta till Bitty. Den lilla stackaren har haft några tuffa år."

Will höll munnen stängd och tvingade sig att acceptera läget. Sheriffen stod familjen för nära och var förblindad av samma likgiltighet inför Mercys liv som de hade uppvisat. Han var inte intresserad av att leta efter den huvudmisstänkte eller av att samla in bevis eller ens av att prata med vittnena.

Inte för att de möjliga vittnena skulle vara till någon hjälp. Två av dem hade redan kört iväg i sin Mercedes. Två andra hade avböjt att bli utfrågade. Två betedde sig misstänkt medan de gick omkring i sina underkläder. Två av de minst viktiga ville gärna hjälpa till. En var en gåta inlindad i en badrock med ankor på. Offrets närmaste familj betedde sig som om det var en främling som hade dött. Dessutom saknades en del av mordvapnet. Den huvudmisstänkte var försvunnen. En del av kroppen hade legat under vatten. En stuga hade brunnit ned till grunden. Resten av brottsplatsen sköljdes just nu bort av regnet.

Kanske hade Bullen rätt i att Dave skulle dyka upp så småningom. Sheriffen förlitade sig uppenbarligen på det faktum att jurygrupper på landsbygden brukade anse att poliser var goda människor som bara grep folk som de visste var skyldiga. Men Dave var inte någon vanlig brottsling. Han skulle veta hur man manipulerade juryn. Han skulle försvara sig med näbbar och klor. Will tänkte inte låta en man som kallades Bullen bli anledningen till att Dave släpptes på fri trots att han mördat någon. Inte heller tänkte han stå som ett fån och vänta på att nästa hemska sak skulle hända.

"Will?" Sara öppnade ytterdörren. "Jon lämnade en lapp på sängen. Han har rymt."

*

16 januari 2011

Älskade Jon,
Det är förmodligen korkat av mig att skriva ett brev till dig när
jag inte ens vet om du kommer att läsa det, men nu gör jag det
ändå. Anonyma alkoholister säger att det är bra att få ned sina
tankar på papper. Jag började med det när jag var tolv, men
slutade eftersom Dave fick tag på min dagbok och började reta
mig. Jag borde inte ha låtit honom ta det ifrån mig, men folk
har tagit saker från mig hela mitt liv. Jag antar att jag började
skriva igen för att jag ville ha någon form av nedtecknade bevis
ifall jag råkar ut för något hemskt. Först och främst vill jag
berätta en sak. Idag lämnade jag in en stämningsansökan för
att få dig tillbaka, så att jag kan bli vad jag alltid borde ha varit
– din mamma.

Delilah har inte särskilt mycket pengar, men hon sa rakt ut att
hon skulle lägga vartenda öre på att försöka behålla dig. Hon
har sina skäl men det tänker jag inte gå in närmare på. En
vacker dag kommer du att få höra historien om mitt fula ansikte
och förstå varför hon hatar mig så mycket. Varför alla gör det,
antar jag. Och som du ser står det svart på vitt här att jag aldrig
sagt att dom inte har god anledning att göra det.

Varenda dag av mitt liv här på jorden har varit ett jävla
misslyckande, förutom en – den dagen då jag födde dig. Nu

försöker jag fixa en del av dom där jävla misslyckandena genom att få tillbaka dig. Ursäkta att jag svär. Din mormor Bitty skulle bli vansinnig på mig. Men jag pratar med dig som om du var en man, för du kommer inte att läsa det här medan du fortfarande är en liten pojke.

Jag lämnade bort dig. Det är sanningen. Jag hade abstinensbesvär och var fastkedjad vid sjukhussängen eftersom jag hade gripits för rattfylleri igen. Delilah var där och det kostar mig inget att medge att jag var glad att se henne. Läkarna vägrade ge mig något smärtlindrande eftersom jag var knarkare. Polisen var ett sådant svin att han vägrade lossa på handbojorna. Det var ju inte som om jag kunde fly medan jag födde barn, men så ser den här världen ut.

Jag antar att man kan säga att det är en värld jag skapat åt mig själv. Och det skulle stämma. Det var därför jag lämnade bort dig till Delilah den där dagen. Jag tänkte inte på dig eller på hur ensam jag skulle bli utan dig. Min enda tanke var hur jag skulle kunna hitta alkohol eller piller så att jag klarade mig tills jag kunde köpa droger. Det är också sant. När jag var barn började jag dricka för att dränka mina demoner. Men i stället skapade jag ett fängelse åt mig själv och blev fånge där tillsammans med demonerna.

Men det där är verkligen över nu. Jag har varit ren i ett halvår. Det är säkert. Jag har slutat festa och jag tar till och med kvällskurser för att få min high school-examen, så att du aldrig ska kunna hoppa av skolan med ursäkten att jag gjorde det först. Din pappa klagar en massa över att jag ägnar så mycket tid åt att plugga i stället för att ta hand om honom, men jag försöker förändra mitt liv. Jag försöker göra allt bättre för dig, för det är du värd. En dag kommer han att förstå det. Han känner dig helt enkelt inte som jag gör.

Jag antar att jag låter hård mot din pappa i det här brevet, men jag kommer bara att säga en enda ond sak om honom. Jag är

helt säker på att han kommer att ta emot pengar från Delilah
i utbyte mot att vittna mot mig i vårdnadstvisten. Det är bara
sådan han är, det finns aldrig tillräckligt mycket pengar eller
kärlek i världen för att det ska räcka till för hans del. Och jag är
ganska säker på att resten av familjen också kommer att vända
sig emot mig. Men inte för pengar, utan bara för att göra allt
enklare för sig själva. Egentligen hatar dom mig nog inte. Jag
tror i alla fall inte det. Det är bara det att allihop har en tendens
att gå under jorden för att undvika problem, som om dom vore
kaniner som gömmer sig i sina hålor. Det är i alla fall vad jag
intalar mig, för om jag tog det personligt skulle jag nog inte ta
mig ur sängen på morgnarna.

Det är vad jag gör nu. Kliver upp ur sängen varje morgon. Åker
till motellet vid bergets fot för att städa rummen. Det är samma
jobb som jag gjort på campingen så länge jag kan minnas,
förutom att ingen ger mig stryk om jag jobbar för långsamt
eller säger till mig att tak över huvudet och mat på bordet är
min enda belöning för det hårda arbetet.

Motelljobbet betalar inte särskilt mycket, men om jag kan
fortsätta spara kommer det att räcka till en liten lägenhet åt oss
två en vacker dag. Jag tänker inte uppfostra dig i din pappas
villavagn, där halva världen tittar förbi varenda kväll för att
festa. Du och jag ska bo i staden och du ska få se världen. Eller
åtminstone mer av världen än vad jag fick se.

Det här är första gången i hela mitt liv som jag har egna
pengar. Jag fick alltid tigga och be om småpengar från Papa
och Bitty för att kunna köpa ett paket tuggummi eller gå på bio.
Senare fick jag tigga pengar av din pappa.

Men nu behöver jag inte tigga av någon. Jag bara arbetar på
motellet och dom betalar mig och det är ett hederligt dagsverke.
Inte ens din pappa kan ta det ifrån mig. Gud ska veta att han

försöker. Om han visste hur mycket jag egentligen tjänar skulle jag inte se ett öre av pengarna.

Som jag sa försöker jag inte utmåla din pappa som en elak man. Men vad jag kan säga är att trots att han inte föddes in i familjen är han verkligen en McAlpine. Kanske är han ännu värre, eftersom han drar på sig olika masker beroende på vad han vill ha ut av folk. När du blir äldre får du bestämma själv om det är ett problem eller inte. Du är också en McAlpine, så vem vet? Du kanske blir precis som resten av dem.

Lilla gubben, jag kommer fortfarande att älska dig, även om det händer. Oavsett vad du gör, eller om Delilah vinner och jag måste acceptera att två timmars umgänge med dig på medborgarhuset varannan helg är allt jag någonsin får, kommer jag alltid att finnas där för dig. Jag bryr mig inte ens ifall du blir värst av alla McAlpines. Till och med värre än jag, en person med blod på sina händer. Jag kommer alltid att förlåta dig och jag kommer alltid att försvara dig. Jag ska aldrig bli någon kanin som gömmer sig i ett hål, åtminstone inte när det gäller dig. Masken jag bär, till och med dom fulaste delarna av den – kanske särskilt dom fulaste delarna – är äkta, hela vägen in till hjärtat.

Jag älskar dig för alltid.
Mamma

9

Sara läste högt från det korta meddelandet som Jon lämnat på sängen. "'Jag behöver vara ifred, leta inte efter mig.'"

"Ja, jäklar", sa sheriffen. "Han kanske hittar Dave åt oss, så vi slipper det besväret."

Sara såg Wills käkmuskler sticka ut som hårda glasskärvor. Hon gissade att hans pratstund med sheriffen ute på verandan varit lika bisarr som upplevelsen hon haft inne i huset med Mercys kalla, beräknande familj. Ingen av dem verkade särskilt tagen av hennes död. Allt de pratat, skrikit och bråkat om var pengar.

"Tror du att Jon gick till Mercy?" frågade Sara sheriffen.

"Han skrev inget om det på lappen", sa mannen, som om sextonåringar alltid skrev ned precis vad de tänkte göra. "Den gamla pickupen står fortfarande kvar. Jon skulle ha passerat här om han gick till fots. Stigen till ungkarlsstugorna ligger däråt."

"Har han en flickvän?" försökte Sara. "Någon i staden, kanske ..."

"Pojken är lika populär som en orm i en sovsäck. Vi får besked så småningom ifall någon ser honom i stan. Vandringen tar honom ett par timmar, och då måste det ändå sluta regna först. Han skulle aldrig ta cykeln i det här vädret. Då skulle han halka utför en klippkant, precis som Papa."

Inget han sa var till någon tröst, men Sara skulle visst lika gärna kunna skrika åt regnet som att försöka få sheriffen att visa någon form av oro för ett saknat barn.

"Om han går till Mercy träffar han på Delilah", sa Will till Sara. "Hon ville sitta med kroppen."

Tårarna brände bakom Saras ögonlock. Det fanns i alla fall någon som brydde sig.

"Jag heter Douglas Hartshorne, förresten." Sheriffen sträckte fram näven. "Du kan kalla mig Bullen."

"Sara Linton." Mannens hand kändes vek och klibbig när Sara skakade den. Hon sneglade på Will, som såg ut att vilja slänga sheriffen över verandaräcket. Det var underligt att de två poliserna stod på altanen och pratade när Mercy låg brutalt mördad nere vid sjön. De borde vara ute och leta efter Dave, förhöra vittnen och se till att kroppen togs om hand. Det syntes på Wills knutna vänsterhand att söligheten plågade honom mer än den skadade högerhanden.

Sara kunde inte ge upp. Hon vände sig till sheriffen. "Är det möjligt att Jon kan försöka hämnas på Dave?"

Bullen ryckte på axlarna. "Det stod inget om hämnd på lappen."

Sara gjorde ett nytt försök. "Han är en minderårig pojke vars mamma just blivit brutalt mördad. Vi borde leta efter honom."

"Jag kan hjälpa till att leta", erbjöd sig Will.

"Äsch. Pojken har vuxit upp i de här skogarna. Han klarar sig. Men tack för erbjudandet. Jag tar hand om den här saken nu." Bullen gick mot dörren, men verkade plötsligt komma ihåg Sara. Han rörde artigt vid hattbrättet. "Ma'am."

Will och Sara stod mållösa när Bullen tyst stängde ytterdörren efter sig. Will nickade åt Sara att maka sig mot hörnet av altanen. De stirrade på varandra. Ingen av dem kunde sätta ord på sina känslor.

"Kom här", sa Will till sist.

Sara begravde ansiktet mot hans bröst när han slog armarna om henne. Hon kände en liten bit av ångesten hon burit med sig sedan de lämnade sjön försvinna ur kroppen. Hon ville gråta för Mercys skull, skrika åt Mercys familj, hitta Dave, se till att Jon kom tillbaka, känna att hon faktiskt gjort något vettigt för den döda kvinnan som låg i den övergivna gamla stugan.

"Jag är ledsen", sa Will. "Det här är ingen vidare smekmånad för dig."

"För oss", rättade hon, för det var meningen att veckan skulle vara speciell för honom också. "Vad kan vi göra nu? Berätta hur jag kan hjälpa till."

Will verkade inte ha någon större lust att låta henne gå. Sara lutade sig mot en av stolparna. Plötsligt kände hon hur sent det var. De såg på varandra igen. Allt som hördes var regnvattnet som rann från taket och plaskade ned på den hårda marken.

"Vad hände där inne?" frågade Will.

"Jag erbjöd mig att göra kaffe så att jag kunde söka igenom köket. Jag vet inte om det saknas någon kniv. Det ser ut som om de samlat på sig bestick sedan campingen öppnade. Vi måste hitta det saknade handtaget för att kunna matcha mordvapnet med någon av uppsättningarna."

"Det ordnar säkert Bullen på en gång." Han tryckte sin skadade hand mot bröstet. Nu när adrenalinet försvunnit började han förmodligen känna av smärtan.

"När pratade Bitty med sheriffen?" frågade han.

Sara blev förvånad. "Jag såg henne inte använda telefonen. Hon måste ha ringt honom när jag var i köket."

"Du kunde ändå inte ha gjort något åt det." Will flyttade handen högre, som om han kunde hålla den utom räckhåll för den brännande smärtan. "Jag måste hitta Dave. Han kanske fortfarande är kvar på området."

Tanken på att han skulle jaga efter Dave skadad och utan hjälp skickade en rysning längs Saras ryggrad. "Han kan ha fler vapen."

"Om han är kvar här uppe vill han bli infångad."

"Inte av dig."

"Vad är det du brukar säga? Livet ser till att man får betala priset för sin personlighet."

Saras hals snördes samman. "Sheriffen ..."

"Kommer inte att hjälpa till", sa Will. "Han sa att dödsfallsutredaren skulle komma om en halvtimme. Det är kanske någon annan som är mer angelägen om att lösa mordet. Fick du ur familjen något?"

"De var bekymrade över gästerna som ger sig av nu och de som anländer på torsdag. Kan de behålla depositionsavgiften? Kommer folk i alla fall? Vem ska beställa mat och sköta personalen och boka in guiderna?" Sara kunde fortfarande knappt tro att ingen av dem sagt något om Mercy. "Sedan hettade det till ordentligt när de började prata om investerarna."

"Känner du till försäljningen?"

"Jag lade ihop två och två utifrån skrikandet kring vem som skulle få rösta i Jons namn, särskilt om Dave grips för mord." Sara lade armarna i kors. Hon kände sig underligt sårbar å Mercys vägnar. "Någonstans mitt i alltihop försvann Jon upp på övervåningen. Jag försökte följa efter honom, men Bitty sa att han behövde vara i fred."

"Det var så det stod på lappen – att han behövde vara ifred."

Sara kom att tänka på något. "Jag tog mig in på wifit. Ta fram telefonen, så ska jag dela lösenordet med dig."

Will tryckte in koden med tummen. Tack och lov var han vänsterhänt, och hade åtminstone full rörlighet i sin dominanta hand. Sara såg till att han kom in på nätverket innan hon hämtade hans skjorta från gungstolen. Hon började knäppa upp den löjligt trånga kockjackan.

"Du vet väl att jag klarar det där själv", sa Will.

"Jag vet." Sara hjälpte honom av med jackan. Han visade tydligt att han lät henne hållas när hon höll upp ärmarna på skjortan så att han kunde klä sig. Sara fumlade valhänt med knapparna. Nattens händelser hade skakat om henne. Hon knäppte den sista knappen och lade handen över Wills hjärta. Det fanns mycket hon kunde säga för att få honom att stanna kvar, men mer än något annat visste Sara att Will ville sätta igång med sitt arbete.

Det ville hon också.

Inte särskilt många människor hade brytt sig om Mercy när hon levde. Men åtminstone två personer brydde sig väldigt mycket om att hon var död.

"Du behöver de här." Sara tog fram Wills hörlurar och stoppade dem i hans ficka. Will kunde läsa, men det gick inte fort. Det var enklare för honom att använda text-till-tal-appen på telefonen. "Jag skickade dig namnen på kökspersonalen och deras telefonnummer. Jag hittade dem på en lista som satt fasttejpad på köksdörren. De borde dyka upp när dina meddelanden laddas."

Han tittade mot parkeringen. Han var redo att ge sig av. "Jag börjar med stugorna. Sedan vill jag titta på vedstaplarna. Delilah sa att Christopher och Chuck höll till där förut. Det kanske finns något gömt där."

"Jag kan prata med Gordon och Landry och försöka ta reda på vad tatueringen betyder."

"Landry lystrar till namnet Paul, så du borde kalla honom det tills han kommer med en bättre förklaring." Will pekade mot en av stugorna, där lamporna var tända. "De bor där borta. Drew och Keisha bor i den där stugan. Men de vägrar prata. Inte för att jag tror att de skulle ha så mycket att säga. Jag tvivlar på att de hörde särskilt mycket i sin stuga. Den var rena vindtunneln. De är verkligen upprörda över att vi ljög för dem om vilka vi är."

Sara fylldes av sorg över veckan de hade förlorat. Hon visste att Will gillade Drew, och hon hade sett fram emot att umgås med Keisha.

"Drew sa något konstigt till Bitty innan de stormade iväg", berättade Will. "Något i stil med, 'Glöm det där andra. Gör vad ni vill här uppe'."

"De kanske hade klagomål på sin stuga?"

"Kanske det." Han fortsatte uppräkningen. "Monica och Frank bor där. Chuck kom ut ur den där stugan. Max och Sydney bodde där. De har redan åkt."

"Toppen", suckade Sara. Brottsplatsen var bortspolad och vittnena försvann lika snabbt. "Vilket jäkla kaos. Är det ingen som bryr sig om att Mercy är död?"

"Delilah gör det. Åtminstone tror jag att hon gör det." Will tittade på telefonen. Saras meddelanden hade börjat dyka upp. "Enligt henne har Christopher haft ett par misslyckade förhållanden. En kvinna blev gravid med en annan och lämnade honom. Han miste någon annan. Jag vet inte om det betyder att hon dog eller om hon försvann eller om det ens spelar någon roll. Folk har så många anledningar att dölja saker."

Sara kände hur något föll på plats i huvudet, men det handlade inte om Christophers kärleksliv. "Det där grälet som apputvecklarna hade på stigen utanför vår stuga."

"Vad är det med det?"

"Paul sa: 'Jag struntar i vad du tycker. Det här är det enda rätta.' Gordon sa: 'Sedan när bryr du dig om vad som är rätt?' och då svarade Paul, 'Sedan jag såg hur hon har det, för helvete.'"

Will såg uppmärksamt på henne. "Menade han Mercy?"

"Det bor bara två kvinnor här uppe. Den andra är Bitty."

Han kliade sig på kinden. "Svarade Gordon på det?"

Sara slöt ögonen och försökte minnas. De två männen hade grälat utanför stugan i kanske femton sekunder innan de fortsatte längs stigen. "Jag tror att Gordon sa: 'Du måste släppa det.' Sedan gick Paul mot sjön och jag hörde inget mer."

"Varför skulle Paul bry sig om hur Mercy bor?"

"Det verkade göra honom arg."

Wills telefonskärm tändes. Han tittade på den. "Faith skickade mig en kartnål för en halvtimme sedan. Hon är på väg 75, på väg mot väg 575."

Sara hade svårt att få ihop bilden av den lyckliga kvinnan på smekmånad som åkt samma sträcka igår och kvinnan som nu befann sig mitt i en mordutredning. "Det dröjer förmodligen två timmar innan hon kommer hit."

"Vid det laget tänker jag ha Dave i tryggt förvar så att hon kan förhöra honom."

"Är du fortfarande säker på att det var han?"

"Vi kan diskutera vilka andra som kan vara skyldiga, eller också kan jag leta reda på Dave och slå fast hur det ligger till."

Sara hade en känsla av att det fanns fler saker Will ville slå fast. "Men sheriffen, då? Han var tydlig med att han inte ville ha vår hjälp."

"Amanda skulle inte skicka hit Faith om hon inte hade en plan." Will stoppade telefonen i fickan igen. "Du måste stanna i huset medan jag letar igenom de tomma stugorna."

Sara kunde inte gå tillbaka in i den deprimerande huvudbyggnaden. "Jag pratar med Gordon och Paul. Kanske kan jag lista ut vad de sysslar med. Minns du något om tatueringen?"

"En massa blommor, en fjäril och kursiv text, definitivt ett ord. Den krökte sig över bröstet, här." Han lade handen över hjärtat. "Han tog på sig en t-shirt innan han kom ut. Jag vet inte om det betyder att han inte ville att någon annan skulle se tatueringen. Eller också tog han bara på sig en tröja eftersom det är vad man brukar göra när man kliver ur duschen."

Det här var den mest frustrerande delen av en utredning. Människor ljög. De dolde saker. Teg om sina hemligheter, men avslöjade andras hemligheter. Och ibland hade inget av det något att göra med brottet man försökte lösa.

"Jag ska undersöka saken", sa Sara.

Will nickade, men han rörde sig inte. Han tänkte verkligen vänta tills hon var tryggt och säkert inne i stuga fem.

Sara lånade det stora paraplyet som stod lutat mot husväggen. Vandringskängorna var vattentäta, men inget kunde hindra regnet från att stänka upp över hennes ben. När hon nådde den lilla altanen var byxorna genomblöta från knäna och nedåt. Tyget var visst inte så vattenavvisande som det påstods. Hon fällde ihop paraplyet och knackade på dörren.

Det var svårt att veta om några ljud hördes inne i stugan eftersom regnet susade så högt. Tack och lov behövde Sara inte vänta länge innan Gordon öppnade dörren. Han var klädd i svarta kalsonger och luddiga tofflor.

I stället för att fråga Sara varför hon var där eller vad hon ville, slängde han upp dörren och sa: "Ju fler, desto eländigare."

"Välkommen till vår tragiska lilla tillställning", ropade Paul från soffan. Han bar boxershorts och en vit t-shirt. De bara fötterna var upplagda på soffbordet. "Vi sitter här och super oss fulla."

Sara försökte spela med. "Det låter precis som college."

Gordon skrattade och gick mot köket. "Sätt dig."

Sara valde en av de stora fåtöljerna. Stugan var mindre än hennes egen, med samma typ av möbler. Hon kunde se in i sovrummet. Det låg inga resväskor på sängen, vilket hon tolkade som om männen inte tänkte ge sig av. Eller också hade de helt andra prioriteringar. Det stod en öppen flaska bourbon intill två tomma glas på soffbordet. Flaskan var halvfull.

Gordon ställde ett tredje glas på bordet. "Vilken jäkla kväll. Eller morgon? Jösses, solen går snart upp."

Sara kände hur Paul tittade på henne.

"Du är gift med en polis, alltså", sa han.

"Ja." Sara tänkte inte ljuga mer. "Jag jobbar också för myndigheterna. Jag är rättsläkare."

"Jag skulle aldrig kunna röra vid en död kropp." Gordon tog upp flaskan från bordet. "Den här smakar terpentin, men det kan man inte tro när man tittar på priset."

Sara kände igen den flotta etiketten. Hon mindes inte när hon druckit sprit senast. Will ogillade alkohol på grund av sin barndom. Sara hade blivit nykterist på köpet.

"Det beror väl på höjden?" sa Paul. "Smaklökarna förändras."

"Älskling, det gäller bara på flygplan." Gordon hällde upp en dubbel i alla glasen. "Vi är knappast niotusen meter upp i luften just nu."

"Vad är höjden över havet här?" undrade Paul.

Han tittade på Sara när han ställde frågan, så hon svarade. "Sjuhundra meter, ungefär."

"Tack och lov att vi inte kommer träffas av något flygplan. Det skulle vara grädden på det här skitmoset." Gordon räckte Sara glaset. "Vad gör en rättsläkare? Är det som hon i den där i TV-serien?"

"Vilken serie?" undrade Paul.

"Hon med håret. Vi hörde henne i *Mountain Stage*. Och sedan var hon med i *Madam Secretary*."

Paul knäppte med fingrarna. "*Jordan, rättsläkare*."

"Just det." Gordon tömde halva sitt glas. "Kathryn Hahn var med i den. Vi älskar henne."

Sara antog att den ursprungliga frågan glömts bort. Hon smuttade på drycken och försökte dölja sin förskräckelse. Att kalla det terpentin var rena komplimangen.

"Eller hur?" Paul hade lagt märke till hennes reaktion. "Man måste hålla kvar den i munnen tills kräkreflexen lagt sig."

Dubbeltydigheten fick Gordon att frusta till. "Jag antar att smekmånadsparet inte hinner med sådant i natt."

"Vad gör agent Supersexig?" frågade Paul. "Ingen var visst intresserad av att lämna någon utsaga."

Sara kände kallsvetten bryta ut när hon tänkte på att Will letade efter Dave alldeles ensam. "Såg någon av er Mercy efter middagen?"

"Åh, polisfrågor", sa Gordon. "Borde du inte läsa upp våra rättigheter först?"

Sara hade ingen skyldighet att läsa upp någonting för dem. "Jag är inte polis. Jag kan inte gripa er."

Hon lät bli att nämna att hon kunde vittna om allt de berättade för henne.

"Paul såg henne", sa Gordon.

Sara antog att det betydde att de helt lämnat namnet Landry bakom sig. "Var?"

"Precis utanför vår stuga. Klockan var ungefär halv elva. Jag råkade bara titta ut genom fönstret." Paul lyfte glaset till munnen, men drack inget. "Mercy kom gående. Sedan gick hon upp för trapporna till Frank och Monicas stuga."

"Monica ville förmodligen ha mer sprit", sa Gordon. "Frank berättade att hon lämnat en lapp på verandan."

"Jag fattar inte hur hon ens kunde hålla i en penna", sa Paul. "Hon var ju full som ett ägg."

"Skål för Monicas lever." Gordon höjde glaset.

Sara låtsades dricka en klunk till. Det var intressant att Paul visste var Mercy hade tagit vägen. Franks och Monicas stuga syntes inte från fönstret. Man var tvungen att gå ut på verandan, vilket betydde att han spanat efter Mercy.

"Så", sa Gordon. "Hur såg hon ut?"

Sara skakade på huvudet. "Vem?"

"Mercy", sa Gordon. "Hon hade väl blivit knivhuggen?"

"Otäckt", sa Paul. "Hon var säkert livrädd."

Sara såg ned i glaset. Männen betedde sig som om det hela var en dokusåpa.

"Vet du om fotvandringen blir av imorgon, trots allt?" undrade Paul.

"Älskling", sa Gordon. "Det där var inte särskilt hänsynsfullt."

"Men det är en rimlig fråga. Vi betalade en jäkla massa pengar för den här semestern." Han såg på Sara. "Vet du?"

"Ni får fråga familjen." Sara kunde inte låtsas längre. Hon ställde tillbaka glaset på bordet. "Paul, Will sa att han såg en tatuering på ditt bröst."

Pauls skratt lät forcerat. "Oroa dig inte, raring. Han har bara ögon för dig."

Sara var inte orolig. "Mitt jobb har lärt mig att varje tatuering har en bakgrundshistoria. Vilken är din?"

"Den är rätt fånig", sa han. "Lite för mycket tequila. Lite för mycket melankoli."

Sara såg på Gordon.

Han ryckte på axlarna. "Jag är inte så mycket för tatueringar. Jag hatar nålar. Själv, då? Har du någon svanktatuering att visa upp?"

"Nej." Hon provade att nysta i en annan ände. "Har ni besökt campingen förut?"

"Det här är första gången", sa Gordon. "Jag är inte så säker på att vi kommer tillbaka."

"Jag vet inte det, raring. Vi kan förmodligen få ett bra pris om vi bokar nu." Paul satte sig upp i soffan och sträckte sig efter flaskan. Han hällde upp en dubbel till och sneglade på Sara. "Vill du ha mer?"

"Hon har knappt rört den första." Gordon sträckte fram handen. "Får jag?"

Sara såg honom hälla över hennes bourbon i sitt eget glas.

"Mercy, då?" frågade hon.

Paul lutade sig långsamt bakåt.

"Vad är det med henne?" undrade Gordon.

"Det verkade som om du kände henne? Eller åtminstone kände till henne." Sara riktade orden till Paul. "Och som om du inte var särskilt glad att upptäcka att hon levde gott här uppe på campingen."

Något blixtrade till i Pauls ögon, men Sara visste inte om det var ilska eller rädsla.

"Visst var hon rätt märklig?" sa Gordon. "Ganska oslipad."

"Och det där ärret i ansiktet", sa Paul. "Det har säkert också en bakgrundshistoria."

"Ingen som jag vill höra", sa Gordon. "Jag tycker hela familjen verkar knepig. Mamman påminner mig om den där skräckfilms-flickan. Fast hennes hår är mörkt, inte vitt och stripigt som en häxas könshår."

"Samara i *The Ring*?" sa Paul.

"Ja, men med en röst som ett ondskefullt barn." Gordon såg på Sara. "Har du sett den?"

Sara tänkte inte låta dem leda henne bort från ämnet. "Då hade ni aldrig träffat Mercy innan ni checkade in?"

Gordon svarade: "Jag kan ärligt säga att jag såg den stackars kvinnan för första gången idag."

"Det var igår", sa Paul. "Det är redan imorgon."

Sara gav sig inte. "Varför ljög du om ditt namn?"

"Vi skämtade bara lite", sa Gordon. "Precis som du och Will, eller hur? Ni ljög ju också."

Det kunde Sara inte förneka. Det här var en av många anledningar till att hon avskydde lögner.

"Nu skålar vi." Paul höjde glaset. "För alla lögnare här uppe på berget. Hoppas att inte allihop går samma öde till mötes."

Sara visste att det var meningslöst att fråga om han räknade in Mercy bland lögnarna. Hon såg Paul svälja hela innehållet i glaset. Sedan ställde han det på bordet med en smäll. Ljudet ekade i tystnaden. Ingen sa något. Sara hörde vatten droppa utanför. Regnet hade dragit förbi. Hon hoppades att Will hållit bandaget torrt. Hon hoppades att han inte låg på rygg någonstans med en kniv i bröstet.

Hon skulle just säga god natt när Gordon bröt spänningen med en hög gäspning.

"Det är bäst att jag lägger mig innan jag förvandlas till en pumpa", sa han.

Sara reste sig. "Tack för drinken."

I stället för artigheter följde en vass tystnad henne ut ur stugan. Sara tittade upp mot himlen. Fullmånen hade rört sig mot åskammen. Bara några få moln dröjde sig kvar. Sara lämnade paraplyet på verandan och gick ned för trappan. Hon såg sig om efter Will. Strålkastarna lyste fortfarande, men de nådde inte hur långt som helst.

En rörelse i närheten av parkeringen fångade hennes uppmärksamhet. Det var ingen påhittad skymt av Bigfoot den här gången. Sara kände igen Wills silhuett. Han stod med ryggen mot henne. Armarna hängde längs sidorna. Sara gissade att bandaget var dyngsurt. Dave syntes inte till. Det borde inte ha gjort henne lättad, men precis så kändes det. Hon trodde att Will tittade på vedstaplarna som Delilah pratat om, men sedan dök ett par strålkastare upp i mörkret.

Sara höll upp handen för att inte bli bländad. Det var ingen vanlig bil, utan en mörk Mercedes Benz Sprinter. Dödsfallsutredaren måste ha anlänt. Sara hoppades att mannen skulle uppskatta att en statligt anställd rättsläkare redan befann sig på brottsplatsen. Men med tanke på de oväntade reaktionerna hon bevittnat dittills under kvällen tog hon inget för givet. Det minsta hon kunde hoppas på var att dödsfallsutredaren kände till sitt yrkes begränsningar.

Folk förväxlade ofta rättsläkare med lokala dödsfallsutredare. Bara det första yrket krävde en läkarexamen. Det senare ämbetet kunde innehas av vem som helst, och ofta var det just vem som helst som satt på posten. Det var oturligt, för de lokala dödsfallsutredarna var dödens portvakter. De ansvarade för insamlingen av bevis och avgjorde huruvida dödsfallet skett under tillräckligt mystiska omständigheter för att man skulle be statens rättsläkare att utföra en obduktion.

Staten Georgia var den första som instiftade ämbetet, i 1777 års konstitution. Posten tillsattes genom allmänna val och det fanns bara ett fåtal kriterier som behövde uppfyllas för att ställa upp: kandidaterna måste vara minst tjugofem år gamla, registrerade för att rösta i det aktuella countyt, ha ett fläckfritt brottsregister och en avklarad high school-utbildning.

En enda dödsfallsutredare i statens etthundrafemtiofyra counties var en riktig läkare. Resten var begravningsentreprenörer, bönder, pensionärer, präster och, i ett fall, motorbåtsmekaniker. Ämbetet betalade tolvhundra dollar om året och krävde ständig jour. Ibland fick man vad man betalade för. Det var på det viset självmord ibland tolkades som mord och misshandel i hemmet kunde avfärdas som halkolyckor.

Saras vandringskängor kippade i leran när hon gick mot parkeringen. Förardörren öppnades och Sara blev förvånad när hon såg en kvinna kliva ut. Ännu mer överraskande var det att kvinnan var klädd i skyddsoverall och keps. Av bilen att döma hade Sara väntat sig en begravningsentreprenör. Strålkastarna på gården lyste upp loggan baktill på bilen. Mousheys värme och ventilation. Det knöt sig i magen på Sara.

"Jaha", sa kvinnan just till Will. "Bullen nämnde att ni försökte lägga er i utredningen."

Sara fick bita sig hårt i läppen för att inte öppna munnen.

"Oroa dig inte." Kvinnan hade sett hennes ansiktsuttryck. "Flera knivhugg, eller hur? Det är inte så svårt att räkna ut att det är mord. Kroppen kommer att skeppas till de statliga myndigheterna så småningom ändå. Det gör inget att ni redan är här. Jag är Nadine Moushey, Dillon Countys dödsfallsutredare. Är du doktor Linton?"

"Sara." Kvinnans handslag var nästan lite väl fast. "Vad har du fått veta?"

"Mercy blev knivhuggen till döds och det var förmodligen Dave som gjorde det. Jag hörde att det är er smekmånad, också."

Sara märkte hur förvånad Will blev. Han förstod fortfarande inte hur småstäder fungerade. Alla inom en radie av åtta mil kände förmodligen redan till mordet.

"Vilken jäkla otur", sa Nadine. "Fast när det gäller min egen smekmånad borde jag förmodligen ha blivit glad om någon tagit livet av den jäveln där och då."

"Du verkar känna offret och den huvudmisstänkte", sa Will.

"Min lillebror gick i skolan med Mercy. Jag och Dave hängde på glassbaren ihop. Han har alltid varit en våldsam jäkel. Mercy hade sina problem, men hon var okej. Inte lika elak som resten av dem. Det var visst en nackdel för henne. Man vill inte bli nedsläppt i en ormgrop om man inte har de vassaste huggtänderna."

"Finns det någon annan än Dave som skulle vilja se Mercy död?" frågade Will.

"Jag funderade på det hela vägen upp hit", sa Nadine. "Jag har inte träffat Mercy sedan Papas olycka för ett och ett halvt år sedan, och då sågs vi bara på sjukhuset. Det är jobbigt för henne i staden, så hon håller sig här uppe på berget. Det är ett rätt isolerat ställe. Inte så mycket att skvallra om ifall man inte rör sig i staden ibland."

"Varför har hon ett ärr i ansiktet?" undrade Sara.

"En bilolycka. Rattfylla. Hon körde igenom ett skyddsräcke. Metallen klövs på mitten och skalade av henne halva ansiktet. Det finns en lång, tragisk bakgrundshistoria, men Bullen kan ge er alla detaljer. Det var hans pappa, sheriff Hartshorne, som höll i utredningen, och Bullen hjälpte till. Familjerna har alltid stått varandra nära."

Sara blev inte förvånad. Det förklarade Bullens makliga inställning.

"Sheriffen berättade att Dave fått körkortet indraget på grund av rattfylla", sa Will. "Han nämnde en kvinna som skjutsar Dave till och från arbetet på campingen."

Nadine skrattade högt. "Den kvinnan är Bitty. Dave har gjort sig omöjlig hos nästan alla kvinnor i de närmsta tre staterna. Ingen skulle resa sig ur sängen för hans skull. Eller lägga sig i den heller, skulle jag säga. Jag har redan uppfostrat två småpojkar. Jag har ingen lust att ta hand om en till. Förresten, vad har hänt med din hand?"

Will såg på bandaget. "Har ingen berättat om mordvapnet?"

"Will försökte göra bröstkompressioner", förklarade Sara. "Han visste inte att det avbrutna knivbladet satt kvar inuti Mercys bröstkorg."

"Att hitta knivhandtaget är det viktigaste i nuläget", sa Will. "Jag såg inget på marken när jag letade efter Dave i stugorna, men det vore klokt att söka igenom området mer noggrant."

"Fy tusan, vilken dyster historia. Vi går till platsen medan vi pratar." Nadine tog en ficklampa och en verktygslåda ur bilen. "Det är två, tre timmar till gryningen. Det kommer mer regn under förmiddagen, men jag tänker inte ens försöka ta ut henne förrän solen är uppe. Nu tar vi oss en titt."

Nadine gick först, med ficklampan i handen. Hon riktade strålen mot marken och lyste upp ett par meter i taget. Will väntade tills de nådde nedre delen av Öglan innan han redogjorde för kvällens händelser. Bråket vid middagen. Skriken i mörkret. Hur han hittat Mercy på stranden strax innan hon dog.

Att höra allt sägas högt förde Sara tillbaka till brottsplatsen igen. Tyst lade hon till sitt eget perspektiv. Hur hon sprungit genom skogen och desperat försökt hitta Will. Hur hon funnit honom stående på knä över Mercy. Hans plågade ansikte. Sorgen var så djup att han inte ens lagt märke till Sara, och än mindre knivbladet som stack upp genom högerhanden.

Minnet fick tårarna att bränna bakom ögonlocken igen. När de stod ensamma på familjen McAlpines veranda hade Sara varit så lättad över att känna hans armar runt sig, men nu insåg hon att Will förmodligen också behövt den trösten.

Hon tog hans vänstra hand i sin när de vek in på en slingrande stig. Sara hade sett Försvunna änkans stig utmärkt på kartan, men logiken hade svikit henne när hon rusat in i skogen, barfota och panikslagen över Wills rop på hjälp.

Marken sluttade brant. Stigen vindlade av och an när de fortsatte nedåt. Den var inte lika välskött som Öglan. Nadine mumlade en svordom när en lågt hängande gren nästan slog av henne kepsen. Hon riktade ficklampan högre, så att det inte skulle hända igen. De gick på rad medan de sicksackade sig ned i klyftan nedanför matsalen. Ljusslingorna på verandaräcket var avstängda. Sara antog att personalen åkt hem strax efter middagen. Hon försökte låta bli att tänka på hur hon stått där uppe med Will. Det kändes som en hel livstid sedan.

Will saktade in när stigen breddades. Sara dröjde sig också kvar. Hon visste att han ville veta vad som hänt med apputvecklarna. Om de nu ens var apputvecklare. Båda männen hade bevisat att de var skickliga lögnare.

Men det hade å andra sidan Sara och Will också gjort.

Sara talade med låg röst. "Paul såg Mercy gå till Frank och Monicas veranda vid halv elva."

"Varför nämnde han inte det tidigare?"

"Det är mycket han lät bli att nämna", sa Sara. "Jag fick inte ur honom något om tatueringen, varför han uppgett falskt namn eller om han kände Mercy, eller vad grälet på stigen handlade om. Jag tror inte att det bara berodde på alkoholen. De verkade väldigt blasé överlag."

"Det verkar vara kvällens tema." Will lade handen om hennes armbåge medan de gick ned för en särskilt brant sluttning. "Jag hittade inget vid vedstaplarna. Det fanns inga spår efter Dave i stugorna. Inget avbrutet knivhandtag. Inga blodiga kläder. Det har redan gått tre timmar. Dave har förmodligen korsat gränsen till nästa stat nu."

"Har du pratat med Amanda?"

"Hon svarade inte."

Sara tittade på honom. Amanda svarade alltid när Will ringde.

"Faith, då?"

"Hon sitter fast bakom en seriekrock på motorvägen. Det dröjer minst en timme innan de röjt undan efter olyckan och kan öppna vägen igen."

Sara bet sig så hårt i läppen att hon kände blodsmak. Hon skulle aldrig kunna övertala Will att vänta på Faith nu. När de lämnat över Mercys kropp till Nadine skulle han skaffa fram en bil och köra ned för berget för att hitta Dave.

"Nadine", ropade Sara. Hon kunde inte få Will att tänka om, men hon kunde åtminstone göra sitt jobb. "Hur länge har du varit dödsfallsutredare?"

"I tre år", sa Nadine. "Pappa satt på posten tidigare, men åldern hann ikapp honom. Hjärtsvikt, njursvikt, KOL."

Sara var väl förtrogen med de tre, ofta samexisterande, sjukdomstillstånden. "Jag beklagar."

"Gör inte det. Han hade roligt medan han drog på sig dem." Nadine stannade och vände sig mot dem. "I Atlanta är ni förmodligen vana vid en viss anonymitet, men här uppe vet alla allt om varandra."

Varken Will eller Sara nämnde att åtminstone en av dem visste precis hur småstäder var.

"Saken är den att det är jäkligt tråkigt här uppe, och när man är ung blir man inblandad i saker." Nadine stödde handen mot ett träd. "Men Mercy var vildare än oss allihop tillsammans. Hon drack sprit. Tog tabletter. Använde heroin. Stal saker från affären. Krossade bilrutor. Täckte hus med toalettpapper. Kastade ägg på skolan. Hon begick alla sorters småbrott."

Sara försökte få ihop bilden av den plågade kvinnan hon pratat med i badrummet innanför köket med de vilda scenerna som Nadine målade upp. Det var inte särskilt svårt.

"Ni vet hur alla föräldrar brukar säga att just deras barn är bra ungar som hamnat i dåligt sällskap? Det var Mercy. Hon var allas dåliga sällskap." Nadine ryckte på axlarna. "Kanske stämde det på den tiden, men inte nu. Tyvärr är småstäder som klister. Drar man på sig ett rykte som ung kommer folk aldrig att ändra åsikt om en. Trots att Mercy skärpte sig, tog hand om Jon och fick det här stället på rätt köl när hennes pappa föll ut för en klippa, satt hon fortfarande fast i det där klistret. Förstår ni vad jag menar?" Sara nickade. Hon visste precis vad kvinnan pratade om. Hennes egen lillasyster hade haft ett aktivt sexliv i high school och det fick fortfarande folk att titta snett på henne, trots att Tessa gift sig, fått en vacker dotter och arbetat som missionär utomlands.

"Jag antog att ni funderade över varför folk inte är mer upprivna över mordet", avslutade Nadine. "De tycker att det var rätt åt henne."

"Det var precis det intrycket jag fick av sheriffen", sa Will.

"Man skulle kunna tro att en man som kallats Bullen i nästan tjugo år av sitt eländiga liv borde förstå att människor kan förändras." Nadine lät inte särskilt imponerad av sheriffen. "Dave gav honom smeknamnet i high school. Den stackaren var riktigt knubbig på den tiden. Dave sa att hans mage pyste över byxlinningen som bulldeg."

Nadine vände sig tillbaka mot stigen igen. Sara såg ficklampans sken dansa över träden. De gick i tystnad i ytterligare fem minuter, tills marken började slutta i små avsatser. Nadine gick före och vände sig sedan för att lysa upp vägen åt de andra.

"Se upp, det är lurigt att ta sig ned här", sa hon.

Sara kände Will lägga handen mot hennes rygg medan hon försiktigt gick nedåt. Vinden hade vänt och förde med sig röklukten från den brända stugan. Hon kunde känna dimman mot huden. Regnstormen hade fått temperaturen att sjunka. Den svalare luften drog kondens från sjöns yta.

"Jag hörde att Dave reparerade de gamla stugorna", sa Nadine. "Han verkar ha gjort ett lika bra jobb som vanligt."

Sara såg Nadines ficklampa studsa över sågbockarna och de utspridda verktygen, de tomma ölburkarna och fimparna efter jointar och cigaretter. Efter allt hon fått höra om Dave McAlpine var hon inte förvånad över att han skräpat ned på sin arbetsplats. Sådana män visste bara hur man tog för sig. De funderade aldrig på vad de lämnade kvar åt alla andra.

"Hallå?" ropade en orolig röst. "Vem är det?"

"Delilah", sa Will. "Det är agent Trent. Jag är här med dödsfalls-utredaren och ..."

"Nadine." Delilah hade suttit på trappan till den andra stugan. Hon reste sig när de närmade sig och torkade smutsen från pyjamasbyxornas bakdel. "Så du tog över efter Bubba?"

"Jag åker ändå omkring dygnet runt och fixar trasiga kompressorer", sa Nadine. "Det var verkligen tråkigt att höra om Mercy."

"Ja." Delilah torkade sig om näsan med en näsduk. "Har ni hittat Dave?" frågade hon Will.

"Jag sökte igenom de tomma stugorna. Han var inte där." Will såg sig omkring. "Har du sett till Jon? Han rymde."

"Herregud", suckade Delilah. "Kan det här bli värre? Varför rymde han? Lämnade han en lapp?"

"Ja", svarade Sara. "Han skrev att han behövde vara ifred och att vi inte skulle leta efter honom."

Delilah skakade på huvudet. "Jag vet inte vart han skulle ta vägen. Bor Dave kvar på villavagnsområdet?"

"Ja", svarade Nadine. "Min mormor bor mittemot honom. Jag bad henne hålla utkik efter Dave. Hon sitter säkert i fåtöljen vid fönstret. Hon följer allt som händer på det där stället som om det vore ett TV-program. Om hon ser Jon ringer hon mig."

"Tack." Delilahs fingrar lekte med kragen på pyjamasjackan. "Jag hoppades att Dave skulle dyka upp här. Jag skulle gärna ha dränkt honom i sjön."

"Det skulle inte vara någon större förlust, men du får förmodligen inte chansen", sa Nadine. "Sådana där gnälliga översittartyper brukar ta livet av sig när de har dödat sina fruar. Eller hur, doktorn?"

Sara kunde inte påstå att hon hade helt fel. "Det händer."

Tanken på att Dave kunde begå självmord verkade inte göra Will glad. Han ville uppenbarligen släpa bort mannen i handbojor. Kanske hade han rätt? Alla verkade tycka att det var självklart att Dave hade dödat Mercy.

"Nåja", sa Nadine. "Det kanske inte är någon bra idé att pladdra inför en polis om hur man vill mörda någon som kanske visar sig vara död. Ska vi sätta igång?"

Will tog med henne ned till stranden. Sara stannade med Delilah.

De behövde inga fler fotspår på den redan upptrampade brottsplatsen. Hon försökte dra sig till minnas hur marken sett ut när hon först kom dit. Månen hade delvis varit dold bakom molnen, men lite ljus hade funnits.

Sara hade sett en stor blodpöl nedanför trappan. Mer blod hade samlats i släpspåren som ledde rakt mot stranden. Blodet hade färgat vattnet rött medan Mercys liv rann iväg. Hennes trosor och jeans hade varit neddragna. Hon hade förmodligen utsatts för ett övergrepp innan hon blev knivhuggen. Såren var fler än Sara kunnat räkna.

Hon förberedde sig mentalt för obduktionen. Dave hade tagit ett stryptag på Mercy tidigare under dagen. Mercy hade råkat skära upp tummen på en glasbit under middagen. Sara misstänkte att det skulle finnas många tecken på gamla och nya skador. Mercy hade sagt till henne att hon gift sig med sin pappa. Sara antog att det betydde att Dave inte var den första mannen som slagit henne.

Hon vände sig om och såg på den stängda dörren till stugan. Kroppen hade redan börjat förmultna. Hon kände den välbekanta lukten av bakterier som bröt ned vävnad. Dörren var fortfarande barrikaderad med plankan som Will tagit från timmerhögen. De hade lagt Mercys kropp mitt i rummet. Wills blodiga skjorta var det enda de haft att täcka över henne med. Sara hade motstått lusten att göra henne mer presentabel. Att stryka det trassliga, våta håret bakåt. Att stänga ögonlocken, rätta till kläderna. Att dra upp de trasiga trosorna och jeansen. Mercy McAlpine hade varit en komplicerad, plågad och färgstark kvinna. Hon förtjänade respekt, även om den kom först med döden. Men varje centimeter av hennes kropp kunde bära med sig spår som pekade ut hennes mördare.

"Jag borde ha kämpat hårdare för att få vara en del av hennes liv", sa Delilah.

Sara vände sig om för att se på kvinnan. Delilah kramade näsduken i handen. Tårarna rann med oförminskad styrka.

"När jag förlorade vårdnaden om Jon intalade jag mig att jag lämnade dem ifred eftersom han behövde stabilitet. Jag ville inte att han skulle känna sig sliten mellan mig och Mercy." Delilah såg ut över sjön. "I själva verket handlade det om stolthet. Vårdnadstvisten blev väldigt personlig. Det slutade handla om Jon och blev bara en kamp för att vinna. Mitt ego klarade inte att jag förlorade mot Mercy. Jag såg henne som en värdelös knarkare. Om jag bara gett henne tid att bevisa att hon var mer än så kunde jag ha blivit hennes trygga hamn. Mercy behövde det. Hon har alltid behövt det."

"Jag beklagar att det slutade illa." Sara uttryckte sig försiktigt för att inte såra kvinnan ytterligare. "Att ta sig an någon annans barn är en stor uppgift. Du måste ha stått Mercy nära när Jon föddes."

"Jag var den första som höll honom i famnen", sa hon. "Mercy skickades tillbaka till häktet dagen efter att han föddes. Sköterskan lade honom i min famn och jag ... Jag visste inte vad jag skulle göra."

Det fanns ingen bitterhet i hennes torra skratt.

"Jag fick stanna på Walmart på vägen hem. Jag hade ett spädbarn i ena handen och en kundvagn i den andra. Tack och lov såg en kvinna hur förvirrad jag var och hjälpte mig lista ut vad jag behövde. Hela den första kvällen satt jag och läste igenom diskussionsforum på nätet om hur man tog hand om ett spädbarn. Jag hade aldrig tänkt skaffa barn. Ville inte ha några. Jon var ... Han *är* en gåva. Jag har aldrig älskat någon så mycket som jag älskade den pojken. Jag älskar honom faktiskt fortfarande. Jag har inte sett honom på tretton år, men det finns ett stort hål i mitt hjärta där han hör hemma."

Sara märkte att Delilah tog förlusten hårt, men hon hade fler frågor. "Ville inte Jons morföräldrar ta hand om honom?"

Delilah skrattade till. "Bitty sa att jag borde lämna honom utanför brandstationen. Det var verkligen magstarkt, med tanke på att Dave övergavs av sin egen mamma utanför en brandstation."

Sara hade sett med egna ögon hur kallblodigt Bitty behandlade sin dotter, men det där var en samvetslös sak att säga om ett spädbarn.

"Visst är det underligt?" frågade Delilah. "Man hör så mycket om moderskapets helighet, men Bitty har alltid hatat småbarn. Särskilt sina egna. Hon lät Mercy och Christopher sitta i sitt eget träck. Jag försökte ingripa, men Cecil förbjöd mig att lägga mig i."

Sara hade inte trott att det var möjligt att känna mer avsmak för Mercys familj. "Bodde du här när Christopher och Mercy var barn?"

"Ända tills Cecil jagade iväg mig", sa Delilah. "En av de många saker jag ångrar var att jag inte tog med mig Mercy när jag hade chansen. Bitty skulle gladeligen ha lämnat ifrån sig henne. Hon är en sådan där kvinna som säger att hon kommer bättre överens med män eftersom hon inte gillar andra kvinnor, men sanningen är den att andra kvinnor inte står ut med att vara i närheten av henne."

Sara var väldigt bekant med den typen. "Du verkar övertygad om att Dave är skyldig."

"Vad var det Drew sa? 'Jag har sett det här avsnittet av *Dateline* förut.' Det är alltid maken som är skyldig. Eller exmaken. Eller pojkvännen. Och när det gäller Dave är jag bara förvånad att det tog honom så här lång tid. Han har alltid varit en arg, våldsam liten ligist. Han skyllde allt dåligt i sitt liv på Mercy, trots att hon faktiskt var det enda goda som hänt honom." Delilah vek ihop näsduken innan hon torkade sig om näsan igen. "Dessutom, vem skulle det annars kunna vara?"

Det kunde inte Sara svara på. "Känner du igen någon av gästerna?" frågade hon.

"Nej, men jag har inte varit här på väldigt länge. Om du vill ha min åsikt tyckte jag att cateringmänniskorna var trevliga, men inte så lättsamma som jag skulle ha föredragit. Jag pratade inte så mycket med apputvecklarna. Det är inte den sortens gay-killar jag helst umgås med. Investerarna ... Tja, det är inte den sortens skithögar jag helst umgås med. Men Monica och Frank var förtjusande. Vi pratade om resor och musik och vin."

Sara måste ha sett överraskad ut, för Delilah skrattade.

"Man får förlåta Monica för att hon tittar lite för djupt i glaset. De förlorade ett barn förra året."

Sara fick dåligt samvete över sina ovänliga tankar om paret. "Så hemskt."

"Ja, det är förskräckligt att förlora ett barn", sa Delilah. "Det var förstås inte samma sak när jag förlorade Jon. Men att behöva skiljas från något så dyrbart ..."

Delilah tystnade. Sara kunde se Will och Nadine gå mot den nedbrunna stugan. De var djupt försjunkna i samtal. Det gladde Sara att åtminstone dödsfallsutredaren tog mordet på allvar.

Delilah fortsatte prata. "Att förlora ett barn kan antingen slita ett par itu eller föra dem närmare varandra. Jag förstörde ett tjugosex år långt förhållande när Jon togs ifrån mig. Hon var mitt livs kärlek. Det var mitt eget fel, men jag skulle verkligen vilja få chansen att gå tillbaka och göra allt annorlunda."

"Sara?" Will vinkade åt henne att komma. "Titta på det här."

Sara kom inte på något sätt att hindra Delilah från att följa efter henne, men kvinnan höll sig åtminstone på avstånd. Nadines ficklampa lyste upp de förkolnade resterna av den tredje stugan. En av väggarna stod fortfarande upp, men större delen av taket var borta. Rök slingrade sig upp från det brända träet som fallit genom resterna av golvet. Trots att det regnat så kraftigt kunde Sara fortfarande känna hettan stråla från ruinen.

Will pekade mot en hög skräp i bakre hörnet. "Ser du den?"

Sara såg den.

Det finns många olika typer av ryggsäckar på marknaden, från skolväskor som bärs av barn till sådana som tillverkas för seriösa fotvandrare. Den andra kategorin brukar ha särskilda funktioner för uteliv. Vissa är väldigt lätta, gjorda för dagsturer eller klättring. Andra har skiljeväggar som håller dem stadiga trots tyngre last. Det finns också ryggsäckar med metallramar på utsidan, där större föremål som tält och liggunderlag kan fästas.

Alla sorter tillverkas av nylon, ett material som graderas i denier, en enhet för densitet baserad på fibrernas längd och vikt. Den närmaste motsvarigheten är trådtätheten på sängkläder. Ju högre deniertal, desto slitstarkare tyg. Dessutom finns en rad impregneringar som gör materialet vädertåligt, vattenavstötande och ibland, om en blandning av silikon och fiberglas används, brandsäkert.

Det senare gällde uppenbarligen ryggsäcken som stod kvar i hörnet av den nedbrunna stugan.

10

Will dokumenterade ryggsäckens utseende och placering med hjälp av kameran på telefonen. Den såg funktionell och dyr ut och verkade vara den slags utrustning som en riktig fotvandrare skulle använda. Den hade tre stängda blixtlås: ett på huvudfacket, ett på ett mindre fack på framsidan och ett på en ficka längst ned. Den såg helt fullpackad ut. Will såg två vassa hörn sticka ut under nylontyget, som om ryggsäcken innehöll en låda eller en tjock bok. Regnet hade sköljt bort en del av sotet från den. Tyget var lavendelfärgat och hade nästan precis samma nyans som Mercys skor.

Delilah kom närmare. "Jag såg den där ryggsäcken uppe i huset förut."

"Var då?" frågade Will.

"På övervåningen", sa hon. "Mercys sovrumsdörr var öppen och jag såg den stå lutad mot hennes byrå. Men den såg inte så där full ut. Alla dragkedjorna var öppna."

Will tittade på Sara. De visste vad som *borde* göras. Ryggsäcken var ett viktigt bevisföremål, men den stod bland andra viktiga bevisföremål. Brandutredaren skulle vilja ta foton, gå igenom spillrorna, samla in prover, göra tester och leta efter en accelerator. Något hade uppenbarligen använts för att se till att stugan brann. Will hade varit där inne medan eldsvådan rasade. Lågorna spred sig inte på det viset av sig själva.

Nadine räckte ficklampan till Will. "Kan du hålla den här åt mig?"

Han riktade strålen nedåt medan Nadine öppnade den tunga verktygslådan hon tagit med sig till brottsplatsen. Hon tog fram ett par handskar och fiskade sedan upp en spetstång ur overallfickan.

Han lät ficklampans stråle följa henne när hon gick. Tack och lov klampade hon inte rakt igenom de glödande resterna av eldsvådan. Hon gick runt till baksidan och sträckte sig mot den lavendelfärgade ryggsäcken. Mycket försiktigt fångade hon blixtlåsets dragtapp med tången och drog varsamt i den. Ryggsäcken öppnades ungefär en halv decimeter innan löparen fastnade.

Will vinklade upp lampan så att hon skulle se bättre.

"Det ser ut som ett anteckningsblock, lite kläder och toalettartiklar som tillhör en kvinna", sa Nadine. "Hon var på väg någonstans."

"Vad för sorts anteckningsblock?" frågade Sara.

"Ett sådant som barn brukar ha i skolan." Hon vred på huvudet för att se bättre. "Omslaget ser ut att vara av plast. Det har smält av hettan. Ryggsäckens botten är full av vatten. Regnet måste ha läckt in genom dragkedjan. Sidorna har klistrat ihop sig."

"Kan du läsa något?" frågade Will.

"Nej", sa hon. "Och jag tänker inte försöka. Någon som är mycket smartare än jag måste ta hand om den saken, annars blir sidorna förstörda."

Will hade jobbat med den här typen av bevis tidigare. Det skulle ta labbet flera dagar att gå igenom anteckningsblocket. Ännu värre var det att ficklampans sken avslöjat ett bränt kadaver av plast och metall intill ryggsäcken.

Nadine hade också sett det. "Det ser ut som en Iphone av äldre modell. Den är helt sönderbränd. Lys där borta."

Will lyste upp stället hon pekade mot. Han såg resterna av en bränd bensindunk av metall. Dave hade förmodligen använt den för att fylla på generatorn och sedan för att bränna bort brottsplatsen efter att ha mördat sin fru.

"Har du hört Mercy säga någonting om att ge sig av?" frågade Sara Delilah.

"Bitty sa åt henne att hon skulle vara borta härifrån på söndag. Jag vet inte vart hon skulle ta vägen, särskilt inte mitt i natten. Mercy är en erfaren fotvandrare. Den här tiden på året letar de unga svartbjörnshannarna nya revir här uppe. Man vill inte råka på en sådan av misstag."

"Jag menar inget illa, Dee", sa Nadine. "Men Mercy var inte direkt känd för sin logik. Hälften av gångerna hon råkade illa ut berodde det på att hon förlorat humöret och gjort något dumt."

"Mercy var inte arg efter grälet med Jon", sa Sara. "Hon var orolig. Enligt Paul gick hon rundan klockan tio och hämtade Monicas önskemål från verandatrappan runt halv elva. Han sa inget om att hon betedde sig konstigt. Även om man bortser från det tror jag inte att Mercy skulle ge sig av mitt i natten utan att prata med Jon."

"Nej", sa Delilah. "Det tror inte jag heller. Men varför gick hon hit? Här finns varken toalett eller elektricitet. Hon hade lika gärna kunnat stanna i huset. Gud ska veta att de där människorna vet hur man blänger argt på varandra under tystnad."

Alla tittade på ryggsäcken, som om den kunde förklara saken.

Nadine påpekade det uppenbara. "Det här är ett hotell. Om Mercy var trött på familjen skulle hon ha sovit i en av gäststugorna."

"Några av sängarna var obäddade när jag sökte igenom de tomma stugorna", sa Will. "Jag antog att de inte städats efter de tidigare gästerna."

"Det är Penny som städar. Hon är bartender också. Det kan vara värt att fråga henne." Nadine tittade på Will. "Letade du efter Dave i stugorna?"

"Jag kunde ha berättat för dig att det var slöseri med tid", sa Delilah. "Dave skulle aldrig våga sova i någon av gäststugorna. Min bror skulle klå upp honom."

Will sa inget om att hennes bror inte ens kunde lämna huset utan hjälp. "Om Dave ville ta sig härifrån utan att bli sedd skulle han inte gå tillbaka till huvudbyggnaden. Han skulle kunna följa vattendraget och till slut nå McAlpine-leden, eller hur?"

"I teorin", sa Delilah. "Försvunna änkans flod är för djup för att man ska ta sig över den vid sjön. Man måste förbi det stora vattenfallet och det är ändå ganska besvärligt. Det är bättre att gå närmare tvåhundra meter till och gå över gångbron av sten vid det lilla vattenfallet. Där är forsen åtminstone inte som Niagarafallen. Därifrån kan man gå rakt genom skogen och nå McAlpine-leden. Det tar tre eller fyra timmar att nå bergets fot. Om ingen björn ställer sig i vägen."

"Jag vet inte, jag", sa Nadine. "Jag förstår inte varför Dave skulle gå till fots när familjens pickup står uppe vid huset. Han har stulit bilar förut."

Will hade varit så säker på vem Dave var som barn att han inte ens tänkt på att fråga om mannens brottsregister som vuxen. "Har han suttit inne?"

"Tidigt och ofta", sa Nadine. "Dave har åkt in och ut ur countyts häkte för rattfyllor, stöld och liknande saker. Men såvitt jag vet har han aldrig hamnat i något större fängelse."

Will anade varför Dave aldrig skickats till någon av delstatens anstalter, men han försökte vara försiktig. "Familjen McAlpine står sheriffens familj väldigt nära."

"Bingo", sa Nadine. "Annars är Daves specialitet barslagsmål. Han dricker sig full och börjar pika folk, och när de tappar humöret är han redo med stiletten."

"Stiletten?" upprepade Sara förskräckt. "Har han knivhuggit folk förut?"

"En person fick ett hugg i benet och några fick skärsår på armarna. En kille fick bröstkorgen uppskuren ända ned till skelettet", berättade Nadine. "Folk här omkring bryr sig inte så mycket om barslagsmål. Dave fick lite stryk. Han gav igen. Ingen dog. Ingen anmälde. Det är en vanlig lördagskväll."

"Jag trodde att Dave bara gav sig på kvinnor", sa Delilah.

"Du ser honom fortfarande som den där stackars hemlösa hundvalpen", sa Nadine. "Dave har blivit mer ondskefull med åren. Alla demonerna han hade med sig från Atlanta har blivit äldre och elakare. Jag vet inte hur han ska ta sig ur det här, om det är någon tröst. Mord är mord. Det är en livstidsdom. Det borde bli dödsstraff, men han är bättre än de flesta på att dra snyfthistorier om misshandel och föräldralöshet."

"Det tror jag när jag ser honom bakom galler", sa Delilah. "Han har alltid varit hal som en ål, ända sedan han kom slingrande upp för berget. Cecil borde ha låtit honom ruttna på den gamla lägerplatsen."

Will visste att allt de sa om Dave var sant, men han kunde inte låta bli att känna sig defensiv när han hörde dem prata om att överge en trettonårig pojke. Han försökte fånga Saras blick, men hon var upptagen av att granska ryggsäcken.

"Jösses, det är där han gömmer sig!" utropade Delilah. "Awinita-lägret. Dave brukade sova där när det blev jobbigt uppe i huset. Han är säkert där nu."

Will kände sig som en idiot som inte tänkt på lägerplatsen tidigare. "Hur lång tid tar det att komma dit?"

"Du ser ut att vara en robust man. Det kommer att ta dig femtio minuter, kanske en timme. Gå förbi Grunda viken och runt till bakre delen av sjöns mellersta del. Lägret ligger i ungefär 45 graders vinkel till flytbryggan."

"Vi var där någonstans före middagen", sa Will. "Vi hittade en ring av stenar, som efter en gammal lägereld."

"Det är flickscouternas stencirkel. Den ligger ungefär trehundra-femtio meter från lägerplatsen. Det var för många pojkscouter som smög sig dit i mörkret, så de flyttade den längre bort. Du måste hålla dig i fyrtiofem graders vinkel från flytbryggan. Då kommer du att hitta några sovbaracker som stått där sedan 1920-talet. De står säkert kvar. Dave måste vara i en av dem." Delilah satte händerna i sidorna. "Om du väntar medan jag byter om visar jag dig vägen alldeles strax."

"Absolut inte", sa Will.

"Nej", sa Nadine. "Vi har redan en knivmördad kvinna att ta hand om."

"Nu när jag tänker på saken skulle det gå snabbare att ta sig dit i en kanot", sa Delilah.

Will gillade tanken på att smyga sig på Dave från vattnet. "Visst finns det en stig till redskapsskjulet?"

"Ta Gamla ungkarlsstigen, precis bortom sågbockarna. Sväng vänster i Öglan och håll till höger mot sjön där den delar sig. Skjulet ligger bakom några tallar."

"Jag följer med dig", erbjöd sig Sara.

Will var på väg att säga nej, men mindes att han bara hade en fungerande hand. "Du måste stanna i båten", sa han.

"Jag förstår."

De var på väg att ge sig av, när Nadine plötsligt ställde sig i vägen. "Lugn i stormen. Jag har låtit er vara med här, men Bullen har gjort det väldigt klart för mig att han inte tänker lämna ifrån sig utredningen. Ni kan få kroppen, men GBI har ingen rätt att söka efter misstänkta mördare i Dillon County."

"Du har rätt", sa Will. "Hälsa sheriffen att min fru och jag är redo att lämna våra vittnesmål så fort han har tid. Vi går tillbaka till vår stuga så länge."

Nadine visste att han ljög, men hade vett nog att flytta sig ur vägen. Hon klev åt sidan med en tung suck.

"Lycka till", sa Delilah.

Will lät Sara gå först. Ficklampan vägde upp skiftningarna i månskenet. I stället för att följa Delilahs vägbeskrivning höll hon sig längs strandkanten, förmodligen för att det var en rakare väg till skjulet. Will funderade på hur de skulle göra med kanoten. Han borde kunna använda nedre delen av sin skadade hand som stöd och föra tillbaka paddeln med den friska handen. Då skulle axlarna och överarmsmusklerna få göra den största delen av jobbet. Han rörde prövande på sin bandagerade hand. Fingrarna gick att böja om han ignorerade den brännande smärtan.

"Vill du höra min åsikt?" sa Sara.

Will hade inte haft en tanke på att hennes åsikt kunde vara annorlunda än hans. "Vad är det som är fel?"

"Ingenting alls", sa hon, men det lät som om mycket var fel. "Om du är intresserad av att höra min åsikt tycker jag att du borde vänta på Faith."

Will hade väntat länge nog. "Jag sa ju att hon fastnade i trafiken. Om Dave är på lägerplatsen ..."

"Du är obeväpnad. Du är skadad. Du är genomblöt av regnet. Bandaget är smutsigt. Du håller förmodligen på att få en infektion. Det märks att du har väldigt ont. Du har ingen jurisdiktion här och du har aldrig paddlat kanot förut."

Will valde den poäng som var enklast att argumentera emot. "Jag kan nog lista ut hur man paddlar kanot."

Sara lyste med ficklampan för att hitta vägen förbi ett stenigt parti av stranden. Will såg hennes sammanbitna min. Hon var visst argare än han trott.

"Sara, vad vill du att jag ska göra?"

Hon skakade på huvudet medan hon plaskade genom det grunda vattnet. "Ingenting."

Will kunde inte argumentera emot *ingenting*. Det han visste var att Sara alltid var väldigt logisk. Hon skulle inte vara upprörd utan anledning. Tyst gick han igenom samtalet vid brottsplatsen i huvudet. Sara hade tystnat när Nadine berättade för dem att Dave gick omkring med en stilett. Och att han använt den mot andra män.

Han betraktade hennes stela rygg när hon försiktigt tog sig förbi en stenig sluttning. Rörelserna var ryckiga, som om oron försökte slå sig ut ur hennes kropp.

"Sara", sa han.

"Man behöver båda händerna för att paddla framåt i en kanot", berättade hon. "Den dominanta handen styr. Den placeras högst upp. Andra handen håller om paddelskaftet. Man måste kunna föra paddeln genom vattnet medan styrhanden trycker nedåt och vrider för att hålla kanoten på rak kurs. Kan du ha båda händerna på skaftet och röra dem hela vägen upp och ned?"

"Jag tycker bättre om när du gör det."

Hon vände sig mot honom. "Jag också, älskling. Vi kan väl gå tillbaka till stugan och prova det?"

Han flinade. "Är det här något slags trick?"

Sara svor lågt innan hon fortsatte framåt.

Will var inte den som bröt en lång tystnad i onödan. Han tänkte inte gräla med henne, heller. Han höll munnen stängd medan de mödosamt tog sig igenom buskarna. Saras plötsliga ilska var inte det enda som gjorde honom obekväm. Han svettades. Blåsan på foten hade börjat göra ont igen. Handen bultade i takt med hjärtslagen. Han försökte dra åt bandaget. Vattnet droppade från gasbindan.

"Du måste lyssna på mig", sa Sara.

"Det gör jag, men jag förstår inte vad du försöker säga."

"Jag försöker säga att jag blir tvungen att paddla kanoten själv till andra sidan sjön, annars kommer vi att åka runt i cirklar så länge vi lever."

"Vi får åtminstone vara tillsammans."

Hon stannade och vände sig mot honom igen. Det fanns inte

en skymt av något leende på hennes läppar. "Han har en stilett. Han skar upp en mans bröstkorg ända ned till skelettet. Måste jag berätta för dig vilka organ som finns i bröstkorgen?"

Han visste bättre än att fortsätta skämta. "Nej."

"Allt det du tänker nu – att Dave är patetisk och en riktig förlorare ... Det är förmodligen sant. Men han är också en våldsam brottsling. Han vill inte hamna i fängelse. Enligt dig och alla andra här uppe har han redan begått ett mord. Han kan lika gärna begå ett till."

Will kunde höra den nakna rädslan i hennes röst. Nu förstod han. Saras första man hade varit polis. Han hade underskattat en misstänkt brottsling och det kostade honom livet. Det fanns inget bra sätt att förklara för henne att Will inte skulle råka ut för samma sak. Han var annorlunda. Han hade ägnat sina första arton år åt att vänta sig brutala och våldsamma handlingar från andra, och resten av sin livstid åt att göra allt för att sätta stopp för sådant.

Sara tog hans friska hand och höll den så hårt att han kände benen i den röra sig.

"Älskling", sa hon. "Jag vet vad du jobbar med och att du fattar beslut på liv och död nästan varje dag, men du måste förstå att det inte bara handlar om ditt liv och din död längre. Det är *mitt* liv också. *Min* död."

Will drog tummen över hennes vigselring. Det måste finnas ett sätt att göra dem båda nöjda. "Sara ..."

"Jag försöker inte förändra dig. Jag berättar bara att jag är rädd."

Will försökte hitta en medelväg. "Vad sägs om det här? När jag har gripit Dave följer jag med dig till sjukhuset. Ett sjukhus här i närheten, inte i Atlanta. Du kan ta hand om min hand medan Faith ser till att Dave erkänner, och sedan är allt över."

"Vad sägs om att vi gör allt det där, och sedan hjälper du mig att hitta Jon?"

"Det låter rimligt." Will accepterade villigt erbjudandet. Han hade inte glömt löftet han gett Mercy. Det fanns saker som Jon måste få höra. "Och nu?"

Sara tittade ut över vattnet. Will följde hennes blick. De var nära skjulet. Flytbryggans trampolin badade i månsken.

"Jag vet inte hur lång tid det kommer att ta mig att paddla över till andra sidan", sa hon. "Tjugo minuter? Trettio? Jag har inte padd-lat kanot sedan jag var flickscout."

Will antog att hon sluppit dödvikten av en fullvuxen man som inte kunde hålla i en paddel på den tiden. På väg tillbaka skulle det förhoppningsvis vara två män. Det förde med sig nya problem. Wills plan att angripa från vattnet sträckte sig inte längre än till att övermanna Dave. Han skulle bli tvungen att ta med sig mördaren till fots i stället för att paddla tillbaka med honom. Att sätta Sara och Dave i samma kanot var helt otänkbart.

"Jag vill se efter om det finns rep i skjulet", sa han.

Sara frågade inte vad repet var till för. Hon blev tyst igen medan de fortsatte gå, och det var på något vis värre än att hon skrek åt honom. Han försökte komma på något att säga som skulle minska hennes oro. Men Will hade bittert fått lära sig att man inte kunde hindra en kvinna från att känna något genom att säga åt henne att sluta med det. Tvärtom verkade det alltid göra kvinnorna rasande, utöver den ursprungliga känslan.

Tack och lov var de snart framme. Saras ficklampa lyste upp kanoterna, som förvarades upp-och-nedvända på en ställning. Skjulet var ungefär lika stort som ett dubbelgarage. Låset på dubbeldörrarna var oväntat kraftigt, med tanke på att platsen var så isolerad. Skjutregeln med kedja hade ett trettio centime-ter långt metallstycke som måste fällas undan. Ett fjäderlås som löpte genom änden av metallstycket höll fast det mot en bygel på dörren.

"Björnar kan också öppna dörrar", förklarade Sara.

Will lät henne öppna haspen och sköt sedan bort metallstycket. Det satt hårt. Han fick ta i ordentligt, men till sist gick dörren upp. Lukten där inne var en märklig blandning av rök och fisk.

Sara hostade till och viftade med handen framför ansiktet medan hon klev in i skjulet. Hon hittade strömbrytaren på väggen och i lysrörsskenet såg de att de befann sig i en prydligt omhändertagen redskapsbod. De upphängda verktygens silhuetter hade markerats med blå tejp på tavlan. Fiskespöna hängde på krokar. Nät och korgar täckte en hel vägg. Det fanns också en stenbänk med vask och en välanvänd skärbräda. Två uppsättningar saxar och fyra knivar i olika storlekar hängde på en magnetremsa. Alla utom ett av knivbladen var tunna med slät egg.

Will visste mer om pistoler än om knivar. "Saknas det något?" frågade han Sara.

"Inte vad jag kan se. Det är en vanlig knivuppsättning för fiske." Sara pekade på dem, en efter en. "Beteskniv. Urbeningskniv. Filékniv. Tandad skärkniv. Sax. Linklippare."

Will såg inget rep. Han började öppna lådorna. Allt var prydligt inpackat. Inget låg löst. Will kände igen några av fästanordningarna från sitt garage, men antog att de inte användes till bilar. Han hittade vad han behövde i den sista lådan. Den som ansvarade för skjulet var för noggrann för att inte ha det mest grundläggande: en rulle silvertejp och kraftiga buntband.

Buntbanden var prydligt samlade med en snodd. Will kunde inte sätta fast den igen med bara en hand. Det kändes pinsamt att lämna buntbanden lösa i lådan, men han hade viktigare saker att oroa sig för. Sex av de större buntbanden hamnade i hans bakficka. Han körde ned tejprullen i en djupare ficka på byxbenet.

Han stängde lådan och funderade på knivarna som satt på väggen. Han tog den minsta – beteskniven – och stoppade den i skon. Han visste inte hur vasst bladet var, men allt kunde punktera en lunga om man bara körde det tillräckligt hårt i någons bröst.

"Vad är det här?" frågade Sara. Hon hade kupat händerna runt ögonen och försökte se genom springorna mellan plankorna i den bakre väggen. "Det ser mekaniskt ut. En generator kanske?"

"Vi kan fråga familjen." Will såg ett hänglås nedanför några metallkorgar som hängde på väggen. Han ryckte i bygeln, men den satt stadigt på plats. "För att hålla björnarna borta?"

"Snarare gästerna. Det finns varken internet eller TV här. Jag misstänker att folk festar en del på nätterna. Hjälp mig med de här." Sara hade hittat paddlarna. De hängde uppe vid taket, som bössor i ett ställ. "Den blå verkar ha rätt storlek."

Will blev förvånad över hur lite paddeln vägde när han lyfte ned den.

"Ta två ifall vi tappar en i vattnet", sa Sara. "Jag hämtar flytvästarna."

Will tyckte inte att det var någon bra idé att ha lysande, orangea västar på sig när de närmade sig lägerplatsen, men han tänkte inte bråka om saken.

Utanför skjulet hjälpte han Sara att vända på en av kanoterna. Han kunde bara stå bredvid och titta på medan hon satte paddlarna i kanoten och slängde i flytvästarna. Hon pekade på bärhandtagen runt relingen, berättade var han skulle stå och hur han skulle lyfta. Sedan tystnade hon igen medan de bar kanoten till sjön. Will försökte att inte lägga märke till hennes oro. Han måste fokusera på en enda sak: att gripa Dave.

Sara såg till att plaska så lite som möjligt när hon gick ut i det grunda vattnet. Will sänkte ned kanoten när hon sade åt honom att göra det. Hon tryckte fast den bakre delen i leran på sjöbottnen. Will skulle just kliva i, när Sara hejdade honom.

"Stå stilla." Sara hjälpte honom på med en av flytvästarna och såg till att spännena satt fast ordentligt. Sedan lutade hon sig ned och höll i kanoten så att han kunde kliva i.

Will tyckte att hon pjåskade onödigt mycket med honom, men att kliva i kanoten med bara en hand var svårare än han väntat sig. Han satte sig i aktern. Vikten fick fören att lyfta från vattenytan. Saras vikt tyngde bara ned den en aning när hon klev i. Hon satte sig inte på den andra bänken. I stället ställde hon sig på knä och använde paddeln för att skjuta ut dem på djupare vatten. Paddeltagen var ytliga tills de kom en bit ut från stranden.

När de nådde öppet vatten hade Sara hittat en stadig rytm. När det var dags att lämna Grunda viken och navigera ut i den större delen av sjön bytte hon sida för att svänga. Will försökte hålla reda på var flytbryggan var medan de gled genom vattnet. Skjulet försvann ur sikte. Strandkanten också. Snart såg han bara mörker och allt han hörde var paddeln i vattnet och ljudet av Saras andetag.

Månen kikade fram bakom molnen när de nådde mitten av sjön. Will tog tillfället i akt att kontrollera bandaget runt handen. Sara hade rätt i att gasbindan var smutsig. Förmodligen hade hon rätt om infektionen också. Om någon sagt att det låg en bit glödande kol mot huden mellan pekfingret och tummen skulle han ha trott på det. Den brännande känslan minskade något när han lyfte handen till bröstet och lät den vila på kanten av flytvästen.

Han sträckte sig ned mot skon och kontrollerade kniven. Handtaget var tillräckligt tjockt för att hindra bladet från att glida ned mot fotleden. Han drog ut kniven för att vänja sig vid rörelsen. Han hoppades verkligen att Dave inte följde deras framfart över vattnet. Will ville att kniven skulle bli en överraskning om allt gick åt helsicke. Det kändes som om de neonorangea flytvästarna lyste i mörkret. Han spanade framåt för att hitta stranden. Långsamt blev den synlig. Först bara som några ljusare fläckar i mörkret, men sedan kunde han urskilja stenar och så småningom något som liknade en sandig strandremsa.

Sara sneglade på honom över axeln. Hon behövde inte säga något. Sandstranden betydde att de hittat lägerplatsen. Den var i dåligt skick. Will såg resterna av en rutten brygga och en sjösättningsramp som låg halvt under vatten. Ett rep dinglade från en stor ek, men gungans träsits hade för länge sedan fallit ned i vattnet. Platsen var kuslig. Will trodde inte på spöken, men han hade alltid litat på sin magkänsla och den sa honom att det hade hänt hemska saker här.

Kanoten saktade in. Sara ändrade paddeltagen när de närmade sig stranden. På nära håll kunde han se ogräset som växte i sanden. Trasiga flaskor. Cigarettfimpar. Kanoten skrapade mot sjöbottnen när den nådde grunt vatten. Will knäppte upp flytvästen och tog av sig den. Han tänkte på kniven i skon igen och undrade om han verkligen borde lämna Sara oskyddad.

Det bästa vore om hon paddlade tillbaka till redskapsskjulet. Han kunde gå till fots tillbaka till campingen, med eller utan Dave.

"Nej." Hon hade en irriterande förmåga att läsa hans tankar. "Jag väntar på dig tio meter ut."

Will klev ur kanoten innan hon hann meddela att hon tänkte övervaka jakten på Dave. Det var ingen graciös manöver. Han försökte plaska så lite som möjligt medan fötterna hittade fast mark så att han kunde räta på kroppen. Sedan använde han skons stålhätta för att ge kanoten en bestämd knuff ut i vattnet.

Han väntade tills hon började paddla innan han vände sig om

och granskade skogen. Det var inte riktigt gryning än, men allt syntes lite bättre än när de lämnade skjulet. Han såg på Sara igen. Hon paddlade baklänges utan att släppa Will med blicken. Han tänkte på hur han sett henne simma mot flytbryggan i Grunda viken bara några timmar tidigare. Hon hade simmat ryggsim och bett honom göra henne sällskap. Will hade varit så lycklig att hjärtat förvandlats till en fjäril.

Och på andra sidan vattnet var Dave upptagen av att våldta och knivhugga sitt barns mor.

Han vände sig bort från kanoten och gick in i skogen.

Will försökte orientera sig. Han kände inte igen något från deras tidigare sökande efter lägerplatsen. Det berodde inte bara på mörkret. Förra gången hade de kommit från bortre änden av Grunda viken och stannat vid stencirkeln. Will tog telefonen ur fickan och öppnade kompassappen medan han gick. Han hoppades att han valt rätt håll.

Skogen var tät och övervuxen, värre än de oansade snåren runt campingen. Att använda telefonens ficklampa skulle vara samma sak som att tända en fyrbåk. Han drog ned ljusstyrkan på skärmen medan han följde kompassen. Efter en stund insåg han att han inte behövde den. En tung doft av rök låg i luften. Färsk, som från en brinnande lägereld, men med en motbjudande underton av cigaretter.

Dave.

Will rörde sig inte mot målet på en gång. Han stod helt stilla och fokuserade på att kontrollera andningen och på att rensa tankarna. All oro för Sara, smärtan i handen och till och med tankarna på Dave sköts åt sidan. Det enda han tänkte på var den person som var allra viktigast just nu.

Mercy McAlpine.

För bara ett par timmar sedan hade Will hittat kvinnan, precis innan hon drog sina sista andetag. Hon hade vetat att döden var nära, men vägrat låta Will hämta hjälp. Han låg på knä i vattnet och bad henne berätta vem som skadat henne. Men hon hade skakat på huvudet som om det inte spelade någon roll. Och hon hade rätt. Under de där sista sekunderna spelade inget av det någon roll. Det enda hon brydde sig om var barnet hon själv satt till världen.

Will rabblade tyst upp meddelandet han skulle framföra till Jon. *Din mamma vill att du ska ta dig härifrån. Hon sa att du inte får stanna här. Hon vill att du ska veta att det är okej. Att hon älskar dig väldigt mycket. Att hon förlåter dig för grälet. Jag lovar att allt kommer att ordna sig.*

Will fortsatte målmedvetet framåt, noga med att inte kliva på några nedfallna grenar eller lövhögar så att Dave skulle höra honom komma. När han kom närmare ersattes skogens tystnad av Smashing Pumpkins "1979". Volymen var låg, men tillräcklig för att Will skulle kunna röra sig fritt mot den.

Han bytte riktning och närmade sig Dave från sidan. Han såg konturerna av ett par sovbaracker. Det var grovhuggna enplanshus, som reste sig ungefär en halvmeter över marken på något som liknade telefonstolpar. De fyra husen stod utplacerade i en halvcirkel. Will kikade in genom fönstren för att försäkra sig om att Dave var ensam. I det sista huset såg han en sovsäck, några flingpaket, cigarettlimpor och lådor med öl. Dave planerade att stanna här ett tag. Will undrade om det skulle göra det enklare att hävda att mordet var överlagt. Det var skillnad på att döda i stundens hetta och på att noga ha planerat sin flykt i förväg.

Will tog sig hukande närmare sin måltavla. Lågorna i Daves brasa var inte höga, men de lyste upp området omkring honom. Dave hade också varit vänlig nog att ta med sig en campinglykta av märket Coleman med en ljusstyrka på åttahundra lumen. Det motsvarade en sextio watts glödlampa.

Dave hade alltid varit rädd för mörkret.

Den stora runda gläntan var inte lika övervuxen som resten av området. Stenar hade rests runt eldgropen och trästockar tjänade som sittplatser. Ett grillgaller kunde svängas in över eldgropen. Will visste att området hade fler uppsättningar sovbaracker och eldgropar. På barnhemmet hade han hört historier om hur de grillade marshmallows, sjöng spontan allsång och berättade spökhistorier. Det var länge sedan nu. Cirkeln kändes kuslig, mer som en offerplats än en plats för glädje.

Will hittade ett gömställe bakom en stor ek. Dave satt lutad mot en stock som var runt en och tjugo lång med en omkrets på ungefär fyrtiofem centimeter. Will övervägde sina alternativ. Skulle han överraska Dave bakifrån? Kasta sig över honom innan han hann reagera? Will behövde mer information. Han hukade sig ned och fortsatte försiktigt framåt. Musklerna var stela av oro för att Dave skulle vända sig om. Röklukten blev starkare. Nattens regn hade fått veden att ryka. När Will kom närmare hörde han ett välbekant metalliskt klickande. Det var ljudet av en tumme som snurrade på gnisthjulet för att antända butangasen så att en låga slog upp och kunde tända cigaretten.

Han hörde det metalliska klickandet igen och igen och igen.

Det var typiskt Dave att försöka tända en tändare som uppenbarligen var tom. Han fortsatte snurra på hjulet i förhoppning om att få fram en sista gnista.

Till sist gav Dave upp. "Fan också", mumlade han.

Att han hade en brinnande eld en halvmeter framför sig verkade inte ge Dave några andra idéer, inte ens när han kastade in plasttändaren i den. Lågorna som flammade upp fick honom att slänga upp armarna för att skydda ansiktet. Will passade på att flytta sig tätt inpå honom medan han var distraherad. Dave borstade bort stänken av smält plast från underarmarna. Smärtan verkade inte bekomma honom. Man behövde inte vara Sherlock Holmes för att lista ut varför.

Marken var täckt av hopknycklade ölburkar. Will slutade räkna efter tio. Han brydde sig inte om att dela in fimparna efter jointar och cigaretter i rätt kategorier. Allihop var nästan helt upprökta. Ett fiskespö stod lutad mot en vält stock. Grillgallret hade dragits undan från elden. Små bitar förkolnat kött satt fast i det. Dave hade rensat fisken på en stubbe. Avhuggna huvuden, fiskstjärtar och ben ruttnade i en pöl av mörkt blod. En lång, smal urbeningskniv låg intill ett sexpack öl.

Will visste att kniven med det nästan tjugo centimeter långa, krökta bladet låg inom räckhåll för Dave. En knäckt gren, prasslande löv eller bara känslan av att någon försökte smyga sig på honom skulle få Dave att sträcka sig efter kniven, och sedan skulle han vara beväpnad med ett dödligt vapen.

Frågan var om Will skulle dra sin egen kniv. Han hade överraskningsmomentet på sin sida. Han var varken full eller hög. I vanliga fall skulle han garanterat ha Dave nere på marken innan mannen ens förstod vad som hände.

I vanliga fall hade han två fungerande händer.

"1979" övergick i det skräniga gitarrintrot från "Tales of a Schorched Earth". Will passade på att byta plats igen. Han tänkte inte smyga sig på Dave. Han skulle närma sig mannen framifrån, som om han följt stigen runt Grunda viken och bara råkat hamna här. Förhoppningsvis var Dave för full för att förstå att det inte var någon slump.

Nu var det slut på smygandet. Will såg en nedfallen gren på marken. Han lyfte foten och klev på den. Det lät som om ett aluminiumslagträ spräckte en kalebass. För säkerhets skull svor Will högt och halade fram telefonen för att tända ficklampan.

När Will tittade upp hade Dave redan kniven i handen. Han pausade musiken på telefonen. Sedan reste han sig långsamt upp och plirade mot skogen.

Will tog ett par högljudda kliv till och viftade med telefonen som om han var en grottmänniska som inte förstod hur ljus fungerade.

"Vem är det?" Dave höjde kniven. Han hade bytt kläder sedan Will träffade honom på stigen. De blekta jeansen var slitna. Någon hade dragit en blodig hand över hans gula t-shirt. Han gjorde en svepande rörelse med den vassa kniven. "Kom fram!"

"Fan också." Will såg till att låta uppgiven. "Vad tusan gör du här ute, Dave?"

Dave hånflinade, men sänkte inte kniven. "Vad gör *du* här, Sophögen?"

"Jag letar efter lägerplatsen. Inte för att du har med det att göra."

Dave frustade till. Äntligen sänkte han kniven. "Du är så jävla patetisk."

Will klev ut i gläntan så att Dave kunde se honom. "Berätta hur jag kommer härifrån, så går jag på en gång."

"Ta samma väg som du kom, dumskalle."

"Tror du inte att jag redan har försökt med det?" Will gick närmare. "Jag har varit ute i den här jävla skogen i över en timme."

"Jag skulle aldrig lämna den där sexiga rödhåriga bruden ensam." Daves våta läppar förvreds i ett hånleende. "Vad var det hon hette, nu igen?"

"Om jag hör dig säga hennes namn sliter jag det ur munnen på dig genom skallen."

"Jösses", sa han, men gav sig. "Ta vänster uppe vid stencirkeln. Håll till höger runt sjön. Sedan tar du vänster tillbaka upp till Öglan."

Det tog Will en sekund för länge att förstå att Dave inte alls hade gett sig. Att be en dyslektiker gå först åt vänster och sedan åt höger var samma sak som att be honom dra åt helvete.

Dave skrockade medan han satte sig vid elden igen. Han lutade sig mot den liggande stocken och lade tillbaka kniven på stubben. Will förstod att han trodde att samtalet var över. Dave drog alltid fel slutsatser. Den enda frågan var när Will skulle berätta att han var specialagent från GBI. Tekniskt sett kunde inget som Dave sa innan dess användas mot honom under en rättegång – inte ens om han erkände mordet på Mercy. Om Will skulle sköta den här saken rätt måste han följa reglerna och långsamt leda Dave till sanningen.

"Har du någon öl kvar?" frågade han.

Dave höjde förvånat på ett ögonbryn. Will hade inte druckit när de kände varandra. "När fick du sådan stake?"

Will visste hur man lekte den leken. "När jag satte på din mamma."

Dave skrattade och sträckte sig bakåt för att ta en öl från sex-packet. "Slå dig ned."

Will ville helst ha lite avstånd mellan dem. I stället för att sätta sig framför elden intill Dave lutade han sig mot ett stenblock. Han lade telefonen vid sin skadade hand och drog upp ena benet för att ha kniven i kängan nära sin friska hand. Han måste vara beredd om Dave bestämde sig för att kämpa emot.

Dave verkade inte tänka på slagsmål. Han var för upptagen av att vara en rövhatt. I stället för att hysta över ölburken försiktigt slängde han den som en amerikansk fotboll.

Will fångade den med ena handen. Han öppnade den med ena handen också, och såg till att ölen sprutade ut över elden.

Dave nickade imponerat. "Vad har du gjort med handen? Tog du i lite för hårt med bruden? Hon ser ut att kunna bita ifrån."

Will svalde orden han hade på tungan. Han måste skjuta allt annat åt sidan. Känslan av svek och raseri som fortfarande fanns kvar från barndomen. Avskyn över vilken slags människa Dave vuxit upp till. Hur brutalt mannen hade mördat sin fru. Hur Dave lämnat sonen och låtit honom hantera allt själv.

I stället höll han upp sin bandagerade hand. "Jag skar mig på en glasbit vid middagen."

"Vem lappade ihop dig. Var det Papa?" Dave tyckte uppenbarligen att det elaka skämtet var roligt. Han stirrade in i elden med ett självbelåtet leende på läpparna. Handen försvann in under tröjan för att klia magen. Will såg de djupa revorna där någon klöst honom. Han hade ytterligare ett rivsår på sidan av halsen. Det var bevis för att han nyligen varit i slagsmål.

Will ställde ölburken på marken bredvid sin sko. Han vilade handen intill den och såg till att kniven var inom räckhåll. I bästa fall skulle den stanna kvar innanför strumpan. Många poliser trodde att man måste möta våld med våld. Will var inte en av dem. Han var inte där för att straffa Dave. Han skulle göra något mycket värre än så. Han ville gripa Dave. Sätta honom i fängelse. Tvinga honom att genomlida stressen och hjälplösheten som åtalad i ett brottmål. Låta honom uppleva en smula gränslöst hopp om att han klarat sig undan. Se hans förkrossade min när han insåg att han inte gjort det och att han skulle bli tvungen att kämpa med näbbar och klor varje dag resten av livet, för innanför fängelsets väggar stod män som Dave alltid längst ned i hierarkin.

Och då var hotet om dödsstraff inte ens med i beräkningen.

Dave suckade tungt för att fylla tystnaden. Han tog upp en pinne och petade i brasan. Hela tiden sneglade han på Will och väntade på att han skulle säga något.

Will tänkte inte säga något.

Dave väntade i mindre än en minut innan han suckade tungt igen. "Har du hållit kontakten med någon från den tiden?"

Will skakade på huvudet, men han visste att många av deras gamla kamrater hade hamnat i fängelse eller dött i förtid.

"Vad hände med Angie?"

"Jag vet inte." Will ville knyta händerna, men lät dem ligga kvar på marken. "Vi var gifta i ett par år. Det höll inte."

"Knullade hon runt?"

Will visste att Dave redan kände till svaret på den frågan. "Du och Mercy, då?"

"Nej, för fan." Dave petade i elden tills gnistorna sprakade. "Hon var aldrig otrogen mot mig. Hon var nöjd med det hon fick hemma." Will tvingade fram ett skratt. "Visst."

"Tro vad du vill, Sophögen. Det var jag som lämnade henne. Jag tröttnade på all hennes skit. Hon gör inget annat än att klaga på det här stället. Men när hon får chansen att ta sig härifrån så ..."

Will väntade på att han skulle fortsätta, men Dave släppte pinnen och tog en ny öl. Han sa inget mer förrän burken var tom och låg hopknycklad på marken.

"De blev tvungna att lägga ned lägret. För många lägerledare som satte på ungarna."

Will borde inte ha blivit förvånad. Det här var inte första gången en idyll han föreställt sig som barn förstörts av onda människor.

"Varför kom du upp hit, Sophögen?" frågade Dave. "Du ville aldrig till lägret när vi var barn. Du var bättre på att memorera bibelverserna än jag någonsin var."

Will ryckte på axlarna. Han tänkte inte berätta sanningen för Dave, men han måste komma på en trovärdig historia. Han mindes vad Delilah sagt om stencirkeln. "Min fru brukade åka hit när hon var flickscout. Hon ville se stället igen."

"Gifte du dig med en flickscout? Har hon fortfarande uniformen kvar?" Han skrattade till. "Herregud, hur kan Sophögen leva i rena porrfilmen medan jag knappt får tag i fitta som inte är uttänjd som tuggummi?"

Will styrde in samtalet på Mercy igen. "Din exfru gav dig en son. Det är i alla fall något."

Dave öppnade en öl till.

"Jon verkar vara en hygglig grabb", sa Will. "Mercy har lyckats bra med honom."

"Det var inte bara hennes förtjänst." Dave sörplade skummet från burken. Den här gången hällde han inte i sig hela ölen på en gång. Han tog det lugnare nu. "Jon visste alltid var han kunde hitta mig. Han blir en bra man en vacker dag. Snygg också. Han får säkert ligga med andras tjejer, precis som hans pappa gjorde i den åldern."

Will lät piken passera, trots att den helt tydligt handlade om Angie. "Trodde du att du skulle gifta dig en dag?"

"Fan heller." Daves skratt lät en smula bittert. "Ärligt talat trodde jag att jag skulle vara död vid det här laget. Det var ren tur att jag tog mig hit upp från Atlanta utan att någon pervers jävel fick tag på mig vid vägkanten och sålde mig i Florida."

Will visste att han försökte skryta om att han rymt från barnhemmet. "Liftade du?"

"Japp."

"Det här är inget dåligt gömställe." Will såg sig omkring på lägerplatsen. "När du försvann sa jag till dem att du säkert var här uppe."

"Tja ..." Dave stödde armbågen mot stocken.

Will försökte låta bli att reagera. Dave hade lyckats flytta handen närmare kniven. Om det var avsiktligt eller inte återstod att se.

"Jag förstod liksom vem jag var första gången jag kom upp hit med kyrkans buss", sa Dave. "Här kunde jag fiska och jaga och skaffa mat själv. Jag behövde ingen som tog hand om mig. Jag är inte gjord för att bo i stan. Där var jag en råtta. Här uppe är jag ett bergslejon. Jag kan göra vad jag vill. Säga vad jag vill. Röka vad jag vill. Dricka vad jag vill. Ingen kan jävlas med mig."

Det lät toppen tills man insåg att Mercy hade betalat priset för hans frihet. "Det var tur för dig att familjen McAlpine tog sig an dig."

"Vi hade bra och dåliga dagar", sa Dave, som alltid ville dra ut på tragiska historier. "Bitty är en ängel. Men Papa? Han är en elak jävel. Han brukade spöa mig ordentligt med bältet."

Will blev inte förvånad att höra att Cecil McAlpine hade varit våldsam.

"Han brydde sig inte om ifall bältet hamnade snett, så att spännet träffade. Jag fick breda ränder på röven och låren. Jag kunde inte ha shorts eftersom jag inte ville att lärarna skulle se det. Det sista jag behövde var att någon släpade mig tillbaka till Atlanta."

"De kunde ha hittat en annan placering här uppe."

"Det ville jag inte", sa han. "Bitty behövde pengarna från staten för att kunna sätta mat på bordet. Jag kunde inte överge henne. Särskilt inte när han var här."

Will var väl medveten om att misshandlade barn kände ett behov att försöka hjälpa alla andra än sig själva.

"Hur som helst." Dave ryckte utstuderat på axlarna. "Du själv då, Sophögen? Vad hände efter att jag lämnat ditt tragiska arsle på barnhemmet?"

"Jag växte upp, fyllde arton, fick hundra dollar i handen och en bussbiljett. Hamnade på Frälsningsarméns härbärge."

Dave sög in luft mellan tänderna. Han trodde förmodligen att han visste hur illa det kunde vara för en ensam tonåring att sova på ett härbärge för hemlösa.

Han hade ingen aning.

"Och sen, då?" frågade Dave.

Will undvek sanningen, som var att han hamnat på gatan och sedan i häktet. "Jag lyckades få rätsida på livet. Tog mig igenom college, fick ett jobb."

"College?" Han skrattade till. "Hur lyckades du med det när du knappt kan läsa?"

"Hårt arbete", sa Will. "Vinna eller försvinna, eller hur?"

"Det har du jävligt rätt i. Alla vidrigheter vi råkade ut för som barn gjorde oss till överlevare."

Will gillade inte hans kamratliga ton, men Dave var misstänkt för mord. Han kunde använda vilket tonfall han ville så länge han erkände. "Hade inte familjen McAlpine något emot att du fick ihop det med Mercy?" frågade han.

"Det kan du ge dig på. Papa slog mig med en jäkla kedja när hon blev gravid. Körde iväg mig från berget. Henne också." Daves raspiga skratt övergick i en hostning. "Men jag tog hand om Mercy. Såg till att hon var ren när Jon föddes. Hjälpte Delilah ordna allt. Gav henne alla pengar jag hade över."

Will visste att han ljög. "Ville du inte uppfostra honom själv?"

"Vad fan vet jag om att ta hand om barn?"

Will tänkte att den som var man nog att göra ett barn borde vara man nog att lista ut hur man tog hand om ett.

"Har du barn?" frågade Dave.

"Nej." Sara kunde inte få barn och Will visste alltför väl hur många hemskheter ett barn kunde råka ut för. "Mercy och hennes familj verkar fortfarande ganska osams."

"Det menar du inte?" Dave tömde resten av ölen. Han knycklade ihop burken och släppte den bland de andra. "Det är tufft att leva så här långt uppe på berget. Man är isolerad. Det finns knappt något att göra. Rika, snobbiga kärringjävlar till gäster som i stort sett förväntar sig att man ska torka dem i röven. Papa kör med folk. Släpar ut en i ladan och klår upp en om man lägger handdukarna på fel ställe."

Will visste att det inte bara var tomt prat. Dave siktade visst på OS-medalj i barnmisshandel. "Det låter rätt illa."

"Det var det", sa Dave. "Du och jag fick bittert lära oss att man bara behöver räkna minuterna tills det är över, eller hur? De tröttnar till slut."

Will såg in i elden. Det där var lite väl nära sanningen.

"Det är därför vi ljuger", sa Dave. "Man kan inte berätta sådan här skit för normala människor. De står inte ut."

Will fortsatte stirra in i lågorna. Han fick inte fram orden som behövdes för att byta ämne.

"Har du berättat för din fru om allt du gått igenom?"

Will skakade på huvudet, trots att det inte var helt sant. Han hade berättat en del för Sara, men han skulle aldrig berätta allt.

"Hur känns det?" Dave väntade tills Will tittade upp. "Din fru är normal, eller hur? Hur känns det?"

Will kunde inte förmå sig att prata om Sara just nu.

"Jag tror inte att jag skulle kunna vara med en normal kvinna", erkände Dave. "Mercy var redan trasig när jag träffade henne. Det kunde jag hantera. Men en jäkla flickscout? Och en lärare. Hur fan får du det att fungera?"

Will skakade på huvudet igen, men om sanningen skulle fram hade det varit svårt i början. Han hade hela tiden väntat på att Sara skulle börja leka med honom och manipulera honom känslomässigt. Han kunde inte acceptera att hon lyssnade och försökte förstå i stället för att samla hans hemligheter som rakblad som hon kunde använda för att skära honom i småbitar senare.

"Hon är förbannat snygg, i alla fall. Men jag skulle inte kunna vara med någon som är så perfekt. Fiser hon ens?"

Will kunde inte låta bli att skratta, men han svarade inte.

"Jaså, du är en gentleman?" Dave sträckte sig efter cigarettpaketet. "Den biten klarar jag inte heller av. Jag behöver en kvinna som vet hur man vrålar när jag drar henne i håret."

Will låtsades dricka ur ölburken. Orden hade slitit honom tillbaka till sjöstranden vid ungkarlsstugorna. Han såg framför sig hur Mercys hår flöt ut i vattnet. Blodet virvlade som färg runt hennes kropp. Hon hade klängt sig fast vid Wills krage. Hållit honom kvar i stället för att låta honom hämta hjälp.

Jon.

Will tryckte händerna mot marken för att hitta balansen igen. "Varför sökte du upp mig på stigen igår?"

Dave ryckte på axlarna medan han grävde efter en annan tändare i fickan. "Fråga inte mig. Jag gör grejer och efteråt har jag ingen aning om varför."

"Du frågade om jag fortfarande var arg."

"Och?"

"Jag tänkte faktiskt aldrig mer på dig efter att du hade rymt."

"Det var bra, Sophögen. Jag tänkte aldrig mer på dig heller."

"Ärligt talat skulle jag ha glömt bort dig igen." Will kände sig för lite. "Om det inte vore för vad du gjorde mot Mercy."

Först reagerade Dave inte. Han skakade på tändaren. Lågan slog upp. Han förde den till cigaretten och blåste ut en ström av rök åt Wills håll.

"Följde du efter mig?" frågade han.

Will hade bara sett Dave en gång innan Mercy dog. Det var när han väntade på Will längs stigen. Will hade gett honom chansen att försvinna innan han räknade till tio. "Om jag följde efter dig när du flydde med svansen mellan benen, menar du?"

"Jag flydde inte, din dumma jävel. Jag valde att gå därifrån."

Will sa ingenting, men det lät logiskt att Dave skulle slinka undan och sedan leta reda på Mercy för att få utlopp för sin ilska.

"Jag vet att du följde efter mig, din patetiska förlorare", sa Dave.

"Mercy skvallrade inte för någon. Man kan säga mycket om henne, men hon är ingen tjallare."

Will lade märke till att han fortfarande pratade om Mercy i presens.

"Är du säker på det?"

"Som fan." Dave blossade på cigaretten. Han var nervös. "Vad tror du att du såg?"

Will antog att det var strypningen som oroade honom. "Jag såg dig ta stryptag på henne."

"Hon förlorade inte medvetandet", sa Dave, som om det var något försvar. "Hon föll mot trädet och så landade hon på arslet. Det hade inte jag något med att göra. Benen vek sig, det är allt."

Will stirrade på honom.

"Vad du än tror att du såg är det något mellan mig och henne." Dave slog ut med handen och lät den sedan vila i knät. Han askade cigaretten. "Varför frågar du ens? Du låter som en jävla polis."

Will antog att det här var ett lika gott tillfälle som något att berätta hur det låg till. "Jag är faktiskt det."

"Är vad?"

"Jag är specialagent på Georgia Bureau of Investigation."

Röken puffade ur Daves mun när han skrattade. Sedan slutade han skratta. "På riktigt?"

"Ja", sa Will. "Det var så jag tog mig genom college. Jag ville hjälpa folk. Barn som oss. Kvinnor som Mercy."

"Vilket skitsnack." Dave pekade på honom med cigaretten. "Ingen polis har någonsin hjälpt ungar som oss. Titta vad du håller på med nu. Ställer en massa privata frågor om grejer som hände för flera timmar sedan. Det finns inte en chans att Mercy har gjort en anmälan. Du bara lägger dig i mina privata affärer, för det är sådant ni jävlar sysslar med."

Will flyttade långsamt sin skadade hand över marken tills han kände kanten av telefonen. "Du har rätt. Mercy gjorde ingen anmälan. Jag kan inte gripa dig för att du tog stryptag på henne."

"Nej, det kan du inte."

"Men om du skulle vilja erkänna att du har misshandlat din fru lyssnar jag gärna."

Dave skrattade igen. "Visst. Gör ditt bästa."

Will dubbelklickade på knappen på sidan av telefonen för att starta inspelningen. "Dave McAlpine, du har rätt att vara tyst. Allt du säger och gör kan användas mot dig vid en rättegång."

Dave skrattade igen. "Japp, jag tänker hålla tyst."

"Du har rätt till en advokat."

"Jag har inte råd med någon advokat."

"Om du inte har råd med en advokat kommer domstolen att utse en åt dig."

"Eller också kan domstolen suga min kuk."

"Med dessa rättigheter i åtanke, är du fortfarande villig att prata med mig?"

"Visst. Vi kan väl prata om vädret? Regnet drog förbi fort, men det kommer mer. Vi kan prata om den gamla goda tiden på barnhemmet. Vi kan prata om den trånga lilla fittan uppe i din stuga. Varför är du här och jävlas med gamle Dave i stället för att sätta på den?"

"Jag vet att du tog stryptag på Mercy på stigen i eftermiddags."

"Än sen? Mercy gillar lite tuffa tag då och då. Och hon kommer aldrig att anmäla mig för det." Dave lät belåten och självsäker. "Lägg dig inte i mina angelägenheter, för då ska du snabbt få reda på vilken sorts man jag växte upp till."

Will nöjde sig inte med att Dave erkänt partnervåld. Han ville ha mer. "Berätta vad som hände i natt."

"Vad menar du?"

"Var befann du dig någonstans?"

Dave rökte vidare, men något hade förändrats. Han hade pratat med tillräckligt många poliser för att veta när han blev tillfrågad om ett alibi.

"Var befann du dig, Dave?" sa Will.

"Hur så? Vad hände i natt?"

"Det kan väl du berätta?"

"Fan också." Han blossade på cigaretten. "Något har gått åt helvete, eller hur? Du snubblade inte bara runt här ute som en idiot. Vad är det vi pratar om? Ett brott som GBI hanterar, alltså? En knarkaffär som gick illa? Spanar ni på knarksmugglare?"

Will sa ingenting.

"Det är därför det är du och inte Bullen." Dave rökte cigaretten ned till filtret. "Vilket jävla skitsnack."

Will sa fortfarande ingenting.

"Och nu då?" sa Dave. "Tror du att du kan gripa mig, din jävel? Med bara en hand och en töntig historia om hur du sett mig ta stryptag på min fru?"

"Mercy är inte din fru längre."

"Hon är min, ditt jävla as. Mercy tillhör mig. Jag kan göra vad fan jag vill med henne."

"Vad gjorde du med henne, Dave?"

"Det har du inte med att göra. Vad är det här för skit?" Han slängde fimpen i elden, men tog ingen ny öl från sexpacket. Inte heller lät han handen vila i knäet. Han lutade sig tillbaka med armbågen mot stocken, så att kniven hamnade inom räckhåll.

Den här gången var rörelsen tydligt planerad.

Dave försökte låtsas som om den inte var det. "Ta ditt skitsnack och dra härifrån."

"Vad sägs om att du följer med mig?"

Dave fnös igen. Han torkade nästippen med ärmen, men det var bara en ursäkt för att kunna maka sig ännu närmare kniven.

Will knöt handen utan att bry sig om den skärande smärtan. Med sin friska hand sköt han upp byxbenet så att handtaget på kniven i skoskaftet blev synligt.

Dave sa ingenting. Han bara slickade sig om läpparna, ivrig att få sätta igång. Han hade längtat efter det här ända sedan han träffade Will längs Öglan. Om sanningen skulle fram hade Will också det.

Båda reste sig samtidigt.

Det första misstaget folk brukade göra i ett knivslagsmål var att oroa sig för mycket för kniven. Det var inte så konstigt. Att bli knivhuggen gjorde väldigt ont. Ett knivhugg i magen kunde leda till döden. Ett hugg rakt i hjärtat ledde till en ännu snabbare död.

Det andra misstaget folk brukade göra i ett knivslagsmål var detsamma som folk gjorde i nästan alla sorters slagsmål. De trodde att striden skulle vara rättvis. Eller åtminstone att den andra personen inte skulle ta till några fula trick.

Dave hade slagits med kniv förut. Han kände uppenbarligen

till de två misstagen. Han höll urbeningskniven rakt framför sig medan han sträckte sig efter stiletten i bakfickan. Det var en listig plan. Han tänkte försöka distrahera Will med urbeningskniven medan han högg med stiletten.

Som tur var hade Will en egen listig plan. Han visste att Dave fokuserade på kniven han dragit ur skoskaftet. Mannen tänkte inte på Wills skadade hand och hade inte lagt märke till att Will tog upp en handfull jord. Det var därför han blev så förvånad när Will slängde jorden rakt i hans ögon.

"Fan!" Dave stapplade bakåt. Han tappade urbeningskniven, men muskelminnet såg till att hans dominanta hand inte slogs ur spel.

Nadine hade haft fel angående stiletten. En stilett behövde bara ett knapptryck för att bladet skulle skjuta fram. Dave var beväpnad med en balisongkniv. Det var både ett dödligt vapen och en distraktion. De två metallhandtagen slöts som ett musselskal om det vassa, smala bladet. Att öppna dem med en hand krävde en snabb, åttaformad rörelse med handleden. Man höll det ena handtaget med tummen och pekfingret medan man svängde handtaget med låsanordningen över knogarna. Sedan roterade man det första handtaget och svängde det andra tillbaka över knogarna så att man plötsligt höll i en tjugofem centimeter lång kniv.

Will struntade helt i kniven.

Han tog sats med sin stålhättade känga och sparkade Dave rakt i skrevet.

*

16 januari 2014

Älskade Jon,

Jag har haft dig hos mig i tre år nu, vilket innebär att vi
kommer att få fler år ihop än vi var ifrån varandra. Jag vet att
det var länge sedan jag skrev till dig, men det kanske är enklare
om jag intalar mig att det bara kommer att bli en gång om året.
Särskilt som det verkar som om januari är den månad då mitt
liv alltid ställs på ända. Jag väljer den 16 januari eftersom det
är vad jag kallar din fick dig-dag. Jag ska vara ärlig och säga
att det var faster Delilah som myntade uttrycket. Hon har haft
en massa hundar och ingen har någon aning om när de föddes,
men hon kallar dagen då de flyttade hem till henne för deras fick
dig-dag. Så den här dagen för tre år sedan är din fick dig-dag.
Den dag då jag tog med dig tillbaka upp på berget så att du fick
bo med mig och jag kunde bli din mamma på heltid.

Inte för att du är någon herrelös hund. Men jag tänkte på det
i morse eftersom jag saknade henne. Jag vet att det är en dum
sak att säga eftersom det var Delilah som tog dig ifrån mig och
tvingade mig att kämpa så hårt för att få dig tillbaka, men
Delilah var alltid den jag sprang till när jag hade det svårt. Och
nu är det riktigt illa.

Sanningen är att det knappt går en dag utan att jag tänker på att dricka och ta droger. Men sedan tänker jag på dig och vårt liv tillsammans och låter bli. Saken är den att det hände något jobbigt med din pappa under julledigheten och innan jag visste ordet av var jag i spritbutiken och köpte en flaska Jack Daniel's. Jag kunde inte ens vänta tills jag kom hem. Jag bara öppnade den ute på parkeringen och tömde nästan hela flaskan i ett svep. Det är lustigt hur man knappt känner smaken efter ett tag. Man märker bara den brännande känslan. Sedan börjar huvudet snurra och jag skäms inte för att säga att det var så länge sedan jag drack att jag spydde upp alltihop på en gång.

En gång i tiden var livet så jobbigt att jag skulle ha försökt få i mig den alkoholen igen på ena eller andra sättet, men så var det inte nu. Jag slängde flaskan i soporna. Sedan satt jag länge i bilen och funderade på vad som fört mig dit.

Det enklaste sättet att förklara det är att din pappa nästan dödade mig. Det var nyårsafton och han festade loss och rökte meth. Det har han gjort förut, men det här måste ha varit en dålig sats. Han var som besatt och det skrämde skiten ur mig. Han rasade runt och slog sönder villavagnen och jag skrek åt honom, vilket jag förmodligen inte borde ha gjort. Men jag är så himla trött, älskling.

Din pappa är ingen dålig man, men han kan göra en del dåliga saker. Får han tag i lite pengar spelar han bort dem eller också festar han hela veckan tills de är slut. Sedan klandrar han mig för att jag inte hindrade honom från att göra av med alla pengarna. Sedan tjatar han på mig tills jag ger honom de pengar jag lyckas stoppa undan, även om det betyder att vi inte kan köpa mat eller betala elräkningen. Men det är inte det värsta. Till råga på allt har han varit otrogen mot mig.

Det har han förstås varit förut, men den här gången valde han en tjej på mitt jobb. Någon som jag trodde var min vän. Inte en vän som Gabbie, men åtminstone någon jag kunde prata och umgås med. De tyckte att de var så förbannat listiga när de smög runt mitt framför näsan på mig, men jag visste att något pågick. Enda anledningen till att jag höll tyst om saken var att jag visste att din pappa bara gjorde det för att såra mig. Gud ska veta att vi gått igenom det här förut, men jag hade inte lust att upprepa allt igen. Han bedrar mig och ber mig komma tillbaka och när jag väl kommer tillbaka är han otrogen igen.

Den här gången såg han till att sätta på henne i ett av motellrummen som jag skulle städa. Schemat sitter på vår kylskåpsdörr, så han ser det varje gång han hämtar en öl. Det är därför jag vet att han visste om det. Hon visste också, eftersom hennes namn står också på det förbaskade schemat. De knullade som kaniner när jag kom in med en hög handdukar och lakan i famnen. Jag visste att din pappa väntade sig att jag skulle bli rasande, men det blev jag inte. Jag orkade helt enkelt inte säga någonting. Jag har aldrig sett honom se så chockad ut som när jag bara backade ut ur rummet och stängde dörren efter mig som om det inte betydde något.
Och i ärlighetens namn betyder det faktiskt ingenting.

Som jag sa har han varit otrogen förut, men den här gången märkte jag att något hade förändrats. Och då menar jag inuti mig. När du blir äldre kommer du att förstå att man ibland kan se tillbaka på händelser och upptäcka ett mönster. Din pappas mönster är att han är otrogen. Jag får reda på det. Det blir bråk och slagsmål och sedan blir han rar och trevlig ett tag, så att jag inte får för mig att lämna honom. Den här gången hoppade vi över bråket och slagsmålet och gick raka vägen till den rara och trevliga biten. Han tog ut soporna, plockade upp kläderna efter sig och startade till och med min bil på morgnarna för att värma upp den åt mig. En dag sjöng han för dig och det var väldigt gulligt, men han slutade så fort jag lämnade rummet.

Du förstår, jag reagerade inte som han ville. Jag kastade mig inte för hans fötter och tiggde och bad att han skulle stanna kvar. Jag vet inte vad det är som är så trasigt inuti din pappa, och det är svårt att förklara. Men det han önskar sig mest i hela världen är att folk ska bli så desperata att det enda de har kvar är att klänga sig fast vid honom.

Och sedan, när de väl klänger sig fast vid honom, hatar han dem för det.

Det som fick mig att inte bryta ihop den här gången var att jag visste att du och jag skulle kunna lämna den här förbannade villavagnen i slutet av januari. Men jag tänkte inte smyga med saken. Att smyga omkring är sådant som din pappa sysslar med. Jag tänkte mycket på det och jag hade bestämt mig för att det enda rätta var att berätta för honom att vi skulle flytta, i stället för att bara packa ihop våra saker och lämna honom när han inte var hemma. Det är ju inte riktigt som om jag kan försvinna, eftersom vi bor i samma stad. Dessutom har vi dig ihop. Jag står inte ut med att vara i närheten av honom längre, men Dave är fortfarande din pappa och jag tänker inte ta dig ifrån honom oavsett vad han gör för hemska saker mot mig.

Hur som helst kommer han att säga att jag var en jävla kärring som lämnade honom. Men jag vill att du ska veta att det aldrig var min plan. Jag ville att vi skulle sköta det civiliserat. Alltså hämtade jag en öl åt honom, bad honom sätta sig i soffan och sa att han måste lyssna på mig eftersom jag hade något viktigt att berätta.

Han satt alldeles tyst tills jag nämnde lägenheten. Jag antar att det var då han förstod att det var på riktigt. Men när jag ser tillbaka på saken förstår jag också att det var då han insåg att jag hade undanhållit en del av mina pengar för honom. Han frågade hur mycket depositionsavgiften var, om lägenheten var möblerad, var jag skulle parkera, om du skulle få ett eget rum, sådana saker. Jag var dum nog att tro att han ville vara säker på att det var ett tryggt ställe för dig och mig. Jag lovade att han kunde komma förbi och träffa dig när som helst. Flera gånger berättade jag hur viktig han är för dig och att jag vill att du alltid ska ha kvar din pappa i ditt liv. Och det är sant. Jag säger samma sak till dig i det här brevet.

Sedan frågade han om underhåll och sådana saker, men det hade jag inte ens funderat på. Ingen domare kan tvinga Dave att lämna ifrån sig några pengar. Han hamnar hellre i fängelse eller i graven innan han släpper ifrån sig ett öre. Till och med om det är för någon han älskar. Till och med om det är till dig. Hur som helst var han väldigt lugn. Genom hela samtalet rökte och nickade och drack han och sa inte mycket mer än de där frågorna. När jag tystnade frågade han om jag hade pratat klart. Jag sa ja. Han släckte cigaretten. Och sedan blev han helt galen.

Jag ska vara ärlig. Jag hade väntat mig att han skulle straffa mig, så jag var beredd på att få stryk. Din pappa är inte så kreativ när det gäller att skada mig, men den kvällen gjorde han ett par saker som han aldrig gjort mot mig förut. För det första tog han fram kniven. För det andra ströp han mig.

När jag läser igenom det där låter det som om han tänkte använda kniven mot mig. Det stämmer inte. Han tänkte använda den mot sig själv. Även om jag verkligen inte vill vara gift med honom längre vill jag inte att din pappa ska dö. Särskilt inte genom självmord. Gud vände sig ifrån mig för länge sedan, men jag vet alldeles säkert att han inte förlåter folk som tar livet av sig och jag vill inte att din pappa blir evigt fördömd.

Det var därför jag blev förtvivlad när jag såg knivbladet skära upp huden på hans hals. Jag låg på knä på golvet och bad honom att inte göra det. Han sa hela tiden att han älskade mig och att jag var den enda på hela jorden som fick honom att känna att han hörde hemma någonstans. Att han hade förlorat så mycket på barnhemmet och att det enda som kunde gottgöra den förlusten var jag.

Jag vet inte om något av det där är sant, men jag vet att vi båda storgrät när han äntligen lade ifrån sig kniven på soffbordet. Allt vi kunde göra var att hålla om varandra en lång stund. Jag skulle ha sagt vad som helst för att hindra honom från att ta livet av sig. Jag sa hela tiden att jag älskade honom och att jag aldrig skulle lämna honom ensam, att vi alltid skulle vara en familj.

När allt det där var över satt vi på soffan och bara stirrade in i väggen, utmattade av känslor. Men sedan sa han: "Jag är glad att du inte tänker flytta." Och det stod jag inte ut med. Efter det där känslosamma utbrottet var jag ännu mer säker på att jag måste därifrån. Det jag hade sagt var att jag alltid skulle finnas där för honom. Att jag alltid skulle älska honom och att jag bara ville att han skulle vara lycklig.

Jag antar att mitt misstag var att jag borde ha låtit det bero, men jag var tvungen att öppna min dumma käft och säga åt honom att jag också ville vara lycklig och att det inte fanns en chans att någon av oss skulle bli det om vi fortfarande var tillsammans.

Jag har aldrig sett din pappa röra sig så snabbt som han gjorde då. Han grabbade tag om min hals med båda händerna. Det otäcka var att han inte ens skrek. Han var tystare än någonsin. Han bara stirrade på mig med utstående ögon medan han ströp mig. Det kändes som om han ville döda mig. Och kanske trodde han att han hade dödat mig. Jag vill inte låta mysko, jag är inte synsk eller något, men jag kan svära på en hög med biblar att jag vet vad som hände efter att jag svimmade.

Det bästa sättet att beskriva det är att jag svävade uppe vid taket och tittade ned och såg mig själv ligga där på den fula gröna mattan som jag aldrig kunde få ren. Jag minns att jag var generad eftersom byxorna var blöta som om jag kissat på mig, och det hade inte hänt sedan jag slutade dricka och knarka. Din pappa fortsatte strypa mig medan jag tittade på uppifrån taket. Sedan gav han mig en sista knuff och reste sig. I stället för att gå ut genom dörren stod han bara där och stirrade på mig. Och stirrade. Och stirrade.

Hans ansikte var det som skrämde mig mest, för det var helt uttryckslöst. Bara ett par minuter tidigare hade han snyftat och hotat att ta livet av sig, men plötsligt fanns inga känslor kvar. Inga alls. Och det slog mig att detta kanske var första gången jag verkligen såg hans rätta jag. Att den gråtande Dave, den skrattande Dave, den höga Dave, den arga Dave eller till och med den Dave som låtsas att han älskar mig inte alls är den riktiga Dave. Den riktiga Dave är tom på insidan.

Jag vet inte vad alla de där fosterföräldrarna eller idrottsläraren som utnyttjade honom tog ifrån Dave, men det grävde sig så djupt in i hans själ att det inte finns något kvar av den. Definitivt inte för mig. Om jag ska vara ärlig vet jag inte ens om det finns något kvar där för dig.

Jag måste erkänna att det var skrämmande att se honom på det viset. Mer än att inte kunna andas, och det har jag varit rädd för ända sedan jag var liten. Och det fick mig att fundera över om Dave dolde fler saker.

Han älskar din mormor Bitty väldigt mycket. Men älskade han någonsin mig? Brydde han sig inte ens om mig? Han gav mig tid att lista ut hur det låg till på sitt eget sätt. Han sitter nämligen inlåst nu eftersom han var inblandad i ytterligare ett barslagsmål efter att han var klar med mig den kvällen. Det är precis vad han förtjänar, men jag oroar mig ändå för honom. Häktet är en tuff plats för män som din pappa. Han har för vana att reta upp folk. Och sanningen ska fram är jag väldigt

rädd att han ska släppas ut. Jag är rädd för den där tomma
mannen som tittade ned på mig som om jag var en fluga han
just ryckt vingarna av.

Allt det där gör mig orolig för din skull, älskling. Du vet att du
aldrig skulle kunna göra något som jag inte kan förlåta dig för,
men din pappa är inte nöjd med den han är. Ingen kan vara
nöjd med det där. Han är så tom att han bara kan känna sig
tillfreds om han rör upp känslor hos andra. Ibland är det något
positivt, som när han bjuder folk på krogen och är allas bästa
vän. Ibland är det dåligt, som när han röker meth och slår
sönder villavagnen. Och ibland är det riktigt illa, som när han
stryper mig så pass att jag tror att jag ska dö. Sedan tittar jag
på hans ansikte och det jag ser är att det enda han någonsin har
njutit av i hela sitt liv är att flytta över sitt eget elände på andra
människor.

Herregud, vilken bedrövlig typ den mannen är. Kanske behöver
du aldrig se den sidan av honom. Jag hoppas verkligen det,
det är som att stirra ned i helvetesgapet. Din pappa kan göra
vad han vill med mig, men han ska aldrig någonsin få lyfta en
hand mot dig. Men jag ska inte bli den sortens exfru som vänder
barnet mot sin pappa heller. Om du till sist kommer fram till
att han är en ond man ska det vara för att du såg det med dina
egna ögon.

Så jag tänker avsluta det här brevet med att skriva tre bra saker
om din pappa.

För det första – jag vet att det låter äckligt och att jag alltid har
hävdat motsatsen – är din pappa en del av familjen. Inte som en
bror, som din farbror Fisken, men nära nog och jag tänker inte
ljuga för dig om den saken.

För det andra kan han fortfarande få mig att skratta. Det
kanske inte låter särskilt viktigt. Men jag har inte upplevt så

mycket glädje i livet och det är därför det är så svårt för mig att släppa taget om honom. Jag och Dave började inte så här. En gång i tiden betydde han allt för mig. Det var honom jag sprang till när Papa gav sig på mig. Det var honom jag anförtrodde mig åt och ville glädja. Han var så mycket äldre än jag och hade gått igenom så många hemskheter att det kändes som om han förstod mig. Men egentligen ville jag aldrig ha honom. Jag ville bara att han skulle vilja ha mig. Gå nu inte och tyck synd om din pappa för det. Han visste hur det låg till och det gjorde honom ingenting. Han var till och med nöjd med det. Jag hoppas att du aldrig behöver känna på det viset. Att du aldrig hamnar i ett läge då du hellre blir tolererad än älskad.

Men nog om det.

För det tredje räddade din pappa mitt liv när jag var med om den där bilolyckan. Jag vet att det låter dramatiskt, men han räddade mig verkligen. Besökte mig på sjukhuset. Höll min hand. Sa att jag fortfarande var vacker, trots att vi båda visste att det aldrig mer skulle vara sant. Sa att det inte var mitt fel, trots att vi båda visste att det inte heller stämde. Jag har bara sett honom vara så vänlig mot en annan person, och det är Bitty. Ärligt talat tror jag att det är den versionen av Dave som jag sökt efter ända sedan dess. Men jag vill inte gräva för djupt i den delen av mitt eget elände. Allt jag kan säga är att din pappa ställde upp för mig då.

Jag vill att du ska veta det här om honom. Särskilt den tredje saken. Och det är förmodligen därför en del av mig alltid kommer att älska honom, även om jag är ganska säker på att han kommer att döda mig en vacker dag.

Jag älskar dig för alltid.
Mamma

11

Faith Mitchell stirrade på väggklockan.

05:54 på morgonen.

Utmattningen hade manglat kroppen som en brinnande stridsvagn. Medan hon kämpade sig genom den hemska trafiken för att ta sig till platsen hade hon drivits av en djup brådska, men den hade helt gått upp i rök i väntrummet på Dillon Countys polisstation.

Dörren hade varit olåst, men receptionen var tom. Ingen hade reagerat på Faiths knackningar på skiljeväggen i glas eller dykt upp när hon ringde på klockan. Det stod inga polisbilar ute på parkeringen. Ingen svarade i telefonen.

För miljonte gången tittade hon på sin klocka, som gick tjugotvå sekunder före väggklockan. Faith reste sig för att flytta fram sekundvisaren. Om någon betraktade henne genom övervakningskameran i hörnet hoppades hon att de skulle ringa polisen.

Sådan tur hade hon inte.

Douglas "Bullen" Hartshorne hade bett Faith möta honom på stationen, men det var för tjugotre minuter sedan. Han hade inte svarat på hennes många samtal och meddelanden. Wills telefon saknade antingen mottagning eller batteri. Samtalen till Sara gick raka vägen till röstbrevlådan. Ingen svarade i telefonen på McAlpines camping. Enligt hemsidan gick det bara att ta sig dit genom att fotvandra upp för berget, vilket lät som något slags straff som barnen von Trapp brukade utsättas för innan Maria dök upp med sin gitarr.

Allt Faith kunde göra var att vanka fram och tillbaka i rummet.

Hon var faktiskt inte riktigt säker på vad hon borde göra. Regnstormen hade gjort det svårt att höra vad Will sa när han ringde, men Faith hade förstått att en hemsk person hade gjort något hemskt. Under den oändliga bilresan till berget hade hon lyssnat på ljudfilerna han skickat och av dem att döma hade Will i stort sett löst fallet redan.

Den första inspelningen var som bakgrundshistorien till världens sämsta avsnitt av *Huset fullt*. Delilah hade redogjort för Mercy McAlpines urusla familjerelationer, från den våldsamma fadern till den iskalla modern till den märkliga brodern och broderns ännu märkligare kompis. Och så var det den motbjudande biten om Dave och Mercy som egentligen inte var incest men ändå kändes som det. Sedan hade sheriff Bullen snubblat in efter reklampausen och visat sig vara helt ointresserad av den brutalt mördade kvinnan och hennes saknade tonårsson. Den enda viktiga information som Faith fått från hela det samtalet var Wills väldigt tydliga genomgång av hur han hittat Mercy McAlpines kropp och hur han lyckats få en kniv genom handen.

Den andra inspelningen var som ett avsnitt av 24, om Jack Bauer faktiskt varit tvungen att följa konstitutionen han svurit att upprätthålla. Den började med att Will läste upp Dave McAlpines rättigheter, strax innan Dave medgav att han tagit stryptag på sin fru tidigare under dagen. Ett dödläge ledde till handgemäng där Will – om Faith kände sin partner rätt – hade sparkat Dave så hårt på pungen att mannen kaskadspydde.

En liten förvarning om det sista skulle ha varit trevligt. Faith hade hört alltihop med Dolby Digital Surroundljud ur bilens högtalare. Hon hade suttit fast i trafiken mitt ute i ingenstans i mörkret under en regnstorm, men blivit tvungen att öppna bildörren för att hulka över asfalten.

Hon tittade på klockan igen.

05.55.

En minut till avklarad. Det kunde inte vara så många kvar. Hon grävde runt i väskan efter påsen med nötmix. Huvudet värkte som om hon var lite bakfull, vilket inte var så konstigt med tanke på att hon bara några timmar tidigare varit ljuvt omedveten om att hon snart skulle bli tvungen att delta i någon form av ansvarsfulla vuxenaktiviteter.

Faith hade faktiskt njutit av en kall öl i duschen när telefonen gav ifrån sig ett märkligt ljud. Kvittrandet lät som om en fågel slagit sig ned på handfatskanten. Faiths första tanke var att hennes tjugotvååårige son var för gammal för att mixtra med hennes ljudinställningar. Hennes andra tanke gjorde henne kallsvettig trots att hon stod under rinnande vatten – hennes tvååriga dotter hade lärt sig hur man ändrade telefonens inställningar. Faiths digitala liv skulle aldrig bli tryggt och säkert igen. En virtuell kavalkad av skam flimrade förbi hennes inre syn – hennes selfies, sexmessandet, penisbilderna som hon definitivt efterfrågat. Faith hade nästan tappat ölen när hon kastade sig ut ur duschen.

Meddelandet var så främmande att hon stirrade på skärmen som om hon aldrig sett skrivna ord tidigare.

NÖDANROP SOS
Brott
SKICKAD INFORMATION
Frågeformulär för nödsituationer
Nuvarande plats

Schamponera, skölj, upprepa: Faiths första tanke gick till Jeremy, som befann sig på en oförnuftig resa till Washington DC, i den mån *oförnuftig* betydde att hans mamma inte ville att han skulle åka. Hennes andra tanke gick till Emma, som för första gången sov över hemma hos en vän. Det var därför Faith hade hjärtat i halsgropen medan hon scrollade igenom satellitmeddelandet. Hon väntade sig att få se allt från en masskjutning till en katastrofal olycka till en terroristattack, men det hon hittade var så oväntat att hon nästan trodde att någon försökte lura henne.

Specialagent Will Trent från GBI begär omedelbar hjälp med en mordutredning.

Faith hade faktiskt tittat upp och mött sin egen blick i spegeln för att försäkra sig om att det hela inte var ytterligare en av hennes konstiga drömmar om jobbet. För två dagar sedan hon dansat tills hon stupat på Wills och Saras bröllop. De skulle vara på bröllopsresa nu. Det skulle inte förekomma något mord, än mindre någon mordutredning och allra minst något satellitmeddelande om att de behövde hjälp. Faith var så förvånad att hon hoppade högt när telefonen började ringa. Med viss oro noterade hon att samtalet kom från hennes chef – precis den person hon ville prata med när hon stod naken framför badrumsspegeln med en öl i handen kvart över ett på natten.

Amanda hade inte bekymrat sig om att be om ursäkt för att hon störde Faith under ledigheten, som normala människor med omtanke om andra gjorde. Allt hon gett Faith var en order.

"Jag vill att du är på väg inom 10 minuter."

Faith hade öppnat munnen för att svara, men Amanda hade redan lagt på luren. Det fanns inget annat att göra än att skölja bort tvålen från kroppen och desperat rota igenom berget av smutstvätt runt tvättmaskinen efter arbetskläderna.

Och här satt hon fem timmar senare och gjorde ingenting.

Faith tittade på klockan igen. Det hade gått ytterligare en minut.

Hon funderade på allt annat hon borde göra i stället. Tvätta, till exempel, för skjortan luktade ganska mustigt. Dricka en dusch-öl till. Möblera om i kryddskåpet medan hon lyssnade på NSYNC så högt hon ville. Spela Grand Theft Auto utan att behöva förklara för någon varför hon dödade folk så urskillningslöst. Låta bli att oroa sig för huruvida Emma var nervös över att sova i en främmande säng. Låta bli att oroa sig för att Emma älskade att sova i en främmande säng. Låta bli att oroa sig för att Jeremy var på väg för att gå en rundtur på Quantico, eftersom han ville bli FBI-agent. Låta bli att oroa sig för att FBI-agenten som körde honom dit råkade vara mannen som Faith brukade ligga med och att hon, trots att de haft ett intensivt förhållande i åtta månader, fortfarande inte kunde förmå sig att kalla honom något annat än "mannen hon brukade ligga med".

Det var bara de mest akuta problemen. Faith hade tänkt ägna sin lediga vecka att ge sin helgonliknande mor lite ledigt från barnvaktandet av Emma, och åt att påminna sin dotter om att hon faktiskt hade en mamma. Hon hade pressat in aktiviteter i schemat som om hon pluggade inför en tenta. Hon bokade afternoon tea på Four Seasons, anmälde dem till lektioner i ansiktsmålning och keramikmålning, köpte biljetter till dockteatermuséet, laddade hem ljudspåret till en barnvisning i botaniska trädgården, funderade på trapetslektioner, försökte hitta ...

Faiths telefon ringde.

"Tack gode gud", ropade hon ut i det tomma rummet. Det här var inte rätt tillfälle att vara instängd med sina tankar. "Mitchell."

"Vad gör du på polisstationen?" krävde Amanda att få veta.

Faith undertryckte en svordom. Hon gillade inte att Amanda kunde spåra hennes telefon. "Sheriffen sa åt mig att möta honom här."

"Han är på sjukhuset med den misstänkte gärningsmannen." Det lät på Amanda som om det här var något alla kände till. "Det ligger tvärs över gatan. Varför sölar du?"

Även den här gången slängde Amanda på luren precis när Faith öppnade munnen för att svara.

Hon tog handväskan och lämnade det trånga väntrummet. Himlen var full av skära moln. Dagen hade äntligen grytt. Gatlyktorna skulle strax slockna helt. Faith drog in morgonluften i lungorna medan hon gick över järnvägsspåret som delade stadens centrum på mitten. Ridgeville var inte mycket att hänga i julgranen. Ett enplansvaruhus från nittonhundrafemtiotalet sträckte sig från ena änden av kvarteret till den andra och var fullt av turistfällor som antikaffärer och inredningsbutiker.

Sjukhuset var ett tvåvåningshus av betong och glas, den högsta byggnaden så långt ögat kunde nå. Parkeringen var full av pickuper och bilar som var äldre än Faiths son. Hon såg sheriffens polisbil utanför huvudingången.

"Faith."

"Jäklar!" Faith ryckte till så kraftigt att hon nästan tappade handväskan. Amanda hade dykt upp från ingenstans.

"Vårda ditt språk", sa Amanda. "Att svära är oprofessionellt."

Faith bestämde sig för att säga "jäklar" så ofta hon kunde resten av livet.

"Varför tog det så lång tid?"

"Jag satt fast bakom en bilolycka i två timmar. Hur kunde du ta dig förbi den?"

"Hur kunde du inte göra det?"

Amandas telefon surrade till. Hon tittade ned på skärmen så att Faith såg hennes hjässa. Det välfriserade, gråsprängda håret liknande som vanligt en hjälm. Det fanns knappt en rynka på kjolen och den matchande kavajen. Tummarna rörde sig så snabbt att de såg suddiga ut medan hon svarade på ett av de tusentals textmeddelande hon skulle få den här dagen. Amanda var biträdande direktör på GBI, ansvarig för hundratals anställda, femton regionalkontor, sex narkotikaenheter och mer än ett halvt dussin specialstyrkor som arbetade i Georgias alla etthundrafemtionio counties.

Därför var Faith tvungen att fråga henne en sak. "Vad gör du här? Du vet att jag klarar det här själv."

Amanda stoppade telefonen i kavajfickan. "Sheriffen heter Douglas Hartshorne. Hans pappa hade jobbet i femtio år innan en stroke tvingade honom att gå i pension för fyra år sedan. Ingen annan än hans son ställde upp i det nya sheriffvalet. Sonen verkar ha ärvt sin fars negativa inställning till GBI. Jag fick nej på en gång när jag erbjöd mig att ta över utredningen."

"De kallar honom Bullen", sa Faith. "Och det är lika bra, för jag ville säga 'Douglath', som herr Dink i *Doug*."

"Ser jag ut som någon som skulle uppskatta den referensen?"

Amanda såg ut som någon som var på väg in på sjukhuset. Faith följde efter henne in i väntrummet, som var fullt av elände. Alla stolar var upptagna. Folk stod lutade mot väggarna och bad tyst att deras namn skulle ropas upp. Faith mindes sina tidiga morgnar på akuten med barnen. Jeremy var den sortens bebis som kunde skrika sig till riktigt hög feber. Tack och lov hade hon fått Emma ungefär samtidigt som Will träffade Sara. Det fanns fördelar med att vara god vän med en barnläkare.

Det påminde Faith om en sak. "Var är Sara?"

"Tillsammans med Will, precis som vanligt."

Det var inte direkt något svar, men Faith tänkte inte bråka om saken. Dessutom hade Amanda redan öppnat dörren längst in i rummet trots skylten med texten "Endast personal".

Innanför dörren möttes de av ännu mer elände. Patienter låg på britsar längs korridoren, men Faith såg varken sjuksköterskor eller läkare. De befann sig förmodligen bakom draperierna som skulle föreställa väggar. Hon kunde höra Amandas låga klackar smälla mot laminatgolvet över pipen från hjärtfrekvensmätare och respiratorer. Faith försökte tyst lista ut varför Amanda kört två timmar mitt i natten för att komma till en liten skitstad och ta hand om en redan avklarad mordutredning som låg långt under hennes ansvarsnivå. Den låg till och med under Faiths ansvarsnivå. GBI brukade bara kliva in när en utredning gick snett, men till och med då måste någon efterfråga deras tjänster. Bullen hade tydligt sagt att han inte ville ha någon hjälp.

Amanda stannade vid den tomma sjuksköterskereceptionen och ringde på klockan. Ljudet hördes knappt över alla stönanden och maskiner.

"Varför är du egentligen här?" frågade Faith.

Amanda hade tagit fram telefonen igen. "Det är meningen att Will ska vara på smekmånad. Jag tänker inte låta det här jobbet suga allt liv ur honom."

Faith undertryckte ett gnälligt 'men jag då?'. Amanda hade alltid haft ett hemligt band till Will. Hon hade varit patrullerande polis i Atlanta när hon hittade spädbarnet Will i en soptunna. Inte förrän alldeles nyligen hade han haft någon aning om att Amandas osynliga hand styrt honom genom hela livet. Faith ville väldigt gärna veta mer om saken, men ingen av dem hade någon lust att dela med sig av några djupa, mörka hemligheter och Sara var irriterande nog helt lojal mot sin man.

Amanda tittade upp från telefonen. "Tror du att Dave är skyldig?"

Faith hade inte funderat på saken eftersom det verkade så uppenbart. "Han erkände att han tagit stryptag på Mercy. Han lade inte fram något alibi. Fastern vittnade om långvarig hustrumisshandel. Han gömde sig i skogen. Han gjorde motstånd vid gripandet. Om man nu kan kalla tio sekunders aggressivitet och en halv minuts kräkningar för motstånd."

"Familjen verkar märkligt oberörda av förlusten."

Faith antog att det betydde att Amanda också hört Wills ljudfiler. Själv hade Faith lyssnat så många gånger på dem i bilen att hon praktiskt taget memorerat vissa av Delilahs observationer. "Fastern säger att det finns ett klart ekonomiskt motiv. Hon beskrev Mercys bror som en seriemördare-som-samlar-på-kvinnors-trosor-enstöring. Hon kallade sin bror ett våldsamt svin och sa att svägerskan var en kall fisk. Dessutom berättade hon att Bitty hotat att sätta en kniv i ryggen på Mercy ett par timmar innan Mercy hittades med en avbruten kniv mellan skulderbladen."

"Delilah sa också något om exhibitionisterna i stuga fem."

Den saken hade Faith också velat veta mer om, men bara för att hon var precis lika nyfiken av sig som Delilah. "Det vore intressant att prata med Chuck. Han är god vän med Mercys bror. Han kanske känner till några hemligheter. Sedan har vi de där rika svinen som ville köpa campingen."

"Vi kommer aldrig åt dem. Deras advokater kommer att ha egna advokater", sa Amanda. "Hur många gäster bor på campingen?"

"Jag vet inte. Enligt hemsidan tillåter de inte fler än tjugo gäster åt gången. Om man gillar att svettas utomhus ser stället fantastiskt ut. Jag hittade inga prisuppgifter, men femtioelva miljarder dollar låter som en rimlig gissning. Will måste ha lagt en årslön på den här resan."

"Ytterligare en anledning att hålla honom utanför det här", sa Amanda. "Jag vill att du sköter förhöret med Dave. Han kördes hit i ambulans. Sara ville att man skulle utesluta en testikelvridning."

Faith visste att det inte var lustigt, men hon tyckte ändå att det var det. "Vilken kod ska jag använda för det i rapporten? Åtta-åtta?"

Amanda gick raka vägen förbi henne. Hon hade sett Sara i andra änden av korridoren. Faith snubblade i kapp henne som vanligt. Sara hade på sig en kortärmad t-shirt och cargobyxor. Håret var samlat i en slarvig knut på huvudet. Hon såg utmattad ut när hon kramade om Faiths arm.

"Faith, jag är så ledsen att du blev indragen i det här. Jag vet att du och Emma hade hela veckan planerad."

"Hon klarar sig", sa Amanda, som om småbarn älskade ändrade planer. "Var är Will?"

"Han snyggar till sig inne på toaletten. Jag fick honom att blötlägga handen i antiseptisk lösning innan såret syddes ihop. Knivbladet missade nerverna, men jag är ändå orolig för infektionen."

"Och Dave?" frågade Amanda.

"Bitestiklarna tog den värsta smällen. Det är en trådformad struktur på testikelns baksida där sperman färdas innan ejakulation."

Amanda såg irriterad ut. Hon hatade läkarspråk. "I klartext, tack, doktor Linton."

"Baksidan av pungen är blåslagen. Han måste vila med pungen nedkyld och i upphöjt läge, men han borde bli bra inom en vecka."

"Har han fått något smärtstillande?" frågade Faith eftersom det var hon som skulle förhöra Dave.

"Läkaren gav honom paracetamol. Det är inte mitt beslut, men jag skulle ha skrivit ut tramadol, en kur ibuprofen mot svullnaden och något mot illamåendet. Sädesledaren löper från testiklarna genom ljumskkanalen ut i bukhålan, sedan tillbaka bakom blåsan och fäster vid urinröret vid prostatakörteln. Urinröret leder vidare ut i penis. Kort sagt har Dave utsatts för enormt lidande. Men å andra sidan ..." Sara ryckte på axlarna. "Så går det när man hotar Will med kniv."

Faith anade ännu en åtalspunkt. "Var är kniven?"

"Will gav den till sheriffen." Sara visste vad hon tänkte. "Bladet är under trettio centimeter, så den är laglig."

"Inte om man bär den dold i syfte att kunna angripa någon", sa Amanda.

"Det är ändå bara en förseelse", sa Faith. "Men om vi kan knyta den till mordet ..."

"Doktor Linton", avbröt Amanda henne. "Var är Dave nu?"

"Han lades in för observation. Sheriffen är med honom. Jag måste berätta att Dave hade på sig en tröja med ett blodigt handavtryck på framsidan. Sheriffen har beslagtagit kläderna och hans personliga ägodelar som bevis. Han borde också ta fotografier av klösmärkena på Daves överkropp och hals. Den lokala dödsfallsutredaren heter Nadine Moushey. Hon har redan lagt in en officiell begäran att GBI ska ta hand om Mercys obduktion." Sara tittade på klockan. "Nadine hämtar nog Mercys kropp från stugan ganska snart. Hon bad mig möta henne nere på bårhuset klockan åtta."

"Jag har meddelat agenten som ansvarar för region åtta att hon ska ta hand om att transportera kroppen till högkvarteret", sa Amanda.

"Menar du att jag borde kliva åt sidan?"

"Är dina insikter helt nödvändiga?"

"Borde en certifierad rättsläkare som såg kroppen på brottsplatsen lämna ett expertutlåtande under den preliminära undersökningen, menar du?"

"Du har lagt dig till med vanan att ställa frågor i stället för att ge svar."

"Har jag?"

Amandas ansikte var outgrundligt. Tekniskt sett var hon Saras chef, men Sara hade alltid behandlat henne mer som en kollega. Och på grund av Will var Amanda på sätt och vis också Saras svärmor nu, men ändå inte.

Faith bröt dödläget. "Är det något annat vi borde veta?"

"Det fanns en ryggsäck på brottsplatsen", sa Sara. "Enligt Delilah tillhörde den Mercy. Tack och lov var nylontyget impregnerat för att motstå eld. Innehållet bör vara intressant. Mercy hade packat några toalettartiklar, kläder och ett anteckningsblock."

Faith började få upp ångan igen. "Vad för sorts anteckningsblock?"

"Ett sådant som ungdomar använder i skolan."

"Läste ni igenom det?"

"Sidorna var genomblöta, så det måste skickas till labbet. Jag är mer intresserad av vart Mercy var på väg. Det var mitt i natten. Hon hade grälat offentligt med sin son tidigare på kvällen. Varför gav hon sig av? Vart skulle hon? Hur hamnade hon vid sjön? Nadine påpekade att det fanns gott om tomma stugor att sova i om Mercy behövde en paus från familjen."

"Hur många?" frågade Faith.

"Antalet är inte viktigt", sa Amanda. "Fokusera på att få Dave att erkänna. Det är enda sättet att avsluta det här snabbt. Eller hur, doktor Linton?"

"Åtminstone när det gäller biten med Dave." Sara tittade på klockan igen. "Delilah borde vara utanför nu. Vi ska leta efter Jon." "Låter det som en bra smekmånadsaktivitet?" frågade Amanda. "Ja."

Amanda såg på henne en liten stund till innan hon vände på klacken. "Faith?"

Faith antog att det betydde att de skulle gå. Hon höjde knytnäven i solidaritet med Sara innan hon småspringande följde efter Amanda. "Du förstår väl att Sara inte kommer att tillåta att en tonåring som just förlorat sin mamma bara försvinner?" sa hon.

"Jeremy klarade sig själv när han var sexton."

När Jeremy var sexton hade han ätit så mycket ost att Faith blivit tvungen att ta honom till sjukhuset. "Tonårspojkar är inte så tåliga som du tror."

Amanda gick förbi hissarna och tog trapporna. Munnen var ett smalt streck. Faith undrade om hon tänkte på Will i den åldern, men påminde sig om att det inte var någon idé att försöka lista ut vad som pågick i Amandas huvud. I stället försökte hon fokusera på det kommande förhöret med Dave.

Under de två timmar hon stått stilla på motorvägen hade Faith passat på att kontrollera Dave Harold McAlpines brottsregister. Ungdomstidens register var förseglat, men det fanns gott om information om hans vuxna liv.

Alla punkter gällde den sortens brott som man kunde vänta sig av en missbrukare som slog sin fru. Dave hade åkt in och ut ur häktet för diverse brott, från barslagsmål till bilstölder till snatteri av bröstmjölksersättning till rattfyllor till hustrumisshandel. Väldigt få av anklagelserna hade lett någonvart, vilket var underligt men inte överraskande.

Precis som Amanda och sin egen mamma hade Faith börjat sin karriär som patrullerande polis i Atlanta. Hon visste hur man läste mellan raderna i ett brottsregister. Förklaringen till att han aldrig blivit åtalad för hustrumisshandel var uppenbar – Mercy hade vägrat vittna. Bristen på allvarliga konsekvenser för resten av brotten vittnade om en man som alltid skvallrade på sina medfångar för att komma ut ur häktet eller slippa hamna i fängelse.

Det var den biten som inte var särskilt överraskande. Många män som slog sina fruar var småsinta ynkryggar.

Amanda sköt upp dörren högst upp i trapphuset. Faith följde henne i hälarna. Lampskenet i korridoren var dämpat och receptionsdisken mittemot hissarna var obemannad. Faith såg en tavla på väggen där patienternas namn och ansvariga sjuksköterskor skrivits upp. Alla tio rummen var fulla, men det fanns bara en sjuksköterska.

"Dave McAlpine", läste Faith. "Rum åtta. Vad är oddsen på det?"

Båda vände sig om när hissdörrarna öppnades. Will var klädd i rutig skjorta och ett par sjukhusbyxor som var för korta för hans långa ben. Faith såg hans svarta strumpor sticka upp ur kängorna. Han höll sin bandagerade högerhand tätt intill bröstet. Ansiktet och halsen hade små rivsår.

Amanda hälsade lika varmt som vanligt på honom. "Varför är du klädd som en kirurg i ett ska-band?"

"Dave kräktes på mina byxor", sa Will.

"Ja, det gjorde han verkligen." Faith sparade sin high-five till senare. "Sara sa att du skickade hans pungkulor rakt upp i urinblåsan."

Amanda suckade kort. "Jag ska informera sheriffen om att han gärna tar emot vår hjälp med utredningen."

"Lycka till med det", sa Will. "Han vill verkligen behålla ansvaret själv."

"Jag misstänker att han också verkligen vill undvika att alla affärsverksamheter i hans county granskas i jakt på odokumenterad arbetskraft och barnarbete."

Faith följde Amanda med blicken när hon lämnade dem. Det verkade vara ett genomgående tema den här morgonen. "Jag ska sköta förhöret", sa hon till Will. "Är det något jag behöver veta?"

"Jag grep honom för misshandel och våldsamt motstånd. Bullen gick med på att inte nämna mordet, så såvitt jag vet är Dave inte medveten om att vi har hittat kroppen. Det som oroar honom är att han tror att jag såg honom ta stryptag på Mercy på stigen igår."

"Tror han att du bara stod där medan han ströp en kvinna?" Faith gillade godtrogna brottslingar. "Det låter som om jag hinner hem i tid för att köra Emma till clownskolan."

"Var inte så säker på det", sa Will. "Underskatta inte Dave. Han låtsas vara en korkad bondlurk, men han är manipulativ, slug och elak."

Faith fick inte riktigt klart för sig vad det var Will försökte förmedla. "Hans brottsregister är fullt av idiotiska småbrott. Det värsta straff han fått är två och ett halvt år för bilstöld på countyts anstalt. Domaren lät honom till och med lämna fängelset för att gå till jobbet."

"Han golar."

"Precis. Golare brukar inte vara några genier och han har åkt dit för många gånger för att kunna kallas särskilt slug. Vad är det jag missar?"

"Att jag känner honom." Will tittade ned på sin bandagerade hand. "Dave och jag var på barnhemmet samtidigt. Han rymde när han var tretton och tog sig upp hit. Det finns en gammal lägerplats här. Det är en lång historia, men Dave kommer förmodligen att nämna vårt förflutna, så du bör vara beredd på det."

Det kändes som om Faiths ögonbryn var på väg att försvinna in under hårfästet. Nu förstod hon. "Mer då?"

"Han mobbade mig", sa Will. "Inte fysiskt, men han var ett riktigt svin. Vi kallade honom Schakalen."

Faith hade svårt att föreställa sig mobbningen. Will var enorm och dessutom mycket äldre. "Dave är fyra år yngre än du. Hur gick det till?"

"Han är inte fyra år yngre än jag. Var har du fått det ifrån?"

"Brottsregistret. Hans födelsedatum står överallt."

Will skakade på huvudet med avsmak. "Han är två år yngre än jag. Familjen McAlpine måste ha fått åldern ändrad."

"Vad betyder det?"

"Det är inte lika enkelt nu när allt är digitaliserat, men på den tiden hade inte alla barn riktiga födelsebevis. Fosterföräldrar kunde be rätten ändra ett barns ålder. Om barnet var jobbigt ändrades den uppåt så att de blev av med honom tidigare. Om barnet var enkelt att hantera eller var berättigat till utökad ersättning ändrades åldern nedåt så att pengarna fortsatte rulla in."

Faith kände sig illamående. "Vad innebär utökad ersättning?"

"Stora problem ger mer pengar. Barnet kanske har känslomässiga problem eller har varit utsatt för sexuella övergrepp och behöver terapi, vilket innebär att man måste köra honom dit. Han kan också vara jobbigare att ta hand om, så staten betalar extra för besväret."

"Herregud." Faith hade svårt att hålla rösten stadig. Hon visste inte om något av det där hade hänt Will, men bara tanken på det gjorde henne oerhört sorgsen. "Så Dave hade det jobbigt?"

"Han utsattes för sexuella övergrepp av en idrottslärare i grundskolan. Det pågick under ett par år." Will ryckte på axlarna, men brottet var fruktansvärt. "Han kommer att utnyttja det för att få medlidande. Låt honom prata, men glöm inte att han vet precis vad det innebär att vara hjälplös och ändå växte han upp till att bli den sortens man som slog sin fru i många år och till sist våldtog och mördade henne."

Faith kunde höra ilskan i Wills röst. Han hatade verkligen den här mannen. "Vet Amanda om att du känner Dave?"

Will bet ihop tänderna, vilket betydde ja. Det förklarade också varför Amanda kört i två timmar för att komma dit. Och varför hon ville hålla Will så långt ifrån utredningen som möjligt.

Men Faith hade fler frågor. "Dave är en vuxen man. Varför stannade han här uppe med familjen McAlpine om de utnyttjade hans svårigheter för att dra in pengar?"

Will ryckte på axlarna igen. "Innan Dave rymde försökte han begå självmord och låstes in på en psykiatrisk vårdavdelning. När man väl hamnar på ett sådant ställe är det svårt att komma ut. Anläggningen tjänar pengar på att fortsätta behandla barnet. Barnet kan känna sig argt och självmordsbenäget över att vara inlåst på en psykavdelning, vilket liksom underblåser problemen. De höll Dave inlåst i ett halvår. Han var inte ens kvar på barnhemmet i en vecka innan han rymde därifrån. Familjen McAlpine hade sina problem, men jag förstår att han kände att de räddade honom. Utan adoptionen skulle han definitivt ha skickats tillbaka till Atlanta."

Faith stuvade undan informationen i hjärtat så att hon kunde gråta över det senare. "En trettonårig pojke vet att han inte är elva. Domaren måste ha frågat honom."

"Jag sa ju att han var listig", sa Will. "Dave ljög alltid om dumma saker. Han stal folks grejer och förstörde dem för att han var avundsjuk på att de hade något som han saknade. Han var ett av de där barnen som alltid höll räkningen. 'Du fick en extra handfull potatiskroketter vid lunch, så jag borde få en extra vid middagen.'"

Faith kände till typen. Hon visste också hur svårt det var för Will att prata om sin barndom. "Potatiskroketter är goda."

"Jag är verkligen hungrig."

Faith rotade i väskan efter en chokladkaka. "Jag antar att du vill ha något med nötter?"

Will flinade när hon räckte honom en Snickers. "Förresten är Sara inte helt övertygad om att Dave är mördaren."

Det var ny information. "Okej. Men det är du?"

"Helt och hållet. Men Saras magkänsla brukar vara ganska bra, så ..." Will öppnade godispapperet med tänderna. "Det sista vittnet som såg Mercy före mordet placerar henne utanför stuga sju runt halv elva."

Faith tog fram anteckningsblock och penna. "Gå igenom tidslinjen med mig."

Will hade redan kört in halva chokladbiten i munnen. Han tuggade två gånger och svalde. "Sara och jag var vid sjön. Jag tittade på klockan innan jag klev i vattnet. Den var sex minuter över elva. Klockan bör ha varit runt halv tolv när vi hörde det första skriket."

"Det som liknade ett ylande?"

"Just det", sa Will. "Vi hörde inte vilket håll det kom ifrån, men vi trodde att det var från huvudanläggningen, uppe vid husen och de flesta stugorna. Sara och jag gick tillsammans en stund. Sedan delade vi på oss så att jag kunde ta en rakare väg. Jag sprang genom skogen. Sedan stannade jag eftersom jag kom på att det var dumt. Vi hörde ylanden i bergen och sprang ut i skogen, liksom. Jag bestämde mig för att leta reda på Sara. Det var då jag hörde det andra skriket. Jag tror att det gått ungefär tio minuter sedan ylandet."

Faith började skriva igen. "Mercy skrek ett ord – *hjälp*."

"Just det. Sedan skrek hon *snälla*. Tiden mellan de två sista skriken var mycket kortare. Kanske en sekund eller två. Men det var tydligt att båda kom från ungkarlsstugorna vid sjön."

"Ungkarlsstugorna." Faith skrev ned namnet. "Var det där ni badade?"

"Nej, vi var i änden av sjön, på en plats som kallas Grunda viken. Sjön är väldigt stor. Du behöver kartan. Grunda viken ligger i ena änden och ungkarlsstugorna i den andra. Huvudanläggningen ligger högt ovanför, så jag tog mig i stort sett upp för ena kullen och ned på andra sidan."

Faith måste verkligen se kartan. "Hur lång tid tog det dig att nå Mercy efter det sista skriket?"

Will skakade på huvudet och ryckte på axlarna. "Det är svårt att säga. Jag var full av adrenalin och omringad av träd mitt i natten och försökte låta bli att snubbla. Jag tittade inte på klockan. Tio minuter till, kanske?"

"Hur lång tid tar det att komma från huvudanläggningen ned till ungkarlsstugorna?"

"Vi gick en av stigarna dit tillsammans med dödsfallsutredaren för att visa henne brottsplatsen. Det tog ungefär tjugo minuter, men då gick vi i grupp och höll oss till stigen." Han ryckte på axlarna igen. "Tio minuter kanske?"

"Tänker du bara säga att allting tog tio minuter?"

Will ryckte på axlarna en tredje gång, men sa: "Sara tittade på min klocka när hon dödförklarade Mercy. Det var precis vid midnatt."

Faith skrev ned det. "Så det gick ungefär tjugo minuter mellan ylandet från huvudanläggningens håll och tillfället då du hittade Mercy i vattnet. Men det tog Mercy tio minuter för att ta sig från platsen för ylandet till platsen för skriket och dödsfallet?"

"Tio minuter räcker gott och väl för att mörda en kvinna och sätta eld på en stuga. Särskilt om man planerat allt i förväg", sa Will. "Sedan går man tillbaka runt sjön till den gamla lägerplatsen och väntar på att den lokala sheriffen ska sjabbla bort utredningen."

"Är du säker på att ylandet och skriket kom från samma person?"

Will tänkte på saken. "Ja. Rösten lät likadan. Och vem skulle det annars vara?"

"Vi kommer att bli tvungna att springa runt hela stället med stoppur, eller hur?"

"Helt riktigt."

Han såg väldigt mycket gladare ut över den saken än Faith kände sig. "Varför tror Sara att Dave är oskyldig?"

"Sista gången jag såg Dave var runt tre på eftermiddagen. Sara pratade med Mercy ungefär fyra timmar senare. Hon såg blåmärken på Mercys hals. Mercy sa att Dave tagit stryptag på henne, men hon verkade mer bekymrad över att familjen skulle ge sig på henne eftersom hon förhindrade försäljningen av campingen. Det var inte Dave som oroade Mercy. Faktiskt sa hon att alla på berget ville se henne död."

"Även gästerna?"

Will ryckte på axlarna.

"Jag menar ..." Faith försökte att inte gå händelserna i förväg. Hon hade alltid velat arbeta med ett riktigt 'det låsta rummet'-mysterium. "Här har vi ett begränsat antal misstänkta fast på en avlägsen plats. Det är rena Scooby Doo-mysteriet."

"Det var sex familjemedlemmar med vid middagen. Papa och Bitty, Mercy och Christopher, Delilah och så kan man väl räkna med Chuck i den gruppen. Jon dök upp före förrätten. Han var berusad och skrek åt Mercy. Sedan har vi gästerna. Jag och Sara, Landry och Gordon, Drew och Keisha, Frank och Monica. Och så investerarna Sydney och Max. Alla satt runt det avlånga matbordet."

Faith tittade upp från anteckningsblocket. "Fanns det kandelabrar där?"

Han nickade. "Och en kock och en bartender och två servitörer."

"'Och så var det ingen kvar'", citerade Faith.

Will tryckte in den sista tuggan Snickers i munnen. "Se upp."

Amanda var på väg tillbaka mot dem med sheriffen i släptåg. Bullen såg precis ut som Faith föreställt sig att han skulle göra när hon hörde hans röst på inspelningen. Lite rund, minst ett årtionde äldre än hon och avsevärt mindre intelligent. Hon såg på minen i hans glåmiga ansikte att han nått det tredje steget i förhandlingarna med Amanda – hoppat över ilskan och acceptansen och gått raka vägen till tjurandet.

"Specialagent Faith Mitchell", presenterade Amanda henne. "Det här är sheriff Douglas Hartshorne. Han har varit vänlig nog att låta oss ta över utredningen."

Bullen såg snarare förbannad än vänlig ut. "Jag tänker vara med när du pratar med Dave", sa han till Faith.

Faith ville inte ha sällskap, men Amandas tystnad betydde att hon inte hade något val. "Har den misstänkte sagt något om brottet?"

Bullen skakade på huvudet. "Han säger inget."

"Har han bett om en advokat?"

"Nej, och han kommer inte att avslöja något. Det behövs inte ens. Vi har redan tillräckligt med bevis för att låsa in honom. Blod på tröjan. Klösmärken. Tidigare våld. Dave gillar att använda kniv. Han har alltid en i bakfickan."

"Brukar han bära fler vapen än balisongkniven?" frågade Faith.

Det var uppenbart att Bullen inte gillade frågan. "Det här är ett lokalt brott och vi borde sköta det på egen hand."

Faith log. "Vill du göra mig sällskap till rum åtta?"

Bullen slog ut med armen i en "efter dig"-gest. Han gick så nära henne att Faith kunde känna lukten av hans svett och rakvatten.

"Gumman", sa han, "jag vet att du bara följer order, men du måste förstå en sak."

Faith stannade och vände sig mot honom. "Vad?"

"Ni GBI-agenter går direkt från klassrummet till konferensrummet. Ni vet inte vad det innebär att vara polis ute på gatorna. Den här sortens mord är riktiga polisers levebröd. Jag visste redan för tjugo år sedan att en av de där två skulle dö och att den andra skulle hamna i en polisbil."

Faith låtsades att hon inte patrullerat gatorna i tio år innan hon befordrades till Atlantas mordrotel. "Upplys mig."

"McAlpines är en bra familj, men Mercy har alltid varit besvärlig. Hon hamnade alltid i trubbel. Drack och knarkade. Låg med alla. Hon blev gravid som femtonåring."

Faith hade själv blivit gravid som femtonåring, men sa bara: "Oj då."

"Det kan man säga. Hon förstörde i stort sett Daves liv", sa Bullen. "Den stackaren lyckades aldrig hamna på rätt spår igen efter Jons födelse. Han åkte in och ut ur häktet. Hamnade alltid i knipa. Dave hade sina egna demoner innan Mercy ens blev gravid. Han hade det jobbigt som fosterbarn. Blev utsatt för sexuella övergrepp av en lärare. Det är ett jäkla mirakel att han inte har skjutit skallen av sig."

"Det låter verkligen så", sa Faith. "Ska vi gå och prata med honom om mordet?"

Hon väntade inte på svar. Faith sköt upp dörren till en liten vestibul. Badrummet låg till höger. Till vänster fanns ett tvättställ och ett skåp. Belysningen i rummet var dämpad. Hon kunde höra det låga mumlet från en TV. En unken röklukt svävade i luften. I tvättstället låg en hög kläder. Hon såg en tom papperspåse märkt BEVIS på bänken. Sheriffen hade tagit fram ett par handskar men inte kommit så långt att han faktiskt stoppade ned den misstänktes personliga tillhörigheter i påsar och märkte upp dem. Hon såg ett paket cigaretter, en tjock plånbok med kardborrband, ett cerat och en Android-telefon.

Dave McAlpine slog av ljudet på TV:n när Faith vred upp ljusstyrkan på lamporna. Han verkade inte vara orolig över gripandet eller över att det stod två poliser i hans sjukhusrum. Han satt tillbakalutad i sängen med ena armen ovanför huvudet. Vänstra handleden var fäst i sängen med handklovar. Sjukhusrocken hade glidit ned över axeln. Underkroppen var täckt av ett lakan, men han måste sitta på en kudde eftersom bäckenet var framskjutet som om han varit Magic Mike uppe på scenen.

Om Bullen såg precis ut som hon föreställt sig från inspelningen var Dave McAlpine raka motsatsen. Faith hade på något sätt skapat sig en bild av honom som liknade ett mellanting mellan Moriarty från Sherlock Holmes och Gråben. I själva verket var Dave stilig men lite sliten, som skolans snygging efter åratal av förfall. Han hade förmodligen legat med varannan kvinna i staden och hade en speldator för tjugotusen i sin hyrda villavagn. Med andra ord var han precis Faiths typ.

"Vem är det här?" frågade Dave Bullen.

"Specialagent Faith Mitchell." Faith tog upp plånboken för att visa sin legitimation. "Jag tillhör Georgia Bureau of Investigation. Jag är här för att ..."

"Du är snyggare i verkligheten." Han nickade mot fotografiet. "Jag gillar att håret är längre."

"Han har rätt." Bullen hade vridit på nacken för att se bilden.

Faith slog igen plånboken och motstod lusten att raka av sig allt hår på en gång. "Mr McAlpine, jag vet att min partner redan har läst upp dina rättigheter."

"Berättade Sophögen att vi är gamla bekanta?"

Faith bet sig i tungan. Hon hade hört öknamnet förut. Det var inte trevligare den här gången.

Dave granskade henne med tungspetsen i kinden. "Varför är GBI intresserade av det här över huvud taget?"

Faith vände på frågan. "Berätta vad du menar med *det här*?"

Han skrattade ett hest rökarskratt. "Har du pratat med Mercy än? Hon skulle aldrig skvallra på mig."

Faith lät honom styra samtalet. "Du medgav att du tagit stryptag på henne."

"Bevisa det", sa han. "Sophögen duger inte som vittne. Han har alltid varit ute efter mig. Vänta bara tills min advokat korsförhör honom."

Faith lutade sig mot väggen. "Berätta om Mercy."

"Vad är det med henne?"

"Hon var femton när hon blev gravid. Hur gammal var du?"

Dave sneglade på Bullen innan han såg på Faith igen. "Arton. Du kan titta på mitt födelsebevis."

"Vilket av dem?" frågade Faith. Matematiken gick inte ihop. Dave hade varit tjugo när han gjorde en femtonåring gravid, vilket innebar att han var skyldig till våldtäkt av underårig. "Du vet väl att allting finns digitalt nu? Alla gamla papper finns i molnet."

Dave kliade sig nervöst på bröstet. Rocken gled längre ned över axeln. Faith kunde se de djupa rivsåren där.

"Bullen", sa Dave. "Gå och hämta den där sjuksköterskan. Säg att jag behöver mer medicin. Pungen är på väg att brinna upp."

Bullen såg förvirrad ut. "Jag trodde att du ville att jag skulle stanna."

"Jag har ångrat mig."

Bullen fnös uppgivet innan han gick.

Faith väntade tills dörren slagit igen. "Det måste vara trevligt att ha den lokala sheriffen i ledband."

"Det är det verkligen." Dave stack in handen under lakanet och väste ut luft mellan tänderna medan han drog fram en isblåsa och lade den på bordet bredvid sängen. "Så, vad är du ute efter, stumpan?"

"Säg det du."

"Jag har ingen aning om vad som hände igår kväll." Han sköt upp rocken över axeln. "Om du släpper ut mig härifrån kan jag höra mig för. Jag känner mycket folk. Om det som hände är stort nog för att GBI ska vara intresserade kanske det är värt något?"

"Vad skulle det vara värt?"

"För det första skulle du kunna ta bort de här jäkla handklovarna." Han rasslade med kedjan. "Och för det andra kanske ni kan tänka er att skiljas från lite pengar? Tusen dollar vore en bra början. Mer, om jag kan hjälpa er att göra ett stort gripande."

"Och Mercy, då?" sa Faith.

"Nej, för fan", sa han. "Mercy vet ingenting om något som händer utanför campingen och hon kommer ändå inte att prata med er."

Faith lade märke till att hans grammatik blivit bättre. Han spelade inte dum lantis längre. "Det är svårt för en kvinna att prata när hon har blivit strypt."

"Är det vad allt det här handlar om?" frågade han. "Är Mercy på sjukhuset?"

"Varför skulle hon vara på sjukhuset?"

Han sög på framtänderna. "Är det därför du är här? Fick Sophögen ett utbrott efter att ha sett mig på stigen? För jag lämnade Mercy precis där hon landade. Det var vid tretiden på eftermiddagen. Prata med Sophögen. Han kan bekräfta det."

"Vad hände efter att du hade strypt Mercy?"

"Inget", sa han. "Hon mådde fint. Hon sa till och med åt mig att dra åt helvete. Det är så hon pratar med mig. Hon försöker alltid provocera mig. Men jag lämnade henne i fred. Jag gick inte tillbaka. Så vad hon än råkade ut för efter det gjorde hon det själv."

"Vad tror du att hon råkade ut för?"

"Inte fan vet jag? Hon kanske ramlade när hon gick tillbaka längs stigen? Det har hon gjort förut – ramlat raklång i skogen. Hon slog halsen så hårt på en stock att strupen blev skadad. Det tog ett par timmar innan den svullnade upp, men till slut åkte hon till akuten och sa att hon inte kunde andas. Fråga läkarna. Det finns säkert nedskrivet någonstans."

Det enda som förvånade Faith var att han inte kommit på en bättre historia. "När hände det här?"

"För ett tag sedan. Jon var fortfarande liten. Det var precis innan jag tog ut skilsmässa. Mercy kommer själv att erkänna att hon överreagerade. Hon hade inga problem att andas. Hon stressade bara upp sig själv. Läkarna sa att halsen var lite svullen. Som jag sa föll hon ganska hårt på den där stocken. Det var en olycka. Jag hade inget med saken att göra." Dave ryckte på axlarna. "Om samma sak hände igen är det hennes eget fel. Prata med henne. Hon kommer säkert att säga samma sak."

Faith visste inte vad hon skulle tro. Will hade varnat henne för att underskatta Dave, men det här var varken listigt eller smart. "Berätta vart du tog vägen efter att du lämnat Mercy på stigen."

"Bitty hade inte tid att köra mig tillbaka in till staden. Jag gick ned till den gamla lägerplatsen och började dricka."

Faith funderade tyst över sina alternativ. Hon kom ingenstans. Hon måste byta taktik. "Mercy är död."

"Jösses", skrattade han. "Säkert."

"Jag ljuger inte", försäkrade Faith honom. "Hon är död."

Han mötte hennes blick en lång stund innan han tittade bort. Faith såg tårarna välla upp i hans ögon. Han slog handen för munnen.

"Dave."

"Vad ..." Ordet fastnade i halsen. "När?"

"Vid midnatt."

Dave svalde. "Kvävdes hon?"

Faith granskade honom. Det här var den listiga biten. Han var riktigt bra på den.

"Visste hon vad som hände?" frågade Dave. "Att hon var döende?"

"Ja", sa Faith. "Vad gjorde du med henne, Dave?"

"Jag ..." Han hickade till. "Jag ströp henne. Det var mitt fel. Jag ströp henne för hårt. Hon var på väg att svimma och jag trodde att jag slutade i tid, men ... Åh, herregud."

Faith tog några näsdukar från asken och räckte dem till honom. Dave snöt sig. "Led ... Led hon?"

Faith lade armarna i kors. "Hon visste vad som hände."

"Fan också. Fan. Vad är det för fel på mig?" Dave lutade huvudet i handen. Handklovarna rasslade när han snyftade. "Mercy Mac. Vad gjorde jag med dig? Hon var livrädd för att kvävas. Hon har drömt mardrömmar om att inte kunna andas ända sedan vi var barn."

Faith försökte komma fram till hur hon skulle gå vidare. Hon var van vid utdragna förhandlingar med misstänkta som portionerade ut sanningen. Ibland placerade de sig själva i närheten av brottsplatsen i stället för på den, eller medgav att de var skyldiga till en del av brottet, men inte resten.

Det här var något helt annat.

"Jon." Dave tittade upp på Faith. "Vet han vad jag gjorde?"

Faith nickade.

"Helvete. Han kommer aldrig att förlåta mig." Dave begravde huvudet i handen igen. "Hon försökte ringa mig. Jag såg det inte eftersom jag inte har någon mottagning uppe på berget. Jag kunde ha räddat henne. Vet Bitty om det? Jag måste prata med Bitty. Jag måste förklara ..."

"Vänta", sa Faith. "Backa lite. När ringde Mercy dig?"

"Jag vet inte. Jag såg notiserna när Bullen tog min telefon. De måste ha kommit fram när jag lämnade berget."

Faith såg Daves Androidtelefon vid handfatet intill dörren. Hon petade på skärmen med hörnet av anteckningsblocket. Där fanns minst ett halvdussin notiser med tidsstämpel. Alla innehöll samma meddelande.

MISSAT SAMTAL 22:47 – Mercy Mac

MISSAT SAMTAL 23:10 – Mercy Mac

MISSAT SAMTAL 23:12 – Mercy Mac

MISSAT SAMTAL 23:14 – Mercy Mac

MISSAT SAMTAL 23:19 – Mercy Mac

MISSAT SAMTAL 23:22 – Mercy Mac

Faith scrollade ned till det sista.

RÖSTMEDDELANDE 23:28 – Mercy Mac

Faith öppnade anteckningsblocket. Hon tittade på tidslinjen. Will gissade att Mercy ylat vid halv tolv, två minuter efter att hon lämnat meddelandet till Dave. Faith stoppade tillbaka anteckningsblocket i fickan. Hon tog på sig sheriffens handskar innan hon lyfte upp Daves telefon och gick tillbaka till sängen.

"Så du hade ingen mottagning, men Mercy kunde ringa?"

"Det finns wifi runt huvudbyggnaden och i matsalen. Men mobiltelefoner har ingen mottagning förrän man är halvvägs nere från berget." Han torkade tårarna. "Får jag lyssna på det? Jag vill höra hennes röst."

Faith hade utgått från att hon skulle behöva ett domstolsbeslut för att ta sig in i telefonen. "Vad är koden?"

"Min fick dig-dag", sa han. "92-08-04."

Faith tryckte in siffrorna. Telefonen låstes upp. Fingret kändes obehagligt darrigt när det svävade i luften ovanför meddelande-ikonen. Innan Faith tryckte på den tog hon fram sin egen telefon för att spela in meddelandet. Handen var svettig i handsken när hon till sist tryckte på play.

"Dave!" skrek Mercy nästan hysteriskt. *"Dave, herregud, var är du? Snälla, snälla ring upp mig. Jag kan inte tro ... Åh herregud, jag kan inte ... Snälla, ring mig. Snälla du. Jag behöver dig. Jag vet att du aldrig har ställt upp för mig tidigare, men nu behöver jag dig verkligen. Jag behöver din hjälp, älskling. Snälla, r-ring ..."*

Det hördes ett dämpat ljud, som om Mercy tryckte telefonen mot bröstet. Rösten var hjärtskärande. Faith fick en klump i halsen. Kvinnan lät så otroligt ensam.

"Jag svek henne", viskade Dave. "Hon behövde mig, och jag svek henne."

Faith tittade på tidsindikatorn under meddelandet. Det var sju sekunder kvar. Hon lyssnade på Mercys dämpade rop medan markören kröp framåt.

"Vad gör du här?"

Mercys röst lät annorlunda. Arg och rädd.

"Låt bli!" skrek hon. *"Dave kommer snart hit. Jag berättade vad som hänt. Han är på ..."*

Det var allt. Markören hade nått slutet.

"Vad hände?" frågade Dave. "Sa Mercy vad som hände? Finns det fler röstmeddelanden? Något sms?"

Faith stirrade på telefonen. Det fanns inga fler meddelanden. Inga fler sms. Bara de tidsstämplade notiserna och den sista inspelningen som gjorts av Mercy.

"Snälla du", bad Dave. "Berätta vad det här betyder."

Faith tänkte på vad Delilah hade berättat för Will. Det ekonomiska motivet. Delilahs svinige bror. Hennes otrevliga svägerska. Mercys bror med seriemördarvibbarna. Hans obehaglige vän. Gästerna. Kocken. Bartendern. De två servitörerna. "Det låsta rummet"-mysteriet.

Hon såg på Dave. "Det betyder att det inte var du som dödade henne."

12

Sara stod på kanten av lastbryggan djupt inne i sjukhusets vind-
lingar och såg regnet strila ned. Sökandet efter Jon hade inte gett
något resultat. De hade letat i skolan, på villavagnsparkeringen
där Dave bodde och på ett par ställen som Delilah mindes från sin
tonårstid. De var på väg tillbaka upp på berget för att söka igenom
campingen och de gamla sovbarackerna, när regnmolnen drog
in. Sara kunde bara hoppas att Jon hittat ett varmt, torrt ställe att
söka skydd på innan himlen öppnade sig. Både hon och Delilah
hade varit fast beslutna att inte låta det dåliga vädret sätta stopp
för sökandet, men sedan försämrades sikten och åskan började
mullra. De bestämde sig för att åka tillbaka till staden eftersom
det inte skulle vara till någon nytta för Jon om någon av dem, eller
båda, träffades av blixten.

Enligt väderappen på Saras telefon skulle regnet hålla i sig i
två timmar till. Det var ett obevekligt skyfall som fick bäckar och
hängrännor att svämma över och förvandlade huvudgatan till en
flod. Delilah hade åkt hem för att mata djuren, men det var högst
oklart huruvida hon skulle lyckas ta sig tillbaka till staden.

Sara tittade på klockan. Snart skulle Mercy vara redo. Sjukhusets
röntgentekniker hade sagt att det skulle ta åtminstone en timme
att hinna med de levande patienterna som väntade på att röntgas.
Nadine hade åkt för att laga någons luftkonditionering medan
Bullen vaktade kroppen. Sara hade blivit tacksam när sheriffen
tackade nej till hennes erbjudande om att ta över. Hon behövde
tid för att förbereda sig inför undersökningen. Tanken på att se

Mercy McAlpine liggande på obduktionsbordet fyllde henne med välbekant bävan.

En gång i tiden hade Sara varit dödsfallsutredare i sin lilla hemstad. Bårhuset låg i källaren på det lokala sjukhuset och liknade det som Dillon Countys dödsfallsutredare hade att tillgå. På den tiden hade Sara ofta vetat vilka offren var, även om hon inte kände dem personligen. Det var så småstäder fungerade. Alla kände varandra eller kände någon annan som gjorde det. Dödsfallsutredarens jobb var oerhört ansvarsfullt, men kunde också vara en källa till stor sorg. Som rättsläkare på GBI hade Sara glömt hur det kändes att ha en privat koppling till offret.

För ett par timmar sedan hade hon sytt ihop Mercys skadade tumme i badrummet innanför köket. Kvinnan hade sett sliten och nedtryckt ut. Grälet med sonen hade bekymrat henne. Familjeproblemen också. Det sista hon tänkte på var exmaken, och med tanke på vad Faith upptäckt var det inte konstigt. Sara undrade vad Mercy skulle ha sagt om hon vetat att en av hennes sista handlingar skulle bli att förse den våldsamma exmaken med ett alibi.

"Du hade rätt."

"Ja." Sara vände sig mot Will. Det syntes på honom att han redan klandrade sig själv hårt för misstaget. Hon tänkte inte lägga sten på bördan. "Men det förändrar ingenting. Du var tvungen att hitta Dave. Han var den mest uppenbara förövaren. Han uppfyllde flest kriterier."

"Du tar det mycket bättre än Amanda", sa han. "Tillfartsvägen upp till campingen är förresten bortspolad. Inga bilar kommer dit eller därifrån förrän vattnet sjunker. Vi behöver ett terrängfordon för att ta oss genom leran."

Sara hörde hur irriterad han lät. Will hatade att vara sysslolös. Hon såg käkarna spännas när han bet ihop. Han lyfte den nyomlagda handen till bröstet. Att hålla den ovanför hjärtat skulle minska bultandet, men det skulle fortsätta värka eftersom Will vägrade ta något starkare än paracetamol.

"Hur är det med handen?" frågade hon.

"Bättre", sa han, men hans spända skuldror berättade en annan historia. "Faith gav mig en Snickers."

Sara tog hans arm. Handen kom åt skjutvapnet under skjortan. Han var i tjänst igen och hon visste vad det betydde. "När åker du tillbaka till campingen?"

"Vi väntar på att fältkontoret ska forsla hit några terränghjulingar. Det är enda sättet att ta sig dit."

Sara försökte låta bli att tänka på alla patienter hon behandlat för traumatiska hjärnskador efter terränghjulingsolyckor. "Fungerar telefonerna och internetuppkopplingen på campingen fortfarande?"

"Än så länge", sa han. "Vi har beställt hit satellittelefoner för säkerhets skull. Men det är bra att alla är fast där uppe. Ingen vet att Dave har ett alibi. Den som dödade Mercy tror sig ha kommit undan med det."

"Vilka är kvar uppe på campingen?"

"Åtminstone Frank. Jag vet inte varför, men han har tagit på sig att svara i telefonen i köket. Drew och Keisha tog sig inte därifrån innan stormen började. De är visst inte så glada över det. Apputvecklarna verkar inte vara så intresserade av att åka därifrån. Monica sover visst ruset av sig. Chuck och familjen är fortfarande där, förutom Delilah. Kocken och de två servitörerna anlände vid femtiden i morse, som vanligt. Bartendern börjar inte förrän vid lunch. Det är hon som städar också, så jag vill prata med henne om de obäddade sängarna i de lediga stugorna. Faith åkte för att leta reda på henne medan vi väntar på terränghjulingarna. Hon bor i utkanten av staden."

Sara var inte förvånad över att Faith slunkit iväg. Hon hatade obduktioner. "Följde du inte med henne?"

"Amanda sa åt mig att stanna här och göra bakgrundskontroller."

"Hur känns det?"

"Ganska precis som du tror." Han ryckte på axlarna, men var uppenbart irriterad. Will tyckte inte om att lata sig medan andra människor arbetade. "Vad säger de kriminaltekniska resultaten om Dave?"

"Första testet av fläcken mitt på tröjan tyder på att det inte är människoblod. Av lukten att döma gissar jag att Dave torkade handen på tröjan när han rensade fisk. Klösmärkena på bröstkorgen kan ha uppstått när han angrep Mercy tidigare. Han medgav att han tagit stryptag på henne. Hon kämpade säkert emot. Dave påstår att märket på halsen är självförvållat. Ett sönderkliat myggbett. Det är omöjligt att veta om han ljuger, så vi får tro honom. Har ni någon möjlighet att hålla honom inlåst?"

"Jag skulle kunna få honom åtalad för motstånd vid gripandet och för att han hotade mig med kniv. Han kan anklaga mig för övervåld och säga att jag var ute efter honom på grund av vårt förflutna. Ömsesidig garanterad förstörelse. Han kan gå härifrån när han vill." Will försökte låta obrydd, men Sara hörde att han inte gillade hur situationen utvecklats. "Det är bara ytterligare en pöl full av skit som Dave lyckas spatsera igenom utan att ens smutsa ned skorna."

"Om det är till någon tröst har han väldigt svårt att spatsera någonstans över huvud taget just nu."

Det verkade inte trösta Will. Han stirrade ut i regnet. Sara behövde inte vänta länge innan han berättade vad som egentligen bekymrade honom. "Amanda är inte glad över att vi lyckades bli indragna i det här."

"Det är inte jag heller", medgav Sara. "Vi hade inte mycket till val."

"Vi skulle kunna åka hem."

Sara kände Wills blick på sig och visste att han letade efter tecken på att hon börjat vackla.

"Jon är fortfarande borta", sa hon. "Och du lovade Mercy att du skulle berätta för hennes son att hon förlät honom."

"Ja, men chansen är god att Jon dyker upp så småningom. Och Faith har redan satt tänderna i utredningen."

"Hon har alltid velat lösa ett 'det låsta rummet'-mysterium."

Will nickade men sa inget mer. Han väntade på Saras beslut.

Sara kände i ryggmärgen att det här var ett sådant där ögonblick som definierade ett äktenskap. Hennes man hade lagt en enorm makt i hennes händer, men hon tänkte inte bli den sortens fru som missbrukade den. "Vi tar oss igenom den här dagen. Sedan kan du och jag bestämma tillsammans hur vi gör imorgon."

Han nickade. "Berätta varför du inte trodde att det var Dave."

Sara var inte helt säker på att det fanns en särskild anledning. "Jag såg hur Mercys familj behandlade henne vid middagen och ... Jag vet inte. Så här i efterhand känns det som om allihop var ute efter henne. De var verkligen inte särskilt upprörda över att hon blivit mördad. Och så sa Mercy det där om att vissa av gästerna kanske också ville se henne död."

"Vilka gäster tror du att hon pratade om?"

"Det är konstigt att Landry uppgav falskt namn, men vem vet ifall det beror på några lömska motiv? Du och jag ljög om våra yrken. Ibland ljuger folk bara för att de vill ljuga."

"Du råkade inte uppfatta Chucks efternamn?"

Sara skakade på huvudet. Hon hade undvikit att prata med Chuck så mycket som möjligt.

"Drew sa en sak innan han och Keisha skaffade sig advokater", berättade Will. "Han pratade med Bitty och Cecil och sa något i stil med: 'Glöm det där andra, gör vad ni vill här uppe'."

"Vad menade han?"

"Ingen aning, men han har gjort det väldigt klart att han inte tänker prata med mig."

Sara kunde inte föreställa sig att vare sig Keisha eller Drew skulle mörda någon. Men det var problemet med mördare. De brukade inte gå runt och berätta vilka de var. "Mercy blev inte bara knivhuggen en gång. Hon hade många sticksår. Kroppen är en studie i övervåld. Angriparen måste ha känt henne väldigt väl."

"Drew och Keisha har bott på campingen två gånger tidigare." Will ryckte på axlarna. "Keisha gjorde Mercy irriterad vid middagen när hon bad om ett nytt glas."

"Det är knappast något man mördar för. Å andra sidan finns det många dokumentärer om kvinnor som tappar det", tillade Sara.

"Jag tar det som en varning." Will skämtade, men blev strax allvarlig igen. "Dave var det uppenbara valet. Det måste ha funnits något som fick dig att tänka i andra banor."

"Jag kan inte förklara det på annat sätt än att det var magkänslan. Min erfarenhet har lärt mig att den som är utsatt för misshandel vet när risken är som störst. När Mercy och jag pratade hade hon knappt en tanke på Dave."

"Daves kreditupplysning var inte särskilt överraskande. Han har övertrasserat sitt bankkonto med sextio dollar. Han har två kreditkortsräkningar som gått till inkasso. Bilen är beslagtagen och han drunknar i läkarräkningar."

"Jag är säker på att de flesta här uppe har läkarräkningar."

"Inte Mercy", sa han. "Såvitt jag kan se har hon aldrig haft ett kreditkort, ett billån eller ett bankkonto. Det finns inga uppgifter om att hon deklarerat. Hon har inget körkort. Hon har aldrig röstat. Varken mobiltelefoner eller telefonnummer finns registrerade i hennes namn. Ingen Facebook, Instagram, TikTok eller några andra konton på sociala medier. Hon är inte ens med på campingens hemsida. Jag har sett konstiga bakgrundskontroller förut, men inget som liknar det här. Hon är rena spöket digitalt sett."

"Delilah sa att hon var med om en svår bilolycka. Det var så hon fick ärret."

"Det står inget i brottsregistret. Jag antar att det hjälper att familjen är goda vänner med den lokala sheriffen", sa Will. "Och det leder oss till Mercys föräldrar. Cecil och Imogene McAlpine. De fick en enorm utbetalning från försäkringsbolaget efter Cecils olycka. Båda får federal pension. De har ungefär en miljon i en privat pensionsfond och ytterligare en halv miljon i en penningmarknadsfond. En kvarts miljon i indexfonder. Kreditkorten betalas av varje månad. Inga skulder. Brodern är också i bra form. Christopher betalade av studielånet för två år sedan. Han har en fiskelicens, körkort, två kreditkort och ett bankkonto med över tvåhundratusen dollar."

"Herregud. Han är bara ett par år äldre än Mercy."

"Jag antar att det är lätt att spara pengar när man inte behöver betala för mat och husrum, men det gällde ju Mercy också. Varför har inte hon något?"

"Det låter avsiktligt. De kanske kontrollerade henne med hjälp av ekonomin." Sara ville inte ens tänka på hur hjälplös Mercy måste ha känt sig. "Fanns det pengar i ryggsäcken?"

"Bara kläder och anteckningsblocket", sa Will. "Brandutredaren undersöker ryggsäcken innan den lämnas över till labbet. Anteckningsblockets plastomslag smälte och sidorna är genomblöta av regnvatten. Om de inte är försiktiga kan det bli helt förstört. Vi blir tvungna att vänta, men jag skulle hemskt gärna vilja veta vad Mercy skrivit i det."

Sara var lika ivrig. Det fanns en anledning till att Mercy packat ned anteckningsblocket. "Telefonen, då?"

"Den blev förstörd i branden, men vi spårade den via Daves nummervisare. Hon använde en VOIP-tjänst. Vi väntar på en fullmakt för att granska kontot. Hon betalade förmodligen med ett debetkort. Om vi kan få fram det numret kan vi ta reda på om kortet användes till andra saker."

Sara blev ännu mer angelägen att ta reda på varje detalj om Mercys klaustrofobiska liv. "Fick du veta något mer om Delilah?"

"Hon äger sitt hus, men det verkar som om hennes främsta inkomstkälla är ljusförsäljning på nätet och de pengar hon får från familjens stiftelse. Kreditvärdigheten är hygglig. Bilen är nästan helt avbetald. Hon har ungefär trettiotusen på ett sparkonto, vilket är bra, men hon är inte lika rik som resten av familjen."

"Rikare än Mercy."

"Ja." Will gned sig om hakan och betraktade en bil som långsamt navigerade genom en fem centimeter djup vattenpöl. Kroppen var spänd som en stålfjäder. Om terränghjulingarna inte dök upp snart skulle han förmodligen fotvandra upp på berget själv. "Kockens bakgrund är fläckfri. Servitörerna är tonåringar."

"Hur ser planen ut?" frågade Sara.

"Vi måste hitta det avbrutna knivhandtaget, men det är som att försöka hitta en nål i en höstack. Eller i en skog. Jag vill prata med alla män som var på campingen igår kväll. Mercy blev våldtagen innan hon mördades."

"Vi vet inte säkert att hon blev våldtagen. Byxorna kan ha hasat ned under slagsmålet." Sara hade också ett jobb att sköta. Hon måste låta vetenskapen styra. "Jag ska notera alla tecken på sexuella övergrepp och ta prover, och jag är säker på att den som utför obduktionen också genomför en noggrann vaginal undersökning. Men du vet att tecknen på övergrepp inte alltid finns kvar post mortem."

"Säg inte så där till Amanda. Hon avskyr när du pratar som en läkare."

"Varför tror du att jag gör det?" Sara visste att det skulle få honom att le.

Tyvärr varade leendet inte särskilt länge den här gången heller.

"Var är han?" Will tittade på klockan. "Jag måste tillbaka upp till campingen och börja ställa frågor. De har haft för lång tid på sig att komma överens om vad de ska säga. Faith måste hjälpa mig att bända isär dem. Jag vill också hitta bokningspärmen så att jag kan göra en bakgrundskontroll på gästerna."

"Tror du att McAlpines kommer att kräva en husrannsakningsorder för att lämna ut den?"

Will log slugt. "Jag nämnde för Frank att det vore bra om han snokade runt på kontoret."

"Han lär vilja bli utnämnd till knattepolis innan det här är över", sa Sara. "Stackars Mercy. Hon var praktiskt taget fast där uppe. Ingen bil. Inga pengar. Inget stöd. Alldeles ensam."

"Kocken står definitivt överst på min lista. Det var han som oftast hade kontakt med Mercy."

Sara hade lagt märke till hur kocken följde Mercy med blicken när hon gick genom köket. "Misstänker du att hon inte var så ensam ändå?"

"Kanske", sa Will. "Jag ska prata med servitörerna först och se om de har lagt märke till något. Bartendern har gripits för rattfylleri fyra gånger, men det var på nittiotalet. Varför kör alla rattfulla här uppe?"

"Det är en liten stad. Det finns inte mycket annat att göra än att bli full och ställa till problem."

"Du växte upp i en småstad."

"Ja, det gjorde jag."

Will vände uppmärksamheten mot parkeringen igen. Den här gången såg han lättad ut.

Dieselmotorn på en F-350 mullrade över regnet. På pickupen stod två Kawasaki Mules med terrängdäck och GBI-logga. Det högg till i Saras mage när hon tänkte på att Will skulle tillbaka upp på berget. Någon på campingen hade brutalt mördat Mercy McAlpine. Just nu kände sig personen förmodligen ganska trygg. Will skulle ändra på den saken.

Sara behövde göra något annat än att oroa sig. Hon ställde sig på tå och kysste honom på kinden. "Jag går in. Nadine väntar förmodligen på mig nu."

"Ring mig om något händer."

Hon såg Will hoppa ned från lastkajen och småspringa mot pickupen. I hällregnet. Med den skadade handen hängande rakt ned. Med ett bandage som blev blött igen.

Sara lade på minnet att leta reda på lite antibiotika och gick tillbaka in i huset. Stormen stängdes ute av den kraftiga metalldörren och den plötsliga tystnaden ringde i öronen. Hon gick längs den långa korridoren som ledde till bårhuset. Taklamporna flimrade. Vatten hade läckt in under laminatgolvet. Utrustning från mödravårdsavdelningen som nyligen slagits igen kantade korridorerna.

Sara antog att sjukhuset skulle bli en av de många lantliga sjukvårdsmottagningar som stängde innan året var slut. Det var ont om personal. En ensam läkare och två sköterskor hade hand om hela akutmottagningen. Även om de varit dubbelt så många skulle de ha varit för få. Efter läkarutbildningen hade Sara känt sig mycket stolt över att få hjälpa sin hemort. Numera hade sjukhus på landsbygden svårt att hitta personal och ännu svårare att behålla den. För mycket politik och för lite vett drev alla på flykt.

"Doktor Linton." Amanda väntade på henne utanför bårhusets stängda dörr. Hon hade telefonen i handen och en rynka mellan ögonbrynen. "Vi behöver prata."

Sara stålsatte sig för ytterligare en kamp. "Om du letar efter en allierad som kan hjälpa dig att slita Will från den här utredningen kastar du bort tiden."

"Ett jämnt humör betyder inte att man ska vara otrevlig hela tiden."

Sara lät tystnaden svara.

"Jaha", sa Amanda. "Sammanfatta informationen om offret för mig."

Sara slog över till professionellt läge. "Mercy McAlpine, trettioårig vit kvinna hittad på familjens egendom med multipla sticksår i bröstet, ryggen, armarna och nacken. Byxorna var neddragna, vilket kan tyda på ett sexuellt övergrepp. Mordvapnet var avbrutet i bröstkorgen. Hon hittades vid liv, men gav ingen information som kan hjälpa oss att identifiera mördaren. Hon avled ungefär vid midnatt."

"Hade hon samma kläder som vid middagen?"

Sara hade inte funderat över den saken tidigare. "Ja", svarade hon nu.

"Alla andra, då? Hur var de klädda när du såg dem efter att ni hittat Mercy?"

Sara kände sig trög. Amanda ville ha hennes vittnesmål. "Cecil hade bar överkropp och boxershorts. Bitty hade en mörkröd frotté-badrock. Christopher hade en badrock med fiskar på. Chuck hade något liknande, men med gummiankor. Delilah bar grön pyjamas – byxor och skjorta. Frank hade boxershorts och linne. Monica bar en svart, knälång negligé. Jag såg inte Drew och Keisha eller Sydney och Max. Båda apputvecklarna gick i underkläderna. Paul kom ut ur duschen när Will sökte upp dem."

"Så Paul duschade klockan ett på morgonen?"

"Ja", svarade Sara. "Men jag tror inte att de är typen som går till sängs tidigt."

"Var det inget som verkade misstänkt? Ingen som stack ut?"

"Jag skulle inte kalla familjens reaktion normal, men nej."

"Berätta."

"Uttrycket som kommer för mig är 'kallsinta'. Men jag kan inte säga att jag hade fått ett särskilt gott intryck av dem ens innan de fick veta att Mercy var död." Sara försökte minnas middagen. "Mamman är väldigt liten och lyder sin man i allt. Hon gjorde saken värre när dottern blev förödmjukad. Brodern är konstig på det där sättet som vissa män inte kan låta bli att vara. Pappan spelade uppenbarligen en roll inför gästerna, men jag kan tänka mig att han skulle ha behand-lat mig väldigt annorlunda om han vetat att jag var läkare och inte kemilärare. Han verkar vara sorten som tycker att kvinnor ska hålla sig till traditionella roller från förra århundradet."

"Min far var sådan", sa Amanda. "Han var så stolt över mig när jag blev polis, men så fort jag fick högre rang än honom började han kritisera mig."

Om Sara inte tittat rakt på Amanda skulle hon ha missat den

snabba glimten av sorg i den äldre kvinnans ansikte. "Jag beklagar. Det måste ha varit svårt."

"Tja, han är död nu", sa Amanda. "Jag vill att du dokumenterar och mejlar mig alla dina observationer. Vad har du för planer när det gäller kroppen?"

"Jo ..." Sara var van att Will växlade snabbt mellan samtalsämnena, men Amanda var sju resor värre. "Nadine hjälper till med den yttre undersökningen. Vi kommer att samla in det som finns under naglarna, fibrer eller hårstrån, blod, urin och eventuell sperma. Den fullständiga obduktionen sker på högkvarteret imorgon eftermiddag. Den tidigarelades när jag meddelade att vi inte längre hade någon misstänkt i förvar."

"Hitta bevis som ordnar den saken, doktor Linton." Amanda öppnade dörren.

Det skarpa lysrörsskenet stack i Saras ögon. Bårhuset liknade alla andra småstadsbårhus som byggts efter andra världskriget. Lågt i tak. Gult och brunt kakel på golvet och väggarna. Ljusskåp på väggarna. Justerbara lampor ovanför obduktionsbordet i porslin. En vask i rostfritt stål med lång diskbänk. Dator och tangentbord på en skolbänk av trä. En stol med hjul och en bricka med de redskap som behövdes för undersökningen. Ett kallt rum med totalt tolv bårhusskåp staplade ovanpå varandra i tre rader. Sara kontrollerade att hon hade allt hon behövde för undersökningen. Skyddsutrustning, kamera, provrör, bevispåsar, nagelskrapa, pincett, sax, skalpell, provglas, våldtäktskit.

"Har ni hittat sonen?" frågade Amanda.

Sara skakade på huvudet. "Jon är förmodligen bakfull och sover ruset av sig. Jag ska följa med fastern och leta efter honom igen efter undersökningen."

"Säg åt honom att han måste lämna en utsaga så småningom. Han kanske kan hjälpa oss att slå fast tidslinjen och lista ut vem som senast såg Mercy vid liv", sa Amanda. "Jon var med dig när du hörde det andra och tredje skriket, eller hur?"

"Ja", sa Sara. "Jag såg honom lämna huset med en ryggsäck. Jag tror att han tänkte rymma. Grälet med Mercy vid middagen var väldigt hätskt."

"Försök få ur fastern mer information medan ni letar", sa Amanda. "Delilah vet något."

"Om mordet?"

"Om familjen", sa Amanda. "Du är inte den enda här som har en magkänsla."

Innan Sara kunde pressa henne på mer information började varuhissens kugghjul gnissla olycksbådande. Vatten sipprade ut under hissdörrarna.

"Om du var tvungen att gissa precis nu", sa Amanda, "vem skulle då vara din huvudmisstänkta?"

Sara behövde inte tänka efter. "Någon i familjen. Mercy hindrade dem från att tjäna pengar på försäljningen."

"Du låter som Will", sa Amanda. "Han älskar ekonomiska motiv."

"Det har han god anledning till. Utöver familjen skulle jag säga Chuck. Han är otroligt obehaglig. Det är förresten Mercys bror också."

Amanda nickade innan hon såg ned på sin telefon.

Sara kände sig trögfattad igen. Inte förrän nu slog det henne hur underligt det var att den biträdande direktören deltog i en preliminär yttre undersökning av ett mordoffer. Den fullständiga obduktionen skulle ske på högkvarteret och utföras av någon annan i teamet. Det var inte troligt att Sara skulle hitta några avgörande bevis under sin undersökning. Hon gjorde den bara för att påbörja insamlingen av blod, urin och spår, så att de kunde skickas till labbet. Mercys kropp hade delvis legat under vatten. Sannolikheten att Sara skulle finna någon information nu på morgonen som krävde ett omedelbart ingripande var i stort sett obefintlig.

Så vad gjorde chefen där?

Hissdörrarna gled gnisslande isär innan Sara hann ställa frågan. Mer vatten rann ut. Nadine stod intill en sjukhusbår. Bullen stod på andra sidan. Sara såg på liksäcken. Vit vinyl, värmeförseglade kanter. Ett tjock, förstärkt blixtlås av plast. Mercys kropp såg liten ut, som om kvinnan i och med sin död lyckats med precis det som folk verkade ha försökt få henne att göra hela livet – att försvinna.

Sara lät allt annat blekna bort. Hon tänkte på den sista gången hon sett Mercy vid liv. Kvinnan hade varit generad, men stolt. Hon var van vid att klara allt själv. Mercy hade låtit Sara ta hand om hennes skadade tumme. Nu skulle Sara hjälpa till att ta hand om hennes kropp.

"Sheriff Hartshorne", sa Amanda. "Tack för att du gör oss sällskap."

Det falskt älskvärda tonfallet lyckades inte avväpna honom helt.

"Jag har rätt att vara här."

"Och du är så välkommen att utnyttja den rätten."

Sara ignorerade sheriffens häpna min. Hon grep tag i båren och hjälpte Nadine att rulla in kroppen i bårhuset. De arbetade tillsammans under tystnad, flyttade säcken till porslinsbordet och sköt undan båren. Sedan tog de på sig förkläden, munskydd, skyddsvisir, glasögon och undersökningshandskar. Sara skulle inte göra en hel obduktion, men Mercy hade legat i timmar i det varma och fuktiga klimatet. Kroppen hade förvandlats till en giftig häxbrygd av patogener.

"Vi kanske också skulle ta på oss munskydd", sa Bullen. "Det finns gott om fentanyl här uppe och Mercy har knarkat mycket i sina dagar. Vi kanske dör bara av att andas in ångorna?"

Sara såg på honom. "Fentanyl fungerar inte på det sättet."

Hans ögon smalnade. "Jag har sett vuxna män fällas till marken av det."

"Och jag har sett sjuksköterskor som råkat spilla det på händerna och bara skrattat." Sara såg på Nadine. "Är du redo?"

Nadine nickade och öppnade dragkedjan.

Under Saras första år som dödsfallsutredare hade liksäckarnas design liknat sovsäckar. De var alltid gjorda av svart plast och hade dragkedjor av metall. Nu var säckarna vita. Material och form berodde på användningsområdet. Till skillnad från den gamla modellen kunde de förseglas helt och hållet med dragkedjan. Uppgraderingen var väl värd den extra kostnaden. Den vita färgen gjorde det enklare att se bevisföremålen. Att säcken var vattentät innebar att inga vätskor kunde läcka ut. När det gällde Mercy McAlpines lik var båda dessa kvaliteter lika viktiga. Hon hade blivit knivhuggen flera gånger. Buken var perforerad. Ett par av de ihåliga organen hade skurits upp. Kroppen hade gått in i det stadium av förruttnelse då vätskor började läcka från alla öppningar.

"Jäklar!" Bullen slog händerna för näsan och munnen för att stänga ute stanken. "Herregud."

Sara hjälpte Nadine att dra ned den övre halvan av säcken. Bullen öppnade dörren och ställde sig på tröskeln. Amanda hade inte rört sig, men hon började skriva på telefonen.

Sara stålsatte sig innan hon vände uppmärksamheten mot kroppen.

Mercys kropp hade röntgats påklädd, inuti liksäcken. Det kunde vara farligt att hantera lik. Vapen kunde döljas i kläderna, liksom kanyler och andra vassa föremål. Eller också kunde det, som i Mercys fall, sitta en kniv i bröstkorgen.

Wills skjorta låg fortfarande över hennes överkropp. Tyget var hopknölat runt spetsen på det avbrutna knivbladet, som stack ut ur Mercys kropp som en hajfena. Trådar av torkat blod och vävnad hängde från den tandade eggen. Sara gissade att röntgenbilderna skulle visa att knivbladet satt vinklat in mellan bröstbenet och skulderbladet. Mördaren var troligen högerhänt. Förhoppningsvis skulle de hitta fingeravtryck på det saknade knivhandtaget.

Hon granskade kroppen från topp till tå. Mercys ögon var öppna och mjölkiga. Munnen hängde öppen. Hennes bleka hud var fläckig av blod och smuts. Flera ytliga huggsår hade grävt sig in i halsen. Höger nyckelben lyste vitt där knivbladet skurit upp huden. Vätska sipprade ut i liksäcken från såren längre ned på ryggen och övre delen av låren. Varje centimeter bar hud visade hur brutal hennes död varit.

"Gud bevare henne", viskade Nadine. "Ingen förtjänar det här."

"Nej, det gör de inte." Sara vägrade känna sig hjälplös. "Spelar du in eller transkriberar du?" frågade hon Nadine.

"Jag tycker alltid att det känns konstigt att spela in min röst", sa Nadine. "Jag brukar bara skriva ned saker."

Sara spelade alltid in sig själv, men det här var Nadines hemmaplan. "Skulle du kunna anteckna nu?"

"Inga problem." Nadine hämtade anteckningsblock och penna. Hon väntade inte på några instruktionen från Sara innan hon började skriva. Sara läste de kantiga bokstäverna från andra sidan bordet. Nadine hade skrivit ned datum, tid och plats och lagt till Saras namn tillsammans med Bullens och sitt eget. "Ursäkta, gumman", sa hon till Amanda. "Vad var det du hette nu igen?"

Sara hörde knappt Amandas svar när hon tittade på Mercys skadade kropp. Jeansen var fortfarande neddragna till fotlederna, men de mörklila trosorna hade dragits upp. Linningen var full av lera. Benen var randiga av smuts. På övre delen av vänstra låret fanns en samling runda ärr. Sara visste att det var brännmärken från cigaretter. Will hade liknande märken på bröstkorgen.

Tanken på Will fick henne att svälja hårt. Minnet av hur hon lutat sig mot hans axel på utsiktsbänken dök upp i huvudet. Då hade Sara trott att det värsta som skulle hända under smekmånaden var Wills sorg över sin förlorade mamma.

Mercy var också en förlorad mamma. Hon hade en sextonårig son som förtjänade att få veta vem som tagit henne ifrån honom.

"Då så." Nadine bläddrade fram en ny sida i anteckningsblocket. "Jag är redo."

Sara fortsatte den yttre undersökningen och rabblade upp sina fynd högt.

Mercys kropp hade passerat det stelaste stadiet av rigor mortis, men lemmarna var fortfarande styva. Musklerna i ansiktet hade dragits samman så att hon såg ut att grimasera av smärta. Överkroppen hade inte varit under vatten så länge, men huden på baksidan av halsen och axlarna var lös och missfärgad. Håret var trassligt. Hennes bleka hud hade fått en skär nyans av blodet som flutit ut i vattnet.

En kamera blixtrade till. Nadine hade börjat fotografera. Sara hjälpte henne att hålla upp linjalen. Det fanns partiklar under Mercys naglar. Ett långt rivsår löpte längs baksidan av hennes högra arm. Höger tumme var fortfarande omplåstrad där Sara sytt ihop såret från det trasiga vattenglaset. Mörka blodfläckar tydde på att stygnen gått upp, förmodligen under angreppet. De röda strypmärkena som Sara sett på Mercys hals i badrummet var tydligare, men det hade inte gått tillräckligt lång tid innan hon dog för att de skulle hinna övergå i blå nyanser.

Sara vände på Mercys ena arm och tittade på undersidan. Sedan tittade hon på den andra. Fingrarna och tummarna var krökta, men

Sara kunde se handflatorna. Inga skärsår. Inga ödem. Inte en enda skråma. "Hon verkar inte ha några försvarsskador."

"De syns bara inte", sa Nadine. "Mercy var en kämpe. Hon skulle aldrig ha stått passiv och bara tagit emot."

Sara tänkte inte ta ur henne den villfarelsen. Faktum var att ingen visste hur de skulle reagera på ett angrepp förrän de blev angripna. "Skorna berättar en del av historien. Mercy stod upp under en del av angreppet. Blodet har sprutat från en artär. Stänken kan ha uppstått när kniven drogs ut och höggs in igen. Det finns jord på ovansidan av skorna, vid tårna. Vi såg släpmärken från stugan till sjön. Mercy låg på mage när det hände. Det finns också lera i linningen på underkläderna, på knäna och i vecken på jeansen."

"Det ser ut att vara samma sorts jord som finns på sjöstranden", sa Nadine. "Jag åker tillbaka dit senare och samlar in prover att jämföra med."

Sara nickade och Nadine fortsatte fotografera fynden. Under flera minuter var klickandet från kameran och Amanda som textade det enda som hördes över surret från bårhusskåpens kompressorer.

När Nadine äntligen var klar hjälpte Sara henne att lägga ut vitt papper under bordet. Sedan lyfte hon förstoringsglaset från brickan. Tillsammans gick de igenom varje centimeter av Mercys kläder på jakt efter bevis. Sara hittade hårfiber, smuts och partiklar. Alltihop hamnade i bevispåsar. Nadine var tyst och effektiv. Hon märkte upp alla bevisföremål och noterade dem i bevisloggen tillsammans med information om var de hade hittats.

Nästa steg var mycket svårare än de tidigare. De var tvungna att ta av Mercy kläderna. Nadine lade ut nytt papper på golvet. Sedan lade hon mer papper på den långa bänken bredvid vasken, så att de kunde söka igenom kläderna igen efter att de avlägsnats från kroppen.

Att klä av ett lik var tidsödande och omständligt, särskilt när kroppen fortfarande var stel. Människokroppen hade vanligtvis samma mängd bakterier som celler. De flesta bakterierna fanns i tarmarna, där de bearbetade näringsämnen. På en levande människa höll immunförsvaret bakterietillväxten under kontroll. Efter döden tog bakterierna över, livnärde sig på vävnaden och släppte ut metan och ammoniak. Gaserna fick kroppen att svälla upp, vilket i sin tur ledde till att huden sträcktes ut.

Mercys t-shirt var så uttänjd att de var tvungna att klippa bort den. Behåns metallbyglar måste bändas loss från bröstkorgen och lämnade halvcentimeterdjupa fåror under brösten. Sara följde sömmen på trosorna när hon klippte bort dem. Resåren hade gjort djupa avtryck i huden. Det tunna tyget måste skalas bort och bitar av huden följde med. Sara lade försiktigt varje remsa på papperet som ett pussel.

Det kunde inte få bort jeansen utan att ta av skorna. Nadine knöt upp skosnörena. Sara hjälpte henne att avlägsna Mercys sneakers. Resåren högst upp på bomullsstrumporna var slapp, vilket gjorde det enklare att ta av dem. Ändå lämnade de ett tydligt mönster i huden. Att ta av henne jeansen var en större affär. Tyget var tjockt och stelt av blod och andra vätskor som torkat in. Sara klippte försiktigt upp först ena sidan och sedan den andra för att kunna ta av dem som ett musselskal. Nadine bar jeansen till bänken. Hon svepte in båda halvorna i papper för att undvika korskontaminering.

Alla stod tysta medan Nadine arbetade. Ingen tittade på kroppen. Sara kunde se Amandas bistra min medan chefen tittade ned i telefonen. Bullen stod fortfarande i dörröppningen, men han hade vridit på huvudet som om han hört något ute i korridoren.

Sara kände halsen snöras samman när hon såg på kroppen. Hon kunde räkna till minst tjugo knivhugg. Överkroppen hade tagit emot större delen av våldet, men det fanns också ett sår på vänstra låret och ett på utsidan av högerarmen. Knivbladet hade sjunkit in ända till fästet på vissa ställen, där avtrycken av det saknade handtaget nu syntes i huden.

De senast uppkomna såren var inte Mercys enda skador.

Mercys kropp avslöjade ett livslångt våld. Ärret i ansiktet hade bleknat nu, men det var ingenting jämfört med de övriga skadorna som täckte huden. Djupa röda märken löpte runt buken där hon piskats med något tungt och grovt, förmodligen ett rep. Sara kände igen avtrycket av ett bältesspänne på Mercys höft. Det vänstra låret hade bränts med ett strykjärn. Hon hade flera brännmärken efter cigaretter runt högra bröstvårtan. Ett tunt, rakt ärr löpte över vänstra handleden.

"Känner du till några självmordsförsök?" frågade Sara Nadine.

"Flera stycken." Det var Bullen som svarade. "Hon överdoserade ett par gånger. Ärret du tittar på är från high school-tiden. Hon hamnade i bråk med Dave igen. Skar upp handleden i gymnastikförrådet. Idrottsläraren hittade henne innan hon förblödde."

Sara väntade på att Nadine skulle bekräfta det. Kvinnan hade tårar i ögonen. Hon nickade en gång och lyfte sedan kameran för att dokumentera skadorna.

Sara höll upp linjalen igen. Hon undrade hur lång tid det tog att knivhugga en kvinna så många gånger. Tjugo sekunder? Trettio? Det fanns fler knivhugg på ryggen och benen. Den som mördat Mercy McAlpine hade verkligen velat se henne död.

Det faktum att han inte hade lyckats helt, att Mercy fortfarande levt efter att stugan sattes i brand och Will sprang genom skogen för att hitta henne, vittnade om hur uthållig hon varit.

Nadine lade till sist ned kameran. Hon drog djupt efter andan igen för att stålsätta sig. Hon visste vad det var dags för nu.

Våldtäktsundersökningen.

Nadine öppnade kartongen som innehöll allt som behövdes för att samla in bevis på sexuella övergrepp: sterila behållare, bomullspinnar, sprutor, glasskivor, självförseglande kuvert, nagelskrapor, etiketter, sterilt vatten och koksalt, ett plastspekulum, en kam. Sara såg att hennes händer darrade när hon lade ut föremålen på brickan. Nadine använde baksidan av armen för att torka bort tårarna under skyddsglasögonen. Sara led med kvinnan. Hon hade varit i Nadines sits många gånger tidigare.

"Ska vi ta en paus?" frågade hon.

Nadine skakade på huvudet. "Den här gången tänker jag inte svika henne."

Sara hade också skuldkänslor när det gällde Mercy. Tankarna drogs hela tiden till stunden på toaletten innanför köket. Mercy hade sagt till Sara att nästan alla uppe på berget ville se henne död.

Sara hade försökt pressa henne, men när Mercy visade sig motvillig hade Sara helt enkelt låtit saken bero.

"Då börjar vi", sa Sara till Nadine.

Eftersom likstelheten inte släppt riktigt ännu var de tvungna att tvinga isär Mercys ben. Sara tog det ena och Nadine det andra. De drog tills höftlederna gav efter med ett vidrigt knakande.

Borta i dörren harklade sig Bullen.

Sara höll en vit kartongbit nedanför Mercys blygd. Först drog hon försiktigt kammen genom pubeshåret. Lösa hårstrån, smuts och andra partiklar föll ned på papperet. Sara var glad att se att vissa av hårstråna hade rötter. Rötter betydde DNA.

Hon räckte kartongbiten och kammen till Nadine så att de kunde förseglas i en påse.

I nästa steg använde Sara bomullspinnar i olika längder för att söka efter sperma på insidan av Mercys lår. I analöppningen. På läpparna. Nadine hjälpte henne att tvinga upp munnen. Även den här gången hördes ett högt knakande när käkleden gick sönder. Sara rättade till lampan ovanför dem. Hon såg inte några svullnader inuti munnen. Hon förde bomullspinnen över kindens insida, tungan och halsens baksida.

Kitets engångsspekulum var inplastat. Nadine öppnade förpackningen och räckte instrumentet till Sara, som rättade till lampan igen. Hon blev tvungen att tvinga in verktyget. Nadine räckte henne bomullspinnarna.

"Det ser ut att finnas spår av sperma här", sa Sara.

Bullen harklade sig igen. "Då blev hon våldtagen."

"Sädesvätskan tyder på samlag. Jag ser inga tecken på ödem eller skador."

Sara räckte Nadine den sista bomullspinnen. Medan hon väntade bytte hon till nya handskar. Hon tänkte på alla män som befunnit sig på campingen under gårdagskvällen. Kocken. De två unga servitörerna. Chuck. Frank. Drew. Gordon och Paul. Investeraren Max. Till och med Mercys bror Christopher. Sara hade suttit tillsammans med dem vid middagsbordet. Vem som helst av dem kunde vara mördaren.

Nadine kom tillbaka till bordet. Sara tappade blod från hjärtat med en stor spruta. En kanyl på tjugofem gauge samlade in urin från blåsan. Hon överlämnade sprutorna till Nadine för märkning. Sedan höll hon en liten bit vit kartong under Mercys fingrar och skrapade rent under naglarna med trästickan.

"Det här kan vara hud", sa Sara. "Hon kan ha klöst angriparen."

"Bravo, Mercy." Nadine lät lättad. "Jag hoppas att du drog blod."

Det hoppades Sara också. I så fall skulle de ha större chans att hitta DNA.

Hon skulle just be Nadine hjälpa henne att vända på kroppen när en telefon surrade till.

"Det är min", sa Nadine. "Röntgenbilderna är förmodligen uppladdade."

Sara tyckte att allihop behövde en paus. "Vi tittar på dem direkt."

Nadine blev synbart lättad. Hon drog ned munskyddet och tog av sig handskarna när hon gick mot skrivbordet. Sara väntade tills kvinnan loggat in innan hon ställde sig bakom henne. Efter ett par klick dök Mercys röntgenbilder upp på skärmen. Det var bara miniatyrer, men även där syntes tydliga spår av våld.

De gamla frakturerna förvånade inte Sara, men antalet var väldigt stort. Mercys högra lårben hade brutits på två olika ställen, men inte vid samma tillfälle. Några av benen i vänsterhanden såg ut att medvetet ha knäckts i två delar. Det satt skruvar och plattor på flera ställen i kroppen. Skallen och nackbenet hade frakturer. Likaså näsan och bäckenet. Till och med tungbenet visade tecken på en gammal skada.

Nadine noterade det sista och förstorade bilden. "Ett knäckt tungben är ett tecken på strypning. Jag vet inte om man kan leva med det."

"Det kan vara en livshotande skada", sa Sara. Benet fäste vid struphuvudet och användes för många luftvägsfunktioner, från att forma ljud till hostningar och andning. "Det här ser ut som en isolerad fraktur på ett av de stora utskotten. Hon kan ha blivit intuberad eller ordinerad sängläge, beroende på hur hon mådde."

"När Faith förhörde Dave sa han att Mercy kört till akuten efter att ha blivit strypt", berättade Amanda. "Hon hade svårt att andas och lades in på sjukhuset."

"Det var jag som tog emot anmälan", ropade Bullen från dörren.

"Det var tio år sedan. Mercy sa ingenting om att hon blivit strypt. Hon sa att hon snubblat över en stock och slagit sig på halsen."

Amanda såg vasst på honom. "Varför kallades du i så fall dit för att ta emot en anmälan?"

Bullen svarade inte.

Sara såg på röntgenbilderna igen. "Kan du visa mig den här frakturen?"

Nadine klickade på bilden av lårbenet.

"Jag vill gärna att en forensisk röntgentekniker säger sin mening, men det här ser ut att vara flera årtionden gammalt." Sara pekade på den tunna linjen som klöv nedre halvan av benet. "En fraktur i vuxen ålder här brukar ha vassa kanter, men om den är äldre, till exempel från barndomen, byggs benet upp igen och kanterna rundas av."

"Är det ovanligt?" frågade Amanda.

"Femurfrakturer hos barn är ofta skaftfrakturer. Lårbenet är kroppens starkaste ben, så det krävs stor kraft för att bryta det." Sara pekade på bilden. "Mercy fick en distal metafysär fraktur. Det har diskuterats mycket huruvida den sortens frakturer tyder på misshandel, men den senaste forskningen är inte entydig."

"Vad betyder det?" undrade Bullen.

"Cecil bröt hennes ben när hon var mycket ung", sa Nadine.

"Stopp där. Hon sa aldrig vem som gjorde det", påpekade Bullen. "Pladdra inte om saker som du inte kan bevisa."

Nadine suckade djupt och klickade upp två miniatyrbilder till. "Metallplattan i armen är från bilolyckan som jag berättade om. Och den här ... Ser du hur de fick rekonstruera bäckenet? Det var tur att hon redan hade Jon."

Sara stirrade på röntgenbilden av Mercys mellangärde. Bäckenet lyste vitt mot den svarta bakgrunden tillsammans med kotorna som fortsatte upp mot bröstkorgen. Organen var som skuggor. Hon såg vaga konturer av tarmarna. Levern. Mjälten. Magsäcken. En spöklik, halvdecimeterlång skugga där benbildning påbörjats.

Hon blev tvungen att harkla sig innan hon fick fram orden.

"Nadine, kan du hjälpa mig att avsluta våldtäktsundersökningen innan vi vänder på henne?"

Nadine såg förvirrad ut, men tog ett nytt par handskar innan hon gjorde Sara sällskap vid bordet. "Vad behöver du hjälp med?"

Det enda Sara behövde var hennes lugnande tystnad. Det fanns en ultraljudsmaskin ute i korridoren, men Sara tänkte inte be om den medan Bullen var kvar i rummet. Ute på stigen hade Nadine hållit en kort föreläsning om klistret som höll ihop en småstad, men hon hade glömt en väldigt viktig sak: inget kunde hållas hemligt på sådana här ställen.

Sara skulle bli tvungen att göra en gynekologisk undersökning för att bekräfta det hon sett på röntgenbilden.

Mercy var gravid.

13

"Fan, fan, fan." Faith försökte låta bli att dunka huvudet mot Minins ratt. Stormen hade äntligen dragit förbi, men grusvägen hade förvandlats till en lerig mardröm. Stenar studsade hela tiden upp på bilens sidor. Det var svårt att hålla rak kurs. Hon tittade upp mot himlen. Solen var brutal, som om den ville suga tillbaka så mycket vatten som möjligt upp i molnen.

Hon hade skjutit sig själv i foten genom att erbjuda sig att förhöra Penny Danvers, campingens städerska och bartender. Men Faith avskydde obduktioner. Hon var med på dem eftersom det ingick i jobbet, men varje liten del av undersökningen äcklade henne. Hon hade aldrig kunnat vänja sig vid att vara i närheten av döda kroppar. Det var anledningen till att hon nu körde längs småvägarna i en skithåla i norra Georgia i stället för att ta emot hyllningar för sitt utmärkta polisarbete vid förhöret av Dave McAlpine.

Hon bannade tyst sig själv. Det hade varit bättre att få ett erkännande eller en stor ledtråd som ledde dem till mördaren, så att Jon fick ett avslut. Det här var ingen lek. Mercy var en mamma. Samma sorts mamma som Faith var, faktiskt. De hade nästan varit barn själva när de fick sina söner. Faith hade tack och lov haft en familj som stöttade henne. Utan deras styrka skulle hon lätt ha kunnat sluta som Mercy McAlpine. Eller kanske blivit fast med en våldsam man som Dave. Värdelösa män var som mensblödningar. När man väl råkat ut för en levde man i ständig fasa för när det skulle hända igen.

Faith sneglade på det uppslagna anteckningsblocket på passagerarsätet. Innan hon lämnade sjukhuset hade hon och Will försökt infoga Mercys telefonsamtal till Dave i Wills tidslinje över vad han hört och varifrån. De hade lyckats rita upp en ganska god bild över de sista nittio minuterna av Mercys liv.

22.30: Gick sin runda (sågs av Paul)

22.47, 23.10, 23.12, 23.14, 23.19, 23.22: Obesvarade samtal till Dave

23.28: Röstmeddelande till Dave

23.30: Första skriket från huvudanläggningen (ylande)

23.40: Andra skriket från ungkarlsstugorna (Hjälp)

23.40 Tredje skriket från ungkarlsstugorna (Snälla)

23.50 Kroppen hittas

Midnatt: Mercy dödförklaras (Sara)

Faith var fortfarande inte nöjd. Hon måste ta sig upp till anläggningen och hitta den där kartan. Först måste hon ta reda på exakt vilka områden som hade wifi, så att hon kunde lista ut var Mercy befunnit sig när hon ringde Dave. Utifrån den informationen kunde hon räkna ut vilken väg Mercy hade tagit till ungkarlsstugorna. Wills uppskattning av tiden kunde skilja sig fem minuter åt endera hållet. Det lät inte som särskilt lång tid, men i en mordutredning räknades varje minut.

Mercy hade åtminstone gjort dem en tjänst genom att ringa så många samtal. Röstmeddelandet hade redan skickats till labbet för ljudanalys, men det skulle ta minst en vecka innan den var klar. Faith tog upp sin telefon ur mugghållaren. Hon tryckte fram inspelningen hon gjort av Mercys sista meddelande till Dave. Kvinnans röst lät desperat när den ekade inuti bilen.

"Dave! Dave, herregud, var är du? Snälla, snälla ring upp mig. Jag kan inte tro ... Åh herregud, jag kan inte ... Snälla, ring mig. Snälla du. Jag behöver dig. Jag vet att du aldrig har ställt upp för mig tidigare, men nu behöver jag dig verkligen. Jag behöver din hjälp, älskling. Snälla, r-ring ..."

Faith hade inte lagt märke till det förut, men Mercy hade börjat snyfta när hon slutade prata. Hon räknade tyst ned de sju sekunderna som gick medan kvinnan grät.

"Vad gör du här? Låt bli! Dave kommer snart hit. Jag berättade vad som hänt. Han är på ..."

Faith sneglade på tidslinjen. Trettiotvå minuter senare hade Mercy dödförklarats.

"Vad råkade du ut för Mercy?" frågade Faith rakt ut i den tomma bilen. "Vad var det du inte kunde tro på?"

Kvinnan hade sett eller hört något som skrämde henne tillräckligt för att trycka ned kläder och anteckningsblock i en ryggsäck och fly. Hon hade inte tagit med sig Jon, vilket betydde att det som hänt bara försatte Mercy själv i fara. Det var tillräckligt hotfullt för att hon skulle behöva Daves stöd, trots att han aldrig ställt upp för henne. Tillräckligt hotfullt för att hon inte skulle kunna söka hjälp hos sin egen familj.

Faith var säker på att det hemska som hade börjat under den tretton minuter långa pausen mellan det första samtalet till Dave och de fem hetsiga, obesvarade samtalen som började tio över elva. Mercy måste ha varit inne i huset vid något tillfälle för att packa ryggsäcken. Faith visst inte vad hon själv skulle ha tagit med sig om hon måste lämna sitt hem för alltid, men bland de saker som stod högst upp på listan fanns brevet som hennes far skrivit till henne när han var döende av cancer i bukspottskörteln. Mercy skulle aldrig ha tagit med sig anteckningsblocket om det inte betytt oerhört mycket för henne.

Och det fanns inte en chans att labbet skulle bli klara med analysen på mindre än en vecka.

Dave kommer snart hit. Jag berättade vad som hänt.

Faith tänkte på alla gånger hon sagt till en man att en annan man var på väg. Vanligtvis hände det när hon försökte ha en trevlig utekväll för sig själv. Det var alltid någon som skulle komma fram och flirta. Det enda sättet att bli av med dem var att meddela att någon annan man redan pinkat in sitt revir på brandposten som de sniffade efter.

Vilket ledde Faith tillbaka till hela 'det låsta rummet'-mysteriet. En av genrens grundprinciper var att den som verkade oskyldig faktiskt var den skyldige. Dave var ett så uppenbart val att han praktiskt taget hade en blinkande neonpil riktad mot sig. Offer för partnervåld var alltid i störst fara när de försökte lämna förövaren. Strypgreppet var ett klassiskt exempel på eskalerat våld. Men att vara en frånstötande skithög innebar inte automatiskt att man var en mördare. Och Faith kunde inte släppa röstmeddelandet. Det var inte till Dave Mercy sa att Dave var på väg. Bara en handfull andra män kunde ha fått henne att nämna honom.

Chuck. Frank. Drew. Investeraren Max. Kocken Alejandro. Gregg och Ezra, servitörerna från staden. Gordon och Paul, för man visste aldrig säkert. Christopher, eftersom Mercy praktiskt taget hade vuxit upp i en Virginia Andrews-roman i norra Georgias bergsland-skap.

Faith suckade tungt. Hon behövde mer information. Förhopp-ningsvis skulle Penny Danvers, campingens bartender och städer-ska, vara lika insiktsfull och pratsam som Delilah varit på Wills inspelning. Hotellstäderskor såg de fulaste delarna av folks karak-tär och Gud visste att Faith själv levererat en del sanningar till intet ont anande bartenders i sina dagar. Vilket förmodligen inte var något hon borde tänka på just nu. I stället fokuserade Faith på den ändlösa grusvägen. Hon kastade en blick i backspegeln och sedan på vägen igen. Hon tittade ut genom sidorutorna. Allt såg precis likadant ut.

"Fan också."

Hon var totalt vilse.

Hon saktade in bilen och letade efter några tecken på civilisa-tion. Det enda hon hade sett den senaste kvarten var fält och kor och enstaka lågt flygande fåglar. GPS:en hade sagt åt henne att ta vänster när vägen delade sig, men nu började hon tro att den hade ljugit. Hon tittade på telefonen. Ingen mottagning. Faith vände bilen och körde tillbaka åt samma håll som hon kommit ifrån.

På något vis såg fälten och korna och de enstaka fåglarna annorlunda ut på vägen tillbaka. Hon öppnade båda fönstren och lyssnade efter bilar eller en traktor eller något annat tecken på att hon inte var den sista levande kvinnan på jorden. Allt hon hörde var en dum fågel som kraxade. Hon vred på radion i tron att få höra antingen utomjordingar eller en lantbruksrapport, men belönades i stället med Dolly Partons version av "Purple Rain".

"Tack och lov", viskade Faith. Det fanns åtminstone något gott kvar i världen. Vinden blåste in i bilen och torkade en del av svetten på hennes rygg. Hon hörde telefonen plinga till. Faith tittade ned på skärmen. Mottagningen var tillbaka och hon hade fått två meddelanden.

Faith låste upp skärmen och intalade sig själv att det var okej att skriva och köra samtidigt, eftersom den enda hon kunde ta livet av var sig själv. Vilket hon nästan gjorde när hon såg meddelandet från sonen.

Han var på Quantico. Han älskade det.

I hemlighet hade Faith hoppats att Jeremy skulle hata stället. Hon ville inte att hennes son skulle bli polis. Hon ville inte att han skulle bli FBI-agent. Hon vill inte att han skulle bli GBI-agent. Hon ville att han skulle använda sin tjusiga examen från Georgia Tech och jobba på kontor och ha kostym och tjäna mycket pengar, så att hans mamma skulle få plats på ett trevligt vårdhem när hon kraschade ned i diket eftersom hon textade medan hon körde.

Det andra meddelandet var bara en aning bättre. Faiths mamma hade skickat ett foto av Emma, som var ansiktsmålad som clownen Pennywise från *Det*. Vid tillfälle måste Faith ta reda på om det var en avsiktlig hyllning. Hon skickade en rad hjärtan innan hon släppte telefonen i mugghållaren.

"Fan!" skrek hon. En fågel hade nästan flugit rakt in i vindrutan. Faith vred på ratten och studsade längs vägkanten. Hon vred för mycket. Bilen fick vattenplaning. Allt saktade ned. Hon visste vad som hände när man halkade på is, men var det likadant med lera? Vred man ratten i motsatt riktning eller skulle det skicka bilen rakt ned i diket?

Svaret kom snabbt. Minin förvandlades till konståkerskan Kristi Yamaguchi, snurrade ett helt varv, reste sig på två hjul, gled tvärs över vägen och landade i diket.

Bilen skakade häftigt till innan den stannade i den lilla sänkan. Faith var för andlös för att svära, men lovade sig själv att göra det så fort skinkorna slutade knipa ihop så hårt. Den här dagen kunde inte bli mycket värre.

Sedan klev hon ur bilen och såg att bakdäcket var begravt i fem centimeter djup lera.

"Men för …"

Faith bet sig i knogen. Hon klarade det här. Hon hade varit patrullerande polis och ägnat många skift åt att hjälpa idioter att få upp bilar ur diket. Hon hittade nödutrustningen i bakluckan. Där fanns filtar, mat, vatten, en nödradio, en ficklampa och en hopfällbar spade.

"Purple Rain" hade nått crescendot. Faith gissade att Dolly Parton skulle uppskatta tanken på en irriterad tvåbarnsmamma som tog sig loss ur leran själv mitt ute i ingenstans till ljudet av Prince-covern. Hon grävde så att händerna värkte. Hon genomled en hel Nickelback-låt medan hon skottade sig fram till vägen. För säkerhets skull tog hon några nävar grus och packade dem under hjulet. När hon var färdig var hon täckt av lera. Hon torkade händerna på byxorna innan hon satte sig i bilen.

Hon trampade på gasen och hoppades att däcket skulle få grepp. Bilen makade sig framåt, men gungade sedan tillbaka. Hon försökte igen och gungade långsamt fram och tillbaka tills däcket fick fäste i gruset.

"Vilken jävla drottning du är", sa hon till sig själv.

"Det kan man säga!"

"Jäklar!" Faith hoppade så högt att hon slog huvudet i biltaket. En kvinna stod på andra sidan av diket. Ansiktet var tärt, slitet av skarp sol och hårda umbäranden. En bluetick-hund satt intill henne. Hon hade lagt en hagelbössa över axlarna och liknade en livsfarlig fågelskrämma med armarna i sidorna.

"Jag trodde inte att du skulle klara det", sa kvinnan. "Jag har aldrig träffat en storstadsbo som ens kan ta sig ur en blöt papperspåse."

Faith köpte sig lite tid genom att stänga av radion. Hon undrade hur länge hon haft åskådare. Tillräckligt länge för att kvinnan skulle ha hunnit se Fulton Countys märke på bilen och förstå att hon kom från Atlanta.

Hon vände sig till kvinnan. "Jag kommer från ..."

"GBI", avbröt hon. "Du hör väl ihop med den där långa killen? Will, eller hur? Han som är gift med Sara."

Faith misstänkte att kvinnan var en häxa. "Jag uppfattade inte ditt namn."

"För att jag inte sa det." Hon satte hakan i vädret. "Vem letar du efter?"

"Dig", gissade Faith. "Penny Danvers."

Hon nickade kort. "Du är smartare än du ser ut."

Faith drog tungspetsen längs baksidan av tänderna. "Vill du ha skjuts tillbaka hem?"

"Hunden också?"

Faith trodde inte att bilen kunde bli smutsigare. Hon sträckte sig över till andra sidan och sköt upp dörren. "Jag hoppas att han tycker om flingor. Min dotter gillar att kasta dem i huvudet på mig."

Hunden väntade tills Penny klickade med tungan innan han hoppade över framsätena med sina leriga tassar och började dammsuga bilgolvet, vilket var det enda bra som hänt den här dagen. Penny satte sig i framsätet. Dörren slog igen. Hon placerade hagelbössan mellan benen så att mynningen pekade mot taket. Det var också en bra sak. Hon kunde ha riktat den mot Faith.

"Jag bor några kilometer upp till vänster. Det blir lite guppigt, så håll i dig", sa kvinnan som höll i ett laddat hagelgevär och hade struntat i säkerhetsbältet. "Du ser ladan innan du ser huset."

Faith lade i växeln. Fönstren var fortfarande öppna. Hon höll sig under femtio kilometer i timmen så att dammet från grusvägen inte skulle kväva dem i bilen. Och för att hunden luktade som en hund.

"Jaha", sa Faith. "Är du ute och jagar eller ..."

"En prärievarg tog en av mina hönor." Penny nickade mot radion. "Har du hört hennes cover av 'Stairway to Heaven'?"

Dolly Parton. Den eviga isbrytaren. Och en rejäl fingervisning om att Penny stått intill diket mycket längre än Faith trott. Hon försökte dölja obehaget genom att säga: "Från *Halos and Horns* eller *Rockstar?*"

Penny skrockade. "Vad tror du?"

Faith kunde inte ens gissa och Penny verkade inte intresserad av att berätta svaret. Hon hade tagit en bit bacon ur fickan och räckte den till hunden. När hon såg Faiths blick erbjöd hon henne en bit också.

"Tack, jag klarar mig", sa Faith.

"Skyll dig själv." Penny stoppade en bit i munnen och betraktade tyst vägen medan hon tuggade.

Faith försökte komma på några fakta om Dolly Parton, men mindes att det var bättre att sitta tyst ibland. Hon körde förbi de tomma fälten. Korna. Enstaka, lågt flygande, mordiska fåglar.

Precis som utlovat blev vägen guppig. Faith fick hålla hårt i ratten för att inte köra i diket igen. Atlantas gator hade potthål, men det här var snarare stora sprickor. Hon blev tacksam när hon till sist såg ladan dyka upp på avstånd. Den var enorm, röd och förmodligen ny eftersom hon inte sett den på Google Maps. En amerikansk flagga var målad på sidan som vette mot vägen. Två betande hästar lyfte sina huvuden när Minin körde förbi.

"Vi är patrioter här", sa Penny. "Min pappa stred i Vietnam."

Faiths bror tillhörde flygvapnet, men hon sa bara: "Jag är tacksam för hans tjänstgöring."

"Vi gillar inte att ni Atlantabor lägger er i våra affärer", fortsatte Penny. "Vi gör saker på vårt eget vis. Om ni inte lägger er i våra liv så lägger inte vi oss i era."

Faith visste att kvinnan testade henne. Hon visste också att Georgia skulle vara rena Mississippi utan skattepengarna som Atlanta drog in. Alla tyckte att landsbygdslivet var mysigt tills de behövde internet och sjukvård.

"Där uppe är det." Penny pekade på den enda uppfarten inom fem mils avstånd, som om den var lätt att missa. "Till vänster."

Faith sänkte farten och svängde in på den långa uppfarten. När hon såg namnet på brevlådan förstod hon plötsligt Pennys starka lokalpatriotism. "D. Hartshorne? Är det sheriffen?"

"Förr i tiden", sa hon. "Det är min pappa. Han bor i villavagnen på baksidan. Vi flyttade honom dit efter slaganfallet eftersom han inte kan gå i trappor längre. Bullen är min bror."

Faith gick försiktigt fram. "Står ni varandra nära?"

"Berättade han att Dave inte mördade Mercy, menar du?"

Det var svar nog.

"Ifall du undrar ringde Bullen till campingen och försökte berätta det för dem, men samtalet gick inte fram. Telefonerna och nätet har gett upp till sist." Hon såg menande på Faith. "Han hjälper lands-vägspolisen att rensa bort en vält hönstransport borta i Ellijay. Han bad mig berätta nyheten för dem när jag kommer till jobbet."

"Tänker du göra det?"

"Vet inte."

Faith kunde inte kontrollera vad Penny gjorde, men hon kunde försöka få ur kvinnan så mycket information som möjligt. "Bullen sa till min partner att du såg Mercy och Dave slåss i high school."

"Det var aldrig någon särskilt rättvis kamp." Penny bet ihop så hårt att läpparna knappt rörde sig när hon pratade. "Mercy tålde en del stryk, så mycket kan jag säga."

"Tills hon inte tålde mer."

Penny grep hårt om hagelgeväret, men inte för att hon ville använda det. Hon drog in hakan mot bröstet medan de rullade närmare huset. För första gången sedan hon kungjort sin närvaro vid vägkanten verkade hon sårbar.

Faith önskade att Will varit där. Han kunde stå ut med tystnader längre än någon annan hon kände. Själv fick hon bita sig i under-läppen för att inte börja ställa frågor. De hade nästan nått fram till huset när hennes ansträngningar äntligen började löna sig.

"Mercy var en bra människa", sa Penny. "Det glöms ofta bort, men det är sant."

Faith parkerade intill en rostig Chevrolet-pickup. Huset var lika slitet som Penny: färgen flagade från det blekta träet, verandan var murken och det svankande taket saknade en del tegelpannor. Intill huset stod ytterligare en häst. Den var fastknuten vid en stolpe. Mulen var nedsänkt i ett vattentråg, men blicken följde bilen. Faith undertryckte en rysning. Hon var livrädd för hästar.

"Du måste förstå en sak", sa Penny. "Här uppe får flickor lära sig tidigt att de förtjänar precis vad de får."

Faith tyckte att det gällde överallt.

"Det var ett stort ståhej när Mercy blev gravid i high school. En massa telefonsamtal och möten. Pastorn hade ett och annat att säga. Missförstå mig inte, hon var ingen toppstudent. Men hon hade rätt att gå kvar i skolan och de vägrade låta henne göra det. De sa att hon var ett dåligt exempel. Och det kanske stämde, men det betyder inte att de gjorde rätt."

Faith bet sig i underläppen. Ingen hade hindrat henne från att börja nian efter att hon fick Jeremy, men alla i skolan hade tydligt gjort klart för henne att de inte ville ha henne där. Hon hade varit tvungen att äta sin lunch i biblioteket.

"Mercy har alltid varit vild. Men det var fel av fastern att stjäla hennes barn. Hon är lesbisk. Har du hört det?"

"Ja, jag hörde."

"Delilah är en hemsk kvinna. Det har inget att göra med hennes läggning. Hon är helt enkelt hemsk." Penny kramade hårt om hagelbössan igen. "Hon tvingade Mercy att göra alla möjliga saker för att få besöka sitt eget barn. Det var fel. Ingen stod på Mercys sida. Alla trodde att hon skulle misslyckas, men hon höll sig borta från spriten och heroinet så att hon kunde få tillbaka Jon. Det krävdes rejäl styrka för det. Man måste beundra henne för att hon lyckades bekämpa demonerna. Särskilt som hon inte fick någon hjälp alls."

"Och Dave?"

"Äh", muttrade Penny. "Han jobbade på jeansfabriken. Det var ett bra jobb innan allt flyttade till Mexiko. Han hade gott om pengar, bjöd folk på drinkar i baren och levde livet."

"Och vad gjorde Mercy?"

"Sålde avsugningar i gathörnet så att hon kunde betala för en advokat som kunde hjälpa henne att få vårdnaden om Jon." Penny granskade Faith uppmärksamt och väntade på en reaktion.

Faith rörde inte en min. Det fanns inget hon inte skulle göra för sina barn.

"Det enda jobb Mercy kunde hitta var städjobbet på motellet, och det fick hon bara för att ägaren ville jävlas med Papa. Ingen annan ville anställa henne. De skydde henne som pesten här nere, det såg Papa till."

"Cecil, menar du?"

"Ja, hennes egen far. Han har inte gjort något annat än att straffa henne hela livet. Jag såg det själv. Jag har städat rummen på campingen sedan jag var sexton. Och jag kan berätta en sak." Penny hytte med fingret mot Faith, som om det här var viktigt. "Mercy tog över stället efter Papas olycka. Innan hon blev chef kunde de knappt betala ut lönerna. Sedan tog hon över och de kunde anställa en flott kock från Atlanta och en till servitör från staden. Och plötsligt sa Mercy att jag kunde jobba heltid eftersom de behövde en bartender till cocktailstunden innan middagen. Vad säger du om det, va?"

"Säg det, du."

"Papa förstod aldrig att folk vill dricka när de är på semester. Han serverade folk ett enda glas av det där billiga mullbärsvinet och om gästerna ville ha mer var de tvungna att betala fem dollar kontant på en gång." Hon frustade till. "Mercy tog in dyr sprit, började göra reklam för cocktails och lät folk sätta upp drinkarna på notan. På en del företagsevent betalar de kontant eftersom de inte vill att cheferna ska upptäcka att de praktiskt taget är alkoholister. Räkna efter själv. När stället är fullbelagt har de tjugo vuxna gäster som beställer tillräckligt mycket sprit varje kväll för att det ska behövas en bartender."

Faith var utmärkt på matte. Alkohol kostade dubbelt så mycket på restauranger som i spritbutiken, men restaurangerna köpte in den till grossistpris. Två drinkar per kväll gånger tjugo personer gav någonstans mellan fyra- och sexhundra dollar i vinst varje dag, och då hade hon inte ens räknat in vinet eller flaskorna som folk köpte med sig tillbaka till stugorna.

"Mercy höjde rumspriserna med tjugo procent utan att någon ens blinkade. Hon renoverade badrummen så att man inte fick fotsvamp av att ta en dusch. Hon fick dit välbärgade gäster från Atlanta. Papa stod inte ut med det." Penny kastade en blick mot huset. "Vilken far som helst skulle ha varit stolt, men Papa hatade henne för det."

Faith undrade om Penny ville peka ut en ny misstänkt. "Visst blev Cecil illa skadad i cykelolyckan?"

"Ja, han kan inte ta sig runt själv längre. Men han slutar ändå inte spy galla." Pennys ilska hade sjunkit undan. Hon lät hagelbössan vila mot instrumentbrädan. "Jag ska vara ärlig mot dig, främst för att du förmodligen redan har tittat på mitt brottsregister. Mitt körkort blev permanent indraget."

Faith visste vad hon försökte säga. Penny hade så många rattfyllor att domaren bestämt att hon aldrig skulle få tillbaka körkortet.

"Jag vet vad du tänker. Det är typiskt att en gammal alkoholist som jag är bartender. Men jag har varit nykter i tolv år, så du kan kliva ned från dina höga hästar."

"Det var inte det jag tänkte", sa Faith. "Din pappa var fortfarande sheriff för tolv år sedan. Han hade stor makt. Det måste ha varit svårt för honom att inte dra i några trådar för att hjälpa dig."

"Det skulle man kunna tro, eller hur? Men han älskade det. Han såg till att jag inte tog mig någonstans utan hans tillåtelse. Jag fick tigga och be honom om att köra mig till jobbet, till affären och till doktorn. Men jag borde tacka honom. Jag blev tvungen att lära mig rida."

Faith läste mellan raderna igen. "Du kunde bara få jobb på campingen."

"Det stämmer", sa Penny. "Min pappa placerade mig där uppe så att han kunde kontrollera mig."

"Är han god vän med Cecil?"

"De där två jävlarna är av samma skrot och korn." Hon lät bitter. "Det enda han och Cecil någonsin brytt sig om är att få bestämma. Alla tycker att de är så bra. Samhällets stöttepelare. Men när de får makt över någon ..."

Faith väntade på att hon skulle avsluta meningen.

"Om de ser en levnadsglad kvinna – kanske någon som gillar att ta en drink eller ha lite roligt – krossar de henne. Min pappa knäckte min mamma så grundligt att hon hamnade i en för tidig grav. Han försökte knäcka mig också. Kanske lyckades han. Jag är fortfarande här. Bor i det här rucklet. Lagar hans mat. Torkar hans beniga röv."

Faith såg Penny titta mot huset med plågad blick. Hunden rörde sig i baksätet. Han vilade huvudet på konsolen mellan framsätena.

Penny sträckte ut handen för att klappa honom medan hon

fortsatte. "Vill du veta varför de gamla männen i den här staden är så arga? Det beror på att de kontrollerade allt en gång i tiden. Vem som fick sära på benen. Vem som inte fick göra det. Vem som fick jobb. Vem som inte kunde försörja sig. Vem som fick bo i den fina delen av staden och vem som blev fast i slummen. Vem som fick slå sin fru. Vem som hamnade i fängelse efter en rattfylla och vem som kunde bli borgmästare."

"Och nu?"

Hon skrattade till. "Nu har de inget annat än vuxenblöjor och matlagningsprogram på TV."

Faith såg på Pennys slitna ansikte. När man väl skalade bort den karska attityden var kvinnan så tillintetgjord att det var deprimerande att se.

"Nej, för fan", muttrade Penny. "Oavsett vad jag gjorde skulle det ändå ha slutat så här för min del. Och det var likadant för Mercy. Hennes pappa skrev det första kapitlet av hennes liv innan hon fick en chans att forma sin egen berättelse."

Faith lät henne pladdra på. I vanliga fall hade hon inget emot en dos *alla män är skithögar*, men hon måste hitta ett sätt att styra in samtalet på utredningen igen. Nu när Dave var ute ur bilden återstod bara en handfull misstänkta uppe på campingen som kunde ha våldtagit och mördat Mercy.

Hon väntade tills Penny lugnat sig innan hon frågade: "Dejtade Mercy någon?"

"Hon lämnade knappt berget. Jag minns inte när hon åkte ned hit senast. Hon kunde inte köra själv och ville inte visa sig här, särskilt inte efter allt hon blev tvungen att göra för att få tillbaka Jon. Kärringen som driver ljusbutiken spottade henne i ansiktet en gång och kallade henne hora. Folk här i trakten har bra minne."

"Så hon hade ingen pojkvän i staden?"

"Aldrig i livet. Det skulle ha stått på alla löpsedlar. Man kan inte hålla något hemligt här. Alla lägger sig i allt."

"Personalen på campingen, då? Dejtade Mercy någon av dem?"

"Man äter inte där man skiter. Alejandro är stel som en pinne och de andra två har knappt ett pubeshår att dela på." Penny ryckte på axlarna. "Det är möjligt att hon hade roligt med någon gäst ibland."

Faith kunde inte dölja sin förvåning.

Penny skrattade. "Många av de där paren tror att de kan rädda sitt äktenskap genom att isolera sig på ett lyxigt hotell. Sedan får man en blick eller en kommentar av männen och man fattar att de gärna vill ha lite roligt."

Faith tänkte på Frank och Drew. Frank kändes som den mest troliga kandidaten för en snabbis uppe på berget. "Vart går de då?"

"Någonstans där de får vara ifred i fem minuter." Hon frustade till igen. "Tio minuter, om man har tur. Sedan kryper männen tillbaka ned i sängen med sina fruar."

Faith gissade att hon talade utifrån egen erfarenhet. "Har Mercy och Chuck haft ihop det?"

"Aldrig i livet. Den stackars knäppisen har varit kär i henne ända sedan Fisken tog med honom hem över jullovet när han gick på college." Penny förklarade: "De kallar Christopher för Fisken för att han är så besatt av fisk. Han och Chuck pluggade på UGA tillsammans. De var lika som bär. Båda är stora nördar som inte har någon tur med kvinnor."

"Jag hörde att Mercy skrek åt Chuck under cocktailstunden igår kväll."

"Hon var bara skärrad. Mercy berättade inte vad som pågick, men det märktes att familjens idiotier hade gjort henne mer upprörd än vanligt. Chuck befann sig på fel plats vid fel tillfälle. Det är förresten hans specialitet. Han smyger sig alltid på folk, särskilt kvinnor." Penny gick rakt på den mest uppenbara frågan. "Om Chuck velat våldta Mercy skulle han ha gjort det för länge sedan. Och hon skulle ha skurit halsen av honom. Det lovar jag."

Faith hade jobbat med många våldtäktsutredningar. Ingen visste säkert hur de skulle reagera. Hon ansåg att vad offret än gjorde för att överleva var det precis det som borde ha gjorts.

"Jag kan berätta vem Mercy var orolig över", sa Penny. "Den där Monica var redan full när hon kom till cocktailstunden. Hon gav mig tjugo dollar i dricks när hon köpte sin första drink. Sa åt mig att inte sluta hälla upp åt henne, men jag måste erkänna att jag spädde ut dem. Mercy sa åt mig att späda ut dem ännu mer."

"Vad drack hon?"

"Old Fashioned med Uncle Nearest-whiskey. Tjugo dollar glaset."

"Jäklar." Faith rättade sin uträkning av spritintäkterna. Campingen kunde dra in uppåt tusen dollar på en kväll. "Var det någon annan som drack?"

"De drack helt normala mängder. Men hennes man rörde inte spriten alls."

"Frank", sa Faith. "Pratade han med Mercy?"

"Inte vad jag såg. Med tanke på hur det slutade skulle jag ha berättat för Bullen om jag sett en man försöka sig på något under kvällen."

Det enda som fanns kvar att prata om var Virginia Andrews-vibbarna. Faith försökte närma sig ämnet försiktigt. "Brukade Fisken få ihop det med gästerna?"

Penny skrattade till. "Det enda han kan få på kroken är öring."

Faith mindes något från Wills inspelning. "Den där hemska historien med Christopher och Gabbie, då?"

"Gabbie? Oj, det var länge sedan. Jag drack fortfarande när hon dog. Mercy också, den stackaren."

Faith kände håren i nacken resa sig. På Delilah hade det låtit som om det bara gällt ett av Christophers misslyckade förhållanden. "Minns du Gabbies efternamn?"

"Herregud, det var åratal sedan." Penny blåste tankfullt ut luft mellan läpparna. "Jag minns inte, men hon är ett bra exempel på det där jag nämnde förut. Gabbie kom från Atlanta för att sommarjobba på campingen. Jättesnygg, full av livsglädje. Alla män där uppe föll som furor."

"Christopher också?"

"Särskilt Christopher." Penny skakade på huvudet. "Han var helt förstörd när hon dog. Jag vet inte om han någonsin har kommit över det. Han var sängliggande i flera veckor. Kunde varken äta eller sova."

Faith ville helst bombardera kvinnan med frågor, men hon höll sig lugn.

"Problemet var att Gabbie såg honom", sa Penny. "Fisken har varit osynlig i nästan hela sitt liv. Särskilt när det gäller kvinnor. Och så valsade Gabbie in och log mot honom och låtsades vara intresserad av vattenförvaltning eller vad han nu babblade om för dumheter vid middagsbordet. Det är inte hans fel att han inte kan läsa av folk. Gabbie försökte bara vara snäll. Du vet säkert att vissa män misstar vänlighet för intresse."

Faith visste precis vad hon menade.

"Det var Gabbie och Mercy som var vänner. De var nästan precis lika gamla. De blev bästisar direkt, satt i stort sett ihop från dagen de träffades. Jag måste medge att jag var avundsjuk. Jag har aldrig haft en sådan vän. De hade alla möjliga planer kring vad de skulle göra efter sommaren. Gabbies pappa ägde en restaurang i Buckhead. Mercy skulle flytta till Atlanta och bli servitris. De skulle skaffa en lägenhet ihop och tjäna stora pengar och leva livet."

Faith hörde avundsjukan i Pennys röst.

"De brukade smita ut från campingen nästan varje kväll. På den tiden hölls det rejvfester i det gamla stenbrottet. Det är världens dummaste ställe att dricka sig full på. Vägen därifrån är slingrigare än en orms mutta. Stup på båda sidorna, bara räcken i kurvorna. Den sista biten kallas för Djävulskröken, eftersom den går ned för en kulle och svänger tvärt åt sidan, som på en berg-och-dalbana. Jag festade med dem ibland, men något sa mig att vi skulle mista livet allihop om vi fortsatte. Det var då jag drog ned på drickandet, särskilt efter det som hände."

"Vad var det som hände?"

Penny suckade djupt. "Mercy körde över klippkanten vid Djävulskröken. De föll rakt ned i ravinen. Hon slungades ut genom framrutan, fick halva ansiktet bortskuret och bröt hälften av benen i kroppen. Gabbie blev mosad. Min pappa sa att hon hade fötterna på instrumentbrädan när det hände. Dödsfallsutredaren menade att benen måste ha pulvriserat skallen. De fick identifiera henne med hjälp av tandkort. Det såg ut som om någon krossat hennes ansikte med en slägga."

Faith kände hur magen ville vända sig. Hon hade jobbat med liknande olyckor.

"Säga vad man vill om Cecil, men han såg till att Mercy slapp fängelse. Egentligen borde hon åtminstone ha åtalats för vållande till annans död. Blodproven visade att hon var hög när det hände. Hon var fortfarande helt borta när Bullen åkte med henne i ambulansen till sjukhuset. Ambulanssjukvårdarna var tvungna att spänna fast henne. Bullen berättade att hon skrattade som en hyena, trots att halva ansiktet hängde löst."

"Skrattade?"

"Ja, skrattade. Hon trodde att Bullen försökte skämta med henne. Att hon var kvar uppe på campingen. Att hon tagit en överdos och att de bara stod parkerade utanför. Ambulanssjukvårdarna hörde också hur hon skrattade, så ryktet spred sig rätt fort. Det finns inte en människa här som inte skulle ha fällt henne i en rättegång. Men det blev ingen rättegång. Mercy gick i stort sett helt fri. Det är ytterligare en anledning till att folk här hatar henne. De anser att hon mördade någon och kom undan ostraffat."

Faith förstod inte hur det gått till. "Gjorde hon en överenskommelse med åklagaren?"

"Du lyssnar inte. Det fanns inget att komma överens om. Mercy blev inte åtalad för något. Hon fick inte ens böter. Hon lämnade ifrån sig körkortet frivilligt. Såvitt jag vet körde hon aldrig bil igen, men det var hennes eget val." Penny nickade, som om hon var lika chockad som Faith. "Du pratade om maktmissbruk. Min pappa använde sin makt för att se till att Mercy aldrig skulle kunna göra sig fri från Cecil."

Faith var nästan mållös. "Så hon kom bara undan med det? Utan konsekvenser?"

"Ansiktet var väl en konsekvens. Hon berättade att hon blev påmind om vilken hemsk människa hon var varje gång hon såg sig i spegeln. Det hemsökte henne. Hon förlät aldrig sig själv. Och det kanske var helt rätt."

Faith kunde inte begripa hur något av det gått till. Det måste ha dragits i ett stort antal trådar för att Mercy inte skulle åtalas för mord. Och inte bara från polisens sida. Countyt hade en åklagare. En domare. En borgmästare. Politiker.

Hon gissade att Pennys ord om de arga männen som kontrollerat staden en gång i tiden stämde. Mercy hade sluppit sitt straff eftersom de enats om att hon inte skulle straffas.

"Det enda positiva var väl att Mercy försökte bli nykter efter den händelsen", sa Penny. "Det krävdes ett par försök, men när hon väl kunde tänka klart igen var Jon det enda hon fokuserade på. Hon sa att hon skulle ha dränkt sig i sjön om det inte vore för honom." Faith hade ingen aning om hur Mercy klarat att inte göra det. Skuldkänslorna över vännens död måste ha varit förödande.

"Om jag ska vara ärlig tror jag att det hade varit bättre för Mercy att sitta i fängelse ett tag. Det Cecil och Bitty utsatte henne för var värre än något som kunde hända innanför fängelsemurarna. Det är illa nog att bli sliten i stycken av främlingar varje dag, men när det är ens föräldrar som gör det ..."

Faith blev förvånad över hur sorgsen tanken på Mercy McAlpines liv gjorde henne. Hon mindes hela tiden vad Penny sagt – *Hennes pappa skrev det första kapitlet av hennes liv innan hon fick en chans att forma sin egen berättelse.* Det var inte helt sant. Cecil kanske hade börjat historien, men Dave hade fortsatt med samma våldsamma narrativ och en tredje man hade avslutat sagan. Faith trodde inte på ödet, men det lät faktiskt som om Mercy aldrig haft någon chans.

Telefonen ringde. GBI SAT stod det på skärmen.

"Jag måste svara", sa Faith till Penny.

Penny nickade, men klev inte ur bilen.

Faith öppnade dörren. Skosulan sjönk ned i leran. Hon tryckte på svarsknappen. "Mitchell."

"Faith." Wills röst i satellittelefonen hördes knappt. "Kan du prata?"

"Vänta." Faith tog några kippande steg bort från bilen. Penny följde henne ogenerat med blicken. Hästen lyfte på huvudet när Faith gick förbi. Han spanade efter henne som en seriemördare. Hon gick ytterligare ett par meter innan hon öppnade munnen igen. "Kör."

"Mercy var gravid."

Nyheten gjorde Faith ännu mer sorgsen. Hon tänkte på Mercy. Den stackars kvinnan hade verkligen otur. Sedan tog polishjärnan över. Det här förändrade allt. En graviditet var den farligaste tiden i en kvinnas liv. Mord var den främsta dödsorsaken bland gravida kvinnor i USA.

"Faith?"

Faith hörde bildörren slå igen. Penny hade klivit ut. Hunden satt vid hennes fötter. "Hur långt gången var hon?" frågade Faith lågt.

"Tolv veckor, enligt Saras uppskattning."

Faith hörde telefonlinjen spraka i tystnaden. Hon vände sig mot bilen igen. "Visste Mercy om det?"

"Det är oklart. Hon sa i alla fall inget till Sara om saken."

"Penny berättade att Mercy hade sex med gästerna ibland."

Will var tyst en stund. "Vägen är helt bortspolad. Vi lämnade en terränghjuling åt dig vid sjukhuset. Hitta Sara och ta med henne. Hon kanske kan få ur Drew och Keisha något."

"Tror du att Drew ..."

"De har varit där två gånger tidigare", påminde Will henne. "Drew sa något konstigt till Bitty i morse. Sara kan berätta mer för dig."

"Jag åker tillbaka till sjukhuset nu."

Faith avslutade samtalet. Hästen frustade åt hennes håll, trots att hon höll sig på avstånd när hon passerade den. Penny hade slängt upp hagelgeväret över axlarna igen. Hon såg ned mot marken.

Faith följde hennes blick. Minins bakdäck var platt. "Fan också."

"Har du ett reservdäck?" frågade Penny.

"Hemma i garaget. Min son plockade ut det när han fraktade instrument åt sitt band." Faith hoppades att FBI skulle fatta att hennes son var en idiot. Hon nickade mot pickupen. "Kan jag få skjuts tillbaka till sjukhuset? Min partner behöver mig uppe på campingen."

"Jag får inte köra och pickupen är trasig. Men Rascal är laddad och klar."

"Rascal?"

Penny nickade mot hästen.

14

Will spanade ut i skogen medan han gick längs Öglan mot huvud-
byggnaden. Den skadade handen bultade, trots att han höll den mot
bröstet som om han svor trohetseden. Bandaget var vått igen. Han
hade spolat av sig och bytt till rena byxor medan Kevin Rayman,
agenten som lånats ut från Norra Georgias fältkontor, samlade in
bevis i Mercys sovrum.

Inte för att det fanns så mycket att samla in. Mercy var lika fat-
tig på ägodelar som på pengar. Den lilla garderoben var full av
praktiska kläder. Inget upphängt, bara hopvikta tröjor, jeans och
friluftskläder. Hon hade två par utslitna sneakers och ett par dyra
men gamla vandringskängor. Det var något välbekant över det
hela. Allt Will ägt som barn hade donerats av någon annan. Mercys
kläder var blekta och slitna och i vitt skilda storlekar. Han kunde
slå vad om att hon köpt dem begagnade.

Faktiskt verkade ingenting nytt. På väggarna satt blekta affi-
scher av O-Town, New Kids on the Block och Jonas Brothers. Ett
par av Jons teckningar var fasttejpade intill dörren. Fotografier
dokumenterade alla hans sexton år på jorden. Skolfoton och några
spontana utomhusbilder. En bild där Jon öppnade en julklapp med
en gosedjursgiraff. En bild av Jon och Dave utanför en villavagn. En
bild av Jon som somnat i soffan med telefonen mot hakan.

Mercys rum verkade ha husets enda bokhylla. Hon hade en snö-
glob från Gatlin i Tennessee och minst femtio vältummade kärleks-
romaner. Allt var dammat och prydligt, vilket på något vis gjorde
hennes magra utbud av tillhörigheter ännu mer gripande. Inga

hemliga papper var gömda under madrassen. I sängbordets låda
låg föremål som man kunde vänta sig att en kvinna skulle förvara
där. Rummet hade inget eget badrum. Mercy delade badrummet
längst ned i hallen med resten av familjen. Hon hade inte tagit
med sig sin Ipad när hon gav sig av. Skärmen var låst. De skulle bli
tvungna att skicka den till labbet för att knäcka koden.

Enligt Sara hade Mercy ingen spiral. De hade ingen aning om
huruvida Mercy varit medveten om graviditeten. Om hon tagit
p-piller hade hon dem förmodligen i ryggsäcken. Kondomer ver-
kade inte vara något som en kvinna skulle ta med sig om hon gav
sig av i all hast. De stora frågorna återstod. Vad hade fått henne att
ge sig av? Vart tänkte hon ta vägen? Varför hade hon ringt Dave?

Will stannade på stigen och tog fram sin Iphone ur fickan. Han
använde den oskadade handens fingrar för att trycka på skärmen
och öppnade inspelningen av Mercys röstmeddelande till Dave.
En särskild bit av det vägrade lämna hans tankar.

Jag kan inte tro ... Åh herregud, jag kan inte ... Snälla, ring mig.
Snälla du. Jag behöver dig.

Mercys röst lät så där desperat hoppfull när hon sa *Jag behöver*
dig, som om hon bad en bön att Dave inte skulle svika henne just
den här gången.

Will stoppade undan telefonen och fortsatte längs stigen. I tan-
karna upprepade han meddelandet om och om igen. Han förstod
inte hur Dave blivit så här. Ingen av dem hade haft mycket till val
när det gällde deras hemska barndom, men båda hade bestämt
sig för vilken sorts män de skulle bli. Will förstod att Dave hade
sina egna demoner att kämpa mot. Alkoholen och drogerna var
på sätt och vis förståeliga. Men Dave hade valt att slå sin fru, att
strypa henne, att terrorisera henne och att hela tiden svika henne.

Det var helt och hållet hans eget fel.

Will grämde sig över att han fokuserat på fel man. Han måste
släppa ilskan mot Dave. Mercys värdelösa exman hade skjutits
undan till utkanten av utredningen. Att identifiera mördaren och
att hitta Jon var det enda Will borde tänka på nu.

Solskenet värmde ansiktet när han nådde gården vid huvud-
byggnaden. Will rättade till den tunga satellittelefonen som satt

fasthakad baktill i bältet. Han bar ett hölster vid sidan. Amanda hade lånat honom sitt extravapen: en kortpipig Smith & Wesson med fem skott som var äldre än Will själv. Han kände sig som en revolverman på väg in i staden i en spaghettivästern. En gardin fladdrade till i Drews och Keishas stuga. Cecil blängde på honom från rullstolen på verandan. De två katterna glodde från varsitt trappsteg. Paul låg i soffgungan utanför stugan. Han hade en bok liggande på bröstet och en flaska alkohol på bordet. Mungiporna drogs upp i ett självbelåtet flin när han såg Will. Han sträckte sig efter flaskan och tog en klunk.

Will tänkte låta honom vänta lite till. Paul fanns med på listan över dem han behövde prata med, men hans namn stod inte högst upp. Förhören delades vanligen upp i två kategorier: konfrontationer och informationsinsamling. Servitörerna Gregg och Ezra var tonåringar. De satt förmodligen inne med en hel del information. Will var inte säker på vilken kategori Alejandro tillhörde. Mercy hade varit gravid i tredje månaden. Gästerna kom och gick på campingen. Will var mest intresserad av de män som alltid fanns i närheten av Mercy.

Det betydde inte att de övriga männen som befann sig där nu skulle slippa undan. Familjen McAlpine hade ställt in alla aktiviteter för gästerna, men Chuck och Christopher hade gett sig ut för att fiska så snart stormen bedarrat. Drew hade stängt in sig i stuga tre tillsammans med Keisha. Gordon verkade nöjd med att supa bort tiden tillsammans med Paul. Frank lekte Columbo som lekte bröderna Hardy.

Will väntade på att Amanda skulle ordna fram husrannsakningsordern så att han kunde söka igenom hela stället efter blodiga kläder och det saknade knivhandtaget. I en låst låda i terränghjulingen fanns en termoskrivare som förhoppningsvis skulle fungera ihop med satellittelefonen så att Will kunde skriva ut dokumenten och överlämna dem. Familjen McAlpine hade låtit Will och Kevin söka igenom Mercys rum, men han hade en känsla av att de inte var lika villiga att ge dem tillgång till resten av stället, särskilt med tanke på att de försökte behålla sina betalande gäster.

Bitty hade sagt rakt ut till Will att hon och hennes man var för bedrövade av sorg för att kunna svara på några frågor. Det lät rimligt, men kvinnan verkade inte vara full av något annat än ilska. Sara hade redan letat igenom köket, alltså var huset inte prioriterat. Så småningom kanske de skulle bli tvungna att dragga i sjön. Det beslutet fick fattas av någon med högre befogenheter än Will. Just nu gjorde han bäst i att prata med folk och försöka lista ut vem som hade motiv att mörda Mercy.

Will tittade på träden och funderade över åt vilket håll han skulle gå. Igår kväll hade de tagit sig till middagen genom att följa nedre delen av Öglan. Sara hade lett dem till matsalen längs en annan stig, men Will hade tittat mer på henne än på vägen.

Ur ögonvrån såg han hur dörren till Franks stuga öppnades på glänt. En hand stacks ut och vinkade åt Will att komma dit. Han såg Frank gömma sig i skuggorna. Om situationen varit annorlunda skulle han ha skrattat. Will stod mitt ute i öppen dager. Alla kunde se honom gå mot stuga sju. Han bestämde sig för att han lika gärna kunde klara av förhöret med Frank på en gång. Monica hade varit helt däckad igår kväll. Frank kunde enkelt ha smitit iväg för ett litet kärleksmöte. Lika enkelt skulle det ha varit att duscha av sig Mercys blod och att slinka tillbaka ned i sängen utan att hans fru märkte det.

Frank fortsatte med hemlighetsmakerierna medan Will gick upp för trappan. Dörren gled upp. Väl där inne behövde Will en liten stund för att vänja ögonen vid dunklet. Gardinerna hade dragits för fönstren och altandörrarna på baksidan. Luften var sjukligt sur.

"Jag har namnen du bad om." Frank räckte Will ett hopvikt papper. "Jag hittade bokningspärmen på kontoret innanför köket."

Will vek upp papperet. Tack och lov hade Frank textat med tydliga bokstäver, vilket gjorde det enklare för honom att läsa. Han stoppade papperet i bröstfickan så länge. Just nu var det Franks tur att grillas. "Tack för hjälpen. Hur kom du förbi personalen?"

"Jag fick ett rik-vit-man-utbrott och krävde att få använda telefonen. Ingen sa att den inte fungerade." Han lät exalterad. "Kan jag hjälpa till med något mer, chefen?"

"Ja." Will skulle bli tvungen att sticka hål på hans bubbla. "Hörde du något igår kväll?"

"Ingenting. Det är underligt, för jag har väldigt god hörsel. Jag sov ju inte så mycket. Jag fick hjälpa Monica hela natten. Om någon skrikit i närheten skulle jag ha hört det."

Wills följdfråga avbröts av hulkanden innanför den stängda sovrumsdörren. Frank stelnade till och de stod tysta och lyssnade. Hulkandet slutade. Toaletten spolade. Det blev tyst igen.

"Hon mår snart bättre." Franks röst hade den inövade rytmen hos en man som var van vid att täcka upp för sin alkoholiserade hustru. "Sätt dig."

Will var tacksam att Frank gjorde det så enkelt för honom. Möblerna gick i samma stil som Wills och Saras stuga, men var mer slitna. Det fanns en fläck på mattan där en bit papper sög upp mörk vätska. Stanken kom därifrån. Will satte sig så långt ifrån den som möjligt.

"Vilken dag." Frank gned sig i ansiktet och sjönk ned i soffan. Han såg generad och utmattad ut. Ansiktet var orakat och håret rufsigt. Det var tydligt att han haft en hård natt redan innan Will väckt alla andra. "Hur är det med handen?"

Den bultade i takt med Wills hjärtslag. "Bättre, tack."

"Jag kan inte sluta tänka på Mercy vid middagen igår. Jag önskar att jag hade hjälpt henne, men jag vet inte vad jag kunde ha gjort."

"Det fanns inte mycket någon kunde göra."

"Jo, kanske?" sa Frank. "Jag kunde ha gjort som du. Hjälpt till att städa bort glasskärvorna. I stället började jag prata om maten. Jag önskar att jag låtit bli, för jag tror att det fick alla att tycka att vi bara kunde ignorera det."

Rösten lät inte alls inövad nu, men Will gissade att mannens behov av att släta över saker var ett ständigt återkommande dilemma.

"Jag vill göra något nu", sa Frank. "Mercy är död och ingen verkar bry sig om det. Du skulle ha sett dem vid frukosten. Gordon och Paul drog mörka skämt. Drew och Keisha sa knappt ett ord. Christopher och Chuck kunde lika gärna ha suttit i en plastlåda. Jag försökte prata med Bitty och Cecil, men ... Får du dåliga vibbar av dem?"

Will tänkte inte berätta vad han tyckte och tänkte. Frank stod långt ned på listan över misstänkta, men han var inte helt avskriven. "Sa du att ni varit här uppe tidigare?"

"Nej, det var Drew och Keisha. De är här för tredje gången, tro det eller ej. Jag tvivlar på att de kommer tillbaka fler gånger."

"Du och Monica reser mycket. Vart åkte ni senast?"

"Åh, det måste ha varit till Italien. Vi åkte till Florens för tre månader sedan. Vi var där i två veckor. De hade mycket vin där. Det kanske var ett misstag från min sida, men man måste ju leva lite."

"Ja." Will lade på minnet att bekräfta datumen, men Italienresan innebar åtminstone att Frank inte var far till Mercys barn – även om han fortfarande kunde vara mördaren. "Vad fick du för intryck av Mercy?"

Frank lutade sig mot ryggstödet med en tung suck. En kort stund verkade han försjunken i tankar. "Båda mina föräldrar var alkoholister. Jag vet inte vad det beror på, men jag märker när någon har det svårt. Det är som ett sjätte sinne."

Will förstod. Han hade vuxit upp omgiven av missbrukare. Hans första fru älskade opioder. Han var alltid ytterst uppmärksam på om folk uppvisade den sortens beteende.

"Det var i alla fall vad spindelsinnet sa mig. Att Mercy hade det svårt."

Monica hostade inne i sovrummet. Frank vred på huvudet och lyssnade igen. Will tyckte synd om honom. Det var en oerhört stressig livssituation. Will blev själv fortfarande oförklarligt nervös om Sara så mycket som smuttade på ett glas vin.

"Det var kanske därför jag höll mig på avstånd", sa Frank. "Från Mercy, menar jag. Jag ville inte dras in i hennes drama. Jag har tillräckligt av den varan. Monica var inte så här när vår son levde, ska du veta. Hon var rolig och lättsam och stod ut med mig, vilket säger en hel del. Jag vet att jag är jobbig. Nicholas var solen i våra liv. Sedan tog leukemin honom ifrån oss och ... Terapeuten säger att alla sörjer på sitt eget vis. Jag trodde verkligen att vi skulle kunna få en nystart här uppe. Tro det eller ej, men Monica drack väldigt sällan innan Nicholas dog. Ibland tog hon en margarita, men hon visste hur det låg till med mina föräldrar och därför ..."

Will visste att det barmhärtigaste han kunde göra var att låta mannen prata på. Frank var uppenbarligen mycket ensam i sitt medberoende. Men det här var en mordutredning, inte terapi. Han hade låtit Frank hjälpa till, men det innebar inte att mannen gick helt fri från misstankar.

"Förlåt." Franks spindelsinne märkte av Wills otålighet också. "Jag vet att jag pratar för mycket ibland. Tack för att du lyssnade. Säg till om jag kan ..."

Monica hostade igen. Will såg hur orolig Frank blev. Mannen måste ha sett bakfyllor tidigare, men något sa Will att den här gången var annorlunda.

"Vad är det, Frank?"

Frank sneglade mot sovrumsdörren och sänkte rösten. "Tro det eller ej, men gårdagskvällen var inte så illa. Hon drack mycket, men inte mer än vanligt."

"Och?"

"Det är väl inte direkt akut, men ..." Frank ryckte på axlarna. "Hon slutar inte kräkas. Jag har gett henne all Coca Cola som stod i kylen. Jag hämtade rostat bröd från köket. Hon får inte behålla någonting."

Will önskade att de haft det här samtalet tjugo minuter tidigare. Sara hade redan lämnat sjukhuset i den andra terränghjulingen. "Min fru är läkare. Jag ber henne titta till Monica så snart hon kommer hit."

"Det vore snällt." Frank var för lättad för att ifrågasätta hur Sara gått från kemilärare till läkare. "Som jag sa tror jag inte att det är något akut."

Franks bagatelliserande av problemet bekymrade Will. Han lade handen på Franks axel. "Vi ska se till att hon får hjälp, Frank. Det lovar jag."

"Tack." Frank log besvärat. "Jag vet att det är fånigt, men du kanske förstår. Jag tror att du förstår. När jag såg dig och Sara tillsammans påminde det mig om ... Hon är värd att kämpa för. Jag älskar min fru så mycket."

Will såg hur Franks ögon fylldes av tårar. Han slapp hitta på något vänligt att säga eftersom Monica hostade igen. Fötterna dunkade mot golvet när hon sprang till badrummet.

"Ursäkta mig." Frank försvann in i sovrummet.

Will gick inte. Han såg sig omkring. Soffan och fåtöljerna. Soffbordet. Frank hade städat. Inget såg konstigt ut. Will sökte snabbt igenom rummet, tittade under kuddarna och gick igenom bokhyllan och det lilla pentryt. Frank verkade hygglig, men han var också en ensam make som drabbats av en stor sorg och försökte rädda sitt äktenskap – förmodligen precis den sortens gäst som Mercy brukade ha sex med.

Frank hade lämnat sovrumsdörren på glänt. Will knuffade upp den med skospetsen. Rummet var tomt. Frank var i badrummet med Monica. Will klev in. Kläderna låg fortfarande hopvikta i resväskorna. Han hittade en hög böcker, mest deckare. De vanliga digitala apparaterna. Sängen var obäddad. Lakanet var genomblött av svett. På golvet intill sängen stod en papperskorg.

Inga blodiga kläder. Inget avbrutet knivhandtag.

Will backade ut ur rummet. Han tittade på klockan. Inget skulle kännas bra förrän Sara stod framför honom igen. Hon skulle åtminstone kunna ge honom den där blicken som betydde att han var en idiot som inte tog något smärtstillande för handen.

Det var en helt förståelig blick, men den förändrade ingenting.

Cecil blängde fortfarande när Will kom ut ur stugan. Will såg en skylt med en tallrik och bestick intill en pil. Det måste vara Proviantstigen. Will kände igen den slingrande stigen från gårdagskvällen. Två parallella fåror i gruset visade var Cecils rullstol kört.

Will såg till att komma runt den första kröken innan han tittade på namnlistan som Frank gett honom. Han kunde tyda några av dem utan svårighet, men det var för att han redan kände till dem. Efternamnen var en annan historia. Han satte sig på en stubbe, lade papperet i knäet och tog på sig hörlurarna. Med hjälp av telefonens kamera skannade han namnen och laddade upp dem i talsyntesappen.

Frank och Monica Johnson

Drew Conklin och Keisha Murray

Gordon Wylie och Landry Peterson

Sydney Flynn och Max Brouwer

Will kopplade upp satellittelefonen och skickade listan till Amanda, så att hon kunde kontrollera allas bakgrund och brottsregister. Det tog en hel minut att ladda upp den. Han väntade tills hon skickade tillbaka en bock som betydde att informationen var mottagen. Sedan väntade han för att se om hon skulle skriva något mer. Han blev halvt om halvt lättad när de tre prickarna på skärmen försvann.

Amanda var väldigt arg på honom just nu. Mer än vanligt, vilket sa ganska mycket. Hon hade försökt ta utredningen från Will. Will hade sagt åt henne att han skulle fortsätta jobba med den i alla fall. Det hade blivit en stor grej. Nu kunde han bara invänta det nära förestående ögonblicket då hon skulle köra ned sina sylvassa klor i hans hals och slita tarmarna ur honom.

I väntan på det hade han en kock och två servitörer att förhöra. Will vek ihop listan och stoppade den i bröstfickan igen. Han lade tillbaka telefonen och hörlurarna i byxfickan och hakade fast satellittelefonen i bältet. Sedan tryckte han sin skadade hand mot bröstet och fortsatte gå.

Stigen kröktes gradvis åt ena hållet innan den svängde tillbaka mot matsalen. Det var en vettig lösning eftersom Cecils rullstol inte klarade av branta backar, men Will måste be Faith justera tidslinjen. Mercy skulle inte ha brytt sig om att följa krökarna, särskilt inte om hon sprang för livet.

Will väntade tills han stod på utsiktsterrassen innan han tittade tillbaka upp längs stigen. Han tyckte sig se taket på huvudbyggnaden. Han gick till terrassens kant och såg ut över sjön. Trädtopparna dolde stranden, men ungkarlsstugorna fanns någonstans där nere. Han lutade sig över räcket och tittade rakt ned. Sluttningen var brant, men han föreställde sig att någon som vuxit upp där skulle veta hur man tog sig ned snabbt. Will hade en känsla av att det skulle bli han som gled ned för bergssidan medan Faith höll i stoppuret.

Han gick runt till andra sidan av huset, mot köket, och tittade in genom fönstren på väg dit. Kocken körde en stor köksassistent. De två servitörerna bar ut stora plastpåsar med skräp genom bakdörren.

Will skulle just gå in, när satellittelefonen vibrerade i bältet. Han gick några steg bort från huset innan han svarade. "Trent."

"Håller du fortfarande på med det här?" frågade Amanda. Han hörde den tydliga varningen i hennes irriterade röst. "Ja, ma'am."

"Då så", sa hon. "Jag har försökt nå den lokala domaren via telefon. Tydligen slog stormen ut huvudtransformatorn för statens nordvästra del. Men jag ska ordna fram husrannsakningsordern. Dykarteamet letar just nu efter en kropp i Lake Rayburn. De får bli sista utvägen. Som du vet är det dyrt att söka igenom en sjö, särskilt en som är så här djup. Du måste hitta knivhandtaget snabbt och på land."

"Jag förstår."

"Jag hittade Gordon Wylies vigselbevis. Han är gift med en man som heter Paul Ponticello."

"Har de något brottsregister?"

"Nej. Wylie äger ett företag som utvecklade en aktieapp. Ponticello är plastikkirurg i Buckhead."

Will misstänkte att männen hade gott om pengar. "Och de övriga?"

"Monica Johnson greps för rattfylleri för ett halvår sedan."

"Inte så konstigt. Och Frank?"

"Jag hittade dödsattesten för deras barn. Tjugo år. Leukemi. Ekonomin ser god ut", sa Amanda. "Det gäller förresten allihop. Välbärgade, välutbildade människor med jobb. Undantaget är Drew Conklin. Han åtalades för grov misshandel för femton år sedan."

Det förvånade Will. "Har du några detaljer?"

"Jag letar efter polisrapporten. Conklin satt aldrig inne, så det måste ha gjorts en överenskommelse med åklagaren."

"Vet du om det var något vapen inblandat?"

"Det kan inte ha varit ett skjutvapen", sa Amanda. "Då skulle han inte ha sluppit fängelse."

"Det kan ha varit en kniv."

"Tror du att han kan vara skyldig den här gången?"

Will försökte lägga sina känslor åt sidan, men det var svårt. Han måste få reda på vad det var Drew ville prata med Bitty om. "Det flyttar honom absolut högst upp på listan över misstänkta, men jag vet inte."

"Kevin Raymond är en mycket duktig agent med flera utmärkelser."

Hon pratade om GBI:s fältagent. "Han gör ett bra jobb här uppe."

"Faith är en ihärdig utredare."

"Det låter inte som en komplimang."

"Wilbur, det är meningen att du ska vara på smekmånad. Det kommer alltid att finnas mordutredningar. Du kan inte arbeta med alla. Jag tänker inte låta det här jobbet ta över ditt liv."

Han var trött på att höra samma föreläsning om och om igen. "Ingen bryr sig om att Mercy är död, Amanda. Alla övergav henne. Hennes föräldrar har inte ställt en enda fråga. Hennes bror har gått och fiskat."

"Hon har en son som älskar henne."

"Det hade min mamma också."

För ovanlighetens skull hade Amanda inte något omedelbart svar på det.

I tystnaden som uppstod såg Will en av servitörerna skjuta en skottkärra fylld av soppåsar upp för en annan stig. Han gissade att det var en genväg upp till huvudbyggnaden. Faith skulle definitivt behöva kartan. Och sina löparskor. Wills steg var dubbelt så långa som Mercys. Det måste bli Faith som sprang omkring i skogen.

"Jaha", sa Amanda till sist. "Då avslutar vi det här så fort som möjligt, Wilbur. Men förvänta dig inte någon komptid. Du har gjort det väldigt klart att du väljer att ägna din semester åt det här."

"Ja, ma'am." Will avslutade samtalet och hängde telefonen i bältet.

Han kikade in genom köksfönstret. Kocken hade flyttat sig till spisen. Will gick runt till baksidan av det åttkantiga huset. Stigen upp till huvudbyggnaden fortsatte också ned mot forsen som rann ut i sjön. Faith skulle ha några väl valda ord att säga honom innan den här dagen var slut.

På andra sidan stigen stod ett frysskåp under ett tak. Köksdörren var stängd. Den andra servitören var fortfarande ute. Han fyllde en papperspåse med konservburkar. Håret hade fallit ned framför ögonen. Han såg yngre ut än Jon, kanske fjorton år eller så.

"Jäklar!" Pojken hade fått syn på Will och tappat påsen. Burkar rullade åt alla håll. Han skyndade sig att samla ihop dem medan han kastade förstulna blickar mot Will, som en påkommen brottsling – vilket han också verkade vara. "Jag är inte ..."

"Ingen fara." Will hjälpte till med burkarna. Pojken hade inte tagit mycket. Gröna bönor, kondenserad mjölk, majs, svartögda bönor. Will visste vad det innebar att vara desperat och hungrig. Han skulle aldrig hindra någon från att stjäla mat.

"Tänker du inte gripa mig?" frågade pojken.

Will undrade vem som berättat för honom att Will var polis. Alla, förmodligen. "Nej, jag tänker inte gripa dig."

Pojken verkade inte övertygad, men han packade ned burkarna i påsen igen.

"Du har hittat en del bra grejer", sa Will.

"Mjölken är till min lillasyster. Hon gillar sötsaker."

"Är du Ezra eller Gregg?"

"Gregg, sir."

"Gregg." Will räckte honom den sista burken. "Har du sett till Jon?"

"Nej, sir. Jag hörde att han stuckit iväg. Delilah har redan frågat mig om jag vet var han tagit vägen. Ezra och jag har pratat om saken, men ingen av oss vet var han är. Jag skulle berätta om vi visste det, jag lovar. Jon är bra. Han måste vara ledsen över det som hände hans mamma."

Will såg hur hårt pojken tryckte påsen mot bröstet. Han var mer orolig för att bli av med maten än för att prata med polisen.

"Behåll det där", sa Will. "Jag tänker inte berätta för någon."

Pojken såg lättad ut. Han gick runt frysskåpet och sjönk ned på knä för att gömma påsen på vad som verkade vara den vanliga platsen. Will såg en mörk oljefläck på trädäcket. Det verkade inte finnas någon återvinningstank, vilket innebar att oljan rann ned i avloppssystemet och kunde nå grundvattnet. Sådant gillade inte naturvårdsmyndigheterna. Will lade informationen på minnet ifall han behövde sätta press på Cecil och Bitty senare.

"Tack." Gregg torkade händerna på förklädet medan han reste sig. "Jag måste fortsätta jobba nu."

"Ta en liten paus."

Gregg såg rädd ut igen. Han sneglade mot den gömda maten. "Du behöver inte oroa dig. Jag försöker bara skapa mig en bild av hur Mercys liv såg ut innan hon dog. Kan du berätta om henne?"

"Om vad?"

"Om allt du kommer att tänka på. Vad som helst."

"Hon var rättvis?" sa han prövande. "Jag menar, hon kunde skälla ut oss ordentligt ibland, men aldrig utan orsak. Man visste var man hade henne. Till skillnad från de andra."

"Hur är de andra?"

"Cecil är elak som en orm. Han kan hugga till när som helst. Nu kan han inte gå längre, men innan olyckan var han otäck." Gregg lutade sig mot frysen. "Fisken säger inte mycket. Han är okej, men lite konstig. Bitty blev jag rejält bränd av. Hon låtsades att hon var min vän, men när jag inte lydde henne tillräckligt snabbt vände hon sig mot mig direkt."

"På vilket sätt?"

"Hon skar av all hjälp", sa han. "Hon hjälpte mig och Ezra ibland. Om man var snäll mot henne kunde man få tio eller tjugo dollar ibland. Men nu tittar hon inte ens åt mitt håll när jag går förbi. Ska jag vara ärlig kommer jag nog att leta efter jobb nere i staden nu när Mercy är borta. De har redan sagt att de tänker sänka lönerna här eftersom de inte vet vad som kommer att hända med stället."

Det stämde väl överens med vad Will visste om familjen McAlpines inställning till pengar. "Har du sett Mercy prata med de manliga gästerna någon gång?"

Pojken frustade till. "Det var ett lustigt sätt att formulera frågan."

"Vad är det jag frågar?"

Han blev röd i ansiktet.

"Ingen fara", sa Will. "Det är bara du och jag här. Såg du Mercy med någon av gästerna?"

"De gäster som pratade med henne ville antingen ha något eller klaga." Han ryckte på axlarna. "Vi kommer hit klockan sex varje morgon och åker vid nio på kvällen. Vi har mycket att göra mellan måltiderna. Disk, matförberedelser, städning. Vi hinner inte riktigt fundera över vad folk sysslar med."

Will frågade inte när han hade tid att gå i skolan. Pojken hjälpte förmodligen till att försörja familjen. "När såg du Mercy senast?"

"Runt halv nio igår kväll, tror jag. Hon skickade hem oss tidigt. Sa att hon skulle städa."

"Var det någon annan i köket med henne när ni gick?"

"Nej, hon var ensam."

"Kocken, då?"

"Alejandro följde med oss."

Will hade inte sett några fler bilar på parkeringen. "Vad kör han för bil?"

"Vi rider hit. Det finns en hage bortanför parkeringen. Ezra och jag rider tillsammans på hans häst. Alejandro red åt andra hållet eftersom han bor på andra sidan berget."

Will skulle titta närmare på hagen. "Vad tycker du om Alejandro?"

"Han är okej. Han tar jobbet på stort allvar. Skämtar inte så mycket." Pojken ryckte på axlarna igen. "Han är bättre än den förra killen, som alltid glodde så konstigt på oss."

"Brukade Alejandro och Mercy umgås?"

"Visst. De behövde gå igenom saker ett par gånger om dagen eftersom många gäster är så petiga med maten."

"Brukade de prata om det inför er?"

Greggs ögonbryn for upp, som om han just lagt ihop två och två. "De gick in på Mercys kontor och stängde dörren. Jag har aldrig tänkt mig dem tillsammans. Mercy var ju rätt gammal."

Will antog att trettiotvå lät urgammalt när man var fjorton.

"Förlåt, men var det allt?" frågade pojken. "Om jag inte börjar diska snart är jag illa ute."

"Det var allt. Tack."

Will väntade tills köksdörren slagit igen innan han gick bort till frysen. Låset var öppet. Han tittade in. Där fanns bara kött. Han gick runt till baksidan och såg Greggs påse stå inskjuten mot vindskyddets vägg. Soptunnorna var tomma. Området var rent.

Inga blodiga kläder. Inget avbrutet knivhandtag.

Will sjönk ned på knä och lyste in under frysen med telefonens ficklampa.

Röster hördes från skogen. Will låg kvar bakom frysen. Han doldes av vindskyddets sidovägg. Christopher och Chuck kom gående längs den nedre delen av stigen nedanför matsalen. De bar på fiske-spön och fiskelådor. Chuck hade samma stora vattenflaska som vid gårdagens middag. Han drack så högljutt ur den genomskinliga plastbehållaren att Will hörde klunkandet på nästan tjugo meters avstånd.

"Fan också", sa Christopher. "Jag glömde den förbaskade hugg-kroken."

Chuck torkade sig om munnen med tröjärmen. "Du ställde den mot trädet."

"Fan." Christopher tittade på klockan. "Vi ska ha familjemöte. Kan du ...?"

"Vad ska ni ha möte om?"

"Ingen aning. Försäljningen, antar jag."

"Tror du att investerarna fortfarande är intresserade?"

"Ge mig dina saker." Christopher lyckades få grepp om både sin egen och Chucks fiskeutrustning. "Även om de inte är intresserade är det över. Jag tänker lägga av med det här. Jag ville ändå aldrig göra det. Och utan Mercy kommer det inte att fungera. Vi behövde henne."

"Säg inte så, Fisken. Vi ska nog få det att fungera. Vi kan inte ge upp det här." Chuck slog ut med armarna, som för att visa på hela anläggningen. "Kom igen, kompis. Vi har något bra på gång. Det är många som förlitar sig på oss."

"De kan förlita sig på någon annan." Christopher vände ryggen åt honom och började gå. "Jag har bestämt mig."

"Fisken!"

Will hukade sig ned så att Christopher inte skulle se honom när han passerade.

"Fisken McAlpine! Kom tillbaka! Du får inte lämna mig i sticket." Chuck stod tyst alldeles för länge innan han insåg att Christopher inte skulle komma tillbaka. "Fan också."

Will stack upp huvudet bakom frysen. Han såg Christopher gå mot huvudbyggnaden. Chuck var på väg tillbaka mot vattnet.

Han måste fatta ett beslut.

Alejandro skulle förmodligen vara i köket hela dagen. Till skill-nad från de övriga männen på platsen var Chuck ett fullständigt mysterium. De visste inte vad han hette i efternamn. De hade inte kunnat kontrollera hans bakgrund. Framför allt hade Mercy skämt ut honom inför gästerna. Ungefär åttio procent av alla mord som Will utredde begicks av män som blivit rasande över sin oförmåga att kontrollera kvinnor.

Will satte av längs leden. Om det nu kunde kallas en led. Den smala stigen som löpte vidare mot forsen var inte belagd med grus, som de övriga gångvägarna. Will förstod varför man inte ville att gästerna skulle gå där. Stigen var farligt brant och folk som skadade sig kunde stämma campingen. Han fick koncentrera sig för att hitta fotfäste på de värsta ställena. Det gick lättare för Chuck. Han svängde vattenflaskan fram och tillbaka medan han spatserade genom skogen. Mannen hade en underlig gångstil. Fotlederna tippade inåt och han såg ut att sparka efter osynliga fotbollar när han gick. Han liknade en billig kopia av Mr Bean. Ryggen svankade. Han bar fiskehatt och väst. De bruna cargoshortsen nådde honom nedanför knäna. Hans svarta strumpor hade kasat ned över de gula vandringskängornas överkant.

Stigen blev ännu brantare. Will fick hålla i sig i en gren för att inte sätta sig och börja glida. Sedan grep han tag i repet som fästs runt ett träd som en slags ledstång. Han hörde forsen innan han såg vattnet. Ljudet var lågt, som vitt brus. Det här måste vara stället som Delilah kallat för ett vattenfall som inte var något riktigt vattenfall. Inom en sträcka av tio meter sjönk marknivån med tre meter. Några platta stenar hade placerats i vattnet för att skapa en gångväg precis ovanför det lilla vattenfallet.

Will mindes att han sett ett foto från det här området på campingens hemsida. På bilden stod Christopher McAlpine mitt i forsen och fiskade. Vattnet nådde honom upp till midjan. Will gissade att det var dubbelt så djupt efter nattens regn. Stranden på andra sidan låg nästan helt under vatten. Trädkronorna hade tätnat ovanför honom. Han kunde se klart, men inte lika klart som han skulle ha velat.

Chuck tittade åt samma håll, men från en lägre punkt. Han grävde in knytnävarna i ryggen medan han såg tvärs över forsen. Will funderade över hur Chuck skulle kunna skada honom om det blev handgemäng. Krokarna och fiskedragen på västen skulle göra ont, men som tur var hade Will bara en hand som kunde trasas sönder av dem. Han var inte helt säker på vad en huggkrok var, men han hade lagt märke till att fiskeutrustning ofta kunde användas som vapen. Vattenflaskan av plast var bara halvfull, men skulle kännas som en slägga om Chuck svingade den tillräckligt hårt.

Will såg till att hålla sig på rimligt avstånd. "Chuck?" ropade han.

Chuck snodde förskräckt runt. Glasögonen var immiga runt kanten, men hans blick drogs genast till revolvern som Will bar vid sidan. "Du heter Will, eller hur?" frågade han.

"Ja." Will tog sig försiktigt ned för den sista biten av stigen.

"Luftfuktigheten är vidrig idag." Chuck putsade glasögonen med tröjfållen. "Vi lyckades precis klara oss undan en annan storm som drog förbi."

Will stannade ungefär tre meter ifrån honom. "Jag beklagar att vi inte hann talas vid under middagen igår."

Chuck rättade till glasögonen på näsan. "Tro mig, om jag hade en så snygg fru som du har skulle inte jag heller prata med någon annan."

"Tack." Will tvingade fram ett leende. "Jag uppfattade inte ditt namn."

"Bryce Weller." Han var på väg att sträcka fram handen, men såg Wills bandage och vinkade i stället. "Alla kallar mig Chuck."

Will valde ett neutralt svar. "Oj, vilket smeknamn."

"Ja, du får fråga Dave hur han kom på det. Ingen minns det längre." Chuck log, men han såg inte glad ut. "För tretton år sedan åkte jag upp för berget som Bryce och kom ned igen som Chuck."

Will undrade varför mannen plötsligt bytt dialekt, men sa inget om det. "Jag måste berätta att jag är här i tjänsten. Jag undrar om du skulle vilja prata med mig om Dave."

"Har han inte erkänt?"

Will skakade på huvudet, tacksam att ryktet inte spridit sig från staden ännu.

"Det förvånar mig inte", sa Chuck med ännu ett konstigt röstläge. "Han är en slug råtta. Låt honom inte slippa undan. Han borde hamna i elektriska stolen."

Will sa inget om att avrättningar skedde med hjälp av dödliga injektioner. "Vad kan du berätta om Dave?"

Chuck svarade inte på en gång. Han skruvade av korken från flaskan och drack hälften av vattnet som var kvar. Han smackade med läpparna medan han satte tillbaka korken. Sedan gav han ifrån sig en rap som var så vidrig att Will kände smaken av den trots att han stod tre meter bort.

"Dave är en typisk alfahanne." Chucks skämtsamma röst hade försvunnit. "Fråga mig inte varför, men inga kvinnor kan motstå honom. Ju hemskare han är desto mer vill de ha honom. Han har inget riktigt jobb. Han hankar sig fram på vad Bitty slänger åt honom. Han röker som en skorsten. Han använder droger. Han ljuger, bedrar och stjäl. Han bor i en villavagn. Äger ingen bil. Hur kan man låta bli att älska en sådan man, eller hur? Men alla trevliga killar hamnar bara i vänzonen."

Will blev inte särskilt häpen över att Chuck var en incel, men det förvånade honom att mannen pratade så öppet om det. "Hamnade du i Mercys vänzon?"

"Jag valde att vara där, min vän." Chuck verkade faktiskt tro att det var sant. "Jag lät henne gråta ut mot min axel några gånger, men sedan insåg jag att inget skulle förändras. Hur illa Ddave än behandlade henne skulle hon alltid gå tillbaka till honom."

"Kände du till misshandeln?"

"Det gjorde alla." Chuck tog av sig hatten och torkade svetten ur pannan. "Dave försökte inte dölja det. Ibland klappade han till Mercy inför ögonen på oss. Örfilar, inte knytnävsslag. Men vi såg det, allihop."

Will höll inne med sitt ogillande. "Det måste ha varit jobbigt att se."

"I början sa jag ifrån, men Bitty tog mig åt sidan och gjorde klart för mig att en gentleman inte lägger sig i andra gentlemäns äktenskap." Den fjantiga rösten var tillbaka. Chuck lutade sig närmare Will, som för att anförtro honom något. "Inte ens det mest oborstade råskinn skulle neka en så späd och skör dam att få sin vilja fram."

Will började äntligen förstå varför Sara tyckte att Chuck var märklig. "Mercy begärde skilsmässa för över tio år sedan. Varför var Dave här uppe över huvud taget?"

"På grund av Bitty."

I stället för att förklara närmare bestämde sig Chuck för att dricka en klunk till. Will började undra om flaskan verkligen innehöll vatten. Chuck tömde den helt. Halsen kluckade som en långsamt rinnande toalett.

Chuck rapade igen innan han fortsatte prata. "Bitty är i stort sett Daves mamma. Han har rätt att träffa henne. Och självklart har Bitty rätt att bjuda hem honom över helgerna. Jul, Thanksgiving, fjärde juli, mors dag, Kwanzaa. Dave dyker alltid upp. Hon knäpper med fingrarna och han kommer."

Will insåg att det betydde att Chuck också var där jämt. "Vad tyckte Mercy om att Dave alltid bjöds in till familjehögtiderna?"

Chuck svängde den tomma vattenflaskan fram och tillbaka. "Ibland var hon glad. Ibland var hon det inte. Jag tror att hon försökte underlätta för Jon."

"Var hon en bra mamma?"

"Ja." Chuck nickade kort. "Hon var en bra mamma."

Medgivandet verkade ha kostat honom något. Han tog av sig hatten igen. Han slängde den på marken intill en svart glasfiberstav som stod lutad mot ett träd.

Det var så Will fick reda på att en huggkrok var en pinne på en och tjugo med en otäck krok i ena änden.

"Det här stället är enormt", sa Chuck. "Mercy kunde ha undvikit Dave. Gömt sig på sitt rum. Hållit sig ur vägen för honom. Men det gjorde hon aldrig. Hon satt med vid bordet vid alla måltider. Varje gång familjen samlades deltog hon. Och det slutade alltid med att hon och Dave skrek åt varandra eller slogs. Om jag ska vara ärlig blev det väldigt tröttsamt efter ett tag."

"Det förstår jag", sa Will.

Chuck ställde den tomma flaskan bredvid hatten. Will fick en känsla av déjà vu från stunden med Dave och urbeningskniven. Ville Chuck ha händerna fria eller var han bara trött på att bära saker?

"Det värsta var att se hur alltihop påverkade Fisken." Chuck masserade ryggen med knytnävarna igen. "Han avskydde hur Dave behandlade Mercy. Han sa jämt att han skulle göra något åt det. Skära av Daves bromsslangar eller slänga honom i Grunda viken. Dave simmar väldigt dåligt. Det är rena undret att han inte har drunknat. Men Fisken gjorde ingenting och nu är Mercy död. Det väger tungt på hans axlar, det märker man."

Will hade inte märkt det. "Det är svårt att läsa av Christopher."

"Han är förtvivlad", sa Chuck. "Han älskade Mercy. Det gjorde han verkligen."

Will tyckte att Christopher hade ett lustigt sätt att visa det. "Gick du tillbaka till din stuga efter middagen igår?"

"Fisken och jag tog en nattfösare, sedan gick jag hem och läste."

"Hörde du något mellan klockan tio och midnatt?"

"Jag somnade medan jag läste. Det är därför jag har ont i ryggen. Det känns som om någon boxat mig i njurarna."

"Du hörde inget skrik eller ylande eller något liknande?"

Chuck skakade på huvudet.

"När såg du Mercy vid liv sista gången?"

"Vid middagen." Chuck lät irriterad. "Du såg själv vad som hände under cocktailstunden. Det var ett lysande exempel på hur Mercy behandlade mig. Jag försökte bara försäkra mig om att hon mådde bra, men hon vrålade som om jag hade våldtagit henne."

Will såg mannens min förändras, som om han ångrade ordvalet. Innan Will hann följa upp saken sträckte sig Chuck efter hatten på marken. Han suckade tungt.

"Aj, min rygg." Han rätade långsamt på sig. "Kroppen säger till när man behöver ta det lugnt, eller hur?"

"Ja." Will mindes att Mercy inte haft några försvarsskador. Kanske hade hon fått in ett par smällar innan kniven tystade henne. "Vill du att jag ska ta mig en titt?"

"På min rygg?" Chuck lät förskräckt. "Vad skulle du kunna se?"

Blåmärken. Bitmärken. Rivsår.

"Jag jobbade med sjukgymnastik medan jag pluggade. Jag kan ..."

"Tack, jag klarar mig", sa Chuck. "Ledsen att jag inte kunde vara till mer hjälp. Jag vet inget mer."

Will märkte att Chuck ville bli av med honom och det fick honom att vilja stanna kvar. "Om du kommer på något ..."

"Då kommer jag till dig på en gång." Chuck pekade upp för backen. "Den där stigen leder tillbaka till huvudbyggnaden. Fortsätt förbi matsalen, bara."

"Tack." Will gick inte. Han ville få Chuck att känna sig ännu mer obekväm. "Min partner följer upp det här med dig senare."

"Varför det?"

"Du är ett vittne. Vi behöver en skriftlig utsaga." Will hejdade sig. "Finns det någon anledning till att vi inte borde göra det?"

"Nej", svarade Chuck. "Ingen anledning alls. Jag hjälper så gärna till. Trots att jag varken såg eller hörde något."

"Tack." Will nickade mot stigen. "Ska du tillbaka upp till huset?"

"Jag stannar nog här nere ett tag." Chuck gned sin rygg igen, men kom på bättre tankar. "Jag behöver tid för reflektion och eftertanke. Trots hennes förlöjliganden har jag insett att jag också är väldigt tagen av hennes död."

Will undrade om Chucks hjärna informerat hans ansikte om den saken. Han såg inte ut att vilja reflektera över något. Han svettades ymnigt och huden var blek.

"Är det säkert att du inte vill ha sällskap? Jag är en god lyssnare." Chuck såg sammanbiten ut.

Will dröjde sig kvar lite till. "Jag finns uppe vid huvudbyggnaden om du behöver mig."

Chuck sa ingenting, men varje fiber i hans kropp visade att han desperat ville att Will skulle gå därifrån.

Det fanns inget annat att göra. Will började gå upp för stigen. De första stegen var besvärliga. Inte för att Will hade svårt att hitta fotfästet utan för att han funderade över hur lång räckvidd huggkroken hade. Sedan lyssnade han noga efter Chucks springande steg. Sedan undrade han om han var paranoid, vilket var statistiskt troligt, men statistiken tog inte alltid hänsyn till folks dumdristighet.

Will lät sin oskadade hand hänga längs sidan, nära revolvern vid höften. Han såg en nedfallen trädstam ungefär tjugo meter framför sig. Änden av repet som användes som ledstång hade knutits fast i en stor öglebult. Han bestämde sig för att vända sig om och titta efter Chuck när han nådde trädstammen. Öronen hettade när han försökte höra något annat än vattnets forsande över stenarna. Att ta sig upp för stigen var inte lika enkelt som att ta sig ned. Foten gled. Han svor till när han tog emot sig med sin skadade hand. Han reste sig. När han väl nådde trädstammen var han säker på att Chuck redan försvunnit.

Han hade fel.

Chuck flöt med ansiktet nedåt mitt ute i vattnet.

"Chuck!" Will började springa. "Chuck!"

Chuck satt fast mellan två stenar. Vattnet forsade runt kroppen. Han försökte inte lyfta på huvudet. Han rörde sig inte ens. Will fortsatte springa medan han hakade loss revolvern och satellit-telefonen från bältet och tömde fickorna eftersom han visste att han skulle bli tvungen att hoppa i vattnet. Kängorna halkade i leran. Han hasade ned för backen på baken, men kom ett ögonblick för sent.

Strömmen slet loss Chucks hand från stenarna. Kroppen snurrade runt när den drev iväg. Will hade inget annat val än att följa efter honom. Han dök ned i vattnet och simmade upp till ytan. Vattnet var så kallt att det kändes som att röra sig genom is. Will tvingade sig att fortsätta framåt. Strömmen var stark. Han pressade sig hårdare. Chuck var fyra och en halv meter bort. Tre meter. Sedan kunde Will sträcka sig efter hans arm.

Han missade.

Strömmen hade blivit starkare. Vattnet forsade och skummade runt en krök. Will krockade med Chucks kropp så att huvudet for bakåt. Han sträckte sig efter Chuck igen, men plötsligt kastades de båda runt av forsens virvlar. Will försökte hitta stranden, men han snurrade för fort. Fötterna fick inget fäste. Han hörde ett högt dån. Will plaskade runt och försökte hitta horisonten. Huvudet hamnade hela tiden under vatten. Han kämpade sig upp över ytan och blev nästan lamslagen av vad han såg. Knappt femtio meter längre fram planade turbulensen ut när vattenytan kysste himlen.

Fan också.

Det var det riktiga vattenfallet som Delilah pratat om.

Trettiofem meter.

Tjugofem.

Will kastade sig efter Chuck i ett sista, desperat försök att få tag i mannen och lyckades haka fast fingrarna i västen. Han sparkade med fötterna och försökte hitta något att ta spjärn emot. Strömmen lindade sig kring hans ben som en jättebläckfisk och försökte slita honom med sig. Huvudet drogs ned under ytan. Han skulle bli tvungen att släppa Chuck. Will försökte göra sig fri, men han satt fast i fiskevästen. Lungorna skrek efter luft. Han sparkade förtvivlat bakåt.

Foten hittade fast mark.

Will sköt ifrån med varje uns av styrka han hade kvar i kroppen. Han plaskade mot strömmen och sträckte blint ut handen. Fingrarna rörde vid något fast. Ytan var grov och hård. Han lyckades få tag i sidan av stenbumlingen. Det tog honom tre försök att dra sig upp på den. Han hävde sig upp över kanten och tillät sig att pusta ut en stund. Ögonen brände. Lungorna darrade. Han hostade upp galla och vatten.

Chucks väst satt fortfarande fast i hans hand, men mannen släpade inte längre Will mot vattenfallet. Han flöt på rygg i en grund gryta. Armar och ben pekade rakt ut, nästan vinkelrätt mot kroppen. Will tittade på Chucks ansikte. Vidöppna ögon. Vatten som rann in genom den öppna munnen. Han var helt och hållet död.

Will kravlade upp på stenen. Han sänkte huvudet mellan knäna och väntade på att blicken skulle bli mindre suddig och på att magen skulle sluta vända sig. Det gick flera minuter innan han kunde granska skadorna närmare. Fiskevästen hängde från Chucks ena axel. Den andra änden satt hårt lindad runt Wills handled och hand. Samma hand som blivit skadad tolv timmar tidigare. Samma hand som nu pulserade som om en bomb tickade inuti bandaget.

Han hade inget annat val än att få det överstökat. Will skalade långsamt bort det tunga, våta tyget. Det tog tid. Krokar av alla möjliga former och storlekar hade hakat sig fast i tyget. De var av olika färger och storlekar och hade färggranna trådar som skulle få dem att likna insekter. Det kändes som en evighet innan Will nådde ned till huden.

Han stirrade vantroget på handen.

Bandaget hade räddat honom. Sex krokar satt fast i den tjocka gasbindan. En var lindad runt nedre delen av pekfingret som en ring. Huden blödde lite när han drog bort den, men det var mer som ett papperssår än en amputation. Den sista kroken hade fastnat i skjortans manschett. Will tänkte inte försöka lirka loss hullingarna. Han ryckte loss dem. Han höll upp handen mot ljuset för att försäkra sig om att den var oskadd. Inget blod. Inga synliga ben.

Han hade haft tur, men lättnaden var kortlivad.

Wills dag hade börjat med ett mordoffer. Nu var det två.

*

16 januari 2016

Älskade Jon,
Jag satte mig för att skriva ditt fick dig-brev och stirrade på
den tomma sidan väldigt länge eftersom jag inte tyckte att jag
hade så mycket att säga. Allt har varit väldigt lugnt den senaste
tiden, och det är jag tacksam för. Vi har skaffat oss en bra rutin.
Jag ser till att du kommer upp och är redo för skolan och Fisken
kör dig ned för berget. Sedan börjar vi jobba med gästerna.

Jag vet att din morbror Fisken skulle föredra att börja dagen ute
i forsen, men det är helt enkelt sådan han är. Han offrar sina
morgnar för en liten pojkes skull. Till och med Bitty hjälper till.
Hon hämtar dig efter skolan på eftermiddagarna. Jag tror att
allt som behövdes var att du blev lite äldre. Hon har aldrig tyckt
om småbarn. Ni två har kommit varandra riktigt nära. Hon
låter dig vara i köket när hon bakar kakor åt gästerna. Ibland
får du till och med sitta med henne i soffan medan hon stickar.
Och det känns okej just nu. Kom bara ihåg vad jag sa till dig om
hur hon kan vända sig mot en. När man väl hamnat i onåd hos
henne kommer man aldrig att se hennes trevliga sida igen. Tro
mig. Det har gått så lång tid sedan jag såg den sidan av henne
att jag inte ens vet hur den ser ut längre.

Hur som helst funderade jag på året som gått och på vad jag
kunde berätta för dig. Men det viktigaste är nog att allt har

varit enkelt ett tag. Vi har inte mycket till liv här uppe på berget,
men det är ändå ett liv. Jag går omkring på det här stället och
tänker på att du ska sköta det en vacker dag, och det gör mig
ganska glad.

Men så mindes jag något som hände i våras. Kanske du kommer
ihåg en del av det, för jag tog i ordentligt mot dig. Jag har aldrig
gjort det förut och kommer aldrig att göra det igen. Jag vet att
jag kan vara kort i tonen, och din pappa skulle säkert säga att
jag har ärvt en viss iskyla av Bitty men eftersom du aldrig har
hamnat i skottlinjen för ett av mina utbrott tidigare känns det
som om jag borde berätta varför jag blev så arg.

Först och främst vill jag säga att din morbror Fisken är en bra
människa. Han kan inte hjälpa att Papa slog allt motstånd ur
honom. Jag vet att det faktum att han är äldst betyder att han
borde skydda mig, men livet såg till att det blev tvärtom, och det
gör faktiskt ingenting. Jag älskar min bror. Det är sant.

Det som jag tänker skriva nu får du aldrig berätta för någon,
det är min hemlighet och inte din. Det som hände var att du låg
och läste i sängen i stället för att somna. Jag sa åt dig att släcka
lampan och gick sedan till mitt rum för att lägga mig en stund.
Jag tänkte vänta någon minut innan jag tittade till dig igen, men
jag måste ha somnat, för när jag vaknade låg Chuck ovanpå mig.

Jag vet att du och jag brukar skämta om Chuck, men han är
fortfarande en man och han är stark. Jag antar att han alltid
har varit intresserad av mig. Jag har ansträngt mig för att
inte uppmuntra honom, men kanske var det ett misstag. Jag
var alltid så tacksam att Fisken hade fått en vän. Din stackars
morbror blir så ensam här uppe. Om sanningen ska fram tror
jag att Fisken skulle ha kastat sig ut för vattenfallet om han inte
haft Chuck till sällskap.

Tro det eller ej, alla de där tankarna for igenom mitt huvud.

Min hjärna räknade ut hur mycket det skulle såra Fisken om jag skrek och väckte hela huset. Kroppen hade stängt av helt och hållet. Jag lärde mig hur man gör det för länge sedan och jag hoppas att du aldrig behöver få reda på varför, men du ska veta att jag absolut inte tänkte krossa min brors hjärta.

I slutändan spelade det ingen roll, för Fisken kom in i rummet. Jag har inget minne av att han någonsin bara klivit in i mitt sovrum. Han har alltid knackat först och väntat ute i hallen. Han är respektfull på det viset. Men kanske hörde han mig kämpa emot eftersom han sover i rummet intill. Jag vet inte vad som fick honom att komma in. Jag tänker inte fråga honom, vi har inte pratat om det sedan dess, och om jag får bestämma kommer vi aldrig att göra det. Men jag tror att det här är enda gången jag hört honom skrika. Han höjer aldrig rösten. Men nu skrek han SLUTA!

Chuck slutade. Han klev av mig så snabbt att det var som om det hela aldrig hänt. Han sprang ut ur rummet. Fisken tittade på mig. Jag trodde att han skulle kalla mig hora, men han sa bara: "Vill du att jag säger åt honom att försvinna härifrån?"

Det var en viktig fråga, eftersom den sa mig att Fisken visste att jag inte varit med på det. Ärligt talat betydde det mest av allt. Folk tror alltid det värsta om mig. Men Fisken visste att jag aldrig varit intresserad av Chuck på det viset och han var villig att ge upp sin bästa vän för att bevisa det.

Jag sa till honom att Chuck kan stanna så länge det aldrig händer igen. Fisken bara nickade och gick. Jag måste säga att det var en lättnad när Chuck betedde sig som om det aldrig hade hänt. Vi bara ignorerar det, allihop. Men det fick konsekvenser och det är därför jag berättar det här. Jag var väldigt uppskakad när Fisken lämnade mig. Vissa av mina kläder var sönderrivna och jag hade inte direkt pengar för att åka in till stan och köpa nya. Allt jag äger är saker som folk skänkt bort.

Men när jag reste mig vek sig knäna under mig. Jag föll ihop på golvet. Jag var så arg på mig själv. Varför var jag så upprörd? Det hade bara nästan hänt. Och då såg jag att du fortfarande hade lampan tänd.

I hela mitt liv har jag sett hur skit rinner nedåt, rakt mot mig. Papa blir arg och ger sig på Bitty. Bitty tar ut sin frustration på mig. Eller tvärtom, men det är alltid jag som står längst ned. Den kvällen tog jag ut min ilska på dig, och jag är ledsen för det. Det här är ingen ursäkt, bara en förklaring. Och kanske väljer jag att skriva ned alltihop så att någon vet vad som hände. För en sak jag har lärt mig om män som Chuck är att om de kommer undan med något en gång, försöker de komma undan med samma sak igen. Jag har sett det så ofta när det gäller din pappa att jag vet precis hur det är.

Hur som helst. Jag tänker inte säga mer än så.

Jag älskar dig med hela mitt hjärta och jag är ledsen att jag skrek åt dig.

Mamma.

15

Penny hade inte ljugit när hon sa att Rascal var fullpumpad. Hästen hade praktiskt taget flutit upp för berget som ett väderspänt moln. Tyvärr satt Faith närmast källan till utsläppen. Hon red barbacka bakom Penny med armarna krampaktigt om kvinnans midja. Faith hade varit så rädd för att falla av och bli nedtrampad att hjärnan kopplats bort helt. Hon hade börjat fundera på existentiella frågor, som vilken slags planet barnen skulle ärva och hur det kom sig att Scooby Doo inte kunde skilja människor och spöken åt på lukten, trots att han var en hund.

Penny smackade med tungan. Faith hade ansiktet begravt mot kvinnans axel. Hon tittade upp och gav nästan till ett lättat utrop. Det fanns en skylt på vägen. McAlpines familjecamping. Hon såg en parkeringsplats med en rostig pickup och en terränghjuling som tillhörde GBI.

"Vänta lite", sa Penny. Hon hade förmodligen känt Faiths grepp lossa om sina förvånansvärt starka magmuskler. "En sekund till, bara."

Sekunden var snarare en halv minut, vilket var alldeles för länge. Penny höll in Rascal bredvid pickupen. Faith satte foten på skärmen ovanför bakhjulet. Hon halvt föll, halvt snubblade ned på flaket och landade på sin pistol. Metallen smällde in i höftbenet.

"Fan också", svor Faith.

Penny tittade besviket på henne och klickade med tungan. Rascal började gå.

Faith tittade upp mot trädtopparna. Hon var svettig, myggbiten och väldigt trött på naturen. Hon rullade av Glocken och klättrade ned från pickupflaket innan hon hängde handväskan över axeln. Hon gick till terränghjulingen och lade handen på plasthuven ovanför motorn. Den var kall, vilket betydde att fordonet stått parkerat ett tag. Bagageutrymmet var låst. Förhoppningsvis innebar det att man säkrat någon form av bevis. Hon tittade i baksätet. Där stod en blå kylväska, en första hjälpen-väska och en ryggsäck med GBI:s logga. Faith öppnade blixtlåset och hittade en satellittelefon.

Hon tryckte in knappen på sidan för att använda den som walkie-talkie. "Will."

Faith släppte knappen och väntade. Hon hörde bara brus.

Hon försökte igen. "Det här är Faith Mitchell från GBI. Svara."

Brus.

Hon försökte ett par gånger till med samma resultat. Hon stoppade telefonen i handväskan och gick till mitten av gården. Hon vände sig ett helt varv runt. Inte en själ syntes till. Till och med Penny och Rascal hade försvunnit. Hon försökte bilda sig en uppfattning om hur området såg ut. Åtta stugor stod i en halvcirkel runt ett stort, plottrigt hus. Det fanns träd överallt. Man kunde inte kasta en sten utan att träffa en trädstam. Marken var full av vattenpölar. Solskenet dunkade som en hammare mot hjässan. Hon kunde se början av ett par vandringsstigar. Eftersom hon inte hade någon karta visste hon inte vart de ledde.

Hon måste hitta Will.

Faith vände sig hela vägen runt åt andra hållet och kontrollerade stugorna i tur och ordning. Håret reste sig i nacken. Det kändes som om någon tittade på henne. Varför kom ingen ut? Det var inte som om hon smugit in på området. Hästen hade frustat högljutt. Hon hade slagit i pickupens flak som en hammare mot en gonggong. Faith hade arbetskläderna på sig – beigea cargobyxor och en marinblå tröja med texten GBI i stora, gula bokstäver på ryggen.

Hon höjde rösten och ropade. "Hallå?"

På andra sidan anläggningen öppnades en av stugdörrarna. Faith såg en tunnhårig, orakad man i skrynklig t-shirt och säckiga mjukisbyxor komma travande mot henne. Han var andfådd när han äntligen kom tillräckligt nära för att prata med henne. "Hej, är du här med Will? Tog du med Sara? Var det hon på hästen? Det såg inte ut som hon. Will sa att hon är läkare."

"Frank?" gissade Faith.

"Ja, ursäkta. Frank Johnson. Jag är gift med Monica. Vi är vänner med Will och Sara."

Det tvivlade Faith på. "Har du sett Will?"

"Inte på en stund, men kan du säga åt honom att Monica äntligen är bättre?"

Faiths polishjärna vaknade till. "Vad var det för fel på henne?"

"Hon drack lite för mycket igår kväll. Hon mår bättre nu, men det var tufft en stund." Franks skratt var gällt. Det var uppenbart att han var mycket lättad. "Hon lyckades äntligen behålla lite ginger ale. Jag tror att hon var uttorkad. Men det vore bra om Sara hade tid att ta sig en titt på henne. För säkerhets skull. Tror du att hon har något emot det?"

"Det har hon säkert inte. Hon kommer snart." Faith måste komma iväg från den pratsamme mannen. "Är Will inne i familjens hus?"

"Det vet jag tyvärr inte. Jag såg inte vart han gick. Jag kan hjälpa dig att leta om ..."

"Det är nog bäst att du stannar hos din fru."

"Ja, just det. Jag kanske kan ..."

"Tack."

Faith vände sig mot huvudbyggnaden för att göra klart att samtalet var över. Hon hörde Frank lufsa tillbaka till stugan. Den kusliga känslan återvände när Faith gick över den öppna ytan mellan husen. Området var pittoreskt, med blommor, bänkar och stenläggning. Men någon hade också mött en våldsam död där, och Faith kände sig lite nervös över att ingen var i närheten.

Var fanns Will? Och Kevin Rayman, för den delen? Agenten som ledde norra Georgias fältkontor medan hans chef var på konferens. Faith påminde sig själv om att Kevin inte var någon nybakad kadett. Han visste hur jobbet skulle skötas. Det gjorde Will också, även om han bara hade en hand. Så varför hade Faith börjat kallsvettas?

Stället påverkade henne. Det kändes som den där Shirley Jackson-novellen, precis innan lotteriresultatet kungjordes. Hon tvingade sig att dra djupt efter andan och långsamt släppa ut luften igen. Will och Kevin var förmodligen i matsalen. Det var alltid bättre att isolera folk medan man förhörde dem. Kände hon Will rätt hade han redan hittat Mercys mördare.

En brunrandig katt blockerade vägen upp för verandatrappan. Han låg på rygg, vriden så att fram- och baktassar pekade åt olika håll medan solen värmde magen. Faith böjde sig ned för att klappa honom. Stressnivån sjönk genast ett par steg. Hon listade ett par saker hon måste göra i huvudet. Först och främst måste hon hitta en karta. Hon måste ta reda på var Mercys skrik kommit ifrån och slå fast en mer konkret tidslinje. Sedan måste hon lista ut den rimligaste vägen som Mercy kunde ha tagit ned till ungkarlsstugorna. Kanske skulle hon ha turen att hitta det avbrutna knivhandtaget längs vägen.

Ytterdörren öppnades. En äldre kvinna med långt, stripigt, grått hår kom ut på verandan. Hon var liten till växten, nästan som en docka. Faith gissade att hon var Mercys mamma.

Bitty stirrade ned på henne från översta trappsteget. "Är du polis?"

"Specialagent Faith Mitchell." Faith försökte bryta isen. "Jag pratade just med detektiv Hercule Mjaurot här."

"Vi ger inte katterna namn. De är här för att hålla ohyran borta."

Faith försökte låta bli att grimasera. Kvinnans röst var gäll som en liten flickas. "Är min partner där inne? Will Trent?"

"Jag vet inte var han är. Men jag uppskattar inte att han och hans fru checkade in under falskt namn."

Det där tänkte Faith inte lägga sig i. "Jag beklagar verkligen förlusten, mrs McAlpine. Är det något särskilt du undrar över?"

"Ja", snäste kvinnan. "När får jag prata med Dave?"

Faith skulle fundera över hennes prioriteringar senare. Just nu behövde hon gå försiktigt fram. Hon visste inte om kommunikationslinjerna till campingen fungerade igen. Penny hade lovat att hålla tyst om att Dave släppts fri, men å andra sidan hade hon glatt berättat om alla skelett i familjen McAlpines garderob.

"Dave är kvar på sjukhuset", sa Faith till Bitty. "Du kan ringa hans rum om du vill."

"Telefonen fungerar inte. Inte internetuppkopplingen heller."
Bitty satte händerna i sina smala sidor. "Jag kommer aldrig att tro
på att Dave hade något med det här att göra. Pojken har sina svårig-
heter, men han skulle aldrig skada Mercy. Inte på det där viset."
"Vem skulle annars ha haft motiv?" frågade Faith.
"Motiv?" Kvinnan lät förskräckt. "Jag vet inte ens vad det betyder.
Vi är ett familjeföretag. Våra gäster är välutbildade, välbärgade
människor. Ingen har något motiv. Vem som helst kan ha tagit sig
upp hit från staden. Har ni tänkt på det?"
Faith hade tänkt på det, men det verkade högst osannolikt.
Mercy åkte sällan till staden. Hon hade sagt till Sara att hennes
fiender fanns här uppe. Dessutom hade hon dött på campingens
område.
"Vem i staden skulle vilja mörda henne?" frågade Faith ändå.
"Hon har retat upp så många att det inte går att svara på. Men
jag kan säga att det har kommit många främlingar till staden på
sistone. De flesta har brottsregister hemma i Mexiko eller i Guate-
mala. Och en av dem är förmodligen en galen yxmördare."
Faith styrde henne bort från rasismen. "Får jag ställa några frågor
om gårdagskvällen?"
Bitty skakade på huvudet som om det inte spelade någon roll.
"Vi grälade lite grann. Det var inte ovanligt. Det händer hela tiden.
Mercy är en mycket olycklig människa. Hon kan inte älska någon
eftersom hon inte älskar sig själv."
Faith antog att man kunde titta på Dr Phil uppe på berget också.
"Hörde eller såg du något misstänkt?"
"Självklart inte. Vilken fråga. Jag hjälpte min man i säng. Sedan
gick jag och lade mig. Inget ovanligt hände."
"Hörde du inget djur som ylade?"
"Djuren ylar alltid här uppe. Vi är i bergen."
"Hur är det med området som ni kallar ungkarlsstugorna? Hörs
ljud därifrån upp hit?"
"Hur ska jag veta det?"
Faith visste att hon hamnat i en återvändsgränd. Hon tittade
på huset. Det var stort och hade förmodligen minst fem eller sex
sovrum. Hon ville veta var alla sov. "Är det där Mercys rum?"

Bitty tittade upp. "Det är Christophers. Mercys rum ligger i mitten och Jons på andra sidan, längst in."

Det lät ändå nära. "Hörde du när Christopher kom hem igår kväll?"

"Jag tog en sömntablett. Tro det eller ej, men jag tycker inte om att gräla med folk. Jag var väldigt upprörd över Mercys beteende på sistone. Hon tänkte bara på sig själv. Hon funderade aldrig på vad som skulle gynna resten av familjen."

Will hade varnat Faith för familjens kallsinta inställning, men den var ändå både sorglig och chockerande att se. Faith skulle inte ens ha kunnat stå på benen om något av hennes barn blivit mördat.

Bitty verkade märka hennes ogillande. "Har du barn?"

Faith var alltid förtegen om sitt privatliv. "Jag har en dotter."

"Jag beklagar. Söner är mycket enklare." Bitty gick ned för trappan. Hon var ännu mindre på nära håll. "Christopher har aldrig klagat. Han fick aldrig några vredesutbrott och tjurade inte när han inte fick som han ville. Dave var en riktig ängel. De lät honom löpa vind för våg nere i Atlanta, men i samma stund som han klev in i mitt hus blev han söt som socker. Jag älskar den pojken. Jag saknar ingenting när han är i närheten. Han tog hand om mig när jag var sjuk. Han till och med tvättade mitt hår. Han låter mig fortfarande inte lyfta ett finger."

Faith antog att Dave visste hur man ställde sig in. "Gjorde inte Mercy det?"

"Hon var hemsk", sa Bitty. "När hon gick på högstadiet var jag på rektorns kontor varannan vecka för att hon hade ställt till problem med de andra flickorna. Skvaller och slagsmål och dumheter. Hon särade på benen för alla som tittade åt hennes håll. Hur gammal är din dotter?"

Faith ljög för att kvinnan skulle fortsätta prata. "Tretton."

"Då vet du redan att det är då det börjar. Så fort puberteten sätter in handlar allt om pojkar. Och så har vi allt drama om deras *känslor*. Den enda som hade rätt att klaga var Dave. Han gick igenom fruktansvärda hemskheter i Atlanta. Det var inga trevliga saker han råkade ut för, om jag ska uttrycka mig finkänsligt. Men han skyllde aldrig något på det. Pojkar gnäller inte om sina känslor."

Det hade Faiths pojke gjort, men bara för att Faith arbetat väldigt hårt för att han skulle känna sig trygg. "Hur verkade Mercy på sistone?"

"Verkade?" upprepade Bitty. "Hon verkade precis som vanligt. Hätsk och ilsken och arg på hela världen."

Faith visste inte hur hon skulle ta upp frågan om graviditeten. Något sa åt henne att hålla tyst om saken. Hon tvivlade på att Mercy brukade anförtro sig åt sin mamma. "Var Dave tretton år när ni adopterade honom?"

"Nej, han var bara elva."

Faith granskade kvinnan noga medan hon svarade. Bitty var en förstklassig lögnare. "Vad tyckte Mercy och Christopher om att få en elvaårig bror?"

"De var överlyckliga. Vem skulle inte vara det? Christopher hade fått en ny vän. Dave behandlade Mercy som en liten docka. Han skulle ha burit omkring henne i famnen jämt om han kunnat. Hon behövde aldrig gå själv."

"Det måste ha kommit som en överraskning att de blev tillsammans."

Bitty satte hakan i vädret. "Det gav mig Jon, och det är allt jag har att säga om den saken."

"Har Jon kommit hem?"

"Nej, och vi letar inte efter honom. Vi ger honom lite tid, precis som han ville." Hon trummade med fingrarna mot bröstet. "Jon är en tankfull pojke. Snäll och omtänksam, precis som sin pappa. Han kommer att krossa lika många hjärtan också, så stilig han är. Gästerna är som tokiga i honom. Jag brukar titta genom fönstret när han går ned för trappan. Han tycker om att göra entré. Din vän Sara såg ut som om hon ville sluka honom med hull och hår."

Faith gissade att Sara frågat pojken om hans favoritämnen i skolan.

"Mina stackars små pojkar." Bittys fingrar trummade mot bröstet igen. "Jag gjorde mitt bästa för att hålla Dave från Mercy. Jag visste att hon skulle dra ned honom. Och titta var han hamnade."

Faith fick anstränga sig för att låta neutral. "Jag beklagar förlusten."

"Tro inte att jag inte vill ha honom tillbaka. Jag har redan hört av mig till en advokat i Atlanta, så lycka till med att hålla honom inlåst." Hon lät väldigt säker på att rättssystemet skulle fungera. "Var det allt?"

"Skulle jag kunna få en karta över området?"

"Kartorna är till för gästerna." Hon spanade mot parkeringen. "Herregud, vem är det nu som kommer?"

Faith hörde en motor brumma. Ytterligare en terränghjuling hade kommit in på parkeringen. Sara satt bakom ratten.

"Ännu en lögnare som kommit hit för att ljuga." Det var Bittys sätt att avsluta samtalet. Hon gick upp för trappan, in i huset och stängde dörren bakom sig.

"Jösses." Faith hissade upp väskan på axeln och gick mot parkeringen. Det här stället var inte alls som *Lotteriet*. Det var som *Majsens barn*.

"Hej." Sara lyfte en tung duffelväska ur terränghjulingen. Hon log mot Faith. "Har du halkat omkull?"

Faith hade glömt att hon var täckt av lera och hästfisar. "En fågel attackerade bilen och jag hamnade i diket."

"Det var tråkigt." Sara såg snarare road ut. "Jag såg att du pratade med Bitty. Vad tyckte du?"

"Hon tänker mer på Dave än på sin mördade dotter." Faith kunde fortfarande inte begripa det. "Vad är det med de här pojkmammorna? Hon lät mer som ett av Daves galna ex. För att inte tala om det där med Jon. Jag avskyr när vuxna kvinnor pratar med sådana där andlösa småflicksröster. Det är som om Holly Hobbie fått barn med Djävulen."

Sara skrattade. "Har ni gjort några framsteg?"

"Inte jag, i alla fall. Jag var just på väg ned till matsalen för att hitta Will." Faith såg sig omkring för att försäkra sig om att de var ensamma. "Tror du att Mercy visste att hon var gravid?"

Sara ryckte på axlarna. "Det är svårt att säga. Hon mådde illa igår kväll, men jag trodde att det berodde på strypningen. Mercy sa inget annat, men det är inte säkert att hon skulle ha berättat något sådant för en främling."

"Min menscykel är så oregelbunden att jag knappt kan hålla reda på den." Faith undrade om Mercy hade använt en app på telefonen eller gjort markeringar i en kalender. "Vem har du berättat det för?"

"Bara Amanda och Will. Jag tror att dödsfallsutredaren Nadine listade ut det när jag undersökte livmodern. Men hon sa inte ett ord. Hon vet att Bullen står familjen nära och ville förmodligen inte att ryktet skulle komma ut."

"Såg inte Bullen röntgenbilderna?"

"Man måste veta vad man letar efter", sa Sara. "I vanliga fall skulle man aldrig röntga en kvinna under en graviditet. Strålningen är för riskabel för att det ska vara värt det ur diagnossynpunkt. Och i tolfte veckan finns det inte mycket att se. Fostret är ungefär fem centimeter långt, inte större än ett AA-batteri. Benen har inte förkalkats tillräckligt för att synas på bilden. Jag visste bara vad jag letade efter eftersom jag har sett det tidigare."

Faith ville inte tänka på varför Sara sett det tidigare. "Jag minns inte hur det känns att vara i tolfte veckan."

"Uppsvälldhet, illamående, humörsvängningar, huvudvärk. Vissa kvinnor misstar det för pms. En del får missfall och antar att det bara är en extra jobbig mens. Åtta av tio missfall sker före tolfte veckan." Sara ställde duffelväskan på terränghjulingen. "När ni undersöker vilka som befann sig här då Mercy blev gravid måste ni komma ihåg att man räknar från den senaste mensen, inte från befruktningen. Ägglossningen sker två veckor efter mensen, vilket innebär att Mercy blev gravid för ungefär tio veckor sedan. Ska vi vara noggranna pratar vi alltså om två och en halv månad."

"Vi måste verkligen vara noggranna." Faith tog upp den svårare frågan. "Blev hon våldtagen?"

"Jag hittade spår av sädesvätska, men det bevisar bara att hon hade sexuellt umgänge med en man inom fyrtioåtta timmar före sin död. Jag kan inte utesluta ett sexuellt övergrepp, men jag kan inte heller slå fast att det har skett."

Faith kunde föreställa sig hur irriterad Amanda blivit över den informationen. "Men inofficiellt, mellan dig och mig?"

"Mellan dig och mig kan jag säga att jag faktiskt inte vet", sa Sara. "Hon hade ingen försvarsskador. Kanske bestämde hon sig för att det var säkrare att inte kämpa emot. Det fanns tydliga tecken på att Mercy utsatts för upprepad misshandel. Brutna ben, cigarett-brännmärken. Jag antar att Dave ligger bakom mycket av det, men en del av spåren finns kvar sedan barndomen. Om hon hade någon kamplust kvar använde hon den med eftertanke."

Tanken på Mercys fruktansvärda liv gjorde Faith väldigt sorgsen. Penny hade rätt. Mercy hade aldrig haft någon chans. "Vet du något om mordvapnet?"

"Där kan jag hjälpa till", sa Sara. "När det gäller knivars design vet du säkert att en full tånge löper genom hela knivens skaft."

Det hade Faith ingen aning om, men hon nickade ändå.

"Knivbladet i Mercys kropp var tolv centimeter långt och hade en halv tånge, vilket är en billigare och mindre hållbar konstruktion som används i köttknivar. Med en halv tånge får man ett u-format, tunt metallskelett inuti handtaget som fäster det vid bladet. Hänger du med?"

"Halv tånge, skelett inuti handtaget. Uppfattat."

"Mördaren stack in kniven ända till fästet. Det syns på märkena att kniven saknade bolster. Det är metallkragen mellan knivbladet och skaftet. Jag hittade plastrester i några av de djupare såren. I mikroskopet såg de röda ut."

Faith nickade igen, den här gången för att hon förstod. "Vi letar efter det röda skaftet till en billig köttkniv där en tunn metallbit sticker ut."

"Just det", sa Sara. "Alla stugorna har ett pentry, men det fanns inga knivar i vårt. Och jag minns inte att jag såg något som match-ade en kniv med rött skaft i familjens kök. Men det kan vara värt att söka igenom köket igen, nu när vi har ny information. Jag skulle gissa att det är ungefär en decimeter långt och strax över en halv centimeter brett."

"Okej, jag måste prata med Will och höra hur han vill gå vidare. Du kan ge honom knivdetaljerna." Faith började gå, men hejdade sig. "Jag träffade Frank. Han är orolig för sin fru. Hon är tydligen mer bakfull än vanligt."

"Jag tittar till henne nu." Sara klappade med handen på duffel-väskan. "Jag tog med mig lite utrustning från sjukhuset ifall det behövs. Cecil sitter i rullstol, men jag ser ingen minibuss."

Den tanken hade inte slagit Faith. "Hur får de in honom i pick-upen?"

"Det finns säkert gott om folk som kan hjälpa till", sa Sara. "Ska jag göra er sällskap i matsalen när jag är klar?"

"Det låter bra."

Faith följde träskylten med tallriken och besticken. Hon höll blicken riktad mot marken. Gångvägen var ansad, men det fanns växtlighet på båda sidor om den där ormar och ekorrar kunde gömma sig. Eller fåglar. Faith tittade upp. Grenarna hängde ned som långa fingrar. En kraftig vind fick löven att rassla. Hon var säker på att en uggla skulle attackera hennes hår. Hon blev lättad när stigen svängde, men såg bara mer stig.

"Förbaskade natur."

Hon fortsatte framåt medan blicken for mellan marken och himlen för att upptäcka möjliga faror. Vägen krökte sig igen. Träden glesnade. Hon kände doften från köket innan hon såg byggnaden. Emmas pappas föräldrar hade invandrat från Mexiko. Hans hätska mamma älskade matlagning lika mycket som hon avskydde Faith, vilket var en hel del. Koriander. Spiskummin. Basilika. Faiths mage kurrade när hon nådde fram till den åttkantiga byggnaden. Hon gick förbi terrassen som hängde ut över klippkanten på ett livsfarligt vis och klev in genom dörren.

Tomt.

Lamporna var släckta. Det fanns två långa bord i rummet och det ena var redan dukat för lunch. Genom de enorma fönstren på bortre väggen syntes fler träd. Faith skulle vara utled på färgen grön när hon väl kom härifrån.

"Will?" ropade hon. "Är du här inne?"

Hon väntade, men ingen svarade. Allt hon hörde var slammer från matlagningen bakom svängdörrarna som ledde in i köket.

"Will?"

Faith tog fram satellittelefonen igen. Hon tryckte in knappen. "Det här är specialagent Faith Mitchell från Georgia Bureau of Investigation. Är det någon där ute?"

Hon räknade tyst till tio. Och till tjugo. Sedan började hon bli orolig.

Faith släppte telefonen i handväskan och gick in i köket. Det skarpa ljuset förblindade henne nästan. Två unga män stod vid den långa bänken i rostfritt stål som löpte längs mitten av rummet. Den ene skar upp grönsaker. Den andre vispade smet för hand i en stor skål. Kocken stod med ryggen mot Faith borta vid spisen. Radion spelade Bad Bunny, vilket förmodligen var anledningen till att ingen hört henne.

"Kan vi hjälpa till?" frågade en av de unga männen.

Det knep till i Faiths hjärta när hon såg honom. Han var bara en pojke.

"Behöver du hjälp med något?" Kocken hade vänt sig om. Det måste vara Alejandro. Han var oerhört snygg, men verkade också oerhört irriterad över att se Faith. Det påminde henne också om Emmas pappa. "Ursäkta att jag är korthuggen, men vi förbereder lunchen."

Faith behövde hitta sin partner. "Vet ni var agent Trent är?"

"Han gick längs Fiskens stig", sa pojken.

Hon suckade lättat. "Hur länge sedan var det?"

Pojken ryckte på axlarna, för han var tonåring och saknade tids-uppfattning.

"Jag såg honom utanför fönstret för ungefär en timme sedan, tror jag", sa Alejandro. "Ungefär en halvtimme senare kom en annan man klädd i likadana kläder som du. Stigen går bakom huset. Jag ska visa dig."

Faith kände hur lite av spänningen i axlarna släppte när hon fick höra att Will och Kevin synts till. Hon följde Alejandro till baksidan och passade på att se sig omkring i köket längs vägen. Knivarna såg dyra och proffsiga ut. Inga röda plasthandtag. Hon såg en toalett intill ett kontor. Hon ville gå igenom papperen där inne och se om hon kunde ta sig in i den bärbara datorn.

"Det är lunch om en halvtimme." Alejandro öppnade dörren och lät Faith gå före. "Folk brukar skyffla i sig maten på tjugo minuter. Vi kan prata efteråt."

Faiths snodde runt mot kocken. "Varför tror du att jag vill prata med dig?"

"För att jag och Mercy låg med varandra." Han stängde dörren bakom sig. "Vi försökte vara diskreta, men någon har uppenbarligen berättat det för er."

"Uppenbarligen", sa Faith. "Och?"

"Det var inget allvarligt. Mercy var inte kär i mig. Jag var inte kär i henne. Men hon var väldigt attraktiv. Det är ensamt här uppe. Kroppen vill ha sitt."

"Hur länge har ni haft sex?"

"Ända sedan jag började här." Han ryckte på axlarna. "Det hände ganska sällan, särskilt på sistone. Jag vet inte varför, men så såg vårt förhållande ut. Ebb och flod. Hennes pappa satte stor press på henne. Han är en väldigt hård man."

"Kände Dave till ert förhållande?"

"Ingen aning. Jag pratar sällan med honom. Jag höll mig till och med på avstånd när han byggde terrassen. Jag misstänkte att han gjorde Mercy illa."

"Varför då?"

"Man får inte sådana blåmärken av att ramla." Han torkade händerna på förklädet. "Vi kan väl säga att om Dave varit den som blivit mördad skulle ni ha pratat med mig av helt andra anledningar."

Det var många som sa liknande saker, men ingen hade gjort något medan Mercy levde. "Du säger att du inte var förälskad i henne, men att du skulle ha mördat för hennes skull?"

Han log så att alla tänderna syntes. "Du är väldigt bra på det här, men nej. Det är bara min pliktkänsla som talar."

"Vad sa Mercy när du såg blåmärkena?"

Leendet försvann. "Jag frågade henne om dem en gång och hon sa att vi antingen kunde prata om det och aldrig mer ha sex, eller att vi kunde glömma det och fortsätta ha sex."

"Ursäkta mig, men du verkar inte ha särskilt dåligt samvete över ditt val."

Han ryckte på axlarna igen. "Det är annorlunda här uppe. Sättet de behandlar folk på ... De sliter ut dem och kastar bort dem. Jag kanske gjorde samma sak med Mercy. Jag är inte stolt över det."

"Träffade hon någon annan?"

"Kanske?" sa han. "Tror du att Dave blev svartsjuk? Var det därför han dödade henne?"

"Kanske", ljög Faith. "Vad fick dig att tro att Mercy hade ihop det med någon annan?"

"En hel del saker, faktiskt. Ebb och flod, som jag sa. Och ..." Han ryckte på axlarna. "Vad ska jag säga? Mercy var en ensamstående mamma med ett krävande jobb, en besvärlig arbetsgivare och väldigt få möjligheter att roa sig."

Faith kände sig väldigt sedd. "Nämnde hon någon särskild?"

"Nej, och jag frågade inte. Som jag sa hade vi bara sex. Vi pratade inte om våra liv."

Faith hade haft ett par sådana relationer själv. "Men om du måste gissa?"

Han hostade till. "Tja, det måste vara någon av gästerna, eller hur? Slaktaren är äldre än min farfar. Mercy hatar grönsaksleverantören. Han kommer från staden och känner till hennes förflutna."

"Vad finns det att känna till om hennes förflutna?"

"Hon var väldigt ärlig mot mig i början", sa han. "Hon sålde sex när hon var i tjugoårsåldern."

"Sålde hon sex till dig?"

Han skrattade. "Nej, jag betalade henne inte. Jag kanske skulle ha gjort det om hon hade bett mig. Hon var bra på att hålla isär saker. Jobb var jobb och sex var sex."

Faith förstod varför det kunde vara värt pengar. "Hur verkade hon igår?"

"Stressad", sa han. "Vi har väldigt krävande gäster här uppe. De flesta av våra samtal igår var någon variant av 'Glöm inte att Keisha inte tycker om rå lök och att Sydney inte äter mjölkprodukter och att Chuck är allergisk mot jordnötter'."

Faith såg honom himla med ögonen. "Vad tycker du om Chuck?"

"Han är här minst en gång i månaden, ibland oftare. Jag trodde först att han var en släkting."

"Gillade Mercy honom?"

"Hon tolererade honom", sa Alejandro. "Han kan bli lite mycket, men det gäller Christopher också."

"Är Christopher och Chuck tillsammans?"

"Ett par, menar du?" Han skakade på huvudet. "Nej, inte som de tittar på kvinnor."

"Hur tittar de på kvinnor?"

"Desperat?" Han verkade försöka hitta en bättre beskrivning, men skakade sedan på huvudet. "Det är svårt, problemet är att båda är väldigt tafatta i största allmänhet. Ibland tar jag en öl med Christopher. Han är helt okej, men hans hjärna fungerar annorlunda. Dyker det upp en kvinna blir han helt lamslagen. Chuck har precis det motsatta problemet. Kommer det en kvinna inom tre meters avstånd reciterar han Monty Python-repliker tills hon springer åt andra hållet."

Faith kände tyvärr till den typen mycket väl. "Jag hörde att Mercy och Jon grälade."

Alejandro gjorde en grimas. "Han är en trevlig grabb, men väldigt omogen. Han har inte så många vänner i staden. De vet vem hans mamma är. Och vem hans pappa är. Det är inte rättvist, men stigmat finns där."

"Har du sett honom berusad förut?"

"Aldrig", sa Alejandro. "Ärligt talat blev jag förskräckt och tänkte: 'Hoppas att han inte också blir missbrukare.' Han har det i blodet, på båda sidor av familjen. Det är väldigt sorgligt."

Faith höll med. Missbruk var en mycket ensam livsresa. "När lämnade du campingen igår kväll?"

"Vid åtta eller halv nio. Det sista samtalet jag hade med Mercy gällde städningen. Hon hade gett Jon ledigt, så hon skulle städa själv. Jag erbjöd mig inte att hjälpa till. Jag var trött. Det hade varit en lång dag. Jag sadlade Pepe och red hem. Det tar ungefär 40 minuter över åsen. Jag var där hela kvällen. Jag öppnade en flaska vin och tittade på en deckarserie på Hulu."

"Vilken serie?"

"Den om kriminalaren med hunden? Du kan förmodligen kolla upp sådant, eller hur?"

"Ja, det kan jag." Faith var mer intresserad av att han hade svar på alla hennes frågor. Det var nästan som om han pluggat inför ett prov. "Är det något mer du vill berätta om Mercy och hennes familj?"

"Nej, men jag säger till om jag kommer på något." Han pekade längs en brant sluttning. "Det här är Fiskens stig. Den är väldigt lerig, så var försiktig."

Han hade redan öppnat ytterdörren, men Faith hejdade honom med en fråga. "Kan man ta sig till ungkarlsstugorna via den stigen?" Han såg förvånad ut, som om han lagt ihop två och två och listat ut varför hon frågade. "Man kan följa forsen förbi vattenfallen och sedan gå längs sjön. Men Repstigen är snabbare. Den leder runt ravinen. Den kallas så eftersom det finns en serie rep man måste hålla sig fast i så att man inte halkar och bryter nacken. Det är bara personalen som använder den. Den finns inte med på kartan. Jag har bara använt den en gång, för den skrämde skiten ur mig. Jag gillar inte höjder."

"Hur lång tid tog det?"

"Fem minuter?" gissade han. "Jag är ledsen. Jag måste verkligen jobba nu."

"Tack", sa Faith. "Jag kommer att behöva en skriftlig utsaga senare."

"Du vet var jag finns."

Alejandro försvann in i köket innan Faith hann säga något mer. Hon stirrade på den stängda dörren och försökte bedöma hur samtalet gått. Erfarenheten hade lärt henne att en misstänkt kunde bete sig på fyra olika sätt vid ett förhör. Han kunde vara defensiv. Han kunde vara stridslysten. Han kunde vara ointresserad. Han kunde vara hjälpsam.

Kocken hamnade någonstans mellan de två sista alternativen. Hon måste fråga Will vad han trodde om saken. Ibland verkade folk ointresserade för att de helt enkelt inte var intresserade. Ibland var de hjälpsamma eftersom de ville att man skulle tro att det var oskyldiga.

Faith började gå längs stigen. Alejandro hade inte överdrivit när det gällde leran. Stigen var som en halkbana och sluttade brant. Hon såg stora fotspår efter tunga steg i leran. Män som gått upp och ned för stigen.

"Will?" ropade hon, på ren chans. Det enda svaret var fågelkvitter. Förmodligen diskuterade djuren hur de skulle angripa henne.

Faith suckade och fortsatte nedåt. Det tog bara ett par sekunder innan hon måste rycka loss kängan ur leran. Detta var anledningen till att betong uppfunnits. Det var inte meningen att folk skulle vara utomhus på sådana här ställen. Hon slog undan dinglande grenar medan hon letade sig ned för branten. Trots att hon halvt om halvt redan accepterat att hon skulle halka och landa på baken blev hon irriterad när det hände. Stigen var fortfarande lika brant när hon reste sig. Faith blev tvungen att kliva in i skogen för att undvika en särskilt hal sträcka.

"Jäklar!" Hon hoppade undan från ormen.

Sedan svor hon igen. Det var ingen orm. Det låg ett rep på marken. Ena änden satt fast i ett stenblock. Den andra försvann längs stigen. Faith skulle förmodligen ha låtit det ligga om inte Alejandro berättat om repen längs den andra stigen. Hon svor några gånger till medan hon tog sig vidare med repet i handen. När hon väl hörde vattnet svettades hon rejält. Tack och lov hade temperaturen sjunkit när hon kom ned på lägre höjd. Hon slog undan en mygga som cirklade runt huvudet. Hon ville ha luftkonditionering och mottagning på telefonen. Och framför allt ville hon hitta sin partner.

"Will?" försökte hon igen. Rösten hördes knappt över oljudet från skogen. Insekter och fåglar och giftiga ormar. "Will?"

Faith högg tag i en trädgren för att inte foten skulle glida iväg när hon tog sig fram till stranden. Sedan halkade den andra foten och hon landade på rumpan igen.

"Herregud", väste hon. Ingenting gick som det skulle. Hon plockade upp satellittelefonen som låg på marken. Hon tryckte in walkie-talkie-knappen. "Det här är agent ..."

Faith blev tvungen att släppa knappen när ett obehagligt tjutande nästan spräckte trumhinnorna. Hon tittade på telefonen och tryckte in knappen igen. Tjutet hördes på nytt. Det kom från hennes väska. När hon öppnade den hittade hon sin satellittelefon.

Hon såg från den ena telefonen till den andra.

Hur hade hon fått tag i två telefoner?

Faith reste sig och gick någon meter. Hon såg vattnet nu. Det forsade runt stora stenar. Faith tog ytterligare ett steg. Skospetsen slog emot något tungt. Hon såg ett hölster med en kortpipig Smith & Wesson med fem patroner. Lustigt nog såg det precis ut som Amandas extrarevolver. Hon sökte igenom området. Ett fodral med hörlurar. Lite längre fram låg en Iphone. Faith tryckte på skärmen så att den lystes upp. Det var ett foto av Sara med Wills hund i famnen.

"Nej, nej, nej."

Faith hade Glocken i handen innan hjärnan helt hunnit bearbeta vad hon sett. Hon snodde runt ett helt varv och granskade skogen med vild blick, livrädd att hitta Wills kropp. Inget verkade underligt utom en stor vattenflaska och en stav med en otäck krok i ena änden. Faith rusade fram till strandkanten och tittade åt höger och vänster. Hjärtat började inte slå igen förrän hon var säker på att hans kropp inte låg i vattnet.

"Will!"

Faith småsprang längs vattnet. Marken sluttade. Vattnet rann fortare. Efter nästan femtio meter svängde vattendraget skarpt åt vänster runt några träd. Faith kunde se fler stenar. Mer forsande vatten. Något kunde ha svepts med i strömmen. Hennes partner, till exempel. Faith började springa mot kröken.

"Will!" skrek hon. "Will!"

"Faith?"

Rösten var svag. Hon kunde inte se honom. Faith stoppade Glocken i hölstret. Hon sprang ut i vattnet för att ta sig över på andra sidan. Det var djupare än hon trott. Knäna vek sig. Huvudet sjönk under ytan. Vattnet virvlade runt ansiktet. Hon tvingade sig upp över vattenytan och flämtade efter luft. Det enda som hindrade att hon drogs med nedströms var tur och en enorm trädrot som stack ut från den andra strandkanten.

"Är allt som det ska?"

Will stod ovanför henne. Hans bandagerade hand var tryckt mot bröstet. Kläderna var genomblöta. Bakom honom stod Kevin Rayman med en manskropp slängd över axlarna. Faith såg ett par håriga ben, svarta strumpor och gula vandringskängor.

Hon fick inte fram ett ord. Med hjälp av trädroten drog hon sig upp ur vattnet. Will sträckte ut handen och praktiskt taget lyfte henne upp på stranden. Faith ville inte släppa taget om honom. Hon kunde knappt andas. Hon mådde illa av lättnad. Hon hade varit säker på att han låg död någonstans. "Vad hände? Vem är det där?"

"Bryce Weller." Will hjälpte Kevin att lägga kroppen på marken. Mannen rullade över på rygg. Huden var blek och läpparna blå. Munnen hängde öppen. "Han kallas Chuck."

"Han kan också kallas jättetung", sa Kevin.

Faith for rasande ut mot Will. "Varför i helvete gick du ned hit utan att berätta vart du tog vägen?"

"Jag skulle inte ..."

"Håll tyst när du pratar med mig!"

"Jag tror inte att det är ..."

"Varför hittade jag Amandas revolver och dina telefoner på marken? Fattar du hur rädd jag blev? Jag trodde att du hade blivit mördad. För Guds skull, Kevin!"

Kevin höll avvärjande upp händerna. "Oj."

"Faith", sa Will. "Jag mår bra."

"Men det gör inte jag." Hjärtat dundrade i bröstet. "Herregud."

"Jag pratade med Chuck", sa Will. "Han var svettig och blek, men jag trodde att han kanske hade skuldkänslor. Jag gick tillbaka upp för stigen. Jag tog mig upp kanske fem-sex meter ovanför honom. När jag vände mig om låg han i vattnet. Jag slängde revolvern och telefonerna eftersom jag visste att jag skulle behöva hoppa i."

Faith avskydde hans lugna och resonabla tonfall.

"Strömmen drog med oss båda", fortsatte han. "Jag försökte få tag i honom. Vi spolades nästan utför ett vattenfall, men på något sätt lyckades jag dra oss tillbaka. Jag kunde inte lämna kroppen där nere, så jag började bära honom mot huvudbyggnaden."

"Det var då jag dök upp", sa Kevin. "Jag letade efter Will. Självklart har jag burit kroppen längre än han gjorde."

"Det är nog inte helt sant."

"Vi kan enas om att vara oense om den saken."

"Jag var faktiskt i vattnet."

Faith hade inte tid för deras skämtsamma munhuggande. Hon försökte fokusera på utredningen, inte på att hon stod dyngsur i skogen och skrek för att hon trott att hennes partner var död.

Hon såg ned på kroppen. Bryce Wellers läppar var mörkblå. Ögonen liknade glaskulor. Strömmen hade slitit i hans kläder.

Skjortan var öppen. Bältet hade lossnat. Framförallt var det här ytterligare en död person. De kanske letade efter en mördare med två motiv i stället för bara ett. Eller också hade Chuck mördat Mercy och sedan tagit livet av sig.

"Vad sa Chuck när du pratade med honom?" frågade hon Will.

"Han pratade som en incel. Han var på sin vakt och betedde sig som om han inte var intresserad av Mercy, trots att han uppenbarligen var det. När samtalet var över hade han klättrat till toppen av min lista över misstänkta. Han var väldigt fokuserad på Dave. Klart svartsjuk på att Mercy inte gjorde sig av med honom. Han gned sig om ryggen hela tiden. Jag undrade om hon hade fått in ett par slag där."

"Vi kan rulla över honom på mage och se efter om en liten stund", sa Kevin. "Jag måste bara hämta andan."

Will vände sig till Faith igen. "Chuck beskrev händelsen vid middagen med Mercy på ett konstigt sätt. Han sa: 'Hon vrålade som om jag hade våldtagit henne'. Och sedan syntes det att han verkligen ångrade det ordvalet."

"Var det därför han svettades?" frågade Faith. "För att han var nervös?"

"Jag tror inte det. Svetten rann ned för ansiktet. Håret låg klistrat mot huvudet. Nu när jag tänker efter tror jag inte att han mådde så bra. Han rapade som om magen var på väg upp genom munnen."

"Självmord?" frågade hon.

"Om han dränkte sig själv gjorde han det snabbt, utan att kämpa emot och utan att plaska. Det tog bara någon minut att ta mig upp för backen. När jag vände mig om hade kroppen redan flutit ut i vattnet."

Faith tittade på Chucks ansikte. Hon hade varit med på fler obduktioner än hon velat. Hon hade aldrig sett ett lik med så blå läppar. "Åt han något innan han föll i vattnet?"

"Han drack ur en vattenflaska", sa Will. "Den var halvfull när vi började. Han drack resten under samtalet. Vad är det du funderar på?"

"Alejandro sa att Chuck var allergisk mot jordnötter. Någon kanske hällde jordnötspulver i hans vatten."

"Nej", sa Sara.

Alla vände sig om. Sara stod på andra sidan vattnet.

"Det var inte jordnötter", sa hon. "Han blev förgiftad."

16

Sara var inte så förtjust i Wills skuldmedvetna uppsyn när han stirrade på henne från den motsatta stranden. Det var samma blick som han brukade ge Amanda precis innan hon skällde ut honom.

Sara var inte hans chef.

"Jag nappar", sa Faith. "Hur vet du att han blev förgiftad?"

Sara skulle ta hand om Will senare. Chuck hade inte direkt varit hennes favoritperson, men han var död och förtjänade viss respekt. "Anafylaktisk chock är en plötslig och kraftig allergisk reaktion som får immunförsvaret att släppa ut ämnen som försätter kroppen i chocktillstånd. Det är ingen snabb död. Vi pratar om femton till tjugo minuter. Chuck skulle ha uppvisat bröstsmärtor, hosta, yrsel, rodnad i ansiktet, hudutslag, illamående eller kräkningar och, först och främst, andningssvårigheter. Will, lade du märke till några sådana symptom?"

Will skakade på huvudet. "Han hade inga svårigheter att andas. Allt jag såg var att han var svettig och blek."

"Naglarna och läpparna är väldigt blå." Sara pekade på kroppen. "Det orsakas av cyanos, som beror på syrebrist i blodet. I det här fallet tyder det på en kemisk förgiftning. Chuck drack vatten innan han dog, så vi kan anta att det är källan. Substansen måste sakna färg, lukt och smak. Folk med allvarliga allergier vet genast om allergin blossat upp. Chuck ropade inte på hjälp. Han fäktade inte omkring. Han flämtade inte efter luft eller klöste sig på halsen som om han inte kunde andas. Jag måste titta närmare på platsen där han föll i vattnet, men min teori är att han förlorade medvetandet och rullade ned i forsen."

"Kan det ha varit en hjärtinfarkt?" undrade Faith.

"Då skulle inte läpparna och naglarna ha den där färgen. Alla hjärtinfarkter leder inte till hjärtstillestånd. Plötslig hjärtdöd beror på ett fel i hjärtats elektriska impulser. Hjärtat slår oregelbundet eller stannar, blodet tar sig inte till hjärnan och personen svimmar. I de här tysta omgivningarna skulle Will ha hört något innan Chuck förlorade medvetandet, trots det brusande vattnet. Chuck skulle ha skrikit till eller tagit sig om vänsterarmen – de klassiska symptomen. Han skulle åtminstone ha fallit i vattnet med ett stort plask."

"Jag lyssnade noga för att försäkra mig om att han inte följde efter mig", sa Will. "När jag vände mig om flöt han i vattnet."

"Vilket slags gift skulle ge naglarna och läpparna den där blå färgen?" frågade Faith.

Sara hade sina misstankar, men hon tänkte inte lufta sina åsikter på nästan tio meters avstånd. "Det kan bara en toxikologisk analys berätta säkert, men jag kan komma med några förslag när jag har tagit mig en närmare titt."

"Vi kommer till dig", sa Will. "Vi måste få honom över vattnet. Det finns en gångbro av sten över forsen uppströms, vid det lilla vattenfallet. Klarar ni er utan mig?"

Han väntade inte på Faiths och Kevins svar. Han dök ned i vattnet för att ta sig över till andra sidan på en gång. Strömmen verkade inte bekymra honom. Han tog sig upp på stranden och ställde sig framför Sara med resignerad min.

Hon räckte honom telefonen och hörlurarna. "Hur var vattnet?"

"Väldigt kyligt."

Hon undrade om svaret var dubbeltydigt. "Älskling, jag tänker inte gräla på dig för att du försökte rädda någons liv."

Han såg undrande på henne. "Är du inte arg?"

"Jag var orolig", sa hon, men höll inne med att Faiths panikslagna skrik efter Will nästan fått hjärtat att stanna. Hon hade knappt kunnat andas förrän hon såg att han mådde bra. "Jag måste byta ditt bandage. Det är genomblött."

Han såg på handen. "Tro det eller ej, men det räddade mitt liv."

Sara visste inte om hon skulle klara att höra detaljerna just nu.

"Hur mycket vatten svalde du?"

"Någonstans mellan lite och mycket, men det kom upp igen."

"Det finns en liten risk för lungemboli." Sara strök tillbaka hans våta hår. "Jag vill att du säger till på en gång om det känns besvärligt att andas."

"Det är svårt att avgöra", sa Will. "Ibland tappar jag andan av att se min fru."

Sara kände mungiporna vända uppåt, men hon visste att det fanns mer angelägna saker att tänka på. Faith och Kevin bar redan Chuck mot gångbron.

"Berättade Faith om kniven?" frågade hon när de gick längs stranden.

Han skakade på huvudet.

"Rött plasthandtag. Jag tror att det är en köttkniv. Den röda färgen är ovanlig. Om handtagen görs av plast brukar man vanligtvis försöka få dem att likna trä."

"Amanda får nog fram en husrannsakningsorder snart", sa han. "Jag vill vända upp och ned på hela stället. Jag hoppas att knivhandtaget inte ligger på sjöbotten."

"Vet du ifall Mercy hade någon aning om att hon var gravid?"

Han skakade på huvudet igen. "Och det finns ingen att fråga. Hon litade inte på någon här uppe."

"Inte så konstigt." Sara tänkte framåt. "Eftersom vägen spolats bort måste vi hitta ett ställe att förvara kroppen på tills Nadine kan hämta den."

"Det finns en fristående frys bakom köket. Den var inte särskilt full. De har en annan frys inne i köket som de förmodligen kan flytta maten till." Will hade höjt handen över hjärtat igen. Det var tydligt att det kalla vattnet och adrenalinet inte längre dövade smärtan. "Det påminner mig om en sak. Jag sa till Frank att jag skulle be dig titta till Monica."

"Det har jag redan gjort", sa Sara. "Jag gav henne lite vätska, men det skulle kännas bättre om hon befann sig närmare sjukhuset. Hon måste att dricka lite igen, annars kommer hon att få abstinensbesvär. Att döma av symptomen var hon på gränsen till alkoholförgiftning igår kväll."

"Frank sa att han var förvånad över att hon blev så pass sjuk av den mängd alkohol hon drack."

"Jag är inte säker på att Frank är så pålitlig. Han berättade för mig att han ljög för dig."

Will stannade.

"Igår kväll skrev Monica en lapp med önskemål om ytterligare en flaska sprit. Frank gick ut på verandan för att lämna den till Mercy, men stoppade den i fickan i stället."

"Sedan sa han till mig att Mercy hade tagit lappen, vilket gav mig tidslinjen som vi har gått efter." Will såg irriterad ut, vilket var förståeligt. "Varför i helsicke ljög han om det?"

"Han ljuger förmodligen ganska mycket för att dölja fruns drickande. Men Paul sa att han såg Mercy vid halv elva-tiden", påminde Sara honom.

"Jag litar ännu mindre på Paul än på Frank." Will tittade på klockan. "Lunchen är slut. Du kanske kan prata med Drew och Keisha? Amanda har gjort bakgrundskontroller på alla gästerna. Drew greps för misshandel för tolv år sedan."

Sara tappade hakan.

"Jag reagerade likadant, men det kanske har något att göra med vad Drew sa till Bitty om att glömma det där andra."

"Vilket andra?" frågade Faith.

De hade nått det lilla vattenfallet. Faith gick över stenarna med armarna utsträckta för att hålla balansen. Will väntade på henne vid vattenkanten. Sara lyssnade inte på deras samtal. Ingen av dem verkade intresserad av att hjälpa Kevin. Sara tänkte göra det, men han var redan på väg över vattnet med Chucks fulla vikt på axlarna. Will tittade också på, men snarare avundsjukt än oroat. Han ville vara den som balanserade nittio kilo på axlarna medan han navigerade sig igenom något som liknade en hinderbana.

"Kan Monica också ha blivit förgiftad?" frågade Faith.

Sara insåg att frågan var ställd till henne. "I så fall av ett annat slags gift, på ett annat sätt. Jag kan be Monica om ett blodprov, men vi blir tvungna att ..."

"Vänta på den toxikologiska analysen", avslutade Faith. "Vad tror du om självmord?"

"För Chucks del?" Sara ryckte på axlarna. "Såvida han inte lämnade något självmordsbrev kan jag inte svara på det."

"Utöver svettningarna verkade han inte särskilt skuldmedveten", sa Will. "Han var rätt säker på att Dave var mördaren."

"Det skulle jag också vara om vi inte hade en massa bevis som tydde på motsatsen", sa Faith.

"Hade inte Chuck glasögon?" sa Sara.

"Vattnet forsar snabbt", sa Will. "Glasögonen har förmodligen dragits med nedströms."

"Tack för hjälpen, hörni." Kevin hade tagit sig över vattnet. Han satte ena knäet i backen och lade Chuck på marken innan han sjönk ned för att hämta andan.

"Vi håller oss borta från den där biten av stranden." Sara nickade mot platsen där hon trodde att Chuck landat i vattnet. "Vi måste lägga huggkroken och vattenflaskan i bevispåsar och sedan gå igenom allt han har i fickorna."

"Jag hämtar grejerna." Kevin reste sig upp. "Jag behöver ändå lite vatten."

"Se till att det kommer från en oöppnad flaska." Faith hade hittat sin handväska på marken och tog fram sitt diabetes-kit. "Kan ni börja utan mig? Jag måste ta insulin."

Sara mötte Wills blick när Faith gick en liten bit längs stigen och satte sig på en nedfallen trädstam. Faith var duktig på sitt jobb, men hon hade aldrig känt sig särskilt bekväm i närheten av döda kroppar.

"Är du redo?" frågade Sara Will.

Han tog telefonen ur fickan. "Vattnet nådde upp över strandkanten när jag kom hit. Vi borde filma området där Chuck ramlade i innan det sjunker undan."

"Sätt igång." Sara väntade på att han skulle starta inspelningen och rabblade sedan upp datum, tid och plats. "Jag heter doktor Sara Linton. Närvarande är också specialagenterna Faith Mitchell och Will Trent. Den här filmen dokumenterar platsen där vi tror att offret Bryce Weller, även kallad Chuck, ramlade ned i Försvunna änkans fors och avled."

Hon väntade medan Will långsamt svepte med kameran från stigens slut och hela vägen längs med vattnet. Sara använde tiden för att skapa sig en uppfattning om vad som hänt. Det fanns tre tydliga uppsättningar fotavtryck. En av dem kom från ett par sneakers. Hon tittade på sulorna på Chucks vandringskängor. Det var slitna på utsidorna eftersom han gick snett på fötterna. Hon visste redan hur Wills tydliga HAIX-fotspår såg ut. Väder och vind hade motarbetat dem på platsen där Mercy dog, men här hade leran gjort dem en tjänst. Chucks sista ögonblick kunde lika gärna ha varit huggna i sten.

"Så där", sa Will. "Jag är redo när du är det."

"Sulorna på offrets kängor matchar det här W-formade mönstret i leran", sa Sara. "Man ser var offrets vikt flyttades över till tårna medan han stod vänd mot vattnet. Hälavtrycken är grundare än tåavtrycken. De här två märkena visar var offret sjönk ned på knä. De är inte djupa eller oregelbundet formade, vilket tyder på att det var en kontrollerad rörelse snarare än ett plötsligt fall. Det finns handavtryck på var sida om dem, här och här, så han måste ha stått på alla fyra vid något tillfälle."

"Det måste ha gått fort", sa Will. "Jag tog bara blicken från honom någon minut. Jag hörde honom varken ropa efter hjälp, hosta eller något annat."

"Chuck tänkte nog mer på att behålla medvetandet än på att ropa på hjälp", sa Sara. "Min teori är att blodtrycket sjönk, vilket fick honom att falla på knä. Sedan satte han händerna i marken för att hålla balansen. Det högra avtrycket är djupare än det vänstra. Det här långa, ovala avtrycket beror förmodligen på att hans högra armbåge vek sig och att han föll ned på höger axel innan han till sist hamnade på höger sida. Därefter gissar jag att han rullade över på rygg, men då var han för nära strandkanten. Gravitationen tog över och han hamnade i vattnet. Strömmen förde honom ut till stenblocken."

"Han hade fastnat med handen när jag såg honom", sa Will. "När jag hoppade i var han redan på väg nedströms."

"Såg du honom röra sig?"

"Nej, han flöt med armarna och benen rakt ut. Han gjorde inget motstånd alls."

"Han måste ha varit medvetslös eller redan död. Jag kan ha fel, men jag gissar att obduktionen kommer att visa att han drunknade."

Sara tittade ut i vattnet. Hon såg ett par välbekanta glasögon som satt fast i flodbädden. "Det där ser precis ut som Chucks glasögon."

Will undvek fotavtrycken när han lutade sig ut över vattnet med telefonen för att dokumentera glasögonens placering.

Sara vände sig mot kroppen. Chuck låg på rygg med ansiktet uppåt. Hon hade knappt tittat på honom under gårdagskvällen. Nu granskade hon ansiktet ordentligt. Han var alldaglig, men inte oattraktiv, med svart vågigt hår som nådde ned till skuldrorna, olivfärgad hud och mörkbruna ögon.

"Såg du om Chucks pupiller var utvidgade när du pratade med honom?" frågade hon Will.

Han skakade på huvudet. "Det är inte så mycket sol här nere bland träden. Jag fokuserade på att se till att han inte fick tag i huggkroken och gav sig på mig."

"Kan du se det nu?" Faith höll sig på behörigt avstånd, men det var tydligt att hon lyssnade. "Är pupillerna fortfarande utvidgade?"

"Irisen är en muskel", sa Sara. "Döden får den att slappna av."

Faith såg lite illamående ut. "Det ligger ett par handskar i min handväska."

Sara hittade handskarna och tog på sig dem medan Will filmade Chucks kropp från hjässan ned till tårna. Blixten var påslagen. Under det skarpa ljusskenet kunde hon se att det inte bara var Chucks läppar och naglar som fått en blå nyans. Ansiktet såg också blåaktigt ut, särskilt kring ögonen.

"Filma ögonlocken och ögonbrynen noga", sa hon till Will.

Sara väntade tills Will var klar innan hon föll på knä intill kroppen. Chuck hade på sig en kortärmad skjorta. Hon såg inga klösmärken eller försvarsskador på armarna och halsen. Hon knäppte upp skjortan. Bröstkorgen och magen var håriga, men hade inga märken. Hon tog sig en närmare titt på naglarna, granskade ansiktet och försökte minnas hur Chuck sett ut vid middagen. Av självklara anledningar hade Sara bara haft ögon för Will.

"Tyckte du att Chuck såg konstig ut på något sätt igår kväll?" frågade hon.

Han skakade på huvudet. "Jag såg inte riktigt åt hans håll under cocktailstunden förrän han tog tag i Mercys arm och hon skrek åt honom. Sedan gick vi in för att äta, men där var det ganska dunkelt. Jag vet ärligt talat inte om jag ens tittade på honom igen."

"Inte jag heller." Sara hade inte haft mycket tid över för Chuck. "Vi måste prata med alla som var med vid middagen. Jag vill veta om någon tyckte att Chucks hud var blåaktig igår kväll. Eller till och med före det."

"Tror du att Chuck blev förgiftad redan innan vi kom till campingen?"

"Det är svårt att säga utan rätt resurser. Hur mycket drack han ur vattenflaskan när ni pratade?"

"Den var halvfull när vi började. Han tömde den medan vi pratade, vilket betyder att han drack nästan två liter på ungefär åtta minuter."

"Kan inte det ta livet av en?" frågade Faith. "Att dricka för mycket vatten?"

"Jo, om man dricker tillräckligt mycket för att späda ut natriumet i blodet. Men två liter räcker inte för att orsaka sådana problem. En man på nittio kilo behöver minst tre liter vätska om dagen. Att dricka knappt två liter så snabbt skulle på sin höjd leda till att man kräks upp det igen."

"Det ser ut att finnas lite vatten kvar i botten av flaskan", sa Will.

Sara ville se en analys av flaskans innehåll, men det kunde ta flera veckor. "Hade han bältet uppknäppt när du pratade med honom?" frågade hon Will.

"Nej. Jag antog att det lossnat i vattnet."

Inför kameran vek Sara undan bältet för att visa att knappen och översta biten av blixtlåset i Chucks shorts var uppknäppta. Hon lutade sig ned för att lukta på kläderna.

"Hur verkade han i slutet av samtalet?"

"Han var väldigt svettig", sa Will. "Och han ville väldigt gärna att jag skulle gå därifrån."

"Det kan ha varit diarré. Kanske försökte han dra ned byxorna när de andra symptomen slog till."

"Det förklarar varför han inte ropade på hjälp", sa Faith. "Man vill inte ha några vittnen när skiten börjar spruta."

"Ser du några försvarsskador?" sa Will.

"Nej, men jag vill titta på hans rygg. Jag går igenom fickorna innan jag vänder honom." Sara klappade försiktigt på tyget för att ta reda på om det fanns något vasst i shortsen innan hon stoppade ned fingrarna i dem. Hon ropade ut vad hon hittade. "Ett cerat av märket Carmex. En femtonmillilitersflaska Eads ögondroppar. Ett hopfällbart linverktyg. Ett hopvikbart multiverktyg. En utdragbar verktygslina. En fickkniv."

"Är det normala fiskesaker?" frågade Faith.

"De flesta av dem är det." Sara hade tillbringat mycket tid med sin pappa ute på sjön. Han bar sin utrustning i bältet, men alla var olika. "Kan jag vända honom nu?"

Will backade undan några steg och nickade. Sara satte händerna på Chucks axel och höft och vände honom på sidan.

Will gav ifrån sig ett ljud. Baksidan av hans skadade hand for upp till näsan. Sara tog det som en bekräftelse på hur det stod till med Chucks tarmar. Hon var glad att vinden inte låg på åt Faiths håll.

Sara fick andas genom munnen när hon tog Chucks plånbok ur höger bakficka och öppnade den på marken. Det svarta lädret var blankpolerat. Hon lade fram ett Visa-kort, ett American Express, ett körkort och ett försäkringskort, allihop utfärdade i namnet Bryce Bradley Weller. Det fanns inga kontanter i innerfacket, bara en ensam kondom i ett urblekt guldpaket. Magnum XL, räfflad med glidmedel. Sara vände på plånboken. Att döma av det runda avtrycket hade kondomen legat där ganska länge. Något sa henne att Chuck inte använde den varje kväll och stoppade dit en ny.

"Kan vätskan du hittade i Mercy ha varit glidmedel?" sa Will.

"Nej. Vi såg spår av spermier under mikroskopet. Och kom ihåg att det inte är bevis för övergrepp, bara för samlag." Hon lyfte upp baksidan av Chucks skjorta. Där fanns inga klösmärken eller tecken på nya skador. Den enda oväntade upptäckten var en tatuering.

"Det sitter en stor tatuering på vänster skulderblad, ungefär åtta gånger tio centimeter stor. Den föreställer ett fyrkantigt whiskyglas med bärnstensfärgad vätska som skvätter över kanten. I stället för is ligger det en människoskalle i glaset."

"Ojdå", sa Faith. "Gillade han whisky?"

"Ingen aning." Sara hade medvetet undvikit att småprata med mannen. "Will?"

Han ryckte på axlarna. "Det enda jag såg honom dricka igår kväll var vatten."

"Om jag skulle förgifta honom hade jag definitivt lagt giftet i vattenflaskan", sa Faith.

Sara rullade försiktigt över Chuck på rygg. "Det var alla preliminära fynd. Nu måste vi vänta på obduktionen och provsvaren för att få hela bilden."

Will slutade filma. "Vad tror du?" frågade han Sara.

Sara nickade åt honom att följa henne en bit från kroppen. Hon tyckte inte om att stå och prata över offren som om de var problem som behövde lösas snarare än mänskliga varelser.

Hon väntade tills Faith kommit fram till dem och sa sedan: "Med tanke på omgivningarna trodde jag först att det var något naturligt, som atropin eller solanin, som man hittar i nattskatta. Jag har sett det förut. Solanin är oerhört giftigt, även i små doser. Det finns också stickskatta, kermesbär, glanshägg och lagerhägg."

"Naturen är så farlig", sa Faith. "Vad kom du fram till sedan?"

"Jag funderar på ögondropparna. En av ingredienserna heter tetrahydrozolin. Det är en alfa-1-receptor som motverkar röda ögon genom att få blodkärlen att dra ihop sig. Vid oralt intag passerar den snabbt genom tarmkanalen och absorberas av blodomloppet och centrala nervsystemet. I högre koncentrationer kan det orsaka illamående, diarré, lågt blodtryck, minskad hjärtfrekvens och medvetslöshet."

"Och det kan man köpa utan recept?" sa Faith.

"Det är mängden som gör det farligt", sa Sara. "Om det är tetrahydrozolin som ligger bakom förgiftningen pratar vi om flera flaskor."

"Skräpet bärs upp för berget", sa Will. "Vi kan söka igenom sopsäckarna efter tomma flaskor, men vi måste skicka allt vi hittar till labbet för att hitta fingeravtryck."

"Vänta", sa Faith. "Visst fanns det ett sådant här fall i Carolina? Frun gav maken ögondroppar i vattnet. Men det tog tid innan han dog."

Sara hade också läst om det. "Det kan vara en bidragande faktor till Chucks död. Den verkliga dödsorsaken kan vara drunkning."

"Vi kan förmodligen räkna bort självmord", sa Will. "Det låter inte som något man skulle använda för att ta livet av sig med."

"Om man inte vill skita på sig till döds", sa Faith. "Finns det inte en film där en kille ger någon ögondroppar så att han kan få tjejen?"

"*Wedding Crashers*", sa Will. "Letar vi efter en person eller två? Vem skulle ha motiv att mörda både Mercy och Chuck?"

"Vad vet vi om Chuck?" frågade Faith. "Han var märklig. Han tyckte tillräckligt mycket om whisky för att tatuera in ett glas. Han fiskade. Han bar runt på en vattenflaska."

"Han var Christophers bästa vän", sa Will. "Han var besatt av Mercy, men känslorna var obesvarade. Han var en incel, eller åtminstone nästan en incel."

"Han hade en kondom i plånboken, så han hade inte helt gett upp hoppet." Faith suckade tungt. "Vem hade tillgång till vattenflaskan?" Sara såg på Will. "Alla?"

Will nickade. "Chuck var inte rädd om den. Under cocktailstunden lämnade han den på balkongräcket ett par gånger och gick därifrån."

"Den är säkert tung att släpa på", sa Sara. "När den är full måste den väga nästan fyra kilo."

"Emma vägde strax över tre och ett halvt kilo när hon föddes", sa Faith. "Det var som att bära runt på en Xbox."

"Eller en dunk mjölk", sa Will.

"Så alla här uppe är misstänkta igen", sammanfattade Faith läget. "Och alla som hade tillgång till ögondroppar, vilket finns i alla affärer."

"Dessutom vet de flesta att ögondroppar kan vara giftiga", sa Sara.

"Vi plockar bort Mercy ur ekvationen", sa Faith. "Vem skulle vilja döda Chuck? Han hade ingenting med försäljningen av campingen att göra. Om någon ville ta livet av honom för att han var obehaglig och irriterande skulle det ha skett för länge sedan."

"Innan jag följde honom ned hit hörde jag Chuck prata om investerarna med Christopher", sa Will. "Det var på stigen bakom köket.

Christopher sa att han var sen till ett familjemöte som förmodligen skulle handla om försäljningen. Chuck frågade om investerarna fortfarande var intresserade. Christopher sa att han inte visste, men att han tänkte lägga av. Han ville inte göra det här över huvud taget och utan Mercy skulle det inte fungera. Han sa att de behövde henne."

"Det var underligt", sa Sara. "Menade han campingen eller någon annan typ av affärer?"

"Mercy har skött stället sedan Cecils cykelolycka", sa Faith. "Enligt Penny gjorde hon ett toppenjobb och drog in stora vinster som hon återinvesterade i verksamheten."

Will verkade inte övertygad. "En av de sista sakerna Chuck sa till Christopher var något i stil med: 'Vi har något bra på gång här. Många människor förlitar sig på oss.'"

"Chuck kanske var involverad i campingen ändå?" sa Faith. "Som en passiv delägare?"

"Det lät inte som om de pratade om campingen", sa Will.

Ljudet av fotsteg fick dem att vända blicken mot stigen. Kevin var tillbaka med bevispåsarna och utrustningen för bevisinsamling.

"Agent Hundgöra är tillbaka", sa Faith.

Han verkade inte gilla skämtet, förmodligen för att det låg lite för nära sanningen. "Jag gick förbi matsalen", sa han. "Jag bad kocken tömma den fristående frysen, men jag berättade inte varför."

"Kunde han inte lista ut det när du sa att vi behövde tillräckligt mycket utrymme för en människa?" frågade Faith.

"Jag sa att vi behövde förvara bevis, men att jag inte ville kontaminera maten."

"Det var faktiskt smart", medgav Faith.

"Hur gör vi med Chuck?" frågade Kevin. "Ska vi berätta det för folk? Ska vi hålla det hemligt?"

"Jag måste berätta för Nadine att han är död", sa Sara. "Men hon kommer inte att kunna frakta kroppen förrän vägen är framkomlig. Jag litar på att hon håller tyst om saken."

"Kocken och servitörerna kommer att se oss lägga kroppen i frysen", sa Will. "Men om de håller sig i matsalen och ingen från huset kommer ned dit får ingen annan veta något."

"Om alla fortfarande följer samma schema kommer inte gästerna för att dricka cocktails förrän klockan sex", sa Sara.

"Och informationen att Dave är oskyldig?" frågade Kevin. "Håller vi tyst om det också?"

"Jag tror inte att det blir något problem", sa Faith. "Det är inte som att familjen kräver att få veta namnet på mördaren."

"Men Jon, då?" frågade Sara. "Han kommer att dyka upp så småningom. Just nu tror han att hans pappa mördade hans mamma. Ska vi låta honom fortsätta tro det?"

"Det blir ett besvärligt samtal", sa Will. "Vi kan inte be honom att hålla det hemligt, och då kan han råka varna den riktiga mördaren. Vi måste fortfarande hitta det saknade knivhandtaget. Mördaren kanske blir slarvig om han tror att han kommit undan."

"Jag röstar för att vi håller tyst om alltihop", sa Kevin. "Både om Chuck och Dave."

"Jag med", sa Will och Faith i munnen på varandra och därmed var Saras röst onödig.

"Vi gör upp en plan", sa Faith. "Vi kan använda en av de tomma stugorna för att förhöra folk så att ingen är på hemmaplan. Vi börjar med Monica och Frank och tar reda på om de ljuger om fler saker. Vi måste slå fast tidslinjen. Sedan pratar vi med apputvecklarna. Jag vill veta varför de ljög om Paul Petersons namn."

"Han heter Ponticello", sa Will. "Amanda hittade vigselbeviset. Paul Ponticello är gift med Gordon Wylie."

"Varför ljög de om de var gifta?" undrade Faith.

"Det är vår första fråga", sa Will. "Jag vet inte riktigt hur vi ska hantera Christopher."

"För att han var den sista som träffade Chuck och dessutom hade tillgång till vattenflaskan?" Faith fnös. "Jag menar, kom igen. Han står definitivt högst på listan över misstänkta."

"Vad har han för motiv?"

"Ingen jävla aning." Faith suckade tungt. "Vi går i cirklar. Nu slutar vi prata och börjar göra saker."

"Du har rätt", sa Will. "Kevin, jag hjälper dig att lägga Chuck i frysen. Jag går igenom soporna medan du samlar in bevis på brottsplatsen. Faith, be om tillstånd att använda en av de tomma stugorna. Ruska om Christopher lite, om du kan. Se om han frågar efter Chuck. Sara, det ligger ytterligare en satellittelefon i terränghjulingens baksäte. Använd den för att ringa Nadine. Ha den påslagen ifall jag behöver nå dig. Amanda sa att hon skulle ringa när husrannsakningsordern var skickad, men kontrollera faxmaskinen i alla fall. Har du något emot att höra efter om Drew och Keisha vill prata med dig?"

"Jag kan försöka." Sara var mer orolig över stygnen i Wills hand. Hon hade med sig antibiotika för säkerhets skull. "Jag lämnade duffelväskan med sjukvårdsutrustningen i vår stuga. Jag vill byta ditt bandage."

"Det kan lika gärna vänta tills jag har gått igenom soporna."

"Det låter bra." Sara tänkte inte bråka om risken för infektion, särskilt inte inför publik. Det enda hon kunde göra var att börja gå upp för stigen igen. Samtalet till Nadine skulle bli enkelt, men hon var inte säker på hur hon skulle närma sig Drew och Keisha. De verkade vara väldigt trevliga människor. De hade all rätt att vägra svara på frågor. Men Sara skulle ljuga om hon sa att ett gripande för misshandel inte fick alla varningsklockor att ringa. Drew hade varit på campingen två gånger tidigare, kanske till och med för tio veckor sedan.

"Sara?" Will hade uppenbarligen räknat ut samma sak. "Faith följer med dig. Hon behöver kartan över anläggningen."

Sara log mot honom. "Jag kan ta med den tillbaka efter att jag pratat med Drew och Keisha."

Will log också. "Eller också kan du ta med dig Faith när du pratar med dem."

"Men för helvete." Faith slängde väskan över axeln som en säck djurfoder och började gå upp för stigen.

Sara gick före henne. Faith sa inte mycket, men klagade då och då på leran, träden, undervegetationen och naturen i största allmänhet. Stigen var smal och det var svårt att ta sig fram på grund av leran. I stället för att oroa sig över Wills hand fokuserade Sara på det hon kunde åstadkomma. Nadine kanske hade någon information om Chuck. Småstäder var väldigt avvaktande mot främlingar. Dessutom skulle en man som Chuck sticka. Det måste ha pratats om honom i staden.

"Herregud." Det lät som om Faith bad en bön när de äntligen nådde Öglan. "Jag fattar inte varför Will var så exalterad över det här stället. Jag är täckt av svett, lera och hästhår. Något bet mig i nacken. Hela kroppen känns klibbig. Det finns fåglar överallt."

Sara visste att Faith hatade fåglar. "Du kan låna kläder av mig."

"Jag vet inte om du har lagt märke till det, men jag är snarare byggd som en robust tonårspojke än som en lång, slank supermodell."

Sara skrattade. Hon var lång, resten var en överdrift. "Vi ska nog hitta något."

Faith muttrade lågt medan de gick längs Öglan. "Har du pratat med Amanda?" frågade hon.

"Inte om det hon egentligen vill prata om."

"Jag vet inte, jag. Egentligen har hon rätt i att Will lägger näsan i blöt. Han är på smekmånad, men lyckas ändå springa in i en brinnande byggnad, bli knivhuggen i handen och spolas ut över ett vattenfall."

Sara var tvungen att svälja innan hon fick fram orden. Det där med vattenfallet var ny information. "Jag gifte mig inte med honom för att förändra honom."

"Er relation är så sund att den kan vara väldigt irriterande."

Sara skrattade igen. "Hur är det med Jeremy?"

"Ja, du vet ... Han är redo att bli FBI-agent och slänga sig över en radioaktiv bomb när som helst."

Sara sneglade på henne. Det brukade vara enkelt att läsa av Faith, framför allt eftersom hon alltid sa precis vad hon tänkte. Men när det gällde barnen var hon väldigt sluten. "Så?"

"Jag vet inte vad jag ska göra", sa Faith. "Innan han kom på det här var det mest chockerande han någonsin sagt till mig att USA förvarar sexhundratrettio ton ost i en grotta i Missouri."

Sara log. Hon älskade Jeremys kuriosa. "Har du försökt prata med honom?"

"Jag tänkte försöka skrika lite till och se om det fungerar. Sedan testar jag iskall tystnad och efter det tjurar jag ett tag och använder det som ursäkt för att äta för mycket glass." Faith lade armarna i kors och tittade upp mot himlen. "Visst är det här ett konstigt ställe?"

"Tänker du på fåglarna?"

"Jo, men också på Mercys mamma", sa Faith. "Bittys sätt att prata om sin egen dotter ..."

Sara tyckte lika illa om det. "Jag kan inte föreställa mig vilken sorts människa man måste vara för att hata sitt eget barn. Vilken eländig varelse hon är."

"Barn kan lära en precis vem man är", sa Faith. "Med Jeremy ansträngde jag mig så hårt för att vara perfekt. Jag ville bevisa för mina föräldrar att jag var vuxen nog att ta hand om honom själv. Jag gjorde scheman och tabeller och såg till att tvättkorgen var tom, och så en morgon insåg jag att det var helt okej att äta mat som låg på golvet om den var närmare munnen än soptunnan."

Sara log. Hon hade sett sin syster räkna ut samma sak.

"Emma lär mig vilken bra mamma min egen mamma är. Jag önskar att jag lyssnat mer på henne. Inte för att jag tänker börja lyssna på henne nu, men det är tanken som räknas." Faiths leende försvann lika snabbt som det dykt upp. "När jag pratade med Bitty kunde jag bara tänka på att hon inte hade lärt sig någonting. Hon hade en vacker liten flicka och hon kunde ha skapat en underbar värld för henne, men det gjorde hon inte. Ännu värre är det att hon valde Dave framför Mercy och Christopher. Och nu är Mercy död och Bitty har inte lärt sig något av det heller. Hon kan inte sluta vräka ur sig dumheter om sin dotter. Jag vet att jag skämtade om att hon beter sig som Daves avundsjuka, knäppa exflickvän, men det känns nästan sjukligt."

"Hon är inte direkt trevligare mot Christopher", sa Sara. "Vid cocktailstunden ignorerade hon honom nästan helt och hållet. Jag såg henne daska till hans hand när han försökte ta mer bröd."

"Cecil, då?"

"Mercy sa en sak igår som jag har funderat mycket på idag", sa Sara. "Hon frågade om jag hade gift mig med min pappa."

Faith såg på henne. "Vad svarade du?"

"Att jag hade det. Will påminner mycket om min pappa. De har samma slags moraliska kompass."

"Min pappa var ett helgon. Ingen man kan mäta sig med honom, så varför ens försöka?" Faith ryckte på axlarna, men egentligen hade hon inte gett upp hoppet helt. "Vad fick Mercy att ställa den frågan?"

"Hon pratade om att Dave var som hennes pappa. Efter att ha sett röntgenbilderna förstår jag bättre. Hon genomled fruktansvärt mycket misshandel under uppväxten." Sara undrade hur mycket Will hade berättat för Faith om Dave. Hon ville inte säga för mycket. "Som jag förstår det har Dave två olika sidor. Precis som Cecil kan han vara festens medelpunkt. Sedan finns den andra sidan, som kan skada mamman till hans barn."

"De flesta hustrumisshandlare är sådana. De vänjer sina offer långsamt och visar inte vilka rövhål de är på en gång", sa Faith. "Men låt inte Bitty slippa undan så lätt. Hon kanske också slog barnen."

"Det skulle inte förvåna mig", sa Sara. "Men enligt min erfarenhet brukar sådana kvinnor tycka bättre om psykisk misshandel."

"Jag vet att det var jobbigt för Will att hitta Mercy, men jag är glad att hon inte var ensam när hon dog."

"Hon oroade sig för Jon", sa Sara. "Hon bad Will se till att Jon skulle veta att hon förlät honom för det som hände vid middagen. Hennes sista ord och tankar gällde sonen."

Faith gned sig om överarmarna, som om hon frös. "Det skulle ta död på mig en gång till om jag trodde att Jeremy måste bära med sig den sortens skuldkänslor resten av livet."

"Jeremy har många som skulle ta hand om honom. Det har du sett till."

Faith ville inte bli för känslosam. Hon tittade upp längs stigen. "Jäklar. Är det er stuga?"

Sorgen stack till i Sara när hon såg de vackra blomlådorna och soffgungan. De hade gått miste om sin perfekta vecka. "Visst är den gullig?"

"Skämtar du?" Faith lät hänförd. "Det ser ut som något Bilbo skulle bo i."

Sara dröjde sig kvar medan Faith skyndade mot trappan. Det låg en välbekant, äckligt söt lukt i luften som hon inte riktigt kunde placera. "Känner du det där?"

"Det är förmodligen jag som luktar. Du vill inte ens veta vad som kom ut ur den där hästen." Faith slog sig på sidan av halsen. "Fler myggor. Har du något emot att jag tar en snabb dusch? Jag känner mig så äcklig."

"Gå in bara. Du kan leta i byrån efter kläder. Jag väntar här ute. Det är för fint väder för att vara inomhus."

Faith ställde inga fler frågor. Hon skyndade sig upp för trappan.

"Faith!" Saras hjärta hade tagit ett skutt upp i halsgropen. "Titta inte i min resväska!"

Faith såg undrande på henne. "Okej."

Hon försvann in i stugan. Sara hoppades att Faith inte skulle vara lika nyfiken som vanligt. Will skulle säga upp sig och flytta till en öde ö om Faith hittade den stora rosa dildon som Tessa packat ned i Saras resväska.

Hon väntade tills dörren slagit igen innan hon vände sig om och tittade på utsikten. Kroppen kändes darrig av utmattning. Varken hon eller Will hade sovit, men sömnlösheten hade inte orsakats av några vanliga smekmånadsaktiviteter. Sara andades in. Den äckligt söta lukten hängde fortfarande kvar.

På ren impuls fortsatte hon längs stigen. De flesta gästerna hade fått stugor i närheten av huvudbyggnaden, men hon mindes från kartan att stuga nio låg mellan hennes egen stuga och resten av huvudanläggningen.

Sara hade bara gått den övre delen av Öglan två gånger, en gång med Will och Jon och en gång i mörkret. Hon hade inte sett stuga nio någon av gångerna. När hon äntligen fick syn på stigen som ledde upp för en annan backe hade hon nästan börjat förtvivla. Den söta lukten blev mycket starkare när hon svängde in där. Sara hade hört Jon säga att lukten kom från en e-juice som kallades Red Zeppelin. Hon visste också att han ljugit om att han bara hade en vejp-penna. Den som han hade i munnen nu var silverfärgad.

Jon satt i hänggungan på verandan och stirrade ut i skogen. Ansiktet var svullet, ögonen blodsprängda på grund av sorgen över mamman. Han var så djupt försjunken i tankar att han inte lade märke till Sara förrän hon stod på verandan. Han ryckte inte till. Han bara tittade på henne. Att döma av hans tunga ögonlock och glasartade blick hade han rökt mer än Red Zeppelin den här dagen.

"Det här är ett trevligt gömställe", sa hon.

Jon satte tillbaka pennan i munnen och passade på att torka tårarna.

"Har du tillräckligt med mat?" frågade Sara.

Han nickade och blåste ut rök i luften.

"Jag tänker inte säga åt dig att gå hem, men jag måste försäkra mig om att det inte är någon fara med dig."

"Nej. Jag ..." Han harklade sig. "Det är ingen fara med mig."

Sara såg vad det kostade honom att säga det. Jons mamma var död. Såvitt han visste var hans pappa mördaren. Förmodligen kände han sig alldeles ensam.

"Gick du på stigen vid min stuga nyss?" frågade Sara.

Han harklade sig igen. "Utsiktsbänken var sista gången ... Jag menar inte sista gången, men det sista stället som ..."

Sara såg en tår glida ned för hans kind. Hon tänkte inte ansätta honom med frågor, men hon kände att han behövde någon som lyssnade. "Satt du och din mamma på bänken?"

Minnet verkade plåga honom. "Hon ville prata. Vi gjorde ofta det när jag var liten. Jag trodde att jag var illa ute, men hon var inte arg på mig. Hon var bara väldigt sorgsen."

Sara lutade sig mot räcket. "Varför var hon sorgsen?"

"Hon sa att faster Delilah var här." Jon lade pennan intill sig på gungan. "Hon bad mig fråga Papa vad som pågick. Det handlade om försäljningen. Men hon ville att jag skulle höra det från Papa i stället för henne. Fast inte för att hon var feg, eller så."

Tonfallet var så beskyddande att det högg till i Saras hjärta.

"Men jag blev arg på henne. Efter att jag hade pratat med Papa, menar jag. Varför skulle hon vilja stanna här uppe? Vad var det för mening med det? Vi kunde skaffa ett hus i staden och hon kunde göra vad hon ville och jag kunde ... Jag vet inte. Få vänner. Gå ut med ..."

Sara hörde honom tystna igen. "Det är vackert här. Din släkt har ägt marken i flera generationer."

"Det är tråkigt som fan." Han sänkte hakan mot bröstet. "Ursäkta."

"Jag antar att det inte finns så mycket för dig att göra här uppe", sa Sara.

"Bara jobb." Jon torkade sig om näsan med tröjkanten. "Bitty började åtminstone ge mig betalt för några år sedan. Papa har aldrig gett oss ett öre. Jag hade inte ens någon telefon förrän Bitty smög till mig en. Papa sa att alla jag behövde prata med bodde här uppe på berget."

Sara såg honom börja leka med pennan igen. Han vände den runt, runt. "Sa din mamma något annat till dig när ni satt på bänken?"

"Ja, hon gav mig ledigt för kvällen. Sedan bad hon mig hämta en flaska alkohol till damen i stuga sju. Men jag glömde bort det."

Sara undrade om han verkligen glömt det. "Drack du upp den själv?"

Det syntes på Jon att hon gissat rätt.

"Jag beklagar att hon är borta", sa Sara. "Mercy verkade trevlig."

Han sneglade på henne. Det märktes att han inte var säker på om hon skämtade. Jon var uppenbarligen inte van vid att höra Mercy beskrivas i positiva ordalag.

"Jag tillbringade inte så mycket tid med din mamma, men vi pratade lite grann", fortsatte Sara. "En sak som märktes tydligt var att hon älskade dig väldigt mycket. Hon var inte upprörd över grälet. Precis som alla mammor ville hon nog bara att du skulle vara lycklig."

Jon harklade sig. "Jag sa hemska saker till henne."

"Barn gör det ibland." Sara ryckte på axlarna när han tittade på henne. "Alla de där känslorna du kände igår kväll är helt normala. Mercy förstod det. Jag lovar att hon inte klandrade dig för att du var arg. Hon älskade dig."

Jon började gråta ordentligt. Han var på väg att sätta pennan i munnen, men ångrade sig. "Hon ville inte att jag skulle röka."

Sara tänkte inte hålla någon föreläsning om att sluta röka. "När du känner dig redo vill jag att du pratar med Will. Han har något att berätta för dig."

Jon torkade bort tårarna. "Är han inte arg på mig för att jag kallade honom Sophögen?"

Det hade Sara nästan glömt bort. "Nej, inte alls. Han vill väldigt gärna prata med dig."

"Var är min ..." Orden fastnade i Jons hals. "Var är Dave?"

"Han är på sjukhuset." Sara valde sina ord med omsorg. Hon visste att hon inte kunde berätta sanningen för Jon just nu, men hon tänkte inte ljuga. "Din pappa mår bra, men han blev skadad när han greps."

"Bra. Jag hoppas han har lika ont som hon brukade ha när han gett sig på henne."

Sara hörde hur bitter han lät. Jon hade knutit handen hårt runt vejp-pennan.

"För ett tag sedan sa han att han förmodligen skulle dö i fängelset", sa Jon. "Han var ute efter medlidande, men jag antar att han hade rätt. Det skulle ändå ha skett så småningom."

"Vi kan väl prata om något annat?" sa Sara, lika mycket för sin egen skull som för Jons. "Har du några frågor om vad som kommer att hända med din mamma?"

"Papa sa att vi ska kremera henne, men ..." Underläppen började darra. Han vände bort huvudet och såg in i skogen. "Hur går det till?"

"En kremering?" Sara tänkte efter. Hon brukade aldrig prata med barn som om hon visste bäst, men Jon var väldigt känslig just nu. "Din mamma transporteras till GBI:s högkvarter. När obduktionen är klar tas hon till krematoriet. Där finns en särskild kammare som förvandlar kroppen till aska med hjälp av hetta och avdunstning."

"Som en ugn?"

"Mer som ett likbål. Vet du vad det är?"

"Ja. Bitty lät mig titta på *Vikings* på hennes Ipad."

Jon lutade sig framåt och vilade armbågarna på knäna. "Ni behöver väl inte obducera om ni redan vet vem som gjorde det, eller hur?"

"Jo. Det är en del av rutinen. Vi måste samla in bevis för att kunna slå fast dödsorsaken rent juridiskt."

Han såg förvånad ut. "Var det inte knivhuggen som dödade henne?"

"Jo, i slutändan." Sara gick inte närmare in på skillnaden mellan dödsorsak, dödssätt och dödsmekanism. "Kom ihåg vad jag sa. Det är rutin. Allt måste dokumenteras. Bevis måste samlas in och identifieras. Det är en lång process. Jag kan gå igenom varje steg med dig, om du vill. Vi befinner oss fortfarande precis i början."

"Men om min pappa erkänner mordet behöver ni väl inte göra allt det där?"

Skuldkänslorna över att hon dolde Daves oskuld började gnaga i Sara igen. Hon brukade alltid hålla sig till sanningen. "Jag är ledsen, Jon. Men det fungerar inte så. Man måste alltid obducera."

"Säg inte att du är ledsen." Nu grät han ordentligt. "Om jag inte vill det, då? Jag är hennes son. Säg åt dem att jag inte vill att de ska göra det."

"Enligt lagen måste det göras."

"Menar du allvar?" skrek han. "Hon har redan blivit knivhuggen till döds och nu ska ni skära upp henne ännu mer?"

"Jon."

"Det är väl inte rättvist?" Han reste sig från gungan. "Du sa att du tyckte om henne, men du är precis lika illa som alla andra. Har hon inte lidit tillräckligt?"

Jon väntade inte på svar. Han gick in i stugan och slog igen dörren efter sig.

Sara önskade att hon kunde följa efter honom. Han hade rätt att få veta sanningen om Dave. Men han var också en sextonårig pojke som var arg och drabbad av sorg. Att hitta den som var ansvarig för hans mammas död skulle ge honom en viss frid så småningom. Just nu kunde Sara bara se till att han inte saknade det mest nödvändiga. Han hade skydd, mat och vatten. Han var trygg. Allt annat låg utom hennes kontroll.

I stället för att gå tillbaka till stugan bestämde hon sig för att hämta satellittelefonen i terränghjulingen. Det var Saras plikt att berätta för Nadine att Chuck hittats död. Det var åtminstone en uppgift hon kunde slutföra. Hon sköt undan Jons plågor till bakhuvudet och påminde sig om detaljerna från brottsplatsen, så att rapporten till Nadine skulle bli så koncis som möjligt. Analysen av innehållet i vattenflaskan var viktigast. Motivet skulle också bli en betydande faktor i åtalet. Om Saras teori stämde skulle ögondropparna listas som dödsorsak. Men mekanismen var drunkning och sättet mord. Eventuella förmildrande omständigheter fick juryn ta ställning till.

Sara drog djupt efter andan för att rensa lungorna. Stuga sex dök upp framför henne. En kort promenad senare passerade hon de andra stugorna. När Will och Sara först kom dit hade hon tyckt att platsen var idyllisk, nästan som en bild i en sagobok. När hon nu närmade sig huvudbyggnaden kändes det som om bar en tung börda på axlarna. Cecil satt på verandan. Bitty stod intill honom. Båda såg arga ut. Inte undra på att Jon inte ville gå hem.

"Sara?" Keisha stod i den öppna dörren till sin stuga. Hon hade armarna i kors. "Vad fan är det som pågår? Du måste se till att vi kommer ned från berget."

Sara gick mot henne och försökte dölja sina farhågor. Drew var misstänkt, av en god anledning. Sara måste upprätthålla lögnen en stund till. "Tyvärr kan jag inte hjälpa till med det. Jag skulle göra det om jag kunde."

"Det står två fyrsitsiga terränghjulingar där borta. Du kunde låta oss låna en. Vi kan ta med oss Monica och Frank. De är också redo att åka."

"Det är inte jag som fattar de besluten."

"Vem är det då?" frågade Keisha. "Vi vågar inte fotvandra ned eftersom vi kan råka ut för lerskred. Gud vet hur vägen ser ut. Vi kan inte ringa efter en Uber. Varken internet eller telefonerna fungerar. Ni håller oss fångna här uppe."

"Egentligen inte. Ni kan ge er av när ni vill. Ni väljer att inte göra det på grund av väldigt rimliga anledningar."

"Herregud, har du alltid pratat som om du är gift med en polis?"

Sara drog djupt efter andan. "Jag är rättsläkare på Georgia Bureau of Investigation."

Keisha såg först förvånad och sedan imponerad ut. "På riktigt?"

"Ja", sa Sara. "Kan du berätta någonting om Mercys familj?"

Keishas ögon smalnade. "Vad menar du?"

"Det är tredje gången du och Drew är här. Ni känner familjen McAlpine bättre än vi gör. Deras reaktion på Mercys död verkar väldigt återhållsam."

Keisha lade armarna i kors igen och lutade sig mot dörrkarmen. "Varför ska jag lita på dig?"

Sara ryckte på axlarna. "Det behöver du inte göra, men jag tror att du brydde dig om Mercy. Vi måste se till att åtalet mot hennes mördare är helt vattentätt. Hon förtjänar rättvisa."

"Hon förtjänade i alla fall definitivt inte att behöva stå ut med Dave."

Sara svalde sina skuldkänslor. Hon hade blivit nedröstad. Dessutom var hon ingen agent. Det var inte hennes uppgift att lösa fallet.

"Känner du Dave väl?"

"Tillräckligt väl för att förakta honom. Han påminner mig om mitt lata svin till exman." Keisha blickade mot huvudbyggnaden. Bitty och Cecil tittade på dem, men paret stod för långt borta för att höra något. "Familjen har alltid varit reserverad, men du har rätt. De beter sig konstigt. Släkten McAlpine har många hemligheter här uppe. Jag antar att de inte vill att något ska komma ut."

"Vad för hemligheter?"

Keishas ögon smalnade igen. "Om du är rättsläkare, betyder det att du är polis också? Jag vet inte hur det fungerar."

Sara svarade ärligt. "Jag kan kallas in för att vittna om allt du säger."

Keisha stönade. "Drew vill inte att jag blir inblandad i det här."

"Var är han nu?"

"Han letar efter Fisken nere vid skjulet för att be honom fixa vår förbaskade toalett. Den har strulat sedan vi kom hit och Drew vet inte skillnaden på en kran och sitt eget rövhål."

"Vad är det för fel på den?"

"Den står och rinner."

Sara såg chansen att vinna tillbaka lite av kvinnans tillit. "Min pappa är rörmokare. Jag brukade hjälpa honom på somrarna. Vill du att jag ska ta en titt?"

Keisha sneglade mot huset igen, sedan på Sara. "Drew sa att polisen inte får lov att söka igenom något utan tillstånd för husrannsakan."

"Det stämmer inte helt", sa Sara. "Familjen McAlpine äger egendomen. De har rätt att ge polisen tillstånd att söka igenom den. Och om jag ser något i er stuga som kan vara mordvapnet kommer jag förstås att berätta det för Will."

"Förstås." Keisha tänkte över saken ett ögonblick och stönade sedan högt och öppnade dörren. "Jag kan inte sitta fast här uppe med det där droppande ljudet. Ursäkta röran."

Sara gissade att de två glasen och det halvätna kexpaketet på soffbordet var röran som Keisha pratade om. Stuga tre var mindre än stuga tio, men möblerna såg ungefär likadana ut. Genom ett par franska fönster i vardagsrummet syntes en spektakulär utsikt. Sara sneglade genom den öppna sovrumsdörren. Sängen var bäddad, till skillnad från den säng som Faith skulle hitta i Saras och Wills stuga. Vid ytterdörren stod två resväskor och väntade. Ryggsäckarna var överfulla eftersom de packats så hastigt. Till hennes stora lättnad såg hon inga tomma flaskor med ögondroppar i papperskorgen.

"Kom in." Keisha gick före henne till badrummet. Två uppsättningar toalettartiklar stod vid handfatet, men inga ögondroppar syntes till. "Har du provat alkoholen här uppe?"

"Nej." De senaste tolv timmarna hade verkligen fått Sara att vilja prova den, ändå sa hon: "Will och jag dricker inte."

"Jag skulle fortsätta så om jag var ni. Monica hade det jobbigt i natt." Keisha sänkte rösten, trots att de var ensamma. "Jag såg Mercy prata med bartendern. Jag är säker på att de tänkte sluta servera henne. Det där är inte att leka med. Om någon blir riktigt sjuk här uppe krävs en helikoptertransport till Atlanta. Och försäkringsbolagen betalar inte om alkoholen serverats på plats."

Sara förstod att Keisha hade lärt sig mycket om ansvarsskyldighet genom sin cateringverksamhet. "Hörde du något i natt? Något ljud eller skrik?"

"Jag hörde inte ens att den förbaskade toaletten rann." Keisha lät irriterad. "Det här skulle vara en romantisk semester, men vi har nått det där sexiga stadiet i förhållandet där jag sover med en fläkt påslagen för att slippa höra hans CPAP-maskin."

Sara skrattade och försökte hålla kvar den lättsamma stämningen. "När var ni här senast?"

"Vid lövsprickningen. Det måste ha varit ungefär två och en halv månader sedan. Det är vackert här vid den tiden på året. Allt blommar. Det gör mig verkligen ledsen att vi inte kommer att åka tillbaka."

"Jag också." Sara kunde inte låta bli att räkna i huvudet. Drew kunde mycket väl vara fadern till Mercys barn.

"Brukade ni umgås med Mercy?"

"Vi sågs inte så mycket förra gången eftersom stället var fullbelagt", sa Keisha. "Men första gången tog vi ett glas med henne efter middagen ibland. Hon drack mineralvatten, men hon kunde vara ganska rolig när hon slappnade av. Jag vet hur det känns. När man jobbar inom servicesektorn sliter och drar folk alltid i en. Det är som att bli nafsad till döds av ankor hela dagarna. Mercy förstod hur det var. Hon släppte loss lite tillsammans med oss. Jag var bara glad över att vi kunde ge henne den chansen."

"Det uppskattade hon säkert", sa Sara. "Jag kan inte föreställa mig hur ensamt det måste vara här uppe."

"Eller hur?" sa Keisha. "Allt hon har är sin bror och hans knäppa kompis."

"Verkade Mercy och Chuck ha känslor för varandra?"

"Vi såg bara det som hände igår kväll", sa Keisha. "Chuck var här första gången vi besökte stället. Andra gången var alla stugorna fulla, så han måste ha sovit i huset. Papa gillade verkligen inte det. Inte Mercy heller, faktiskt. Hon sa något om att ställa en stol under dörrhandtaget."

"Det var märkligt."

"Nu känns det märkligt, men du vet hur man skojar om sådana saker."

Det visste Sara. Många kvinnor använde svart humor för att tona ned sin rädsla för sexuella övergrepp. "Varför gillar inte Papa Chuck?"

"Det får du fråga honom, men jag tvivlar på att det finns en särskild orsak", sa Keisha. "Om jag ska vara ärlig har Papa inget neutralläge. Antingen älskar han folk eller också hatar han dem. Det finns inget mellanting. Jag skulle verkligen inte vilja råka i onåd hos honom. Han är en väldigt hård man."

"Fick du chansen att prata med Chuck någon gång?"

"Vad skulle jag prata med honom om?"

Sara hade känt likadant. "Christopher, då?"

"Han är faktiskt rätt rar", sa Keisha. "Bortsett från hans blyghet är han ganska lätt att umgås med. Han är inte någon man tar en drink med, men han är en duktig guide. Han älskar verkligen fiske. Han kan berätta allt om vattnet, fisken, utrustningen, vetenskapen kring det hela och ekosystemet. Han tråkade ut mig fullständigt, men Drew älskar sådana saker. Det är bra för honom att kliva utanför sina rutiner på det viset ibland. Det är därför jag är så ledsen över att det här stället är förstört för vår del nu. Jag tvivlar på att de ens kan behålla campingen utan Mercy."

"Kan inte Christopher sköta den?"

"Har du sett skjulet där han förvarar sin utrustning?" Keisha väntade på Saras nick innan hon fortsatte. "Drew kallar det för 'Fiskens palats'. Allt är fint och prydligt och på rätt plats, och det är helt okej eftersom det gör Fisken glad. Men man kan inte sköta affärerna så om man inte är ensam i företaget. Folk är oförutsägbara. De vill göra sin grej. Allt kan gå åt helsicke på en minut. Man har så många bollar i luften – rädslan att inte kunna betala ut löner, kunder som drar i en hela dagarna – och mitt uppe i alltihop går bilen sönder eller toaletterna börjar rinna. Man måste kunna hantera sådana saker, annars är det bara att ge upp."

Sara kände till den sortens press. Hon hade ägt en barnklinik en gång i tiden.

"Jag kan berätta en historia. En gång gick Drew in i skjulet för att hänga upp sitt fiskespö. Han ville vara snäll och hjälpa till. Fisken kom rusande in, helt utom sig, för att se till att spöet blev upphängt *på rätt sätt*." Keisha skakade på huvudet. "Han skulle inte kunna sköta någon verksamhet som inte gick ut på att fiska på morgnarna och dricka whisky på kvällarna."

Sara mindes Chucks tatuering. "Gillar han whisky?"

"Jag vet inte vad de där två gillar, och jag bryr mig inte. När vi väl kommer ned från det här berget kommer jag aldrig att tänka på saken igen."

Sara tyckte att det var intressant att frågan gällt Christopher, men att Keisha också inkluderat Chuck i svaret.

"Hur blir det med min toalett?" sa Keisha. "Har du listat ut varför den står och rinner?"

Sara hade listat ut att Keisha visste mer än hon avslöjade. "Det är förmodligen flottörventilens packning. Den kan bli sliten med tiden, så att vattnet sipprar igenom. Om de inte har någon reservdel kan ni kanske flytta till en av de tomma stugorna."

"Jag har redan sagt till Drew att vi borde flytta, men han vägrar lyssna på mig. Han säger att vi ska stanna här, i samma stuga som vanligt. Du vet hur män kan vara."

"Ja." Sara lyfte av locket från cisternen.

Det kändes som om hon fått en spark rakt mot struphuvudet. Hon hade haft rätt om varför toaletten läckte, men inte om att packningen var sliten. En taggig metallbit hindrade gummit från att sluta tätt. Den satt fast i en bit röd plast som var ungefär en decimeter lång och strax över en halv centimeter bred. Sara hade hittat det avbrutna knivhandtaget.

17

Will såg på medan termopapperet kröp fram ur den bärbara faxen som en snigel som pressade sig igenom en pastamaskin. Tillståndet för husrannsakan hade äntligen kommit.

"Okej." Han tryckte satellittelefonen mot örat. "Den skriver ut nu", sa han till Amanda.

"Bra", sa hon. "Jag vill att du klarar av det här på en timme."

Om det inte vore för att Amanda kunde förvandla hela hans yrkesliv till ett helvete skulle Will ha skrattat. "Faith är fortfarande med Sara, men de borde vara tillbaka snart. Jag bad städerskan Penny att göra i ordning stuga fyra så att vi kan hålla våra förhör där. Kevin placerar kroppen i frysen. Kökspersonalen såg förmodligen vad vi höll på med, men de är upptagna av att förbereda maten. Jag tror att vi kommer att kunna hålla Chucks död hemlig, åtminstone fram till middagen."

"Jag försöker fortfarande hitta informationen om misshandelsanklagelserna mot Drew Conklin", sa hon. "Hur ser det ut med familjen?"

"Det är snart deras tur." Will började gå mot vedstaplarna. Han ville se dem i dagsljus. "Jag höll mig undan föräldrarna medan jag väntade på husrannsakningsordern. Jag vet inte var Christopher är. Jag ska be Kevin leta reda på honom. Jon är fortfarande borta. Jag tror att Sara kommer att ge sig ut för att leta efter honom igen. Fasterns Subaru står på parkeringen, så hon måste vara i huset igen."

"Ni borde kunna få ur fastern mer information."

"Det tror jag också." Will stod framför de stora vedstaplarna.

Där fanns så mycket upphuggen ek att förrådet skulle räcka hela vintern. "Jag tog mig en titt på Chucks stuga. Den är stökig, men det fanns inget intressant där inne. Inga blodiga kläder. Ingen trasig kniv. Inte ens några ögondroppar. Det är inte så konstigt. Efter mordet på Mercy gick jag in i alla stugor för att leta efter Dave. Om jag inte såg något då tvivlar jag på att jag skulle hitta något nu."

"Skulle du bli förvånad om jag sa att mr Weller har tvåhundratusen dollar på ett penningmarknadskonto?"

"Jösses." Will hade fått låna från sin buffert för att betala bröllopsresan. "Jag kan på sätt och vis förstå att Christopher sitter på en del pengar. Han har inga räkningar att betala. Men hur är det med Chuck?"

"Hans situation liknar Christophers. Han betalade också av studielånen för ett år sedan, nästan samma vecka. Han har fiskelicens, körkort och två kreditkort som alltid betalas av i tid. Jag hittar inga släktingar. Och precis som för Christophers del verkar pengarna ha dykt upp nyligen. Jag gjorde en djupdykning och gick tillbaka tio år. Fram till för ett år sedan hade de båda skulder upp över öronen."

"Vi måste titta på deras skattedeklarationer."

"Ge mig en anledning, så ordnar jag fram tillståndet."

"Kan det vara aktier? En lotterivinst?"

"Nej, det har jag kollat upp."

"Det måste vara vita pengar. De skulle inte sätta in dem på banken om de inte betalade skatt." Will gick vidare längs vedstaplarna. En av dem såg annorlunda ut än de andra. "Vad jobbade Chuck med?"

"Jag hittade ingen information om det. Att döma av hans sociala medier ägnade han större delen av tiden åt att betala för privata danser på strippklubbar."

Will klämde fast telefonen mot axeln för att få handen fri. "Finns det inga uppgifter om att han är anställd någonstans?"

"Ingenting", sa hon. "Han hyr en lägenhet i Buckhead. Vi har ansökt om tillstånd för husrannsakan. Där kanske vi kan hitta information om släktingar eller något som avslöjar var han är anställd."

"Titta efter ögondroppar av märket Eads."

"Mördaren kan ha använt ett annat märke. Jag specificerade inte saken i ansökan."

"Bra." Will tog upp en bit kastanj. Ådringen var tät. Det var ovanligt dyr brasved. "Jag har redan sökt igenom soporna. Jag hittade ingenting."

"Hur lyckades du med det med bara en hand?"

Will hade känt sig som ett barn när han bad Kevin om hjälp att ta på sig handsken. "Det gick."

"Hur många flaskor letar du efter?"

"Jag vet inte." Will drog fingrarna längs en bit flammig lönn. Ytterligare ett dyrt brasvedsalternativ. "Jag vill prata med Sara om saken, men jag tror att jag minns ett fall där en man använde ögondroppar som våldtäktsdrog."

"Om mr Weller använde dem mot kvinnor, varför skulle han då ta dem själv?"

"Det kan jag inte svara på just nu." Will knackade på en bit akaciaträ. Den var mjuk och porös efter att ha legat ute. Inte den sorts ved man ville ha i eldstaden.

"Vad vet du om trä?"

"Mer än jag egentligen vill veta. En gång i tiden jobbade jag med en utredning där en snickare begått sexuella övergrepp."

Will bad inte om några detaljer. "Jag har en känsla av att Christopher och Chuck driver någon slags sidoverksamhet. Mercy var viktig för den. Fastern sa att Christopher och Chuck hängde kring vedstaplarna när hon kom hit."

"Ta reda på varför", sa Amanda. "Tiden går."

Samtalet bröts. Will måste erkänna att hon visste hur man avslutade en konversation.

Han hakade fast telefonen baktill i byxlinningen. Han satte sig på knä framför vedstapeln. All ved utom just den här stapeln var ek. Varför förvarade de dyrt trä ute i väder och vind? Vilken slags sidoverksamhet kunde stoppa tvåhundratusen dollar var i Christophers och Chucks fickor? Och varför fick inte Mercy några pengar?

"Will." Saras röst lät spänd.

Han reste sig. Faith syntes inte till. "Vad står på?"

"Jag hittade det avbrutna knivhandtaget i cisternen på Keishas och Drews toalett."

Will stirrade på henne. "Vad?"

"Keisha sa att toaletten stod och rann, så jag tog en titt och ..."

"Vet hon om att du såg den?"

"Nej. Jag satte tillbaka locket och sa att hon skulle prata med Christopher."

"Var är Drew?"

"Han har gått till skjulet för att leta efter Christopher."

"Såg du honom? Var i helsicke var Faith någonstans?" Will ställde sig mellan Sara och Drews stuga, för han kom inte på något annat att göra. "Vad gjorde du där inne alldeles själv?"

"Will", sa hon. "Se på mig. Jag mår bra. Vi kan prata om det här senare."

"Fan också." Will hakade loss telefonen och tryckte in walkie talkie-knappen. "Faith, kom."

Ett sprakande hördes och sedan sa Faith: "Jag är på väg till huvudbyggnaden. Var är Sara?"

"Hon är med mig. Skynda dig." Han tryckte in knappen igen. "Kevin, kom."

"Jag är här." Kevin kom gående mot dem. Han var täckt av lera och smuts efter att ha släpat Chucks kropp hela vägen upp längs stigen. "Vad är det som pågår?"

"Du måste hitta Drew. Han är tydligen i skjulet med Christopher. Håll ett öga på honom, men gå inte för nära. Han kan vara beväpnad."

"Uppfattat." Kevin satte av med raska steg.

"Will", sa Sara. "Keisha berättade att de var här uppe för två och en halv månader sedan."

Han behövde inte påminnas om tidslinjen. "Ungefär samtidigt som Mercy blev gravid."

"Vad händer?" Faith hade mött Kevin när hon gick över gården. Hon hade Glocken med sig och var klädd i ett par bylsiga, svarta byxor. "Sara, vart tog du vägen? Jag ville att vi skulle titta på kartan."

"Vi måste säkra stuga tre", sa Will till henne. "Det avbrutna knivhandtaget finns i cisternen på Keishas och Drews toalett."

Faith ställde inga frågor. Hon småsprang mot stugan med Glocken riktad mot marken.

Will höll jämna steg med henne. "Det finns en altandörr på baksidan."

"Jag tar hand om den." Faith vek av.

Will såg sig omkring, kontrollerade fönster och dörrar för att försäkra sig om att ingen skulle överraska dem. Han visste att ytterdörren inte skulle vara låst. Han klev in utan att knacka.

"Jäklar!" Keisha flög upp ur soffan. "Vad i helvete, Will?"

Det var precis samma reaktion som tidigare, men den här gången visste Will precis vad han letade efter. "Stanna där."

"Vad menar du?" Keisha försökte följa efter honom, men Faith hejdade henne. "Vem fan är du?"

"Jag är specialagent Faith Mitchell ..."

Will drog en engångshandske ur fickan när han närmade sig toaletten. Han använde den som skydd mellan fingrarna och porslinet när han lyfte av cisternens lock.

Det avbrutna knivhandtaget låg precis där Sara sagt att det skulle finnas. En tunn bit metall hindrade packningen från att sluta tätt. Det var konstigt. Om Drew hade stoppat handtaget i toaletten, varför letade han då efter Christopher för att få toaletten att sluta rinna?

Eller var Drew orolig för att stugorna skulle genomsökas och hade varit smart nog att rigga toaletten för att få det att se ut som om någon annan gömt knivhandtaget där?

Det enda Will var säker på var att mördaren gillade vatten. Mercy hade lämnats i sjön. Chuck hade dött i forsen.

"Will!" skrek Keisha. "Berätta vad det är som pågår!"

Han lade försiktigt porslinslocket på mattan bredvid badkaret. Faith stod i vägen för Keisha när han kom ut i vardagsrummet igen. "Säkra bevisen", sa han till henne.

"Vilka bevis?" frågade Keisha. "Varför gör du så här?"

"Jag vill att du följer med mig till nästa stuga."

"Jag tänker inte följa med dig någonstans", sa Keisha. "Var är min man?"

"Keisha", sa Will. "Antingen följer du med mig frivilligt eller så ser jag till att du följer med."

Hon blev askgrå i ansiktet. "Jag tänker inte prata med er."

"Jag förstår", sa han. "Men du måste gå till den andra stugan så att vi kan söka igenom era saker."

Keishas käkar var sammanbitna. Hon såg arg och livrädd ut, men tack och lov gick hon ut på verandan. Sara stod mitt ute på gården. Will visste varför hon var där. Hon ville att Keisha skulle se henne och få en chans att skrika på den person som orsakat alltihop. Will brydde sig inte om att Keisha kände sig förrådd. Han ville att Sara skulle få lämna berget så fort som möjligt.

"Den här vägen." Will ledde Keisha till stuga fyra. Hon sneglade åt Saras håll innan hon gick upp för trappan och öppnade dörren. Stuga fyra såg precis likadan ut som stuga tre. Likadan planlösning, likadana möbler, likadana fönster och dörrar.

"Var snäll och slå dig ned i soffan", sa Will.

Keisha satte sig med händerna mellan knäna. Ilskan hade runnit av henne. Hon var påtagligt skakad. "Var är Drew?"

"Min kollega letar efter honom."

"Han har inte gjort något, okej? Han samarbetar. Vi samarbetar och följer order. Vi gör som ni säger. Sara, hörde du det? Vi gör som ni säger."

Will kände magen knyta sig när han såg Sara.

"Jag hör det", sa Sara. "Jag stannar hos dig medan vi reder ut det här."

"Tja, jag gjorde misstaget att lita på dig tidigare, och titta hur det gick." Keishas knytnäve for upp till munnen. Tårarna strömmade ned för kinderna. "Vad i helsicke är det som händer? Vi kom hit för att slippa sådan här skit."

Will såg Sara sätta sig i en av fåtöljerna. Hon tittade på honom som om hon ville ha vägledning, men hans råd hade varit att stanna utanför.

Telefonen sprakade till. "Will, hör du mig?"

Will sträckte sig efter den. Han hade inget annat val än att kliva ut på verandan. Han lämnade dörren öppen så att han kunde hålla ögonen på Keisha. "Vad är det?"

"Måltavlorna fiskar från en kanot ute på sjön", sa Kevin. "De har inte sett mig."

Will knackade med telefonen mot hakan. Han tänkte på alla verktyg som Drew måste ha tillgång till ute i kanoten, inklusive knivar. "Avvakta, men håll ett öga på dem. Låt mig veta om något förändras."

"Will." Faith kom upp på verandan. Hon höll i en bevispåse med det avbrutna knivhandtaget. "Det finns inget i resväskorna eller ryggsäckarna. Stugan är ren. Vill du att jag ska låsa in det här i terränghjulingen?"

"Ta med det in."

Keisha satt stel som en pinne på soffan när Will kom tillbaka in i rummet. Blicken for till hans pistol och sedan till Faiths vapen. Händerna darrade. Hon var uppenbart livrädd att de hade tagit med henne in i en stuga utom synhåll för alla vittnen så att de kunde skada henne.

Will tog bevispåsen och vinkade åt Faith att kliva ut. Han lämnade dörren på glänt så att hon kunde stå på verandan och lyssna. Han satte sig i den andra fåtöljen. Det var inte hans första val, men Sara satt redan närmast Keisha. Han lade plastpåsen på bordet.

Keisha stirrade på knivhandtaget. "Vad är det där?"

"Den låg i er toalettcistern."

"Är det en leksak eller ..." Hon lutade sig framåt. "Jag vet inte vad det är."

Will såg på det röda plasthandtaget med en tunn bit krökt metall som stack ut ur den avbrutna änden. Om man inte visste vad man tittade på kunde man tro att det var ett köksredskap eller en gammaldags leksak.

"Vad tror du att det är?" frågade han.

"Jag vet inte!" Keisha lät desperat. "Varför frågar du ens mig det här? Ni har ju tagit mördaren. Alla vet att du grep Dave."

Will antog att det var läge att berätta sanningen. "Dave dödade inte Mercy. Han har ett alibi."

Keisha slog handen för munnen. Hon såg ut som om hon ville kräkas.

"Keisha", sa Will.

"Herregud", andades hon. "Drew sa åt mig att inte prata med er."

"Du kan välja att inte säga något", sa Will. "Det har du rätt att göra."

"Ni tänker sätta dit oss ändå. Jag kan inte fatta att det här händer. Sara, vad i helsicke?"

"Keisha." Will ville inte att hon skulle prata med Sara. "Vi kan väl försöka reda ut det här?"

"Så fan heller!" skrek hon. "Vet du hur många idioter som ruttnar i fängelset för att polisen sa åt dem att de bara behövde reda ut några saker?"

Will sa ingenting. Det gjorde tack och lov inte Sara heller.

"Jesus." Keisha slog handen för munnen igen. Hon tittade på påsen på bordet och lade äntligen ihop två och två. Hon förstod att det var en del av mordvapnet. "Jag har aldrig sett det där förut. Det har inte Drew heller. Ingen av oss. Berätta hur jag ska klara mig ur det här, okej? Vi gjorde ingenting. Ingen av oss hade något med det här att göra."

"När hörde ni toaletten rinna första gången?" frågade Will.

"Igår. Vi hörde den droppa när vi packade upp, så Drew gick för att leta reda på Mercy. Hon blev upprörd eftersom Dave skulle ha fixat toaletten innan vi checkade in."

Will hörde henne svälja hårt. Hon var livrädd.

"Mercy bad oss ta en promenad medan hon ordnade det, så vi gick upp till Domare Cecils stig för att titta ut över dalen. När vi kom tillbaka var toaletten fixad."

"Var Mercy fortfarande kvar?"

"Nej. Vi såg henne inte igen förrän vid cocktailstunden."

"När hörde ni ljudet från toaletten igen?"

"I morse", sa hon. "Vi gick för att äta frukost och ... Det var då det hände, eller hur? Någon stoppade den i vår toalett? De försöker sätta dit oss."

"Vilka andra såg ni vid frukosten?"

"Åh ..." Hon lutade huvudet i händerna och försökte tänka. "Frank och Monica var där. Han försökte få henne att äta något, men hon kunde inte. De gick innan vi gjorde det. Och killarna – apputvecklarna. Visste du att han hette Paul?"

"Ja."

"De dök inte upp förrän vi skulle gå. De är alltid sena. Minns ni att de var sena till cocktailstunden igår kväll också?"

"Familjen McAlpine, då?"

"De kommer aldrig ned och äter frukost. Inte vad jag har sett, i alla fall." Hon vände sig till Sara. "Snälla, du måste lyssna på mig. Dörrarna är alltid olåsta. Du vet att vi inte hade något med det här att göra. Vad skulle vi ha för motiv?"

"Mercy var gravid i tolfte veckan", sa Will.

Keisha tappade hakan. "Vem var ..."

Will hörde tänderna slå ihop med en smäll när hon stängde munnen. Hon stirrade på Sara, rasande över förräderiet. "Du lurade mig."

"Ja, det gjorde jag", sa Sara.

"Keisha." Will såg till att hon vände uppmärksamheten mot honom igen. "Drew greps för misshandel."

"Det var tolv år sedan", sa Keisha. "Mitt ex, Vick, jävlades hela tiden med mig. Han dök upp på jobbet och skickade sms. Jag sa åt honom att sluta, men sedan dök han upp full hemma hos oss. Han försökte grabba tag i min arm. Drew knuffade undan honom och Vick föll ned för trappan. Han slog i huvudet. Det var ingen fara med honom, men han insisterade på att åka till sjukhuset och göra en stor grej av det. Det är allt. Ni kan kolla upp det själva."

Will gned sig om hakan. Historien lät trovärdig, men Keisha ville väldigt gärna bli trodd. "Var Drew någonsin ensam med Mercy?"

"Du vill att jag ska säga ja, eller hur?" Desperationen fick henne att låta hes. "Tänk om jag såg Dave igår kväll? Han gick på stigen. Det kan jag svära på en trave biblar."

Will trodde inte på henne. "Okej", sa han ändå.

"Dave slog Mercy. Det vet ni båda. Vad han än har för alibi kan det väl vara falskt? Om jag såg honom på stigen innan hon blev mördad ..."

Keisha reste sig, så Will gjorde likadant.

"Herregud, jag behöver bara röra på mig", sa hon. "Vart skulle jag ta vägen?"

Han såg på medan hon vankade av och an i det lilla rummet, tills Sara mötte hans blick. Det syntes att hon kände sig kluven. Han visste också att hennes närvaro distraherade honom. Keisha var arg och upprörd. Will borde inte behöva oroa sig för Sara just nu.

Han måste kunna fokusera helt på personen som eventuellt hade hjälpt till att begå ett mord.

"Berätta vad jag ska säga", sa Keisha. "Bara berätta vad jag ska säga, så säger jag det."

"Keisha." Will väntade tills hon såg på honom. "När jag kallade ut alla på gården för att tala om att Mercy var död, minns du vad som hände?"

"Vad?" Hon såg förvirrad ut. "Självklart minns jag vad som hände. Vad pratar du om?"

"Drew sa något till Bitty."

Hon mötte hans blick, men sa ingenting.

Will sa: "Drew sa till Bitty, 'Glöm det där andra. Gör vad ni vill här uppe. Vi struntar i alltihop.'"

Keisha lade armarna i kors. Hon var ett skolboksexempel på någon som dolde saker.

"Vad menade Drew?" frågade Will. "Vad var det där andra?"

Hon svarade inte på frågan. Hon letade efter en utväg. "Vi kan väl göra ett byte? Det är väl så det här fungerar?"

"Vilket?"

"Du behöver någon att skylla på. Varför inte Chuck?" Frågan verkade faktiskt uppriktig. "Eller någon av apputvecklarna? Eller Frank? Lämna Drew ifred."

"Keisha, jag jobbar inte på det sättet."

"Det säger alla korrupta poliser."

"Det enda jag vill veta är vem som dödade Mercy."

"Chuck har ett motiv", sa Keisha. "Du såg hur obekväm han gjorde Mercy. Det såg vi allihop. Vill du veta vem som var här för två och en halv månader sedan? Chuck. Han är alltid här. Han är otroligt obehaglig. Sara vet vad jag pratar om. Han sänder ut våldtäktsvibbar. Kvinnor känner det. Fråga din partner. Eller ännu bättre, sätt henne i ett rum ensam med Chuck i fem minuter, så får hon se själv."

Will styrde henne milt bort från Chuck. "Vad är det du försöker byta med?"

"Information", sa hon. "Något som skapar ett motiv. Ett motiv för Chuck."

Will tänkte inte berätta för henne vad som hade hänt Chuck, men han hade för länge sedan lärt sig att folk gärna ville lösa mysterier, till och med när lösningen inte nödvändigtvis var till deras fördel. "Både Chuck och Christopher har ett par hundratusen på sina bankkonton."

"Skämtar du?" Keisha såg häpen ut. "Herregud, de hade verkligen något på gång."

"Vad hade de på gång?"

"Nej." Hon skakade på huvudet. "Jag säger inte ett ord till förrän Drew står bredvid mig. Oskadd. Förstår du det?"

"Keisha."

"Nej. Inte ett ord."

Hon satte sig i soffan med armarna lindade om mellangärdet och stirrade på dörren, som om hon bad en bön att hennes man skulle kliva in.

"Keisha", försökte Will igen.

"Om jag ber om en advokat måste ni sluta ställa frågor, eller hur?"

"Ja."

"Tvinga mig inte att be om en advokat, då."

Will gav sig. "Min partner kommer in och sitter här tillsammans med dig."

"Nej", sa Keisha. "Vart skulle jag ta vägen? Om jag kunde ta mig ned från berget skulle jag redan vara borta. Jag behöver ingen barnvakt."

"Om du vill göra en överenskommelse måste du hålla tyst om Mercys graviditet."

"Och du måste hålla dig långt ifrån mig."

Will öppnade dörren. Faith satt fortfarande på verandan. De följde Keisha med blicken när hon gick tillbaka till sin stuga. "Vad tror du?" frågade Faith Will.

Han skakade på huvudet. Han visste inte vad han skulle tro. "Christopher och Chuck hade någon slags affärer ihop med Mercy. Drew kände till det. Nu är Chuck och Mercy döda."

"Gå och prata med Christopher och Drew, då", sa hon.

Han nickade. "Kevin är redan nere vid sjön. Vill du följa med?"

"Jag vill få rätsida på den här kartan. Det är något konstigt med tidslinjen."

Will hade sett vad Faith kunde göra med en tidslinje. "Jag hör av mig om jag behöver dig."

Han höll upp dörren åt Sara. Hon kom ut på verandan. Will bet ihop medan han följde henne mot Öglan. Promenaden till stugan skulle ta ungefär tio minuter. Han skulle använda tiden till att förklara för henne varför hon måste hålla sig på sin kant. Hon hade distraherat honom medan han förhörde Keisha. Det skulle inte få hända igen.

Sara hade ingen aning om vad som väntade. Hon gick mot Öglan och nickade mot stuga fem. Paul och Gordon satt i varsin ände av soffgungan på verandan. Gordon vinkade åt dem. Paul drack alkohol direkt ur flaskan.

Dörren till stuga sju gled knarrande upp. Monica kom ut och kisade mot solen. Hon hade ett svart nattlinne på sig och höll i ett glas med något som förmodligen var alkohol. Sara hade tydligen rätt i att det enda man kunde göra här uppe var att dricka.

Sara ändrade kurs och gick mot Monica. "Hur mår du?"

"Bättre, tack." Monica tittade på glaset i handen. "Du hade rätt. Det här tog udden av det."

"Får jag smaka lite?"

Monica såg lika förvånad ut som Will kände sig, men räckte ändå glaset till Sara.

Sara smuttade på innehållet och gjorde en grimas. "Det där brände i halsen."

"Man vänjer sig." Monica skrattade sorgset. "Ta inga råd från mig när det gäller drickande. Jag måste be er båda om ursäkt för mitt beteende igår kväll. Och i morse. För hela tiden vi har varit här, faktiskt."

"Du behöver inte skämmas över något." Sara räckte tillbaka glaset. "Inte inför oss, åtminstone."

Will var inte så säker på det. "Jag måste fråga dig om gårdagskvällen, precis före midnatt", sa han till Monica.

"Om jag hörde något?" frågade Monica. "Jag låg avsvimmad i badkaret när klockan började ringa. Jag trodde att det var brandlarmet. Jag kunde inte hitta Frank."

Will spände käkarna. "Var fanns han?"

"Jag antar att han satt på den bakre verandan för att få en paus från mina dumheter. Han kom rusande in genom altandörrarna i ren panik." Monica skakade sorgset på huvudet. "Jag vet faktiskt inte varför han stannar hos mig."

Will var mer intresserad av om Franks alibi höll. Det här var andra gången mannen hade ljugit. "Var är Frank nu?"

"Han gick till matsalen för att hitta lite ginger ale. Min mage mår fortfarande inte så bra."

Will gissade att Frank skulle komma tillbaka med nyheten om att Chuck var död, vilket skulle föra med sig en hel rad nya problem. "Säg åt honom att jag behöver prata med honom."

Monica nickade och vände sig till Sara. "Tack för hjälpen. Jag uppskattade det verkligen."

Sara kramade hennes hand. "Säg till om jag kan göra något mer."

Will följde Sara tillbaka mot Öglan. Han var glad att hon gick med snabbare steg nu. Det här var ingen promenad. Will försökte lägga upp en plan i huvudet. Han skulle lämna Sara i deras stuga och fortsätta ned mot sjön. Han skulle prata med Kevin om hur de skulle närma sig Drew och Christopher. Oavsett vad Keisha sagt var Drew fortfarande misstänkt. Han kände uppenbarligen till de där andra affärerna. Knivhandtaget hade hittats i hans toalett. Han hade åberopat sina rättigheter på en gång. Det hade han tekniskt sett rätt att göra, men Will hade också rätt att bli misstänksam på grund av det.

Den bästa lösningen var att dela på Drew och Christopher. Kevin kunde ta med sig Drew till båthuset. Mannen skulle förmodligen kräva en advokat igen. Will kunde prata med Christopher i skjulet. Mercys bror var inte lika sofistikerad som Drew. Han skulle vara livrädd för att Drew kunde skvallra. Will skulle nämna för honom att det alltid var den snabbaste råttan som fick osten. Förhoppningsvis skulle Christopher gripas av panik och inte inse förrän det var för sent att han borde ha hållit tyst.

Will stoppade handen i fickan. Han såg på Sara, som gick framför honom. Han måste se till att hon stannade i stugan, vilket betydde att han skulle bli tvungen att ha ett väldigt obehagligt samtal med henne innan de kom fram dit.

"Du borde inte ha kommit in när jag pratade med Keisha. Jag förhörde en misstänkt och du fick mig ur balans."

Hon sneglade på honom. "Förlåt. Det tänkte jag inte på. Du har rätt. Vi kan prata mer om det i stugan."

Will hade inte väntat sig att det skulle bli så lätt, men han tog tacksamt emot segern. "Du måste packa. Jag vill att du lämnar berget innan kvällen kommer."

"Och jag vill inte att din hand ska bli infekterad, men man får inte alltid som man vill."

Det där låg närmare reaktionen han väntat sig. "Sara …"

"Jag har antibiotika i stugan. Vi kan prata om …"

"Det är ingen fara med min hand." Handen höll på att ta livet av honom. "Det är inte bara det att du kom in i rummet. Jag sa åt dig att stanna med Faith, men du sprang iväg på egen hand. Varför pratade du med Keisha ensam? Tänk om Drew hade dykt upp? Även om vi bortser från Mercy och Chuck är han dömd för misshandel."

Hon stannade mitt på stigen och såg på honom. "Var det något mer?"

"Ja, varför dricker du mitt på dagen? Är det något du tänker börja göra regelbundet?"

"Men för guds skull", muttrade hon.

"Detsamma." Will kände en svag doft av alkohol i hennes andedräkt. "Du luktar tändvätska."

Sara knep ihop läpparna och väntade. "Är du klar?" frågade hon när han inte sa något mer.

Will ryckte på axlarna. "Finns det något mer att säga?"

"När jag *sprang iväg på egen hand* hittade jag Jon. Han är i stuga nio där borta. Jag vill inte att han ska höra det jag har att säga."

Will tittade över huvudet på henne. Han kunde se det sluttande taket mellan träden. "Jag sökte igenom den i morse när jag letade efter Dave. Jon måste ha kommit dit efter att jag gick."

Sara svarade inte. Hon började gå längs stigen och Will följde efter henne igen. Han undrade om Jon fortfarande var i stugan och hur mycket pojken i så fall hade hört. Will hade bara höjt rösten när han pratade om alkoholen. Han visste att han var alldeles för stel när det gällde alkohol, men det var konstigt att Sara tagit en klunk ur Monicas glas. Det fick honom att börja undra över vad Sara menat när hon sa att hon inte ville att Jon skulle höra vad hon hade att säga.

Han behövde inte vänta länge. Sara stannade några meter från deras egen stuga och tittade på honom. "Mercys, Chucks och Christophers sidoverksamhet. Vad har du för teorier om den?"

Han hade inte kommit fram till några teorier. "Egendomen kantas av statlig skog och nationalpark. De kanske stjäl timmer."

"Timmer?"

"Det finns en del dyra träslag i vedstaplarna. Kastanj, lönn och akacia."

"Okej, det låter rimligt." Sara nickade för sig själv. "Apputvecklarna sa att deras bourbon smakade terpentin. Monica dricker exklusiv whisky, men den smakar och luktar som tändvätska. Hon var nära att bli alkoholförgiftad igår, men både hon och Frank var förvånade eftersom hon vanligtvis kan hantera spriten bättre. Och för tjugo minuter sedan frågade Keisha om vi hade provat spriten här. Hon varnade mig för den och började prata om ansvarsskyldighet ifall en gäst måste flygas ned från berget."

Will kände sig blind som inte lagt ihop två och två tidigare. "Du tror att Chuck och Christopher pratade om försäljning av illegal alkohol."

"Keisha och Drew driver en cateringverksamhet. De skulle märka om det var något konstigt med alkoholen. Kanske tog de upp saken med Cecil och Bitty? Några av de mer exklusiva märkena har rökiga smaker. Ek, mesquite ..."

"Kastanj, lönn, akacia?"

"Ja."

Will tänkte tillbaka på samtalet han hört på stigen bakom matsalen. "Chuck sa till Christopher att många människor förlitade sig på dem. Enligt Amanda visar Chucks sociala medier att han ofta hänger på strippklubbar."

"Där man vanligtvis är tvungen att köpa minst två drinkar."

"Tror du att Drew gick till Bitty för att de ville köpa in sig i verksamheten?" sa Will.

"Nej, det tror jag inte", sa Sara. "Jag kanske är för godtrogen nu, men Keisha och Drew älskade det här stället. Det verkar troligare att de försökte stoppa verksamheten. Keisha pratade om ansvarsskyldighet. Hon varnade mig för att dricka något. Jag kan inte föreställa mig att hon skulle ge sig in i något som kan ta livet av folk. Dessutom pratade hon om att utbyta information. Hon skulle inte skvallra på Drew. Hon tänkte berätta om den illegala alkoholen."

"Kreditkollen vi gjorde på dem såg helt normal ut. De sitter inte på en massa pengar." Will gned sig om hakan. Det var fortfarande något som saknades. "Men varför skulle man döda Mercy och Chuck i stället för Drew?"

"Det är du som gillar ekonomiska motiv", sa Sara. "Om Mercy och Chuck röjs ur vägen får Christopher alla pengar som kommit in, dessutom kan han fortsätta driva verksamheten själv. Sedan sätter han dit Drew för mord."

Will tog fram telefonen och tryckte in walkie-talkie-knappen. "Kevin, vad händer?"

"Jag ser bara ett par killar som sitter vid sjön och dricker öl."

Will såg Saras oroade min. Någon hade förgiftat Chucks vatten och nu hade mannen som varit närmast honom erbjudit Drew en öl. "Kevin, försök hindra dem från att dricka något, men låt dem inte veta vad du håller på med."

"Jag fixar det."

Will började gå, men mindes sedan Sara.

"Gå du", sa hon. "Jag stannar här."

Will hakade fast telefonen i bältet och sprang mot sjön. Han passerade utsiktsbänken och stället där stigen delade sig. Han visste inte mycket om alkohol, men han visste allt om de lokala och rikstäckande lagarna kring otillåten framställning, transport, distribution och försäljning av den. Den största frågan som behövde besvaras var vad de egentligen gjorde. Det skulle ta veckor att testa alla flaskor på campingen. Bytte de ut innehållet i de exklusiva flaskorna mot billigare alkohol kunde det kosta dem serveringstillståndet och leda till dyra böter. Men tillverkade de spriten själva bröt de mot alla möjliga sorters lagar, både inom staten Georgia och på federal nivå.

Will vek av mot skjulet. Han kunde se sjön längre fram. Där stod två tomma solstolar. Båda hade en ölburk i mugghållaren. Kevin låg på marken och höll sig om knäet. Christopher och Drew stod lutade över honom. Det kändes som om Wills hjärta sugits ned i en dammsugarslang, men sedan förstod han att Kevin hittat ett sätt att hindra männen från att dricka.

Kevin lät Will hjälpa honom upp på fötter. "Ledsen, killar. Jag får sådan hemsk kramp i benet ibland."

Drew såg skeptisk ut. "Fisken, jag går tillbaka. Tack för ölen."

Christopher rörde vid hattbrättet och Drew gick mot stigen. Will nickade åt Kevin att följa efter. Drew skulle inte bli glad när Keisha berättade för honom att hon hade pratat med Will.

"Okej", sa Christopher. "Vad är det? Har Dave erkänt?"

Hemligheten var redan avslöjad. "Dave dödade inte din syster."

"Jaha." Christopher rörde inte en min. "Jag visste att han skulle lyckas slingra sig ur det här så småningom. Gav Bitty honom ett alibi?"

"Nej, det gjorde Mercy." Will hade väntat sig åtminstone någon form av förvåning, men Christopher reagerade inte ens. "Din syster ringde Dave innan hon dog. Hennes röstmeddelanden friar honom från alla misstankar."

Christopher tittade ut över sjön. "Det var oväntat. Vad sa Mercy?"

"Att hon behövde Daves hjälp."

"Det var också oväntat. Dave hjälpte aldrig Mercy medan hon levde."

"Hjälpte du henne?"

Christopher svarade inte. Han lade armarna i kors och stirrade ut över vattnet.

Will sa ingenting. Han hade lagt märke till att folk ofta hade svårt att tåla tystnader.

Det gällde tydligen inte Christopher. Mannen stod kvar med armarna i kors och tittade mot sjön med stängd mun.

Will måste hitta ett annat sätt att ruska om honom.

Han tittade mot skjulet med utrustningen. Dörrarna stod på vid gavel. Knivarna fanns på samma ställe som tidigare, men såg vassare ut i dagsljus. De var inte det enda som oroade Will. En paddel i huvudet eller ett slag i magen med nätens trähandtag kunde orsaka stora skador. För att inte tala om att Christopher förmodligen hade samma sorts fiskeutrustning i fickorna som Chuck haft. Ett hopfällbart linverktyg. Ett hopvikbart multiverktyg. En utdragbar verktygslina. En fickkniv.

Will hade bara en hand. Den andra var het och bultade smärtsamt eftersom Sara hade rätt om infektionen. Å andra sidan var hans friska hand precis i närheten av en kortpipig Smith & Wesson-revolver.

Han gick in i skjulet och började högljutt öppna lådor och skåp.

Christopher kom skyndande in, uppenbart oroad. "Vad gör du? Här får du inte vara."

"Jag har fått tillstånd till husrannsakan." Will ryckte upp ytterligare en låda. "Om du vill läsa igenom det kan du gå upp till huvudbyggnaden och be min partner visa det för dig."

"Vänta." Christopher var riktigt omskakad nu. Han började stänga lådorna. "Vänta, vad är det du letar efter? Jag kan berätta var det finns."

"Vad skulle jag kunna leta efter?"

"Jag vet inte. Men det här är mitt skjul. Det är jag som lagt hit allting här inne."

Han verkade inse ett ögonblick för sent att han just medgett att han ägde allt som Will eventuellt skulle hitta.

"Vad tror du att jag letar efter?" frågade Will.

Christopher ruskade på huvudet.

Will gick runt i skjulet som om han aldrig sett det tidigare. Han höll ögonen på Christopher, så att mannen inte skulle göra några hastiga rörelser. Christopher verkade passiv, men det kunde förändras snabbt. Något som stack ut var att allt i skjulet låg på sin rätta plats igen. Under de tidiga morgontimmarna hade Will inte varit särskilt varsam när han rotade runt efter något att binda Dave med. Nu satt verktygen på sina markerade platser igen. Näten hängde med jämna mellanrum längs den bakre väggen. Dagsljuset som strömmade in genom dörrarna gav Will en tydlig överblick över låsregeln och det välanvända hänglåset på dörren som ledde till det inre rummet.

"Hör nu här", sa Christopher. "Gäster får inte vara här inne. Nu går vi ut igen."

Will vände sig mot honom. "Ni förvarar en del intressanta trä-slag uppe vid huset."

Christopher svalde högljutt. Han började svettas. Will hoppades verkligen att det inte var några ögondroppar inblandade den här gången. För att skynda på det hela bestämde han sig för att chansa lite.

"När vi gick in till middagen igår kväll stannade du kvar utanför med Mercy", sa han.

Christophers ansikte var orörligt. "Än sen?" sa han.

Chansningen verkade ha lönat sig. "Vad pratade du med henne om?"

Christopher svarade inte. Han såg ned i golvet.

Will upprepade frågan. "Vad pratade du och Mercy om?"

Han skakade på huvudet, men sa: "Försäljningen, så klart. Papa och Bitty har säkert berättat om den."

Will nickade trots att han inte pratat med föräldrarna än. "Vad kan de mer ha berättat för mig?"

"Det är ingen hemlighet. Mercy hindrade försäljningen. Hon hoppades att jag skulle ställa mig på hennes sida, men jag är trött. Jag vill inte göra det här längre."

"Det var precis vad du sa till Chuck, eller hur?" Männens sam-tal på stigen var inbränt i Wills minne. "Du sa att du aldrig ens ville göra det här och att det inte skulle fungera utan Mercy. Att ni behövde henne."

Äntligen skymtade någon form av förvåning i Christophers ansikte. "Berättade han det för dig?"

Will granskade honom noga. Förvåningen verkade äkta, men Will hade grundligt fått lära sig läxan att inte lita på potentiella psykopa-ter. "Du behöver väl egentligen inte pengarna från försäljningen?"

Christopher slickade sig om läpparna. "Vad menar du?"

"Du har det väl ganska bra ställt?"

"Jag vet inte vad du försöker säga."

"Du har ett par hundratusen på ett penningmarknadskonto. Studielånen är betalda. Chuck är i samma läge. Hur gick det till?"

Christopher tittade ned i golvet igen. "Vi gjorde några bra inves-teringar."

"Men det finns inga investeringskonton eller aktiemäklarkonton i era namn. Ni driver inga företag. Ditt enda jobb är att vara fiskeguide i ert familjeföretag. Var kommer pengarna ifrån?"

"Bitcoin."

"Kommer det att stå så när vi granskar dina deklarationer?" Christopher harklade sig högt. "Ni kommer att hitta utbetalningar från familjestiftelsen. Det är min del av vinsten."

Will gissade att han skulle hitta bevis på pengatvätt. Det var förmodligen där Mercy kom in.

"Dave ingår väl också i familjestiftelsen? Var är hans pengar?"

"Det är inte jag som bestämmer vem som får vad."

"Vem gör det?"

Christopher harklade sig igen.

"Mercy fick ingen vinstutdelning. Hon har inget bankkonto. Hon har inga kreditkort eller något körkort. Hon hade ingenting. Vad beror det på?"

Han skakade på huvudet. "Jag har ingen aning."

"Vad finns här inne?" sa Will och knackade på väggen. Näten dunsade mot träet. "Vad kommer jag att hitta när jag bryter upp den här dörren?"

"Bryt inte upp den, är du snäll." Christopher lyfte inte blicken från golvet. "Nyckeln ligger i min ficka."

Will visste inte om mannen verkligen var medgörlig eller om det var något slags trick. Med väldigt tydliga rörelser lade han handen på revolvern. "Lägg innehållet i dina fickor på bänken."

Christopher började med fiskevästen och fortsatte ned till cargoshortsen. Han lade ut en stor samling verktyg på bänken av exakt samma märke och färg som Chuck haft i sina fickor. Han hade till och med ett Carmex-cerat. Det enda som saknades var flaskan med ögondroppar från Eads.

Det sista föremålet Christopher lade på bänken var en nyckelring. Den hade fyra nycklar, vilket var underligt med tanke på att ingen av dörrarna på campingen gick att låsa. Will kände igen en Fordnyckel, och en cylindernyckel som förmodligen hörde till ett kassaskåp. De andra två var mindre hänglåsnycklar med svarta plastgrepp. Den ena hade en gul prick och den andra en grön.

Will höll kvar handen på revolvern medan han backade undan från väggen. "Öppna dörren."

Christopher höll huvudet nedböjt. Will släppte inte hans händer med blicken. Det var uppenbart att det inte skulle gå att förutsäga mannens avsikter med hjälp av ansiktsuttrycket. Christopher tog nyckeln med den gula pricken och stack in den i låset, drog undan haspen och öppnade dörren.

Det första Will lade märke till var lukten av unken rök. Sedan såg han foliebitarna där de provat att bränna olika kombinationer av trä. I rummet fanns tunnor av ek. Koppartankar. Spiralformade rör och glaspipor. De bytte inte ut dyr alkohol mot billig. De brände egen sprit.

"Du har två nycklar", sa Will. "Var ligger det andra destilleriet?"

Christopher vägrade titta upp från golvet.

Will skulle bli tvungen att skrämma upp honom igen. Inget gjorde folk mer nervösa än att känna ett par kalla metallhandbojor runt handlederna. Will hade inga handbojor, men han visste var Christopher förvarade buntbanden. Han sträckte sig för att öppna lådan.

Tidigare samma morgon hade Will haft dåligt samvete över att han lämnade buntbanden lösa i lådan. Någon gång mellan hans framfart och den här stunden hade någon fäst ihop dem igen. Han antog att det var samma person som lämnat sex tomma flaskor ögondroppar från Eads i lådan.

18

Faith längtade efter en dusch till. Det berodde inte bara på att hon svettades som satan. Keisha hade sett på henne med sådan avsmak att det kändes som om Faith ått symbolisera alla dåliga poliser i hela världen.

Det här var anledningen till att hon inte ville att hennes son skulle ansluta sig till FBI, GBI eller något annat brottsbekämpande organ. Ingen litade på polisen längre. Vissa hade väldigt god anledning till det. Andra såg hela tiden exempel på hemska poliser. Det handlade inte längre bara om vissa skämda individer i kåren. Hela avdelningar var genomruttna. Om Faith fått börja om från början skulle hon ha blivit brandsoldat. Ingen kunde vara arg på folk som räddade katter ur träd.

Faith skakade på huvudet medan hon gick längs bortre halvan av Öglan. Nu fick det vara nog med grubblande över saker hon inte kunde förändra. Just nu hade hon två mord och en misstänkt på sitt bord. Will ville att hon skulle ta hand om Christophers förhör. Han misstänkte att mannen hade samma incel-aktiga inställning som Chuck, vilket betydde att Christopher skulle bli vansinnigt irriterad av att förhöras av en kvinna. Faith tyckte att det var en bra strategi. Christopher lät för lugn för sitt eget bästa. Hon måste hitta ett sätt att skrämma upp honom. Tack och lov hade han gett henne gott om ammunition.

I staten Georgia var det ett grovt brott bara att äga ett destilleri som producerade något annat än vatten, essentiella oljor eller vinäger. Lade man till distributionen, transporten och försäljningen av alkoholen kunde Christopher se fram emot ett långt fängelsestraff. Men hans problem slutade inte där. De federala myndigheterna skulle ha sin beskärda del av vinsten för varje droppe alkohol som såldes.

Om de två morden inte räckte för att hålla Christopher bakom lås och bom resten av livet skulle skattebrottet ta hand om saken.

"Hej." Sara väntade nedanför trappan. "Will och Kevin är fortfarande nere vid sjön. Christopher ska visa dem det andra destilleriet vid båtbryggan."

Faith flinade. Will släpade runt Christopher som en hund i koppel så att han skulle känna sig helt hjälplös när Faith väl slog klorna i honom. "Hans tajming är fantastisk. Dave dök upp i huset precis innan jag gick, så nu vet allihop att han inte dödade Mercy."

Sara rynkade pannan. "Hur kom han upp hit?"

"På en motocross", sa Faith. "Pungen måste göra fruktansvärt ont."

"Han skaffade sig förmodligen lite fentanyl så fort han lämnade sjukhuset", sa Sara. "Jag ringde Nadine och berättade om Chuck. Problemet är att beskedet om dödsfallet innebär att campingen klättrade uppåt på prioriteringslistan över vägar som måste fixas, så vi kommer inte att vara isolerade här uppe särskilt länge till."

"Jag har ännu värre nyheter. Telefonerna och internet fungerar igen, så vi kan inte leka Mord och inga visor ifred längre."

Sara såg orolig ut. "Jon gömmer sig i stugan här intill. Jag borde berätta för honom att Dave är här. Han vill förmodligen ha en anledning att gå hem."

"Jag vet inte det, jag. Vad är det för ett hem att tala om?" Faith fick en bättre idé. Hon klappade på handväskan. "Jon kan ändå inte komma åt internet från stuga nio. Får jag visa dig kartan? Du kanske kan hjälpa mig att fylla i några luckor medan jag väntar på att Will ska höra av sig om Christopher."

"Visst." Sara vinkade åt Faith att följa med henne upp för trappan.

Faith var tvungen att ordna till kläderna först. Hon hade lånat ett par mjukisbyxor av Sara. De var tre decimeter för långa och en tum för små i midjan. Hon hade fått vika byxlinningen tre varv för att inte grenen skulle dingla nere vid knäna och sedan rulla upp benen som pussmunnar runt vristerna. Männen skulle inte direkt flockas runt henne i det här skicket.

Stugan hade städats sedan Faith duschade. Sara måste ha plockat undan. Eller också hade Penny gjort det. Faith kände doften av apelsiner och även om Sara var renlig av sig var det snäppet mer än man kunde vänta sig.

"Jaha, vad har vi?" frågade Sara.

"Färgpennor och hämndlust." Faith satte sig i soffan, grävde fram kartan ur väskan och lade den på bordet. "Jag gick runt hela området med telefonen för att testa hur långt wifit nådde. De gula linjerna markerar den ytan. Mercy måste ha befunnit sig innanför den för att kunna ringa till Dave." Sara nickade. "Det innefattar stuga ett till fem, plus sju och åtta, huvudbyggnaden och matsalen."

"Reläet i matsalen täcker utsiktsterrassen och halvvägs ned längs Fiskens stig, där Chuck dog. På andra sidan finns det mottagning på en del av ytan nedanför balkongen. Jag ville inte komma för långt bort från civilisationen utan att någon visste att jag var där nere. Dessutom fanns det massor av fåglar där."

"Det är intressant att båda kropparna hittades i vatten", sa Sara.

"Christopher älskar vatten. Visste du att det finns ett TikTok för fiskare?"

"Min pappa använder det."

"Det gör Christopher också. Han gillar verkligen regnbågsforeller. Vi börjar här." Faith pekade på området där Mercys kropp hittats. "Försvunna änkans stig binder samman ungkarlsstugorna och matsalen. Det var den vägen ni gick med Nadine för att komma till brottsplatsen. Will tog samma väg när han sprang mot det första och andra skriket. Hänger du med?"

Sara nickade.

"Du kan se att stigen liksom slingrar sig runt ravinen, det är därför det tar tio till femton minuter att ta sig ned, men det finns en snabbare väg från matsalen till ungkarlsstugorna som inte är med på kartan. Alejandro berättade om den. De kallar den Repstigen. Jag hittade repen och det är i stort sett ett kontrollerat fall ned för bergssidan av ravinen. Om Mercy flydde för livet skulle hon ha tagit den vägen. Alejandro uppskattar att det tar ungefär fem minuter att ta sig ned. Will måste hjälpa mig med tidsangivelserna. Vi kan använda dem för att verifiera Christophers påståenden."

"Så du säger att det första skriket – alltså ylandet – kom från matsalen och de två sista från ungkarlsstugorna?" Sara tittade på kartan. "Det låter rimligt, men igår kväll kunde jag bara avgöra att de två skriken kom från ungefär det här hållet. Ljudet rör sig underligt här på grund av höjdskillnaderna. Sjön ligger i en krater."

Faith tittade igenom sina anteckningar. "Du var uppe vid huvud-byggnaden med Jon när du hörde det andra ropet på hjälp?"

"Ja, vi hade ett kort samtal och sedan hörde jag skriket på hjälp. Efter en paus kom ytterligare ett skrik, *snälla*. Jon sprang tillbaka in i huset. Jag gick för att leta reda på Will."

"Tillbaka in i huset", upprepade Faith. "Så när du först såg Jon var han på väg ut?"

"Jag kände inte igen honom först eftersom det var så mörkt. Han kom gående nerför trappan med sin ryggsäck. Han föll ned på knä och kräktes."

"Vad pratade ni om?"

"Jag bad honom sitta en stund med mig på verandan och prata. Han bad mig dra åt helvete."

"Det låter som en full tonåring, ja", sa Faith. "Men du såg honom medan ni hörde de två skriken, alltså kan vi stryka Jon från listan över misstänkta."

Sara såg lite förskräckt ut. "Var han ens med på den?"

Faith ryckte på axlarna, men i hennes ögon var alla manliga varelser på campingen utom Rascal med på listan.

"Amanda sa att hon ville ha en vittnesutsaga från Jon", sa Sara. "Han kan bidra till tidslinjen. Efter bråket vid middagen måste Mercy åtminstone ha tittat till honom."

"Kanske inte", sa Faith. "Hon kanske ville ge honom en chans att lugna sig."

"Oavsett vilket tror jag inte att han kan vara till så stor hjälp. Han var förmodligen för full för att minnas något." Sara pekade på kartan. "Jag kan berätta var de andra borde ha befunnit sig. Sydney och Max, investerarna, bodde i stuga ett. Chuck bodde i stuga två. Keisha och Drew i stuga tre. Gordon och Paul i stuga fem. Frank och Monica i stuga sju. Allihop har wifi, så Mercy kan ha ringt till Dave från vilken som helst av dem. Enligt Paul sågs hon på stigen vid halv elva."

"Paul Ponticello låter som en kompis till Greta Gris." Faith bläddrade tillbaka till tidslinjen. "Händelseförloppet måste ha startat kring tio över elva, eller hur? Mercy ringde Dave fem gånger på tolv minuter. Så gör man inte om man inte är utom sig, rädd, arg eller alltihop på en gång. Mercy lämnade röstmeddelandet exakt 23.28, så vi vet att hon pratade med mördaren då. Hon sa: *Dave kommer snart hit. Jag berättade vad som hänt.*"

"Vad hände?"

"Det är precis det jag måste ta reda på", sa Faith. "Men ponera att Christopher är mördaren. Han dödar Mercy. Gör sig av med Chuck. Sätter dit Drew och tystar samtidigt Keisha. Det är lätt som en plätt."

"Det är komplicerat", sa Will.

Faith vände sig om. Han stod i dörren med den bandagerade handen över hjärtat. Hon visste att han inte menade det ironiskt. De flesta brott var väldigt rättframma. Bara serietidningsskurkar förlitade sig på att dominobrickor skulle falla i rätt ordning för att slå ut rätt människor.

"Dave är uppe i huvudbyggnaden", berättade Faith. "Han åkte motocrosscykel hit."

Will svarade inte. Sara hade hämtat ett glas vatten. Hon höll upp två tabletter. Will öppnade munnen. Hon släppte ned tabletterna och gav honom glaset. Han drack vattnet och räckte tillbaka glaset. Sara gick tillbaka till köket. Faith vek ihop kartan och låtsades som om inget av det var konstigt.

"Har vi hört något från kriminalteknikerna om hur det går med Mercys anteckningsblock?"

Hon hade ställt frågan till Sara, men Sara tittade på Will. Det var underligt. Kriminalteknik var vanligtvis Saras avdelning.

Will skakade kort på huvudet. "Inget om anteckningsblocket än."

"Okej." Faith försökte ignorera den konstiga stämningen. "Graviditeten, då? Jag vet att den preliminära obduktionen inte kunde slå fast huruvida det begåtts något sexuellt övergrepp. Men tror vi att Christopher kan vara fadern?"

Sara såg förfärad ut, men sa fortfarande ingenting.

Faith försökte igen. "Jag vet att vi kommer att få dna från fostret så småningom, men Mercy låg med andra män. Jag tror att det vore lätt för Christophers försvarsadvokat att hävda att något av hennes tillfälliga ligg fick reda på graviditeten, blev svartsjuk och knivhögg Mercy till döds."

Will skakade en aning på huvudet igen, men inte som ett svar. "Sara, kan du prata med Jon igen? Du har bra kontakt med honom. Han har förmodligen sett mycket här uppe. Folk har en tendens att glömma bort sig när det är barn i närheten."

"Är du säker?" sa Sara.

"Ja", sa han. "Du är en del av vårt team."

Hon nickade. "Okej."

Han nickade. "Okej."

Faith såg dem stirra på varandra på det där hemliga sättet som uteslöt alla andra. Hon var tillbaka i rollen som lustig sidokaraktär i deras romantiska komedi. Men hon förtjänade åtminstone någon form av utmärkelse för att hon låtit bli att titta i Saras resväska när hon hade chansen.

"Är du redo?" frågade hon Will.

"Ja."

Han klev undan så att Faith kunde gå före honom ned för trappan. Det var väldigt artigt, men också farligt eftersom Faith inte skulle ha någon att landa på om hon ramlade. Hon slog undan en mygga från armen. Solen brände som laserstrålar i hornhinnorna. Hon längtade verkligen bort från det här stället.

Will var mer avslappnad än vanligt när de gick längs stigen. Han stoppade vänsterhanden i fickan. Högerhanden var fortfarande tryckt mot bröstet.

Eftersom Faith inte kom på något sätt att vara finkänslig, sa hon: "Berätta om din och Daves barndom."

Han tittade oförstående på henne.

"Dave rymde från barnhemmet", sa hon. "Vad han än höll på

med nere i Atlanta gjorde han förmodligen samma sak mot Christopher här uppe."

Will grymtade till men svarade ändå. "Han hittade på dumma smeknamn. Stal saker. Skyllde sina dumheter på andra. Spottade i folks mat. Hittade på sätt att sätta dit folk."

"Han låter som en riktig vinnare." Faith kunde inte uttrycka sig försiktigare. "Utnyttjade han någon sexuellt?"

"Han hade definitivt sex, men det är inte ovanligt. Barn som blivit sexuellt utnyttjade har en tendens att använda sex för att känna samhörighet. Och eftersom sex kan kännas bra vill de fortsätta med det."

"Var det med pojkar eller flickor eller båda delarna?"

"Med flickor."

Faith tolkade hans sammanbitna käkar som om Dave varit med Wills exfru. Det gjorde honom knappast unik.

"Att bli sexuellt utnyttjad som liten betyder inte att man behöver göra samma sak själv när man växer upp. I så fall skulle halva världen vara pedofiler", sa Will.

"Du har rätt", sa Faith. "Men vi plockar bort Dave ur den statistiken. Han var tretton när han kom till campingen, men de ändrade hans ålder till elva. Att bli behandlad som en elvaåring när man är tretton måste kännas barnsligt. Dave måste ha känt sig arg, frustrerad, omanliggjord och förvirrad. Samtidigt groomade han Mercy. Han hade i alla fall sex med henne när hon var femton och han var tjugo. Var fanns Christopher medan Dave våldtog hans lillasyster?"

"Varför skyddade han henne inte, menar du?"

"Vad jag menar är att Christopher också var rädd för Dave."

"Det vore ett väldigt bra motiv ifall Christopher hade mördat Dave."

"När vi kommer tillbaka kanske han har en bomb fastspänd runt bröstet som du blir tvungen att desarmera innan den sprängs."

Will sneglade på henne.

"Kom igen, våghalsen. Du har redan sprungit genom en brinnande byggnad och nästan farit över ett vattenfall idag."

"Jag skulle verkligen uppskatta om du inte beskrev det på det sättet i din rapport."

Han ledde henne ned för ytterligare en brant stig. Faith såg sjön först. Solen studsade från vattenytan som en discokula i helvetet. Hon satte upp handen för att inte bli bländad. Kevin stod vid skjulet. Det låg en kanot på marken och Christopher satt mitt i den. Hans handleder var fastsatta med ett buntband i stången som satt tvärs över kanoten.

Will sa: "Sara berättade att stången kallas för tvärträ. Den övre kanten heter reling."

Faith mindes hur det var när Will först träffade Sara. Han hade hittat de mest korkade anledningar att säga hennes namn.

"Hallå." Kevin småsprang upp mot dem. "Han har inte sagt ett ljud."

"Har han bett om en advokat?" frågade Faith.

"Nej, jag filmade när jag läste upp hans rättigheter. Han tittade rakt in i kameran och sa att han inte behövde någon advokat."

"Bra gjort, Kev", sa Faith.

"Agent Hundgöra levererar igen." Han tog fram en nyckelring ur fickan. "Jag säger till om jag hittar kassaskåpet."

Will följde honom med blicken när han gick. "Är Kevin arg på dig för det där hundskämtet?" frågade han.

"Ingen aning." Kevin var arg på henne för att hon ghostat honom efter ett ligg för två år sedan. "Jag vill att du ska stå och ruva på det där obehagliga viset medan jag pratar med Christopher. Okej?"

Will nickade.

Faith granskade Christopher medan de gick mot kanoten. De hade placerat honom med ryggen mot vattnet så att han hade fri sikt över det illegala destilleriet längst in i skjulet. Han såg alldaglig ut. Inte muskulös, men inte heller knubbig. Under den blå t-shirten skymtade en liten ölmage. Det mörka håret liknade en hockeyfrilla baktill, precis som Chucks.

Faith gick förbi honom och drog ett djupt andetag medan hon tittade ut över vattnet. Knotten virvlade i närheten av flytbryggan. Fåglar cirklade runt. Hon låtsades sucka förnöjt. "Herregud, vad fint det är här ute. Vilken grej att få jobba ute i naturen."

Christopher sa ingenting.

"Du borde be din advokat kolla upp Coastal State-fängelset", sa

Faith. "Det ligger i Savannah. Om vinden ligger på från rätt håll kan man känna en svag aning av havsluft över avloppsstanken."

Christopher svarade fortfarande inte.

Faith gick tillbaka runt kanoten. Will stod lutad mot skjulets öppna dörr och såg skrämmande ut. Hon nickade mot honom innan hon vände sig till Christopher. Den misstänkte satt på en av de två sitsarna. Han var framåtlutad eftersom händerna var fästa i stången. Den andra sitsen var mindre och placerad längst bak.

Faith pekade på den. "Är det där fören eller styrbord?"

Han såg på henne som om hon var en idiot. "Styrbord är höger-sidan. Fören är längst fram. Du står vid aktern."

"Då får jag akta mig", skojade Faith. Hon klev ned i kanoten. Fiberglaset gnisslade när det grävde sig ned i den steniga stranden.

"Sluta", sa Christopher. "Du förstör skrovet."

"Skrovet." Faith såg till att det knarrade ordentligt när hon satte sig. "Tro mig, du vill inte ha mig i vattnet. Jag kan inte skilja på en tvärbalk och en greling."

"Det heter *tvärträ* och *reling*."

"Åh, så dumt av mig." Faith låtsades som om hon aldrig blivit rättad av en man förut. Hon tog upp en bit rep som satt fast i en metallögla. "Vad kallas det här?"

"Ett rep."

"Rep", upprepade hon. "Jag känner mig som en sjöman."

Christopher suckade uppgivet. Han vände bort huvudet och stirrade ned i marken.

"Har de gett dig något att äta? Är du hungrig?" Faith öppnade väskan och hittade en av Wills Snickers. "Tycker du om choklad?"

Det fångade hans uppmärksamhet.

Faith öppnade papperet och såg ursäktande på Christopher när hon lade chokladbiten i hans hand. Han verkade inte ha något emot det, utan lät papperet falla ned till kanotens botten. Han höll chokladbiten på längden mellan händerna i stället för rakt upp och lutade sig fram och nafsade på den som om den var en majskolv.

Faith lät honom äta. Hon försökte fundera ut en ny infallsvinkel. Kanoten hade inte så många fler delar som hon kunde ge fel namn. Will brukade använda sin dystra tystnad för att dra fram sanningen ur de misstänkta. Men det kom man bara undan med om man var en och nittio och hade en medfödd fallenhet för att skrämma livet ur folk. Faiths speciella talang var att göra män otroligt obekväma varje gång hon öppnade munnen. Hon väntade tills Christopher tagit en stor bit av chokladen innan hon ställde sin första fråga.

"Christopher, brukade du knulla med din syster?"

Han hostade så högt att båten skakade. "Är du inte klok?"

"Mercy var gravid. Är du fadern?"

"D-du måste skämta", stammade han. "Hur kan du ens fråga mig något sådant?"

"Det är en ganska självklar fråga. Mercy var gravid. Förutom din pappa och Jon är du den ende mannen här uppe."

"Dave." Han torkade munnen mot axeln. "Dave är här uppe hela tiden."

"Försöker du säga att Mercy låg med sin våldsamma exmake?"

"Ja, det är precis vad jag säger. Hon var med honom igår före familjemötet. De rullade runt på golvet som djur."

"Vilket golv?"

"I stuga fyra."

"När hade ni familjemöte?"

"Klockan tolv." Han skakade på huvudet, fortfarande upprörd över incestfrågan. "Herregud, jag kan inte fatta att du ens ställde den frågan."

"Försökte Dave knulla med dig någon gång?"

Den här gången blev han inte lika chockad, men han såg fortfarande lika äcklad ut. "Nej, självklart inte. Han var min bror."

"Så han knullade med sin syster, men inte med sin bror?"

"Vad?"

"Du sa just att Dave knullade med sin syster."

"Kan du sluta säga det där ordet?" bad han. "Det är väldigt okvinnligt."

Faith skrattade. Om Amanda inte kunde få henne att skämmas hade den här killen inte en chans. "Okej, kompis. Din syster blev brutalt våldtagen och mördad, men du stör dig på att jag säger 'knulla'?"

"Vad har något av det här med hembränningen att göra?" frågade han. "Ni har tagit mig på bar gärning."

"Ja, det är ju knullat och klart, så att säga."

Christopher fnös till, som om han försökte kontrollera sitt humör. Han tittade på Will. "Snälla, kan vi få det här överstökat? Jag tar på mig skulden. Det var min idé. Jag byggde båda destillerierna. Jag tog hand om allting."

"Hallå där, pucko." Faith knäppte med fingrarna. "Prata inte med honom. Prata med mig."

Christophers kinder blev röda av ilska.

Faith backade inte. "Vi vet redan att Chuck var inblandad i dina små spritaffärer", sa hon. "Han har till och med en tatuering på ryggen som bevisar det."

Christophers näsborrar vidgades, men han gav sig snabbt. "Okej, jag anger Chuck. Är det vad du vill?"

Faith slog ut med armarna. "Säg det du."

"Chuck och jag är konnässörer, okej? Vi älskar whisky och bourbon. Vi började göra små satser åt oss själva. Bara lite åt gången. Vi experimenterade med smaker och olika sorters exotiska träslag för att få fram fylligheten."

"Och sedan?"

"Papa råkade ut för den där cykelolyckan. Mercy genomförde en del förändringar på campingen. Hon renoverade badrummen och började erbjuda cocktails. Pengarna började rulla in. Stora pengar. Främst från alkoholförsäljningen. Chuck sa att vi skulle hoppa över mellanhanden och använda vår egen sprit i stället. Först visste inte Mercy att vi fyllde på flaskorna med vår egen sprit, men sedan listade hon ut det. Hon brydde sig inte. Det enda hon ville var att bevisa för Papa att hon kunde driva stället med vinst."

"Men det var inte bara campingen", sa Faith. "Chuck sålde sprit till strippklubbarna i Atlanta också."

Christopher såg skuldmedveten ut. Han hade till sist insett att Faith visste väldigt mycket mer än han först trott.

"Kände dina föräldrar till det?" frågade hon.

"Absolut inte."

"Men det gjorde Drew och Keisha."

"Jag ..." Han skakade på huvudet. "Det visste jag inte. Vad har de sagt?"

"Det är inte du som ställer frågorna här", sa Faith till honom. "Vi går tillbaka till Mercy. Vad tyckte hon om att ni nekade henne att ta del av vinsten?"

"Vi nekade inte henne någonting. Hon är min syster. Jag skapade en förvaltningsfond åt Jon och satte in pengarna. Han kan ta ut dem när han fyller tjugoett."

"Varför gav du inte pengarna till Mercy?"

"För att inte Dave skulle komma åt dem. Mercy kan ... kunde inte säga nej till Dave. Han tjatade sig till allt hon hade. Det fanns inget han inte tog ifrån henne. Och nu säger du att hon var gravid? Då skulle hon ha varit fast med honom resten av livet." Christopher såg plötsligt sorgsen ut. "Jag antar att hon var det, eller hur? Mercy dog innan hon kunde komma undan honom."

Faith lät honom hämta sig i några sekunder. "Kände Mercy till fonden som du skapade åt Jon?"

"Nej, jag har inte ens berättat om den för Chuck." Han lutade sig framåt så mycket som buntbanden tillät. "Du lyssnar inte på mig. Jag säger ju hur det är. Mercy skulle ha avslöjat allt för Dave så småningom, och då skulle Dave ha tjatat hål i huvudet på Jon tills pengarna var slut. Det finns bara två saker han bryr sig om – pengar och Mercy. I den ordningen. Han skulle göra vad som helst för att kontrollera båda delarna."

Faith bytte taktik. "Berätta hur alltihop fungerade. Hur tvättade ni pengarna?"

Han rätade på sig och såg ned på sina händer. "Via campingen. Mercy är väldigt bra på bokföring. Hon öppnade ett bankkonto på nätet och betalade ut löner från det. Hon såg till att det skattades för varje krona. Alla papper finns i kassaskåpet på kontoret."

"Du säger att Mercy var bra med pengar, men själv hade hon inte ett öre."

"Det var hennes eget val", sa Christopher. "Jag gav henne allt hon ville ha, men hon visste att Dave skulle få reda på om hon hade pengar på banken eller ett kreditkort. Hon förlitade sig på mig när det gällde allting."

Faith kvävdes nästan av klaustrofobi bara av att tänka på hur hjälplös Mercy hade varit.

"Det var det vi egentligen pratade om före middagen." Christopher såg på Will igen. "Mercy försökte övertyga mig om att säga nej till investerarna. Hon sa att hon inte hade något att förlora. Jag sa att jag kunde ta ifrån henne resten av hennes liv. Kanske gjorde jag det. Kanske borde jag ha tömt mina konton och gett allting till henne. Då kanske hon hade lämnat Dave innan det var för sent, eller hur?"

Han hade ställt frågan till Faith. Hon hade inget svar. Hon kände bara till den fruktansvärda statistiken. I genomsnitt tog det en misshandlad kvinna sju försök att lämna sin förövare. Och det förutsatte förstås att han inte dödade henne först.

"Chuck, då?" sa hon till Christopher.

"Jag sa ju att han inte kände till Jons fond. Han är till och med räddare för Dave än vad jag är."

"Nej, jag menar, mördade du Chuck?"

Den här gången fick hon ingen reaktion alls från honom. Bara en tom, stirrande blick. "Vad?"

"Chuck är död, Christopher. Men det vet du redan. Det var du som hällde ögondroppar i hans vattenflaska."

Christopher såg från Faith till Will och tillbaka igen. "Du ljuger."

"Jag kan visa dig kroppen på en gång", erbjöd sig Faith. "Vi var tvungna att lägga den i frysen utanför köket. Han hänger där som en bit kött på mörning."

Christopher stirrade på Faith som om han väntade på att hon skulle börja skratta och säga att allthop var ett skämt. När Faith inte gjorde det flämtade han till. Huvudet sjönk ned mot bröstet och han började snyfta. Han var mer upprörd över Chucks död än han någonsin varit över Mercys.

Faith lät honom gråta en stund. Hon hade spelat tuff. Nu skulle hon spela mammarollen. Hon lutade sig fram och gned Christopher över ryggen för att lugna honom. "Varför dödade du Chuck?"

"Nej." Christopher skakade på huvudet. "Det gjorde jag inte."

"Du ville sluta sälja hembränt. Han försökte tvinga dig att fortsätta."

"Nej." Christopher fortsatte ruska på huvudet. "Nej, nej, nej."

"Du sa till Chuck att affärerna inte skulle fungera utan Mercy."

Han darrade så kraftigt att Faith kunde känna det genom skrovet.

"Christopher, du är så nära att säga sanningen." Faith fortsatte gnida honom över ryggen. "Kom igen grabben, det kommer att kännas bättre när du har fått ur dig allt."

"Hon hatade honom", viskade han.

"Hatade Mercy Chuck?" Faith klappade honom på axeln och fortsatte låta moderlig. "Se så, Christopher. Sätt dig upp. Berätta vad som hände."

Han rätade långsamt på sig. Faith såg hans stoiska fasad rasa samman. Det var som om alla känslor han någonsin undertryckt plötsligt släpptes loss. "Chuck skämde ut Mercy inför alla gäster. Jag ... Jag försökte bara skydda henne. Jag ville lära honom en läxa."

"Vad ville du lära honom?"

"Att sluta bråka med henne", sa Christopher. "Jag förstår inte. Hur dog han? Jag använde samma mängd som tidigare."

Faith blev sällan förvånad över något som de misstänkta sa, men den här gången hajade hon till. "Har du spetsat Chucks vatten förut?"

"Ja, det är ju det jag säger. Jag är destillatör. Mina mått är väldigt exakta. Jag lade samma mängd i vattnet som de tidigare gångerna."

"Gångerna?" upprepade Faith. "Hur många gånger har du förgiftat honom?"

"Han blev inte förgiftad. Han blev dålig i magen och fick diarré. Det är allt. När Chuck var otrevlig mot Mercy gav jag honom några droppar för att lära honom en läxa." Christopher såg uppriktigt förvirrad ut. "Hur dog han? Det måste bero på något annat. Varför ljuger du för mig? Får du verkligen göra det?"

Faith hade hört Saras teori på brottsplatsen. Chuck hade inte dött av ögondropparna. Han hade dött för att han rullade ut i vattnet och drunknade.

Hon var tvungen att ställa frågan. "Christopher, dödade Chuck Mercy?"

"Nej."

Faith hörde hur tvärsäker han lät. Hon hade väntat sig att han skulle säga något förvirrat i stil med: *Chuck älskade Mercy, varför skulle han döda henne?* Men det gjorde han inte.

"Jag drogade honom."

"Du gjorde vad?"

"Vi tar alltid en sängfösare. Jag lade Xanax i hans drink för att se till att han inte skulle göra något dumt. Chuck somnade medan han läste på sin Ipad." Christopher ryckte på axlarna. "Sovrums-fönstret i stuga två ligger mittemot kökstrappan. Jag tittade till honom innan jag gick och lade mig. Han lämnade aldrig stugan."

En kort stund visste Faith inte vad hon skulle säga.

"Jag älskade min syster", sa Christopher. "Men Chuck var min bästa vän. Han kunde inte rå för att han också älskade Mercy. Jag höll honom på mattan. Jag hjälpte Mercy på det enda sätt jag kunde."

Faith blev nästan stum igen. "Visste Chuck att du drogade honom?"

"Det spelar ingen roll." Christopher ryckte på axlarna åt sina många brott. "Mercy var snäll mot mig. Fattar du hur det känns när ingen annan i hela världen är snäll? Jag vet att jag är konstig, men Mercy brydde sig inte om det. Hon tog hand om mig. Hon ställde sig alltid mellan mig och Papa. Vet du hur många gånger jag såg honom klå upp henne? Och jag pratar inte om knytnävarna. Han piskade henne med ett rep. Han sparkade henne i magen. Bröt benen på henne. Vägrade låta henne åka till sjukhuset. Och hennes ansikte ... Ärret i ansiktet ... Alltihop är Papas fel. Han lät Mercy bära på de skuldkänslorna i ..."

Faith såg skräcken glimma till i Christophers ögon innan han böjde ned huvudet igen. Han hade sagt för mycket, men kanske inte av misstag. Christopher ville att Faith skulle försöka dra sanningen ur honom. Det han inte förstod var att ingen av dem skulle lämna kanoten förrän hon hade lyckats.

"Penny Danvers berättade att din syster fick ärret i ansiktet vid en bilolycka vid Djävulskröken", sa Faith. "Mercy var sjutton. Hennes bästa vän dog."

Christopher svarade inte.

"Hur kan det vara er pappas fel?" frågade Faith.

Christopher skakade på huvudet.

"På vilket sätt är er pappa ansvarig för ärret?"

Faith väntade, men han svarade fortfarande inte.

"Vilka skuldkänslor var det er pappa lät Mercy bära omkring på?"

Han svarade inte nu heller.

"Christopher." Faith lutade sig framåt. "Du sa att du försökte skydda Mercy på det enda sätt du kunde, och det tror jag på. Det gör jag verkligen. Men jag förstår inte varför du försöker skydda din pappa nu. Mercy blev brutalt mördad. Hon lämnades att förblöda på er familjs mark. Kan du inte ge hennes själ lite frid?"

Christopher satt tyst en liten stund till. Sedan drog han snabbt efter andan och pressade fram orden. "Det var han."

"Det var vem?"

"Papa." Christopher sneglade upp och slog sedan ned blicken igen. "Det var han som dödade Gabbie."

Faith kunde känna hur Will blev på helspänn bakom henne. Hon måste själv dra efter andan innan hon fick fram orden. "Hur gjorde ..."

"Gabbie var så vacker. Och snäll. Och rar. Jag älskade henne." Christopher mötte Faiths blick och nu var rösten skarpare. "Papa skrattade åt mig, jag hade inte en chans. Men jag älskade henne så mycket. Det var en ren, oskyldig kärlek. Inget som kunde fläckas ned. Det var därför jag förstod Chucks känslor för Mercy. Han kunde inte rå för det."

Faith ansträngde sig för att hålla rösten lugn. "Vad hände med Gabbie?"

"Papa hände." Skärpan i rösten var borta. Christopher lät lika apatisk som tidigare. "Han stod inte ut med Gabbies sätt att fladdra runt familjen som en vacker fjäril. Hon var alltid så glad. Det fanns liksom en lättsamhet inuti henne. Hon flirtade med gästerna. Hon skrattade åt deras dumma skämt. Hon älskade Mercy, det gjorde hon verkligen. Och Mercy älskade henne. Alla älskade Gabbie. Alla ville ha henne. Så Papa våldtog henne."

Det kändes som om Faiths mun var full med sand. Christopher lät så saklig när han beskrev det nästan obeskrivbara. "När hände det här?"

"Samma kväll som den så kallade olyckan."

Faith satt tyst. Hon behövde inte pressa honom mer. Christopher var äntligen redo att berätta allt.

"Jag var ute och grävde upp mask", sa han. "Papa våldtog henne i min säng. Han lämnade henne där, så att jag skulle hitta henne. Han sa att han inte skulle låta någon få något som han inte haft först."

Faith försökte svälja sanden i munnen.

"Han våldtog henne inte bara. Han slog sönder hennes ansikte. All hennes perfekta skönhet var borta." Christopher drog skarpt efter andan igen. "Jag gick för att hämta Mercy, men hon låg utslagen på sovrumsgolvet med en spruta i armen. Hon bar på så mycket smärta. Hon ville så gärna härifrån. Hon och Gabbie skulle ge sig av tillsammans i slutet av sommaren, men ..."

Han behövde inte avsluta meningen. Penny Danvers hade berättat för Faith om deras plan. Gabbie och Mercy tänkte flytta till Atlanta och skaffa en lägenhet tillsammans. Jobba som servitriser och tjäna mycket pengar och leva livet som bara tonåringar kunde göra.

Men sedan hade Gabbie dött och Mercys liv förändrades för alltid.

Christopher fortsatte prata. "Papa, han ... han tvingade mig att bära Mercy till bilen. Han slängde bara in henne i baksätet som en sopsäck. Sedan satte vi Gabbie i framsätet. Vid det laget rörde hon sig inte alls längre. Jag antar att det berodde på chocken eller alla slagen mot huvudet. Jag vet inte. Kanske var Gabbie redan död? Jag var glad att hon inte förstod vad som hände."

Han hade börjat gråta. Faith hörde hur det visslade i hans näsa när han försökte kontrollera andningen. Hon mindes ännu en detalj från Pennys berättelse. Christopher hade varit så otröstlig efter Gabbies död att han inte klivit ur sängen på flera veckor.

"Papa sa åt mig att gå in, så det gjorde jag. Jag tittade ut genom fönstret när de körde iväg. Jag somnade med huvudet vilande mot armarna."

Christopher drog hickande efter andan igen. "Tre timmar senare hörde jag en bildörr slå igen. Sheriff Hartshorne hade dykt upp. Mamma kom in i mitt rum. Hon grät så att hon knappt kunde prata. Vi gick ned i köket. Papa var också där. Sheriffen berättade att Gabbie var död och att Mercy var på sjukhuset."

"Vad sa din pappa?"

Christopher skrattade bittert. "Han sa: 'Ja, jäklar. Jag visste att Mercy skulle ta livet av någon en vacker dag.'"

Det fanns en slags slutgiltighet i Christophers tonfall, men Faith tänkte inte låta honom tystna nu. "Hörde inte Bitty något under natten?"

"Nej. Papa hade gett henne några Xanax. Inget skulle ha väckt henne." Han lutade sig fram och torkade näsan på skjortärmen. "Det enda mamma visste var att Mercy blivit hög och kraschat bilen så att Gabbie dog. Vi frågade aldrig om några detaljer. Vi ville inte veta."

Faith hade hört den officiella versionen från Penny. Mercy hade kört bilen längs den berg- och dalbaneliknande vägen mot Djävulskröken. Ambulanssjukvårdarna hade sagt till hela staden att Mercy skrattade som en hyena i ambulansen. Mercy hade varit säker på att de stod parkerade på campingen, vilket inte var så konstigt för Mercy hade varit på sitt rum när hon somnade med en spruta i armen. Hon mindes inte att hon burits ut till bilen.

Faith gissade att Cecil McAlpine lagt i neutralläget och hoppats att gravitationen skulle göra slut på både dottern och den unga kvinnan som han misshandlat och våldtagit.

"Bilen föll över fem meter ned i ravinen", sa hon till Christopher. "Mercy kastades ut genom framrutan. Det var så ansiktet slets loss. Gabbies skalle var krossad, men det hände alltså före olyckan. Din pappas goda vän, sheriff Hartshorne, sa att hon haft fötterna på instrumentbrädan vid kraschen. Dödsfallsutredaren sa att hela skallen var pulveriserad. De var tvungna att använda tandavtryck för att identifiera henne vid obduktionen. Det var som om någon slagit henne i huvudet med en slägga."

Christophers läppar darrade. Han kunde inte möta Faiths blick, men hon visste att det inte fanns många människor han kunde se i ögonen.

"Vad hette Gabbie egentligen?" frågade hon.

"Gabriella", viskade han. "Gabriella Maria Ponticello."

19

Självförebråelserna studsade runt i Wills hjärna. Paul hade funnits rakt framför näsan på honom hela tiden. Will borde ha pressat mannen hårdare om varför han checkat in under falskt namn. Han borde ha gjort en mer grundlig djupdykning i Pauls förflutna. Delilah hade berättat för Will om Gabbie mindre än en timme efter Mercys död. Will hade en vämjelig känsla av att han visste precis vilket ord som var tatuerat på Pauls bröstkorg. Man präntade inte in ett ord permanent rakt ovanför hjärtat om det inte var väldigt viktigt.

Will hade sett rakt på det, men inte haft förmågan att läsa det.

Faith hade inte behövt mer än en minut med telefonen för att bekräfta kopplingen mellan Paul och Gabbie. Hon hade hittat en dödsruna i *Atlanta Journal Constitutions* arkiv. Gabriella Maria Ponticello efterlämnade sina föräldrar, Carlos och Sylvia, och sin yngre bror Paul.

"Kevin", sa Faith. "Gå runt till andra sidan. Jag vill att du tar med Gordon till stuga fyra. Hör efter vad han har att säga om saken och sedan jämför vi det med allt vi får ur Paul."

Kevin såg förvånad ut, men gjorde en honnör. "Ska bli."

Wills tänder hade börjat värka eftersom han bet ihop käkarna så hårt. Faith lät Kevin ta hand om förhöret eftersom hon kände sig tvungen att sitta barnvakt åt Will.

Han kunde inte klandra henne. Han hade redan klantat sig så mycket.

Dörren till huvudbyggnaden öppnades. Delilah kom ut först.

Hon skyndade ned för trappan. Bitty sköt ut Cecil på verandan. Dave gick bakom dem. Han tände en cigarett och blåste ut ett moln av rök medan han följde dem ned för rullstolsrampen på baksidan.

Faith drog i Wills ärm så att han backade längre in i skogen. De väntade på att området skulle bli tomt. Christopher satt fast med buntband vid ett trampbåtshjul inne i båthuset. Sara var med Jon. Cocktailstunden hade börjat för fem minuter sedan. Monica och Frank var de första som kom dit. Sedan Drew och Keisha. Nu när resten av familjen var på väg var det bara Gordon och Paul kvar. Lamporna var tända i stuga fem, men männen hade inte kommit ut. Och varför skulle de göra det? Tack vare Will var Paul säker på att han kommit undan med mord.

Will kunde inte hålla tyst längre. "Jag klantade till det", sa han till Faith. "Förlåt."

"Berätta hur du har klantat till det."

"Paul har en tatuering på bröstet. Jag vet att det står Gabbie på den. Jag såg den, men jag kunde inte läsa den snabbt nog. Han täckte över den med handduken."

Faith dröjde ett ögonblick för länge med svaret. "Det kan du inte veta."

"Jag vet det. Du vet det. Amanda kommer att veta det. Sara kommer att ..." Det kändes som om magen var full av diesel. "Keisha sa att Paul och Gordon kom sent till frukosten. Det var då Paul gömde det avbrutna knivhandtaget i deras toalett. Jag skrämde skiten ur henne och Drew utan anledning. De var livrädda att bli skjutna. Chuck skulle förmodligen ha levt fortfarande. Christopher skulle ha guidat gästerna i morse. Då skulle Chuck ha legat i sängen och sovit."

"Där har du fel", sa Faith. "Alla aktiviteter ställdes in när Mercy dog."

Will skakade på huvudet. Inget av det spelade någon roll.

"Penny berättade om bilolyckan", sa Faith. "Jag kunde ha följt upp det för flera timmar sedan. Jag hade Gabbies förnamn. Jag kunde ha sökt på det tillsammans med de andra namnen, inklusive Pauls. Det var så jag hittade dödsrunan."

Will visste att hon grep efter halmstrån. "Vi måste få Paul att erkänna allt. Jag kan inte låta honom komma undan med det här på grund av mitt misstag."

"Han kommer inte undan", sa Faith. "Se på mig."

Will kunde inte se på henne.

"Christopher kommer att sitta inne väldigt länge. Vi kan använda hans vittnesmål för att få Cecil dömd för mordet på Gabbie. Vi griper Paul för mordet på Mercy. Gud vet hur många strippklubbar i Atlanta som köpte hembränd sprit av Chuck. Den tog nästan livet av Monica. Inget av det där skulle ha hänt utan dig. Tror du att Bullen skulle ha utrett mordet på Mercy? Och du är den enda anledningen till att Paul åker dit över huvud taget. Christopher också. Och Cecil."

"Faith, jag vet att du försöker få mig att må bättre, men allt du säger låter som medömkan."

Dörren till stuga fem öppnades. Gordon kom ut först, följd av Paul. De skrattade åt något. De hade ingen aning om hur illa ute de var.

"Kom", sa Will.

Han småsprang över gården. Kevin kom från andra hållet. Han grep tag i Gordons arm.

"Ursäkta mig?" sa Gordon, men Kevin släpade honom redan mot stuga fyra.

"Hallå där!" Paul försökte följa efter. Will satte en bestämd hand mot hans bröst.

Paul tittade ned. Den här gången fällde han inte några flirtiga kommentarer. Munnen blev ett smalt streck. "Okej, vi ska visst göra det här nu."

"Vi går in", sa Faith.

Will höll sig precis bakom Paul ifall mannen försökte springa. Kevin tog med Gordon in i stuga fyra. Lamporna tändes. Dörren stängdes, men inte förrän Gordon gett Paul en lång, stadig blick. Will försäkrade sig om att Faith också sett den.

Männen var i maskopi med varandra.

Vardagsrummet luktade som en sjabbig bar. Överallt fanns halvtomma spritflaskor och välta glas. Papperskorgarna var fulla av chipspåsar och godispapper. Will kände lukten av marijuana. Han såg ett askfat vid en av fåtöljerna. Det var fullt av fimpade jointar.

"Ni har visst haft ett riktigt party", sa Faith. "Firar ni något särskilt?"

Paul höjde på ena ögonbrynet. "Är du ledsen att du inte blev inbjuden?"

"Förtvivlad." Faith pekade på soffan. "Sätt dig."

Paul satte sig med ett stön. Han lutade sig tillbaka med armarna i kors. "Vad handlar det här om?"

"Det var ju du som sa att vi skulle göra det här nu", sa Faith. "Vad är det vi gör?"

Paul tittade på Will. "Du såg tatueringen."

Det kändes som om någon kört ett järnspett rakt genom Wills bröst.

"Jag har sett er cirkla runt här hela dagen", sa Paul. "Var det Mercy? Berättade hon det för någon innan hon dog?"

"Vad skulle hon ha berättat?" frågade Faith.

Will såg Paul knäppa upp skjortan och dra undan tyget för att visa bröstet. Tatueringen var snirkligt dekorerad med röda hjärtan och blommor i flera färger. På avstånd kunde Will inte tyda något annat än bokstaven G, och det berodde förmodligen på att han redan kände till namnet.

Faith lutade sig framåt. "Så finurligt. Man kan inte riktigt se namnet om man inte vet vad man tittar efter. Får jag?"

Paul ryckte på axlarna när Faith tog fram telefonen.

Hon tog flera foton och satte sig sedan i fåtöljen med en suck.

"Är jag misstänkt eller vittne?" frågade Paul.

"Jag förstår att det är förvirrande", sa Faith. "Du beter dig inte som någondera."

"Den vite mannens privilegium, eller hur?" sa Paul och sträckte sig efter en flaska alkohol. "Jag behöver en drink."

"Det där skulle jag låta bli om jag var du", sa Faith. "Det är inte Old Rip."

"Det är ändå alkohol." Paul drack en stor klunk ur flaskan. "Vad vill ni?"

Faith tittade på Will, som om hon väntade sig att han skulle ta över. Han trodde att hans tystnad skulle räcka längre än hennes, men den här gången hade han fel.

"Hallå?" sa Paul. "Vittnet/den misstänkte här. Är det någon hemma?"

Will kände rodnaden krypa upp på kinderna. Han kunde inte längre vara anledningen till att den här utredningen gick åt skogen. "Såg Mercy din tatuering?" frågade han Paul.

"Jag lät henne se den, om det är vad du menar."

"När då?"

"Jag vet inte. Någon timme efter att vi hade checkat in. Jag hade duschat och var i sovrummet för att klä på mig. När jag tittade ut genom fönstret såg jag Mercy komma gående mot vår stuga. 'Varför inte?' tänkte jag." Paul rullade flaskan mellan händerna. "Jag lindade handduken runt midjan och väntade."

"Varför ville du att hon skulle se tatueringen?" frågade Will.

"Jag ville att hon skulle veta vem jag var."

"Visste Mercy att Gabbie hade en bror?"

"Jag antar det. De kände bara varandra i ett par månader över sommaren, men de blev snabbt väldigt goda vänner. Alla Gabbies brev handlade om Mercy och hur roligt de hade tillsammans. Det lät som om ..." Paul hejdade sig för att hitta rätt ord. "Du vet hur det är när man är ung och träffar någon som man bara klickar med, det är som om två magneter sätts ihop. Man förstår inte hur man ens kunde leva innan man träffade den personen. Och man vill inte leva resten av livet utan dem."

"Var de ihop?" frågade Will.

"Nej, de var bara två perfekta, vackra vänner. Och sedan blev allt förstört."

"Du checkade in här under falskt namn. Du hade kunnat låta Mercy veta att du var Gabbies bror redan då."

"Jag ville inte att hennes familj skulle få reda på det."

"Varför inte?"

"För att ..." Paul tog en klunk till. "Herregud, det smakar vidrigt. Vad är det för något?"

"Hembränt." Faith sträckte sig fram och snappade åt sig flaskan ur hans hand. Hon ställde den på golvet och väntade på att Will skulle fortsätta.

Han kunde bara låta munnen gå på autopilot. "Varför inte?"

"Varför jag inte ville att familjen McAlpine skulle få reda på det?" Paul suckade medan han tänkte igenom saken lite till. "Jag ville hålla det mellan mig och Mercy, okej? Jag var inte ens säker på att jag ville göra det, men jag såg henne och ..."

Paul ryckte på axlarna i stället för att avsluta meningen.

Will lyssnade på tystnaden i rummet. Han såg på sina händer. Även den som var skadad knöt sig. Käkbenen värkte eftersom han bitit ihop så hårt. Kroppen kände igen den här sortens ilska. Han hade känt den i skolan, när han fick skäll av läraren för att han inte klarade att tyda meningen på tavlan. Han hade känt den på barnhemmet när de retade honom för att han inte kunde läsa så bra. Will hade lärt sig ett trick för att hantera situationen – han kopplade loss sinnet från kroppen, som när man drog ut en sladd ur eluttaget.

Men han satt inte längst bak i klassrummet längre. Han var inte på barnhemmet längre. Han pratade med en man som var misstänkt för mord. Hans partner räknade med honom. Framförallt räknade Jon med honom. Will hade känt Mercys hjärta slå sina sista slag. Tyst hade han lovat kvinnan att hennes mördare skulle ställas till svars. Att hennes son skulle få se mannen som tagit henne ifrån honom bli straffad för brottet.

Will sköt undan soffbordet. Han satte sig rakt framför Paul. "Du grälade med Gordon på stigen igår eftermiddag."

Paul såg förvånad ut. Han visste inte att Sara hört dem.

"Du sa: 'Jag struntar i vad du tycker. Det här är det enda rätta.'"

"Det låter inte som jag?"

"Och Gordon sa: Ssedan när bryr du dig om vad som är rätt?'"

"Finns det kameror här?" undrade Paul. "Är stället buggat?"

"Vet du vad du svarade Gordon?"

Paul ryckte på axlarna. "Överraska mig."

"Gordon sa: 'Sedan när bryr du dig om vad som är rätt?' och du svarade: 'Sedan jag såg hur hon har det, för helvete!'"

Paul nickade. "Okej, det låter som jag."

"Gordon sa att du måste släppa det. Men det gjorde du inte, eller hur?"

Paul lekte med fållen på skjortan, vek den i prydliga små veck. "Vad sa jag mer?"

"Säg det, du."

"Förmodligen något i stil med: 'Vi kan väl diskutera saken över en tunna Jim Beam?'"

"Du sa att du såg Mercy på stigen vid halv elva igår kväll."

"Det gjorde jag."

"Du sa att hon gick sin runda."

"Det gjorde hon."

"Pratade du med henne?"

Paul började släta ut vecken. "Ja."

"Vad sa du?"

"Du kommer inte att tro mig", sa Paul. "Gordon sa åt mig att hålla mig undan från dig. Han sa att du var en stor, dum polis som ville gripa vem som helst utan anledning."

"Det finns god anledning att gripa dig", sa Will. "Vad sa du till Mercy på stigen igår kväll, Paul? Hon gjorde sitt jobb och du kom ut ur din stuga vid halv elva och pratade med henne."

"Det stämmer."

"Vad sa du?"

"Att ..." Han suckade djupt igen. "Att jag förlåter henne."

Will såg hur Pauls fingrar veckade skjortfållen igen.

"Jag *förlät* henne", sa Paul. "Jag klandrade Mercy i så många år. Det slet sönder mig inombords. Gabbie var min storasyster. Jag var bara femton när det hände. Så mycket av hennes liv, av vårt liv tillsammans, stals från mig. Jag fick aldrig lära känna hennes riktiga jag."

"Var det därför du dödade Mercy?"

"Jag dödade henne inte", sa Paul. "Man måste hata någon för att döda dem."

"Hatade du inte kvinnan som låg bakom din systers död?"

"I många år gjorde jag det. Sedan fick jag reda på sanningen." Paul tittade på Will. "Det var inte Mercy som körde bilen."

Will såg på honom utan att röja sina tankar. "Hur vet du att det inte var hon som körde?"

"På samma sätt som jag vet att Cecil McAlpine våldtog henne."

Det kändes som om allt syre sugits ut ur rummet. Will tittade på Faith. Hon såg lika chockad ut som Will kände sig.

Paul fortsatte: "Jag vet också att Cecil och Christopher lade Gabbie i bilen med Mercy. Jag hoppas att Gabbie var död vid det laget. Jag vill inte tänka på att hon kan ha vaknat där, sett bilen störta mot den där skarpa kurvan i vägen och vetat att det inte fanns något de kunde göra för att stoppa den."

Will sneglade på Faith igen. Hon hade flyttat sig längst ut på sitsen.

"Hennes bäcken var också krossat", sa Paul. "Min mamma berättade den detaljen förra året. Hon låg på dödsbädden, den stackaren. Cancer i bukspottskörteln, plus demens, plus en kraftig urinvägsinfektion. Hon fick stora doser morfin. Hennes hjärna, hennes vackra, fantastiska hjärna höll henne fången den där sommaren då Gabbie dog. Hon hjälpte Gabbie att packa för resan till bergen, såg till att hon hade rätt kläder, vinkade farväl när min pappa körde iväg med henne. Sedan svarade hon i telefonen. Fick höra om bilolyckan. Fick reda på att Gabbie var död."

Paul böjde sig ned och plockade upp flaskan från golvet. Han drack en stor klunk innan han fortsatte.

"Det var bara jag som satt vid min mors dödsbädd. Min pappa dog av en hjärtinfarkt för två år sedan." Paul tryckte flaskan mot bröstet. "Demens följer inget specifikt mönster. De underligaste små detaljer dök upp. Som att Gabbie glömt packa sin nalle. Kanske kunde vi skicka den till henne med posten? Eller att hon hoppades att familjen McAlpine gav Gabbie ordentligt med mat. Visst var de trevliga människor? Hon hade pratat med pappan i telefon när Gabbie ansökte om platsen. Han hette Cecil, men alla kallade honom Papa. Det var han som ringde oss när Gabbie dött."

Paul lyfte flaskan för att dricka, men ångrade sig. Han räckte den till Will. "Det där telefonsamtalet från Cecil ... Det var det som verkligen hade fastnat i hennes hjärna. Papa gav henne alla detaljer från olyckan. Min mamma antog att hans brutala ärlighet var tänkt att vara hjälpsam, men det var inte alls så det var. Han återupplevde våldet. Kan du föreställa dig vilken slags psykopat man måste vara för att våldta och mörda en kvinnas barn och sedan ringa upp henne och berätta om det?"

Will hade träffat den sortens psykopater, men inte förstått förrän nu att Cecil McAlpine var en av dem.

"Telefonsamtalet plågade min mor ända ned i graven. Hon hade bara några timmar kvar, men det var det enda hon kunde prata om. Inte de glada stunderna, som Gabbies fiolkonserter eller löpartävlingar, eller när jag överraskade alla genom att komma in på läkarlinjen. Utan bara det där telefonsamtalet där Cecil McAlpine berättade alla vidriga detaljer om Gabbies död. Och jag var tvungen att lyssna på vartenda ord, eftersom det var de absolut sista minuterna jag hade med min mamma."

Han såg ut genom fönstret. Ögonen glimmade i ljuset.

"Hur fick du reda på att Cecil dödade din syster?" frågade Faith.

"Jag var tvungen att gå igenom min mammas papper efter att hon dött. Min pappas också. Hon hade aldrig brytt sig om att ta hand om den saken. Längst in i hans arkivskåp låg en mapp. Där fanns all information om olyckan. Inte för att det fanns så mycket att se. En polisrapport som var fyra sidor lång. En tolvsidig rapport från obduktionen. Jag är plastikkirurg. Jag har arbetat med människor som varit inblandade i bilolyckor. Jag har vittnat i brottmål och civila rättegångar om skadorna. Jag har aldrig sett ett fall där det inte finns flera kartonger fulla av dokument. Och då har ingen ens förolyckats. Gabbie dog. Mercy förlorade nästan livet. Skulle det bara kräva sexton sidor?"

Will hade också läst sin beskärda del obduktionsrapporter. Mannen hade rätt. "Gjorde de några drogtester?"

"Du är visst inte bara snygg." Pauls leende var sorgset. "Det var den saken som verkligen stack ut. Gabbie hade marijuana och en väldigt hög dos alprazolam i kroppen."

"Xanax", sa Will. Familjen McAlpine hade en viss förkärlek för den drogen.

"Gabbie rökte på, men hon gillade uppåttjack", sa Paul. "Hon tog stimulerande droger – Adderall, ecstacy, kanske kokain om någon hade det tillgängligt. Hon var inte beroende. Hon tyckte bara om att festa. Det var en av anledningarna till att pappa tvingade henne att söka jobb här uppe på campingen. Det var han som hittade annonsen. Han trodde att den friska luften, det hårda arbetet och motionen skulle få henne på rätt köl igen."

"Mercy blev aldrig åtalad för något som hade med olyckan att göra", sa Will. "Tyckte inte dina föräldrar att det var konstigt?"

"Min pappa trodde starkt på sanning, rättvisa och det amerikanska sättet. Om en polis sa att det inte fanns något att se, fanns det inget att se."

Faith harklade sig. "Vilken polis?"

"Jeremiah Hartshorne den äldre. Hans son har jobbet nu, och han känns som en lämplig efterträdare."

"Pratade du med honom?"

"Nej, jag anlitade en privatdetektiv", sa Paul. "Han ringde runt och knackade dörr. Hälften av alla som bor i stan vägrade prata med honom. Den andra hälften blev rasande så fort han nämnde Mercys namn. De kallade henne hora, knarkare, mördare, dålig mamma, slödder, häxa och besatt av djävulen. Allihop ansåg att hon mördat Gabbie, men deras känslor hade egentligen inget med Gabbie att göra. De bara hatade Mercy."

"Hur fick du reda på vad som verkligen hände?" frågade Will.

"Vi blev kontaktade av en tipsare. Det var väldigt hemlighetsfullt, alltihop." Pauls leende blev bittert. "Det kostade mig tio tusen, men det var det värt för att äntligen få höra sanningen. Jag kunde förstås inte göra något med den. Den jäveln knep ihop munnen så fort han fått pengarna. Vägrade vittna. Vägrade lämna en officiell utsaga. Vi kollade upp honom. Han är en hal liten ål. Jag tvivlar på att en jury ens skulle ha dömt Jeffrey Dahmer för att ha gått mot röd gubbe om det hängt på den här killens vittnesmål."

Will visste redan vem han pratade om, men han var tvungen att ställa frågan. "Vem var tipsaren?"

"Dave McAlpine", sa Paul. "Du grep honom för mordet på Mercy, men av någon anledning släppte du honom. Du vet väl att han inte bara är hennes exman? Han är också hennes adoptivbror."

Will gned sig om hakan. Allt Dave rörde vid förvandlades till skit. "Vad sa du till Mercy på stigen igår kväll?"

Paul suckade långsamt. "Först måste jag berätta lite mer om Gabbies brev hem. Hon skrev minst en gång i veckan. Hon älskade Mercy så mycket. De skulle hyra en lägenhet i Atlanta och ... Ja, du vet hur dum man är när man är sjutton. Man räknar på det och tror att man kan äta makaroner med ostsås för 10 cent i veckan. Gabbie var så glad att hon hittat en vän. Hon hade det inte så lätt i skolan. Jag berättade ju att hon spelade fiol. Hon var med i skolorkestern och blev retad i många år. Det var inte förrän hon blommade upp och blev vacker som hon äntligen fick något slags liv. Och Mercy var hennes första vän i det där nya livet. Det var speciellt. Det var perfekt."

"Vad skrev hon mer om?" frågade Will.

"Om Cecil. Hon trodde att han gjorde illa Mercy. Slog henne, och kanske något mer? Jag vet inte några detaljer, det skrev hon aldrig. Jag tvivlar faktiskt på att hon ens kunde sätta ord på det. Gabbies uppväxt var inte fylld av skräck. Det här var innan internet tog oskulden ifrån oss. Det fanns inte femtioelva tusen poddar om vackra unga kvinnor som blir våldtagna och mördade."

Will hörde hur sorgsen han lät. Det var tydligt att Paul hade älskat sin syster. Men han hade inte svarat på frågan. "Vad sa du till Mercy på stigen igår kväll?"

"Jag frågade henne om hon visste vem jag var. Hon sa ja. Jag sa att jag förlät henne."

Will väntade, men Paul hade tystnat.

"Och?" sa Faith.

"Jag hade förberett ett långt tal om hur jag visste att hon hade älskat Gabbie och att de varit bästa vänner och att olyckan inte var hennes fel utan hennes pappas. Och att hon inte behövde ha dåligt samvete för något – allt det där. Men Mercy gav mig inte chansen att säga något av det." Paul tvingade fram ett leende. "Hon spottade på mig. Bokstavligt talat. Drog upp något äckligt i munnen och loskade iväg det."

"Var det allt?" sa Faith. "Sa hon ingenting?"

"Hon sa att jag kunde dra åt helvete. Sedan gick hon mot huset. Jag stod kvar och tittade tills hon drämde igen dörren efter sig."

"Och sedan?" sa Will.

"Ingenting. Jag var förstås chockad. Men jag tänkte inte springa efter henne efter det där. Hon hade klart och tydligt visat vad hon kände. Så jag gick tillbaka in och satte mig precis här, där jag sitter nu. Gordon hade hört alltihop. Vi var faktiskt helt mållösa, båda två. Jag hade inte väntat mig någon slags rosenskimrande stund, men jag trodde att vi åtminstone kunde prata och kanske få något slags avslut."

Han lät inte längre särskilt sorgsen, utan mest förvånad.

"Okej, jag måste backa en liten bit." Faith var tydligen lika skeptisk som Will. "Mercy spottade på dig, men du gjorde ingenting?"

"Vad kunde jag göra? Jag var inte arg på henne. Jag tyckte synd om henne. Titta hur hon hade det här uppe. Alla i staden hatar henne. Hon sitter fast på berget med pappan som satte dit henne för mordet på hennes bästa vän. Hela familjen tror att hon är skyldig. Hon förlorade sitt ansikte på grund av honom. Tänk på den saken. Mercys egen far tog hennes ansikte ifrån henne, ändå bor hon fortfarande med honom, arbetar med honom, äter sina måltider med honom, tar hand om honom. Och till råga på allt tog hennes exman eller bror eller vad man nu ska kalla honom emot tio tusen dollar av mig för att berätta sanningen, men han har aldrig sagt till henne vad som egentligen hände. Det är så förbannat sorgligt."

"Hur kände Dave till sanningen?" frågade Will.

"Ingen aning." Paul ryckte på axlarna. "Erbjud honom tio tusen till, så berättar han det säkert."

Will skulle ta itu med Dave senare. "Du verkade inte så upprörd i morse när jag berättade att Mercy blivit knivhuggen till döds."

"Jag var väldigt full och väldigt hög", sa Paul. "Gordon stoppade mig i duschen så att jag skulle nyktra till. Det var därför jag inte var på något vidare humör när du såg mig. Vattnet var brutalt kallt."

"Hur kan du vara säker på att Mercy intevisste att hennes pappa var ansvarig för Gabbies död?" frågade Faith.

"Enligt hennes man/fosterbror hade hon ingen aning.. Han lät till och med ganska dryg när han berättade det. Arrogant, som i *haha, jag vet något som inte hon vet. Titta så smart jag är."*

Det lät precis som Dave.

"Jag visste att det var sant första gången jag pratade med Mercy", sa Paul. "Jag försökte dra det ur henne. Se om hon visste vad hennes pappa hade gjort. Jag pratade om pengarna som det här stället drog in och hur trevligt det var här uppe. Jag trodde att hon kanske var med på det eller försökte skydda sin pappa."

"Men?" sa Faith.

"Jag frågade om ärret i ansiktet och hon försökte täcka över det med händerna." Paul skakade på huvudet. Det var tydligt att minnet gjorde honom känslosam. "Hon såg så förbannat skamsen ut. Inte på det vanliga viset, utan den sortens skam som man känner när själen har slitits ut ur kroppen."

Will kände till den sortens skam. Att Dave tvingat Mercy att uthärda den, att han använt den för att straffa kvinnan som fött hans barn var både samvetslöst och grymt.

"Det var därför Gordon och jag bråkade på stigen. Jag visste att jag måste berätta sanningen för henne. Och jag försökte, men hon gjorde klart för mig att hon inte var intresserad. Det är inte mitt jobb att laga den här trasiga familjen. Det går inte ens."

Faith lade händerna på knäna. "Minns du något annat om Mercy från gårdagskvällen? Eller om familjen? Såg du något?"

"Jag kanske också lyssnar på för många poddar, men det är alltid de där småsakerna som verkar betydelselösa som faktiskt visar sig vara viktiga, så ..." Paul ryckte på axlarna. "När Mercy gick in i huset och slog igen dörren var jag fortfarande helt chockad. Jag stod där en stund och stirrade vantroget efter henne. Och jag svär på att jag såg någon på verandan."

"Vem?" frågade Faith.

"Jag har förmodligen fel. Jag menar, det var ju mörkt. Men jag svär på att det såg ut som Cecil."

"Varför skulle du ha fel om den saken?"

"Därför att när dörren slagit igen reste sig mannen och gick tillbaka in i huset."

20

Sara anpassade farten efter Jons hasande steg när de följde Öglan mot matsalen. Hon hade sett till att de kom iväg sent eftersom hon inte tänkte ta med sig en sextonåring till cocktailstunden. Det verkade som ett fånigt ställningstagande, med tanke på att Jon varit hög när hon knackade på dörren till stugan. Hon hade mutat sig in med hjälp av några påsar chips och två Snickers som Will säkert skulle sakna.

Jon hade tagit emot nyheten om sin fars oskuld med chockad tystnad. Det var tydligt att det senaste dygnets händelser hade gjort honom helt överväldigad. Han hade slutat försöka dölja tårarna. Han bara stirrade vantroget på Sara med darrande händer och skälvande underläpp medan hon rabblade upp informationen. Dave var oskyldig. De hade en annan misstänkt, men mer fick hon inte säga.

Hon hade erbjudit sig att ta med honom till morföräldrarna, men Faith hade haft rätt. Pojken hade ingen brådska hem. Sara hade hållit honom sällskap så gott hon kunde. De hade pratat om träd och vandringsleder och allt annat än hans mammas död. Sara märkte på hans sätt att tala – på bristen på de hummanden och *liksom* som brukade fylla tonåringars språk – att han vuxit upp omgiven av nästan bara vuxna. Det var otur att alla de där vuxna hette McAlpine i efternamn.

Jons fot drog upp en fåra i jorden när han sparkade bort en sten från gångvägen. Han var uppenbart nervös. Han visste bättre än Sara att de närmade sig matsalen. Förmodligen tänkte han på vilken uppståndelse han skulle orsaka genom att dyka upp efter att ha varit borta så länge. Senast han var i matsalen hade han varit berusad och skrikit åt sin mamma att han hatade henne.

"Är du säker på att du vill göra det här?" frågade Sara. "Det är inte särskilt privat. Gästerna är också där."

Han nickade så att håret föll fram i ögonen. "Kommer han att vara där?"

Sara visste att han menade Dave. "Förmodligen. Men jag kan berätta för din familj att du är tillbaka. Du kan vänta på dem uppe i huset."

Han sparkade bort ytterligare en sten och skakade på huvudet.

Sara antog att de skulle fortsätta framåt under tystnad, men Jon harklade sig. Han sneglade på henne innan blicken for ned mot marken igen.

"Hurdan är din familj?" frågade han.

Sara tänkte efter innan hon svarade. "Min lillasyster har en liten dotter. Hon studerar till barnmorska. Min syster, alltså. Inte dottern."

Jons ena mungipa vände uppåt.

"Min pappa är rörmokare. Mamma sköter firmans bokföring och schemaläggning. Hon är väldigt engagerad i samhällsfrågor och kyrkans verksamhet, vilket hon ofta påminner mig om."

"Hur är din pappa?"

"Tja ..." Sara var medveten om att Jon hade en komplicerad relation till sin pappa. Hon ville inte att hennes ord skulle framställa Dave i ännu sämre dager. "Han älskar pappaskämt."

Jon sneglade på henne igen. "Vilken slags pappaskämt?"

Sara tänkte på kortet som hennes pappa lagt i resväskan. "Han visste att jag skulle tillbringa veckan i bergen, så han skickade med en slant ifall jag ville gå på hjortfest."

"Hjortfest?"

"Ja, då är det bra att ha en krona."

Jon frustade till.

"Han ville inte att jag skulle känna mig *hind*-rad."

Jon skrattade högt. "Det där var rätt larvigt."

Sara tyckte att det var rätt underbart. Jon hade haft otur med sin pappa, men själv hade Sara vunnit storvinsten. "Kom ihåg vad jag sa om Will. Han vill prata med dig om din mamma. Han har något att berätta för dig."

Jon nickade. Han såg ned i marken igen. Sara tänkte på den unge mannen hon träffat dagen innan. Han hade varit så full av självförtroende när han gick ned för trappan, åtminstone tills Will plattade till honom lite. Nu verkade Jon bara nervös och kuvad.

Sara var barnläkare och hade sett hur kluvna barn kunde vara. Pojkar ville så gärna lista ut hur man blev en man. Tyvärr hade de ofta dåliga förebilder. Jon hade Cecil, Christopher, Dave och Chuck. Visst kunde man hitta sämre förebilder än en obehaglig incel som rutinmässigt förgiftades av sin bästa vän. Men man kunde också hitta oerhört mycket bättre alternativ.

"Sara?"

Faith väntade på henne på utsiktsterrassen. Hon var ensam. Lamporna i matsalen var tända. Sara hörde klirret av bestick och det låga surret av samtal. Alla hade varit isolerade uppe på berget i många timmar och sett hur gästerna valdes ut för granskning, en efter en. Kökspersonalen hade förmodligen berättat för dem om kroppen i frysen nu. Christopher syntes inte till. Och sedan hade Dave dykt upp som en briserande bomb och Gordon och Paul hade uteblivit från cocktailstunden. Sara förmodade att teorierna frodades där inne.

"Vill du vänta på mig innan du går in?" frågade hon Jon.

"Nej, jag klarar det här." Jon rätade på ryggen innan han gick in genom dörren. Det var som om han satte på sig en rustning. Det sköra modet han uppvisade fick Saras hjärta att värka.

"Sara", upprepade Faith. "Den här vägen."

Sara följde henne upp längs Proviantstigen. Faith hade berättat om Christophers avslöjanden medan Kevin och Will band fast mannen nere i båthuset. Nu måste Sara berätta för Faith hur hennes del av utredningen gått.

"Nadine ringde. Vattnet har dragit sig tillbaka. De har spridit ut två ton grus på vägen. Hon kommer hit inom en timme. Det kommer inte att dröja länge innan folk får reda på att de kan ge sig av. Alla pratar redan med varandra. Det du säger till en person kan du lika gärna säga till allihop."

"Berätta om obduktionen", sa Faith.

Sara kunde inte ordna tankarna tillräckligt snabbt för att rabbla upp någon sammanfattad lista. "Menar du om graviditeten eller ..."

"Vilka prov skickade du till labbet?"

"Sperman i vaginan. Urin och blod. Jag svabbade låren, munnen, halsen och näsan efter saliv, svett och dna. Jag samlade in en del fibrer. Mest röda, men några var svarta, vilket inte stämmer överens med Mercys kläder. Jag hittade några hårstrån med oskadade hårsäckar. Jag samlade in det som fanns under naglarna. Jag utförde en ..."

"Okej, det är bra. Tack."

Faith blev ovanligt tyst. Hon bollade uppenbarligen runt idéer i huvudet. Sara antog att hon skulle få reda på vad som pågick så småningom, vilket var precis vad som hände när de rundade den sista kurvan och fick syn på Will.

Han studerade kartan som Faith ritat upp. Sara såg på hans härjade ansikte att något hade gått väldigt fel under förhöret med Paul.

"Var det inte han?" frågade hon.

"Nej", sa Will. "Paul visste redan att Cecil dödade hans syster. Gordons historia matchade hans nästan ord för ord. Det var inte han."

Innan Sara hann hämta sig från chocken, frågade Faith: "Vad har du lagt märke till när det gäller Cecil? I egenskap av läkare, menar jag."

Sara skakade på huvudet. Frågan var så oväntad. "Kan du vara mer specifik?"

"Kan han resa sig ur rullstolen?" undrade Faith.

Sara ruskade på huvudet igen, men mer för att försöka skaka av sig förvirringen. "Jag känner inte till omfattningen av hans skador, men två tredjedelar av de som använder rörelsehjälpmedel är mobila i någon grad."

"Och det betyder?" frågade Faith.

"De är inte förlamade. De kan gå korta sträckor, men använder rullstolen på grund av kroniska smärtor, skador eller utmattning, eller för att det är fysiskt enklare." Sara tänkte igenom sitt korta möte med Cecil under cocktailstunden. "Han kan använda högerhanden. Minns du att han skakade hand med oss igår kväll?"

"Han hade ett fast handslag", sa Will.

"Det stämmer, men det går inte att dra några slutsatser utifrån det utan en fullständig undersökning." Sara försökte tänka igenom saken, men visste inte hur hon skulle kunna hjälpa till. "Jag kan inte säga huruvida han kan gå eller inte utan att läsa hans journal eller prata med hans läkare. Men viljestyrka är något fantastiskt. Titta bara hur länge Mercy överlevde efter alla de där knivhuggen. Vetenskapen kan inte förklara allt. Ibland klarar kroppar av saker som helt enkelt verkar orimliga."

"Kan de få erektion?" frågade Faith.

Frågans fullständiga innebörd träffade Sara som ett klubbslag i huvudet. De misstänkte Cecil. "Ge mig mer information."

"Du var inne i huset", sa Will. "Såg du var Cecil sover?"

"De har gjort om ett av vardagsrummen på nedervåningen", mindes Sara. "Han använder en vanlig säng, inte en sjukhussäng. Men ... Det här kanske inte betyder något, men jag skulle ha väntat mig en mobil toalettstol vid sängen. Badrummet på nedervåningen är för litet för rullstolen. Badkaret hade ingen duschpall. Cecil hade boxershorts på sig när jag såg honom på verandan i morse. Han hade ingen uppsamlingspåse för urin. Det fanns inga katetrar i badrummet. Jag såg också en uppsättning toalettartiklar som tillhörde en man på hyllan ovanför toaletten. Även om badrummet varit tillgänglighetsanpassat skulle han inte ha kunnat nå dem från rullstolen."

Faith sa: "Du nämnde att det var underligt att det inte stod någon rullstolsanpassad skåpbil på parkeringen."

"Jag sa inte att det var underligt. Jag sa att han förmodligen hade folk som hjälpte till att lyfta honom in och ut ur pickupen. Bitty är för liten för att göra det på egen hand. Hon kan ha bett Jon eller Christopher om hjälp. Eller Dave för den delen."

"Vänta", sa Will. "När jag ringde i klockan var Cecil den första som kom ut. Sedan såg jag Bitty, men hon verkade inte skjuta rullstolen. Cecil bara dök upp, och efter honom kom Bitty. Christopher syntes inte till förrän senare. Inte Jon heller. Delilah var fortfarande på övervåningen när jag kom tillbaka från Gordons och Pauls stuga. Du sa det själv. Bitty skulle aldrig kunna lyfta Cecil på egen hand.

Hon är bara strax över en och femtio och väger kanske fyrtiofem kilo. Så hur tog sig Cecil till rullstolen?"

"Han gick själv", sa Faith.

Sara orkade inte prata om huruvida mannen kunde gå längre.

"Vad sa Paul som fick er att fundera på allt det här?"

"Han såg Mercy vid halv elva", sa Will. "Men hon gick inte iväg längs stigen. Hon gick tillbaka in i huset. Paul såg Cecil ställa sig upp på verandan och följa efter henne in."

Sara visste inte vad hon skulle säga.

"Mercy ringde sitt första samtal till Dave klockan 22.47", sa Faith. "Dave svarade inte. Mercy var arg en stund. Sedan gick hon för att prata med sin pappa. Kanske fick Cecil panik eftersom han trodde att Mercy skulle prata med Paul igen och få reda på hur Gabbie egentligen dog. Vad gjorde Cecil med Mercy under de tio minuterna?"

Saras hand for upp till halsen. Hon hade hört vad Cecil McAlpine kunde göra.

"Mercy greps av panik på grund av det som hände med Cecil. Hon ringde Dave 22.47, 23.10, 23.12, 23.14, 23.19 och 23.22. Vi vet att hon befann sig någonstans i området med wifi medan hon ringde samtalen."

Will höll upp kartan så att Sara kunde se den. "Mercy var förmodligen kvar inne i huset när hon ringde de första samtalen. Hon packade ryggsäcken, och stoppade ned kläder och anteckningsblocket. Sedan sprang hon mot matsalen. Hela tiden försökte hon nå Dave."

"Det finns ett kassaskåp på kontoret vid köket", sa Faith. "Kevin låste upp det med Christophers nyckel. Det var tomt."

"Kom ihåg Mercys röstmeddelande", sa Will. "'Dave kommer snart hit.'"

"Hon pratade med Cecil", sa Faith.

Sara tittade på kartan och bedömde avståndet mellan huset och matsalen och mellan matsalen och ungkarlsstugorna. "Cecil skulle möjligtvis kunna ta sig till matsalen, men inte ned till stugorna. Han klarar inte Repstigen och Förlorade änkan skulle ta för lång tid. För att inte tala om att förövaren måste ha haft tillräcklig fysisk styrka för att knivhugga Mercy så många gånger."

Will nickade. "Och det är anledningen till att han skickade någon annan för att göra slut på henne."

Sara behövde några ögonblick för att bearbeta vad hon hört. Hon tittade på Will. Nu förstod hon varför han såg så härjad ut. "Tror du att Cecil hade en medbrottsling?"

"Dave", sa Will.

Sara kände hur alla bitar föll på plats. "Mercy försökte förhindra försäljningen. Utan henne skulle Dave kontrollera Jons röst. Han har ett ekonomiskt motiv."

"Han har mer än så", sa Will. "Han har hjälpt Cecil att röja undan bevis tidigare."

Faith tog över. "Dave vet att Cecil arrangerade bilolyckan. Han berättade det för Paul förra året i utbyte mot pengar. Titta här..."

Sara såg henne svepa med fingret över skärmen för att ta fram en karta över området.

"Djävulskröken ligger nära stenbrottet i utkanten av staden, ungefär fyrtiofem minuters bilfärd från campingen. Christopher sa att det tog tre timmar från att Cecil körde iväg med Gabbie och Mercy i bilen tills sheriffen dök upp för att berätta om olyckan. Cecil hade ingen chans att gå hem till fots på tre timmar. Det ligger ett helt berg mellan de två platserna. Någon måste ha kört honom."

"Dave", sa Sara.

"För fjorton år sedan hjälpte Dave Cecil att dölja mordet på Gabbie", sa Faith. "Och igår kväll hjälpte Dave Cecil att mörda Mercy och att sopa undan spåren igen."

Sara var övertygad om att de hade rätt. "Vad tänker ni göra? Hur ser planen ut?"

Will sa: "Jag vill att du hittar ett sätt att få Jon härifrån. Jag ska reta upp Dave."

"Reta upp Dave?" Sara gillade inte hur det lät. "Hur ska du göra det?"

"Ursäktar du oss en liten stund", sa Will till Faith.

Sara kände hur alla hårstrån i nacken reste sig när Faith gick iväg längs stigen. "Du måste få Dave att vända sig mot Cecil", sa hon till Will.

"Ja."

"Så du tänker reta Dave tills han säger något dumt."

"Ja."

"Och han kommer förmodligen att försöka skada dig."

"Ja."

"Och han har förmodligen en kniv till."

"Ja."

"Och Kevin och Faith tänker låta det hända."

"Ja."

Sara tittade på hans högra hand, som han fortfarande höll mot bröstet. Bandaget var fransigt och nästan svart av smuts och svett och gud vet vad. Blicken vandrade vidare nedåt. Han bar inte revolvern som Amanda gett honom. Vänsterhanden hängde längs sidan. Hon såg vigselringen på ringfingret.

Wills första frieri till Sara hade egentligen inte varit något frieri. Hon hade inte svarat på frågan eftersom han faktiskt inte ställt frågan. Det borde inte ha varit särskilt överraskande. Han kunde vara oerhört bortkommen. Han hade en förkärlek för grymtningar och långa tystnader. Han föredrog hundars sällskap framför de flesta människors. Han tyckte om att laga saker. Han ville helst inte diskutera hur de hade gått sönder.

Men han lyssnade också på Sara. Han respekterade hennes åsikt. Han värdesatte hennes resonemang. Han fick henne att känna sig trygg. Han liknade hennes pappa väldigt mycket. Det var därför Sara var så djupt och oåterkalleligt förälskad i honom. Will skulle alltid vara den som reste sig när alla andra förblev sittande.

"Spöa skiten ur honom", sa hon.

"Okej."

Sara kände sig darrig när hon gick mot matsalen. Hon vred vigselringen runt fingret. Hon tänkte på Jon. Det var honom hon ville skydda nu. Det senaste dygnet hade varit oerhört traumatiskt för den unge mannen. Han hade druckit sig stupfull. Han hade grälat med sin mamma. Han hade kräkts ute på gräsmattan framför en främling. Han hade stått omgärdad av andra främlingar när han fick veta att hans mamma blivit mördad. Sedan hade hans pappa blivit gripen och så småningom friats från misstankar. Och nu tänkte Will locka Dave att skryta om att han mördat sitt barns mamma.

Sara måste få ut Jon därifrån innan det hände.

Faith väntade på terrassen igen. Kevin hade anslutit sig till henne.

"Jag har fått undan kökspersonalen", sa han. "De håller sig i stuga fyra tills det här har blåst över. Vad gör vi med gästerna?"

"Vi tar det som det kommer", sa Will. "Vi vill att Dave ska bjuda på en föreställning. Han kanske vill ha publik."

Sara såg på Will. "Vad händer om jag inte kan få Jon att gå härifrån?"

"Då kommer han att höra allt."

Sara suckade tungt. Det var en dyster tanke. Hon nickade. "Okej."

"Håll ögonen på Bitty", varnade Faith. "Kom ihåg vad jag sa om att hon beter sig som Daves psykotiska exflickvän. Hon kan göra något oberäkneligt."

Det var Sara beredd på. Inget som hände på det här stället kunde överraska henne längre. "Nu får vi det här överstökat."

Kevin öppnade dörren.

Sara gick före de andra in i matsalen. Allt såg bekant ut. Två bord, men bara ett var dukat för middagen. Maten hade redan serverats. Desserttallrikarna var renskrapade. Vinglasen var halvtomma. I stället för att sitta i samlad tropp hade paren spridit ut sig i olika läger. Frank och Monica satt med Drew och Keisha. Gordon och Paul satt med Delilah. Cecils rullstol stod vid bordets huvudände. Bitty satt på hans vänstra sida med Dave intill sig. Jon satt till höger om Cecil, precis mitt emot sin mormor.

Sara kände allas blickar på sig när hon satte sig bredvid Jon. Att vara så nära sin pappa hade fått den unge mannen att tappa modet. Händerna var knäppta i knäet. Tröjan hade svettfläckar. Huvudet var nedböjt, men till och med Sara kunde känna det vitglödgade hatet som riktades mot Dave över bordet.

"Jon." Sara rörde vid hans arm. "Får jag prata med dig utanför en stund?"

"Så fan heller", sa Dave. "Ni har redan berövat mig tillräckligt mycket tid med min son."

"Det är alldeles sant", sa Bitty. "Ni ska ut härifrån allihop så fort vägen öppnas."

"Tyst nu", sa Cecil. Han hade gaffeln i höger hand och högg den i en bit tårta. Han tuggade högljutt i tystnaden som uppstått.

Jon höll huvudet nedböjt. Hans ångest var lika påtaglig som ilskan. Sara ville lägga armen runt honom och dra med sig honom därifrån. Men hon kunde inte lägga sig i utredningen. Will och Faith hade redan intagit sina positioner. Kevin blockerade utgången. Faith stod vid andra änden av bordet. Will hade placerat sig nära Dave, vilket också gjorde att han stod nära köksdörren. De hade bildat en perfekt triangel.

"Jaha?" gläfste Cecil. "Vad handlar det här om?"

"Var är min son?" sa Bitty.

Faith sa: "Christopher är gripen för att ha producerat, distribuerat och sålt illegal alkohol."

Den korta tystnaden som följde avbröts av Daves skratt.

"Jäklar", sa han. "Bravo, Fisken."

"Jajamensan." Paul höjde glaset. "Skål för Fisken."

Monica försökte stämma in i skålen, men Frank höll fast hennes hand. Sara såg på Bitty. Kvinnan tittade bara på Dave.

Hans uppträdande hade förändrats. Han visste att det här inte var något vänskapligt samtal. Han knackade med fingrarna i bordet medan blicken gled från Kevin till Faith. Till sist vred han upp huvudet för att titta på Will. "Hallå där, Sophögen. Hur mår handen?"

"Bättre än din pung", sa Will.

Jon fnittrade till.

"Jon." Sara talade med låg röst. "Vad sägs om att vi går härifrån?"

"Du rör dig inte", sa Dave.

Den skarpa ordern fick Jon att stelna till. Bitty smackade ogillande med tungan. Sara tittade på besticken. Två sorters gafflar, en kniv, en sked. Alltihop kunde användas som vapen. Hon visste att Will också tänkt på det. Han såg inte på Daves ansikte, utan på mannens händer. Sara tittade på Bittys händer också. De låg knäppta på bordet.

"Jaha?" sa Dave. "Vad har du att komma med, Sophögen?"

"Dödsfallsutredaren ringde", sa Faith. "Hon hittade vissa bevis under obduktionen av Mercys kropp."

Bitty fnös. "Är det här rätt ställe att diskutera sådana saker på?"

"Jag tror att det vore bra för oss alla att få reda på sanningen ikväll", sa Paul.

Sara såg Faith tysta honom med en enda blick.

"Eller inte." Paul ställde ned sitt glas på bordet igen.

"Dödsfallsutredaren hittade materia under Mercys naglar", sa Faith. "Det var hudrester, vilket betyder att Mercy klöste personen som angrep henne. Vi behöver ta dna-prover från alla här inne."

Dave skrattade. "Lycka till med det. Det behöver ni ett domstolsbeslut för."

"Domare Framingham utfärdar ett just nu." Faith lät så bestämd att Sara nästan trodde henne. "Du känner väl domaren, Dave? Han hade hand om ett par av dina rattfyllor, eller hur? Det var han som drog in ditt körkort."

Dave strök pekfingret längs gaffeln som låg intill hans tallrik. "Så ni tänker samla in dna från alla här inne?"

"Just det", sa Faith. "Från varenda en."

"Så kan ni inte göra", sa Drew. "Det finns ingen anledning att misstänka ..."

"Ni behöver då inte mitt dna", sa Cecil. "Jag är för helvete hennes far!"

Hans plötsliga ilska fick Sara att rycka till. Hon tänkte på Gabbie och sedan på Mercy.

"Mr McAlpine." Faiths röst var stadig. "Det finns något som kallas berörings-dna. Alla som hade fysisk kontakt med Mercy, oavsett om det var Bitty eller Delilah , du eller Jon eller till och med någon av gästerna, lämnade genetiska spår på hennes kropp. Vi måste göra profiler av alla för att identifiera vad som kommer från mördaren. Kökspersonalen och Penny har redan lämnat prover. Det är faktiskt ingen stor sak."

"Okej." Delilah överraskade alla genom att öppna munnen först. "Jag höll Mercys hand. Det var före middagen, men jag ställer upp. Hur gör vi? Ska jag spotta eller svabbar ni?"

"Nej, för helvete." Keisha slog handen i bordet. "Jag tänker inte bevara er hemlighet längre. Det här är skitsnack."

"Vilken hemlighet?" frågade Delilah.

"Mercy var gravid i tolfte veckan", avslöjade Faith.

Bitty flämtade till och såg på Dave.

Sara tittade också på Dave. Det var tydligt att nyheten hade fått honom ur balans.

"Vi vet att Mercy låg med några av gästerna", sa Faith.

Folk pratade med varandra vid bordsänden, men Sara såg bara hur Bitty lade en lugnande hand på Daves arm. Hans hand öppnades och knöts.

"Vad fan säger du om min fru?" sa han.

Will valde att lägga sig i samtalet. "Mercy var inte din fru."

Dave knöt näven hårt. Han ignorerade Will och riktade all sin ilska mot Faith. "Vad är det för jävla skit du spyr ur dig?"

"Det var inte bara gästerna", sa Will. "Mercy låg regelbundet med Alejandro."

Dave reste sig så hastigt att stolen välte. Nu tittade han på Will. "Håll käften."

Sara stelnade till, precis som alla andra runt bordet. De två männen stirrade på varandra med mord i blicken.

"Dave." Bitty drog i hans tröja. "Sätt dig, gubben. Om de hade ett domstolsbeslut skulle de redan ha visat det."

Daves mun förvreds i ett rått flin. "Hon har rätt. Fram med papperet, Sophögen."

"Tror du inte att jag kan få tag i ditt dna?" frågade Will. "Du kommer att kasta bort en cigarett eller en läskburk eller sätta röven på en toalettsits och jag kommer finnas där för att samla in spåren. Du kan inte låta bli, även om du försöker. Din stank dröjer sig kvar på allt du rör vid."

"Jag röker inte", sa Frank, som alltid försökte mäkla fred. "Men mig behöver ni inte följa efter. Jag lämnar gärna ett prov."

"Visst, varför inte?" sa Gordon. "Jag ställer upp."

"Får vi välja vilken sorts prov vi lämnar?" undrade Paul.

Sara såg Jon dölja ansiktet i händerna. Sedan gav han ifrån sig ett litet skrik och for upp från bordet. Han sprang genom rummet och krockade nästan med Kevin. Dörren slog igen bakom honom. Ljudet ekade i tystnaden. Sara visste inte om hon skulle följa efter honom eller stanna kvar.

"Min käre lille pojke", viskade Bitty i tystnaden.

Dave tittade på sin mamma. Bitty sträckte sig fortfarande över bordet, mot Jons tomma stol. Hon lutade sig långsamt tillbaka igen och knäppte händerna framför sig. Dave vände blicken mot dörren som Jon försvunnit genom. Plötsligt såg han sårbar ut. Underläppen började darra. Tårarna vällde upp i ögonen. Det försvann lika fort som det kommit. Daves attityd förändrades så snabbt att det var som att bevittna ett trolleritrick. Ena sekunden såg han nedbruten ut, nästa var han rasande.

Dave sparkade till sin välta stol. Träflisorna flög när den träffade väggen. "Vill du ha mitt dna, Sophögen?" skrek han.

"Ja", sa Will. "Det vill jag."

"Ta det från barnet i Mercys mage. Ingen annan har rört henne. Den jävla ungen är min."

"Där har vi honom", sa Will. "Årets pappa."

"Det har du jävligt rätt i att jag är."

"Du pratar så mycket skit", sa Will. "Mercy var den enda riktiga förälder Jon någonsin haft. Hon såg till att han var trygg. Hon försörjde honom. Hon gav honom tak över huvudet, mat och kärlek. Och du tog det ifrån honom."

"*Vi* gav Jon allt det där!" skrek Dave. "Jag och Mercy. Det var alltid jag och hon."

"Ända sedan du var elva, eller hur?"

"Dra åt helvete." Dave tog ett hotfullt steg mot Will. "Mercy har älskat mig sedan hon var liten."

"Som en duktig lillasyster?"

"Din jävel", muttrade Dave. "Du vet precis vad vi hade. Det var mig hon älskade. Jag var den enda hon brydde sig om. Jag var den enda hon knullade med."

"Hon blev åtminstone rejält rövknullad av dig."

"Säg om det där", sa Dave. "Säg om det om du törs, din dumma jävel. Vill du att jag skriver ned det? Vill du att jag stavar det åt dig, Sophögen? Mercy älskade *mig*. Hon brydde sig bara om *mig*."

"Varför sa hon i så fall ingenting om dig?" frågade Will. "Mercy levde fortfarande när jag hittade henne, Dave. Hon pratade med mig. Hon nämnde inte ens ditt namn."

"Skitsnack."

"Jag frågade vem som hade knivhuggit henne. Jag bad henne berätta. Vet du vad hon sa?"

"Hon sa inte att det var jag."

"Nej, det gjorde hon inte", sa Will. "Hon visste att hon skulle dö och det enda hon brydde sig om var Jon."

"*Vår* Jon." Han slog knytnäven mot bröstet. "*Vår* son. *Vår* pojke."

"Hon ville att Jon skulle komma bort från dig", sa Will. "Det var det första hon sa. 'Jon får inte stanna här. Se till att han kommer härifrån.' Hon ville ha bort honom från dig."

"Det är inte sant."

"De grälade vid middagen", sa Will. "Jon var arg på Mercy för att hon hindrade försäljningen. Han sa att han ville bo med sina morföräldrar i ett hus tillsammans med dig. Vem hade gett honom den idén, Dave? Var det samma idiot som sa åt honom att kalla mig för Sophögen?"

Dave skakade på huvudet. "Du pratar så mycket skit."

"Mercy ville att jag skulle säga till Jon att hon förlät honom", sa Will. "Hon ville inte att han skulle gå runt och bära på några skuldkänslor efter grälet. Det var bokstavligt talat det sista hon sa. Inget handlade om dig, Dave. Ingenting. Mercy kunde knappt prata. Hon var på väg att förblöda. Kniven satt kvar inuti bröstkorgen. Jag kunde höra luften vissla genom hålen i lungorna när hon andades. Och med sitt sista uns av styrka, sina allra sista andetag, såg hon mig rakt i ögonen och sa det tre gånger i rad. Tre gånger. Förlåter honom. Förlåter honom. För..."

Will tystnade. Han stirrade på Dave med fasa i blicken.

"Vad?" sa Dave. "Vad sa hon?"

Sara förstod inte vad som hände. Hon såg Wills bröst höjas och sänkas när han drog djupt efter andan och långsamt släppte ut luften igen. Han stirrade fortfarande på Dave. Något pågick mellan de två männen. Kanske hade det med deras gemensamma bakgrund att göra. De var två faderlösa pojkar. Jon hade vuxit upp som en faderlös son, och nu var hans mamma borta. De båda männen visste bättre än de flesta vad det innebar att vara riktigt ensam.

Will sa till Dave: "Mercys sista ord var 'Säg till Jon att jag förlåter honom.'"

Dave sa ingenting. Han stirrade på Will med huvudet böjt bakåt och munnen stängd. Så nickade han kort – inte mer än en liten knyck på nacken. Magin upprepades igen, men den här gången åt andra hållet. Dave sjönk ihop som en pyst ballong. Axlarna kutade. Knytnävarna slappnade av. Händerna sjönk ned. Det enda som inte förändrades var det sorgsna uttrycket i ansiktet.

"Sa Mercy det?" frågade han.

"Ja."

"Var det hennes exakta ord?"

"Ja."

"Okej." Dave nickade kort igen, som om han fattat ett beslut. "Okej, det var jag. Jag dödade henne."

Bitty flämtade till. "Nej, Davey."

Dave tog upp en pappersservett från bordet och torkade bort några tårar. "Det var jag."

"Davey", sa Bitty. "Sluta prata. Vi skaffar en advokat."

"Det är okej, mamma. Jag knivhögg Mercy. Det var jag som dödade henne." Dave gjorde en gest mot dörren. "Kila iväg nu. Du behöver inte höra detaljerna."

Sara kunde inte ta ögonen från Will. Smärtan i hans blick var plågsam. Hon hade sett honom vid sjön med Mercy. Hon visste vad kvinnans död hade kostat honom. Han såg ned på sin skadade hand och lyfte den till bröstet igen. Sara ville så gärna gå till honom, men hon visste att hon inte kunde det. Hon kunde bara sitta kvar på sin plats medan rummet tömdes. Först gick gästerna. Till sist reste sig Bitty och sköt Cecils rullstol ut genom dörren.

Äntligen såg Will på Sara. Han skakade på huvudet. "Ta över", sa han till Faith.

Sara kände hans hand på sin axel när han gick förbi henne. Han tryckte lätt för att visa att hon skulle sitta kvar. Han behövde vara ensam en stund. Sara måste respektera det.

Faith var snabb. Hon hade redan Glocken i handen. Kevin hade närmat sig. "Visa mig kniven", sa hon till Dave. "Långsamt."

Dave började med balisongkniven i kängan. Han lade den på

bordet. "Jag visste att Mercy låg med andra", sa han. "Jag visste att hon var gravid. Jag kände inte till hembränningen, men jag visste att hon tjänade pengar utan att ge något till mig. Vi grälade."

"Var grälade ni?"

"I köket." Dave tog fram plånboken och telefonen. "Jag tömde kassaskåpet. Det var därför ni inte hittade något i det."

Faith frågade: "Vad fanns i kassaskåpet?"

"Pengar. Bokföringen som hon fifflade med så att alla skulle få betalt."

"Och kniven?" sa Faith.

"Vad är det med den? Rött handtag. En bit metall som stack ut ur den avbrutna delen."

"Var fick du tag på den?"

"Mercy hade den i skrivbordslådan. Hon använde den som brevsprätt."

"Hur hamnade hon vid ungkarlsstugorna?"

"Jag jagade henne längs Repstigen. Jag knivhögg henne och lämnade henne i tron att hon var död. Jag satte eld på stugan för att dölja spåren."

"Hon hittades inte i stugan."

"Jag ändrade mig. Jag ville ge Jon en kropp att begrava. Jag släpade ut henne i vattnet för att det skulle skölja bort bevisen. Om jag vetat att hon fortfarande levde skulle jag ha dränkt henne." Han ryckte på axlarna. "Sedan gömde jag mig på den gamla lägerplatsen. Fiskade lite och lagade middag."

"Våldtog du henne?"

Dave tvekade, men bara ett ögonblick. "Ja."

"Vad gjorde du med knivhandtaget?"

"Jag smög in i stuga tre efter att Sophögen ringt i klockan. Det var samma toalett som jag fixat innan gästerna kom." Dave ryckte på axlarna igen. "Jag tänkte att Drew skulle få skulden. Men ni fick visst tag i mig."

Sara såg honom lyfta händerna och sträcka fram dem så att Faith kunde sätta på honom handklovarna.

"Inte än", sa Faith. "Berätta om Cecil."

Dave ryckte på axlarna igen. "Vad vill du veta?"

21

Will sprang genom skogen. Han hade lämnat stigen igen och genade rakt över Öglan. Låga grenar slog honom i ansiktet. Han höll upp armarna för att skydda ögonen. Han mindes gårdagskvällens blinda förvirring när han letade efter upphovet till skriken. Då hade han inte haft någon överblick över området ännu. Han hade gått vilse och sprungit i olika riktningar tills han kände röklukten från den brinnande stugan. Han hade rusat in i den för att leta efter Mercy och sedan ned till stranden för att rädda henne. Hans hand hade genomborrats av kniven när han försökte rädda hennes liv. Och sedan hade han hört precis vad han ville höra.

Förlåter honom ... Förlåter honom ...

Will tog sig försiktigt upp för trappan till den främre verandan. Dörren stod på glänt. Han smög in. Mörkret hade fallit och månen doldes av moln som tydde på att ytterligare en storm var på väg. Will såg en figur inne i sovrummet. Någon hade rotat igenom lådorna. Resväskorna låg öppna på golvet.

Dave hade listat ut hur det hängde ihop ett par minuter innan Will drog samma slutsats. Gnistan av förståelse hade fått Schakalen ur balans. Han hade känt Mercy sedan hon var barn. Han var hennes bror, hennes man, hennes förövare.

Han var också listig och slug och manipulativ.

Dave skulle lämna en prickfri bekännelse till Faith. Den skulle också vara en ren lögn. Han hade förmodligen hört tillräckligt med detaljer de senaste tolv timmarna för att kunna svara på alla följdfrågor. Alla på området hade vaknat när Will ringde i klockan.

Bullen visste att Mercy hittats vid sjön. Delilah hade suttit med kroppen intill den nedbrända stugan. Keisha hade sett det avbrutna knivhandtaget. Dave visste förmodligen var kniven förvarats innan den använts som vapen. Kökspersonalen hade sett Kevin öppna det tomma kassaskåpet. Det var inte svårt att lista ut vad Mercy hade förvarat i det. Dave visste var det fanns wifi och varifrån man kunde ringa.

Förlåter honom ... Förlåter honom ...

Vid sjön hade Will legat på knä och bett Mercy hålla ut för Jons skull. Hon hade hostat upp blod i hans ansikte. Hon hade grabbat tag i hans skjorta och dragit honom intill sig, mött hans blick och sagt sina sista ord. Men hennes sista önskan hade inte gällt Jon. Den var en bön till Will.

Förlåter honom.

Jag vill att *du*, en polis, *förlåter min son* för att han mördade mig.

Will hörde ett blixtlås öppnas. Sedan ett till. Jon sökte desperat igenom Saras ryggsäck. Han letade efter vejp-pennan som Sara mutat honom att lämna över. I matsalen hade Will i stort sett avslöjat att metallen kunde ha spår av dna som band honom till mordet på Mercy.

Will väntade tills Jon hittat plastpåsen i framfickan.

Han tände lampan.

Jon gapade av förvåning.

"J-j-jag ...", stammade Jon. "Jag behövde bara något för att lugna nerverna."

"Den andra pennan, då?" frågade Will. "Den som du har i bakfickan?"

Jon sträckte sig efter den, men hejdade sig. "Den är trasig."

"Låt mig titta. Jag kanske kan laga den åt dig."

Jons blick gled förstulet runt i rummet, mot fönstren och dörren. Han gjorde en ansats att vända sig mot badrummet. Han var sexton och tänkte fortfarande som ett barn.

"Låt bli", sa Will. "Sätt dig på sängen."

Jon satte sig i hörnet av madrassen med skosulorna mot mattan ifall han skulle få chansen att springa. Han höll i plastpåsen som om livet hängde på den. Och det var sant.

Det var inte Dave som varit Cecils medhjälpare.

Det var Jon.

Sara hade nästan fångat honom precis efter mordet. Jon bar på en ryggsäck och var på väg ned från berget. Han var också dold av mörkret. Sara hade bara gissat när hon ropade hans namn. Hon trodde att han kräktes på grund av alkoholen. Hon kunde inte veta att han just mördat sin mamma.

Att Schakalen insett hur det hängde ihop innan Will gjorde det var inte så konstigt. Att han ville offra sitt liv för sonens skull var det enda goda Dave någonsin gjort.

Will tog påsen ur Jons hand. Han lade den på bordet och satte sig i fåtöljen. "Berätta vad som hände", sa han.

Jons adamsäpple guppade upp och ned.

"Sara sa att hon hade dig mitt framför ögonen när din mamma skrek på hjälp", sa Will. "Mercy dog inte genast. Hon svimmade och vaknade sedan till. Hon måste ha haft ont, varit förvirrad och rädd. Det var därför hon skrek på hjälp. Det var därför hon skrek *snälla*."

Jon satt tyst, men började pilla på tummens nagelband. Will såg hur hans blick for fram och tillbaka medan han desperat försökte lista ut hur han skulle ta sig ur situationen.

"Vad gjorde du med din mamma?" frågade Will.

Blodet vällde upp runt Jons nagelband.

"Sara sa att du bar på en mörk ryggsäck", sa Will. "Vad hade du i den? Dina blodfläckade kläder? Knivhandtaget? Pengarna från kassaskåpet?"

Jon tryckte hårdare mot nageln, så att mer blod vällde upp.

"När du hörde Mercys skrik på hjälp sprang du in i huset." Will gjorde en liten paus. "Varför gick du in, Jon? Var det någon som väntade på dig där?"

Jon skakade på huvudet, men Will visste att Cecils sovrum låg på bottenvåningen.

"Ditt hår var blött när jag såg dig. Vem sa åt dig att ta en dusch? Vem sa åt dig att byta kläder?"

Jon smetade ut blodet över tummen och baksidan av handen. Till sist bröt han tystnaden. "Hon gick alltid tillbaka till honom."

Will lät honom prata.

"Dave var den enda hon brydde sig om", sa Jon. "Jag bad henne att lämna honom. Att det bara skulle vara vi. Men hon gick alltid tillbaka till honom. Jag hade … Jag hade ingen."

Will lyssnade lika mycket på tonfallet som på orden. Jon lät hjälplös. Will visste hur ångestfullt det kändes att vara ett barn som var helt utlämnat åt de vuxnas nycker.

"Det spelade ingen roll vad Dave gjorde. Även om han slog henne, ströp henne eller sparkade henne, tog hon alltid tillbaka honom. Hon valde honom framför mig varje gång."

Will lutade sig fram i fåtöljen. "Jag vet att det kan vara svårt för dig att förstå nu, men Mercys förhållande med Dave hade inget med dig att göra. Partnervåld är komplicerat. Oavsett vad som hände älskade hon dig av hela sitt hjärta."

Jon skakade på huvudet. "Jag var en kvarnsten om hennes hals."

Will visste att Jon inte hittat på den beskrivningen själv. "Vem har sagt det?"

"Alla, i hela mitt liv." Jon såg upp på honom med trotsig blick. "Ni sa det själva. Mercy låg med gästerna och med Alejandro och var gravid igen. Fråga folk i staden. De kommer att säga precis samma sak. Mercy var en hemsk människa. En mördare. Hon var prostituerad. Hon drack och använde droger. Någon annan fick uppfostra hennes barn medan hon lät exmaken klå upp henne. Hon var bara en dum hora."

"Visst känns det lite lättare att bära när du kallar henne sådana saker?" sa Will.

"Vad?"

"Att du knivhögg henne så många gånger."

Jon förnekade det inte, men han vände inte heller bort blicken.

"Din mamma älskade dig", sa Will. "Jag såg er tillsammans när vi checkade in. Det strålade om Mercy när du var i närheten. Hon kämpade för att få vårdnaden om dig från Delilah. Hon slutade dricka och fick livet på rätt köl igen. Alltihop var för din skull."

"Hon ville vinna", sa Jon. "Det var det enda hon egentligen brydde sig om. Hon ville vinna över Delilah. Jag var bara en trofé. När hon väl hade mig ställde hon mig på en hylla och tänkte aldrig på mig igen."

"Det är inte sant."

"Det är sant", försäkrade han. "Dave bröt min arm en gång. Jag hamnade på sjukhus. Visste du det?"

Will önskade att han blivit mer förvånad. "Vad hände?"

"Mamma sa att jag var tvungen att förlåta honom. Hon sa att han hade dåligt samvete och hade lovat att aldrig röra mig igen. Men det var Bitty som klev in och skyddade mig", sa Jon. "Hon sa till Dave att om han någonsin skadade mig igen skulle han inte få komma tillbaka hit. Och hon menade det. Så han lät mig vara ifred. Bitty gjorde det för mig. Hon skyddade mig. Hon skyddar mig fortfarande."

Will frågade inte varför hans mormor aldrig använt samma hot för att skydda sin dotter.

"Hon räddade mig", sa Jon. "Om jag inte haft Bitty vet jag inte vad som skulle ha hänt med mig. Dave skulle förmodligen ha slagit ihjäl mig vid det här laget."

"Jon ..."

"Ser du inte vad hon fick mig att göra?" Jon hade svårt att få fram de sista orden. "Jag skulle ha försvunnit här uppe. Jag skulle inte ha varit någonting. Bitty är den enda kvinnan som någonsin älskat mig. Mamma brydde sig inte om mig alls förrän hon såg att hon hade förlorat mig."

Will blev tvungen att väga behovet av ett erkännande mot Jons psykiska hälsa. Han kunde inte krossa pojken helt. Jon skulle förmodligen tillbringa resten av livet i fängelse, men vid något tillfälle skulle han bli tvungen att se tillbaka på vad han gjort. Han förtjänade att få höra hans mors sista ord.

"Jon", sa Will. "Mercy levde fortfarande när jag hittade henne. Hon kunde tala med mig."

Reaktionen var inte vad Will hade väntat sig. Jons mun hängde på vid gavel. All färg försvann från ansiktet. Kroppen blev väldigt stilla. Han hade till och med slutat andas.

Han såg vettskrämd ut.

"Vad ..." Paniken gjorde att Jon hade svårt att få fram orden. "Vad sa ..."

Will spelade tyst upp de sista sekunderna av samtalet i huvudet.

Jon hade knappt reagerat när Will anklagade honom för mord. Vad hade orsakat den här responsen? Vad var han rädd för?

"Det hon såg ..." Jon hade börjat flämta igen. Han hyperventilerade nästan. "Det var inte ... Vi gjorde inte ..."

Will rätade långsamt på sig i fåtöljen.

Ser du inte vad hon fick mig att göra?

"Jag menade inte ..." Jon svalde hårt. "Hon måste bort, okej? Om hon bara hade lämnat oss i fred, så att vi kunde ..."

Mamma brydde sig inte om mig alls förrän hon såg att hon hade förlorat mig.

"Snälla. Jag gjorde inte ... Snälla ..."

Wills kropp insåg sanningen innan hjärnan hann med. Det hettade i huden. Ett högt, skärande ljud ringde i öronen. Tankarna for tillbaka till matsalen som en karusell full av mardrömmar. Han mindes Daves skakade min när Jon sprang ut genom dörren. Hur Daves hela hållning förändrats. Den förstående nicken. Den plötsliga kapitulationen. Det var inte Jons hastiga sorti som fått honom att erkänna. Det var Bittys låga viskning.

Min käre lille pojke.

Faith hade skämtat om att Bitty betedde sig som Daves psykotiska exflickvän. Men det var inget skämt. Dave var tretton när han rymde från barnhemmet. Bitty hade ändrat hans ålder till elva. Hon hade infantiliserat honom, fått honom att känna sig arg, frustrerad, omanlig och förvirrad. Alla barn som utnyttjades sexuellt växte inte upp till förövare. Men de riktiga förövarna var ständigt på jakt efter nya offer.

"Jon." Will kunde knappt få fram pojkens namn. "Mercy ringde Dave eftersom hon såg något, eller hur?"

Jon dolde ansiktet i händerna. Han grät inte. Han försökte gömma sig. Skammen slet nästan själen ur kroppen.

"Jon", sa Will. "Vad såg din mamma?"

Jon vägrade svara.

"Berätta", sa Will.

Pojken skakade på huvudet.

"Jon", upprepade Will. "Vad såg Mercy?"

"Du vet vad hon såg!" skrek Jon. "Tvinga mig inte att säga det!"

Det kändes som om tusen rakblad skar in i Wills bröst. Han hade varit så förbannat dum och fortfarande bara hört det han ville höra. Mercy hade inte sagt att Jon måste bort därifrån.

Hon hade sagt att Jon måste bort från *henne*.

TRETTIOSJU MINUTER FÖRE MORDET

Mercy stirrade ut genom det smala fönstret i foajén. Månskenet lyste som en stark spotlight över gården. Paul Ponticello och hans pojkvän gnällde förmodligen över det som hänt i stuga fem nu. Det hade han all rätt att göra. Mercys berömda humör hade flammat upp som en eld och nu var hon full av ånger. Sanningen var den att Pauls erbjudande om förlåtelse hade chockat henne.

Mercy förtjänade en hel del för att hon dödat Gabbie, men definitivt ingen förlåtelse.

Hon tryckte fingrarna mot ögonen. Huvudvärken var mördande. Hon var glad att Dave inte svarat när hon ringde för att berätta vad som hänt. Han älskade en bra *dra åt helvete*-historia, men han skulle ha gjort henne ännu mer uppjagad.

Kroppen var redan på bristningsgränsen. Hon kände sig uppsvälld och äcklig. Förmodligen var mensen på väg. Mercy hade slutat använda appen på telefonen för att hålla reda på sin menscykel. Hon hade läst skräckhistorier på nätet om hur poliser fick tag i informationen och jämförde den med kreditkortsutdragen för att se när man köpte tamponger senast. Det sista Mercy behövde var att Fisken fick sina finanser granskade. Hon måste prata med Dave om att använda kondom igen. Den här gången skulle hon mena allvar. Det spelade ingen roll hur mycket han tjurade. Hon kunde inte utsätta sin bror för en sådan risk.

Tekniskt sett var han Daves bror också.

Hon slöt ögonen igen. Alla hemska saker som hänt under dagen kom plötsligt ikapp henne. Dessutom gjorde tummen förbannat ont. Att tappa glaset när Jon skrek åt henne var ytterligare ett korkat misstag. Stygnen hade blivit genomblöta när hon städade köket. Halsen var öm och sårig efter Daves stryptag. Hon kunde inte ta något starkare än paracetamol.

Och hur fan kunde hon ha varit så dum att hon hade pratat med den där läkaren? Saras vänlighet hade fått Mercy att glömma att kvinnan var gift med en polis. Will Trent var redan ute efter Dave. Det sista Mercy behövde var en GBI-agent som snokade runt på egendomen. Tack och lov var det en storm på väg. Mercy tvivlade på att smekmånadsparet behövde mycket till ursäkt för att stanna i stugan resten av veckan.

Hon tänkte på hur den korkade Chuck viftat runt med sin rykande bit folie utanför skjulet samma morgon. Han började bli slarvig. Brände för mycket sprit, så snabbt att kvaliteten blev lidande. Det var dags att sätta stopp. Fisken hade gnällt i månader om att han ville sluta. Och det handlade inte bara om sprittill-verkningen. Han ville bort från det här klaustrofobiska fängelset som generationer av McAlpines hade byggt upp, mer av illvilja än stolthet.

Förvånande nog ville Mercy också därifrån.

Hoten vid familjemötet hade varit tomma, trots allt. Hon hade aldrig visat någon sina dagböcker från barndomen där Papas vrede beskrevs. Ingen skulle få reda på att Papa hade tagit kontroll över campingen genom att angripa sin egen syster med en yxa. Bittys brott skulle försvinna när preskriptionstiden gick ut. Mercys brev till Jon, där Daves misshandel beskrevs, skulle aldrig läsas av någon. Fisken kunde sluta bränna sprit och leva resten av sina dagar ensam ute i vattnet.

Mercy skulle bryta mönstret. Jon förtjänade mer än att vara bunden till den här förbannade marken. Hon skulle rösta för för-säljningen. Hon skulle ta hundratusen själv och lägga resten i en fond åt Jon. Delilah kunde bli fondförvaltare. Dave skulle aldrig lyckas krama ur henne ett öre. Mercy skulle hyra en liten lägenhet i staden så att Jon kunde gå färdigt skolan. Sedan skulle hon skicka honom till ett bra college. Hon visste inte hur mycket pengar man behövde för att leva på egen hand, men hon hade hittat jobb tidigare och kunde göra det igen. Hon var stark, hade god arbetsmoral och stor livserfarenhet. Hon skulle klara sig.

Och om hon misslyckades kunde hon alltid flytta in hos Dave.

"Vem där?" gläfste Papa.

Mercy höll andan. Hennes far hade suttit på verandan när hon bad Paul dra åt helvete. Papa hade krävt att få höra alla detaljer, men Mercy hade vägrat berätta. Nu kunde hon höra honom röra sig i sängen. Snart skulle han stappla ut i hallen med benen släpande i golvet som Jacob Marleys kedjor. Mercy slank upp för trappan innan han fick tag i henne.

Lamporna var släckta, men månen lyste in genom fönstren i var ände av hallen. Hon höll sig på höger sida. Mercy hade smugit in och ut ur huset tillräckligt många gånger för att veta vilka golvbrädor som knarrade. Hon tittade mot badrummet i änden av hallen. Jon hade lämnat sin handduk på golvet. Hon kunde höra Fisken snarka som ett godståg bakom den stängda dörren. Bittys dörr stod på glänt, men Mercy skulle hellre sticka ansiktet i ett getingbo än att titta in där.

Jons dörr var stängd. Ett milt ljus sken ut under den.

Lite av Mercys tidigare vånda återvände. Grälet hon haft med sin son vid middagen hade inte varit deras värsta någonsin, men de hade aldrig haft så mycket publik tidigare. Hon hade tappat räkningen på hur många gånger Jon skrikit att han hatade henne. Vanligtvis behövde han en dag eller två för att lugna ned sig. Han var inte som Dave, som kunde slå henne i ansiktet och sedan börja tjura över att hon plötsligt var arg på honom.

Mercy hade aldrig inbillat sig att hon var en bra mamma. Hon var väldigt mycket bättre än Bitty, men den ribban var löjligt låg. Mercy var en okej mamma. Hon älskade sin son och skulle offra livet för hans skull. Pärleporten skulle inte stå på vid gavel för henne efter döden – inte med tanke på alla människor hon hade sårat och det liv hon tagit – men kanske skulle hennes rena kärlek till Jon ge henne en trevlig liten plats i skärselden.

Hon borde berätta för Jon om försäljningen. Han kunde inte vara arg på henne om hon gav honom precis vad han ville ha. Kanske skulle de kunna åka någonstans tillsammans? De kunde semestra i Alaska eller på Hawaii eller på någon av de dussintals platser som han brukade prata om att besöka när han var en tjattrig liten pojke med stora drömmar.

Pengar kunde se till att några av de där drömmarna slog in.

Mercy stod utanför Jons dörr. Hon hörde det plingande ljudet från en speldosa. Det fick henne att rynka pannan. Hennes son lyssnade på Bruno Mars och Miley Cyrus, inte på *Blinka lilla stjärna*. Hon knackade lätt på dörren. Hon ville verkligen inte överraska Jon med en flaska hudkräm igen. Tyst väntade hon på att få höra hans välbekanta steg komma gående över golvet. Det enda hon hörde var det plåtiga ljudet av små metallpinnar mot en roterande vals.

Något sa henne att hon inte borde knacka igen. Hon vred på handtaget och öppnade dörren.

Bilolyckan som dödade Gabbie hade alltid varit ett stort blankt fält i Mercys hjärna. Hon hade dåsat till i sovrummet. Hon hade vaknat i ambulansen. Det var de enda två detaljer hon kunde minnas. Men ibland mindes kroppen något annat. Ett hugg av fasa som fortplantades genom nerverna. En iskall skräck som fick blodet att frysa till is. En hammare som krossade hjärtat i småbitar.

Det var precis så hon kände när hon hittade sin mamma i säng med Jon.

Det var en kysk scen. Båda hade kläder på sig. Jon låg i Bittys famn. Hon tryckte läpparna mot hans hjässa. Speldosan spelade. Hans babyfilt låg över hans axlar. Bittys fingrar var intrasslade i hans hår och benen sammanflätade med hans. Hennes andra hand hade glidit in under tröjan, så att fingrarna kunde stryka över Jons mage. Det kunde ha sett helt normalt ut, om det inte varit för att Jon nästan var en vuxen man och hon var hans mormor.

Bittys ansiktsuttryck undanröjde alla tvivel. Hennes skuldmedvetna min berättade allt Mercy behövde veta. Hon kravlade sig snabbt ur sängen och drog morgonrocken hårt om sig. "Mercy, jag kan förklara."

Mercys knän vek sig nästan under henne när hon snubblade

mot badrummet. Hon hulkade över toaletten. Vatten och spyor stänkte upp i ansiktet på henne. Hon grep tag om toaletten med båda händerna och hulkade igen.

"Mercy", viskade Bitty. Hon stod i dörren och tryckte Jons baby-filt mot bröstet. "Vi kan väl prata om det här. Det är inte som du tror."

Mercy behövde inte prata. Alla minnen kom tillbaka nu. Hur hennes mamma behandlat Jon. Hur hon behandlat Dave. De söt-sliskiga blickarna. Den ständiga beröringen. Det ihärdiga pjås-kandet.

"Mamma." Jon stod i hallen. Han darrade i hela kroppen. Han hade sin pyjamas på sig, den med seriefigurer på byxorna, som Bitty tvingat på honom. "Snälla mamma."

Mercy svalde spyorna i munnen. "Packa dina saker."

"Mamma, jag ..."

"Gå tillbaka till ditt rum. Byt kläder." Hon vände honom runt och styrde honom mot sovrummet. "Packa dina saker. Ta allt du behöver, vi kommer aldrig hit igen."

"Mamma ..."

"Nej!" Hon hytte med fingret åt honom. "Hör du mig, Jonathan? Packa dina förbannade kläder och möt mig i matsalen om fem minuter, annars river jag hela det här jävla huset!"

Mercy rusade in i sitt rum. Hon slet loss telefonen från laddaren och ringde Dave. Den jäveln. Han hade vetat hela tiden hurdan Bitty egentligen var.

"Mercy!" skrek Cecil. "Vad i helvete är det som pågår där uppe?"

Mercy lät fyra signaler gå fram. Hon avslutade samtalet innan det kopplades vidare till röstbrevlådan och såg sig omkring i rummet. Hon behövde sina vandringskängor. De skulle gå ned för berget i natt. De skulle aldrig komma tillbaka till det här gudsförgätna stället.

"Mercy!" skrek Papa. "Jag vet att du kan höra mig!"

Mercy hittade sin lila ryggsäck på golvet. Hon tryckte ned kläder i den utan att tänka på vad hon packade. Under tiden ringde hon Dave igen.

"Svara. Svara!" En signal. Två signaler. Tre, fyra. "Fan också!"

Mercy var på väg att gå, men mindes sitt anteckningsblock. Breven till Jon. Hon sjönk ned på knä framför sängen och sträckte sig in under madrassen. Plötsligt kändes det som om lungorna hade tömts på luft. Varje molekyl av hennes kropp mindes Jons barndom. Hennes lille pojke. Hennes milde, känslige unge man. Hon höll anteckningsblocket mot bröstet och kramade det som om det var ett barn. Hon ville gå tillbaka, läsa varje ord i varje brev och se vad hon hade missat.

Mercy kvävde en snyftning. Dave var inte det enda monstret här. Mercy hade missat alla tecken. Allt som hade hänt i det här huset, en bit bort medan hon sov.

Hon körde ned blocket i ryggsäcken. Tyget var så spänt att hon knappt kunde stänga dragkedjan. Sedan reste hon sig.

Bitty hade ställt sig i vägen för dörröppningen.

"Mercy!" skrek Papa igen.

Hon grabbade tag om sin mammas överarmar och ruskade våldsamt om henne. "Din ondskefulla kärring. Om jag någonsin ser dig i närheten av min son igen dödar jag dig. Förstår du det?"

Mercy knuffade in Bitty i väggen. Hon slog Daves nummer igen medan hon gick mot Jons rum. Han satt på sängen.

"Upp med dig. Nu. Packa dina saker. Jag menar allvar, Jon. Jag är din mamma och du ska göra som jag säger."

Jon reste sig. Han såg sig omtöcknat om i rummet.

Mercy avslutade samtalet till Dave. Hon gick till Jons garderob och började slänga ut kläder. Tröjor, underkläder, shorts, vandringskängor. Hon gick inte förrän Jon hade börjat packa. Hennes mamma stod fortfarande ute i hallen. Mercy hörde golvbrädorna knarra. Fisken stod bakom den stängda dörren.

"Stanna där inne!" varnade Mercy sin bror. Hon kunde inte låta honom se detta. "Gå och lägg dig igen, Fisken. Vi pratar om det här imorgon."

Mercy väntade tills han lydde innan hon gick mot den bakre trappan. Hon kände snor och tårar rinna ned för ansiktet. Papa väntade på henne där nere. Han höll sig om trappräcket med båda armarna för att få stöd.

Hon hytte med fingret åt honom. "Jag hoppas att Djävulen rövknullar dig i helvetet!"

"Din lilla slyna!" Han försökte få tag i Mercys arm, men lyckades bara nå skosnörena på vandringskängorna. Hon slängde dem rakt i ansiktet på honom när hon rusade ut genom dörren. Mercy små- sprang ned för rullstolsrampen och ringde Dave igen. Hon räknade signalerna som gick fram.

Fan också!

Mercys knän vek sig under henne när hon nådde Proviantstigen. Hon föll ned på marken och tryckte pannan mot gruset. Hela tiden såg hon bilder av Bitty för sin inre syn. Inte med Jon – den tanken var alldeles för plågsam, men med Dave. Hur deras mamma krävde en kyss på kinden varje gång hon såg honom. Hur Dave tvättade Bittys hår i vasken och lät henne välja hans kläder. De där ritua- lerna hade inte börjat när hon fick cancer. Dave hämtade Bittys morgonkaffe, masserade hennes fötter, lyssnade på hennes skval- ler, målade hennes naglar och lade huvudet i hennes knä medan hon lekte med hans hår. Bitty hade börjat träna honom i samma stund som Papa släpade honom genom dörren. Dave hade varit så tacksam. Så desperat och kärlekstörstande.

Mercy satte sig upp och stirrade blint ut i mörkret.

Tänk om Dave inte visste om det där med Jon. Tänk om han var lika aningslös som Mercy varit? Dave hade utsatts för övergrepp av sin idrottslärare. Han hade aldrig känt sin egen mamma. Trasiga människor hade kantat hans tillvaro hela livet. Han visste inte hur ett normalt liv såg ut, bara hur man överlevde.

Mercy ringde honom igen. Hon lät fyra signaler gå fram innan hon lade på. Dave var förmodligen i någon bar, eller med en kvinna. Eller också stack han en spruta i armen eller svalde en handfull Xanax med en flaska rom. Vad som helst som tog udden av min- nena. Vad som helst som hjälpte honom att fly undan dem.

Mercy skulle inte låta deras son bli likadan.

Hon reste sig och gick ned för stigen och över utsiktsterrassen. Hon måste in i kassaskåpet. Där fanns bara fem tusen i kontanter, men hon skulle ta dem och gå ned för berget med Jon. Sedan skulle hon lista ut hur hon skulle hantera resten av situationen så fort hon fick en chans att andas lite.

Mercy kände sig en aning lättad när hon såg att lamporna redan var tända i köket. Jon måste ha gått bakvägen till matsalen. Mercy försökte samla sig medan hon gick runt huset och gjorde sitt bästa för att dölja sin pinade min när hon öppnade dörren.

"Jäklar." Drew stod intill barens serveringsvagn. Han hade en flaska sprit i var hand. Uncle Nearest-whiskey. Mercy önskade att hon fick känna den lena drycken bränna hela vägen ned i halsen.

Hon ställde ryggsäcken vid dörren. Det här hade hon inte tid med. "Du tog mig på bar gärning. Spriten är falsk. Det stora destilleriet finns i redskapsskjulet och det lilla finns i båthuset. Berätta det för Papa. Berätta det för polisen. Jag bryr mig inte."

Drew ställde tillbaka flaskan på vagnen. "Vi tänker inte berätta det för någon."

"Jaså?" sa hon. "Jag såg hur ni tog Bitty åt sidan efter middagen. Ni sa att ni ville diskutera affärer. Jag trodde att ni skulle klaga på de förbannade vattenfläckarna på glasen. Vad handlar det här om? Vill du och Keisha ha en bit av kakan?"

"Mercy." Drew lät besviken. "Vi älskar det här stället. Vi vill bara att ni ska sluta med det här. Det är farligt. Ni kan råka döda någon."

"Om det var så enkelt skulle jag hälla varenda flaska rakt ned i halsen på min förbannade mamma."

Drew visste uppenbarligen inte vad han skulle göra.

"Gå bara härifrån." Mercy höll upp dörren åt honom.

Drew skakade på huvudet när han gick förbi henne. Hon följde honom runt till terrassen för att se om Jon var där. Ett ljud hördes bakom köket och hjärtat tog ett skutt i bröstet. Jon hade tagit Fiskens stig.

Men det var inte Jon som stod intill utomhusfrysen.

"Chuck." Mercy spottade fram namnet. "Vad fan vill du?"

"Jag blev orolig." Chuck hade den där dumma, försagda minen som fick det att vända sig i magen på Mercy. "Jag låg och sov och hörde Cecil skrika. Sedan såg jag dig springa över gården."

"Skrek han att du skulle komma?" frågade Mercy. "Inte? Då kan du traska tillbaka upp för stigen och sköta dig själv, för fan."

"Herregud, jag försökte bara vara trevlig. Varför är du alltid så jäkla grinig?"

"Du vet varför, din perversa jävel."

"Hallå där!" Chuck höll upp händerna som om hon var ett vilt djur. "Lugn och fin, lilla damen. Vi behöver inte bli otrevliga."

"Den här lilla damen kanske ska gå raka vägen till stuga tio? Mannen i paret är polis. Vill du att jag ska hämta honom åt dig, Chuck? Vill du att jag ska berätta om din lilla sidoverksamhet i Atlanta?"

Händerna sjönk ned längs Chucks sidor. "Du är en riktig fitta."

"Grattis, då har du äntligen fått se en sådan på nära håll." Mercy gick in i köket och slog igen dörren efter sig. Hon tittade på klockan. Hon hade ingen aning om när hon lämnat huset. Jon hade fått order att komma inom fem minuter, men det kändes som om det gått en timme.

Hon sprang ut i matsalen för att leta efter honom, men den var tom. Sedan for hjärtat upp i halsgropen. Utsiktsterrassen. Ravinen var en dödsfälla. Tänk om Jon inte orkade se henne i ögonen? Tänk om han bestämt sig för att ta livet av sig?

Mercy sprang ut och grabbade tag i räcket. Hon tittade ut över den femton meter djupa ravinen, som klöv berget som ett yxhugg.

Molnen rullade in framför månen. Skuggorna dansade i ravinen. Hon försökte höra något – gnyenden, rop, ljudet av ansträngd andhämtning. Hon visste hur det kändes när man nått bristningsgränsen, när smärtan blev för mycket, när kroppen var för trött och det enda man ville vara att välkomna mörkret.

Hon hörde skratt.

Mercy backade undan från räcket. Två kvinnor gick på Gamla ungkarlsstigen. Hon kände igen Delilahs långa, vita hår. Mercy hade inte ens lagt märke till att den gamla satmaran inte var i huset. Hon sträckte på nacken för att se vem som höll i Delilahs hand.

Det var Sydney, investeraren som inte kunde sluta tjattra om hästar.

"Herregud", viskade Mercy. Alla skelett i garderoben hann ikapp henne ikväll.

Mercy sprang tillbaka in, genom den tomma matsalen och vidare till köket. Hon tittade mot toaletten och sitt kontor. Fisken hade satt in ett kassaskåp i väggen när de började bränna sprit. Det hängde en almanacka framför det. Mercy rotade efter nyckeln i skrivbordslådan. En av Fiskens gamla ryggsäckar stod och samlade damm i hörnet. Allt hon tog fram ur kassaskåpet skulle föra henne och Jon närmare friheten.

Fem tusen dollar i tjugodollarsedlar. Registret över den hembrända spriten. Löneutbetalningar. Två versioner av campingens bokföring. Dagboken Mercy hade skrivit i sedan hon var tolv. Hon stoppade alltihop i Fiskens bruna ryggsäck och drog igen dragkedjan medan hon försökte tänka ut en plan. *Var kunde hon gömma Jon, hur kunde hon hjälpa honom, hur länge skulle det dröja innan pengarna tog slut, var kunde hon hitta jobb, hur mycket kostade en barnpsykiatriker, vem kunde hon vända sig till, var det polisen eller socialen, skulle hon kunna hitta någon som Jon litade tillräckligt mycket på för att prata med, hur i himmelen skulle hon ens finna ord för det hon hade sett ...*

Frågorna var fler än hjärnan klarade att hantera. Mercy måste ta en timme i taget. Vandringen var farlig på natten. Hon stoppade en tändsticksask i ryggsäckens framficka och tog kniven med det röda handtaget ur byrålådan. Hon använde den som brevsprätt, men den var vass. Hon skulle behöva den ifall de träffade på vilda djur längs vägen. Mercy stoppade kniven i bakfickan. Bladet skar upp sömmen så att det nästan bildades en slida där den satt tryggt och säkert.

Hon visste hur man packade för en fotvandring. Säkerhet, vatten och mat. Mercy gick tillbaka till köket och ställde ryggsäcken intill sin egen. Hon fyllde två vattenflaskor. Det fanns nötmix i kylen. Hon skulle behöva en extra portion åt Jon.

Mercy tittade upp.

Vad höll hon på med?

Köket var fortfarande tomt. Hon gick tillbaka ut i matsalen. Den var också tom. Med tungt hjärta återvände hon till köket. Paniken hade runnit av henne och sanningen träffade henne som ett godståg i bröstet.

Jon skulle inte komma.

Bitty hade övertalat honom att stanna. Mercy borde aldrig ha lämnat honom ensam, men hon hade varit chockad och äcklad och rädd. Som vanligt hade hon låtit känslorna ta över i stället för att titta på kalla, hårda fakta. Hon hade svikit sin son, precis som hon gjort tusentals gånger tidigare. Mercy skulle bli tvungen att gå tillbaka upp till huset och slita Jon ur Bittys klor. Hon hade ingen chans att klara det ensam.

Händerna var så svettiga att Mercy blev tvungen att lägga telefonen på köksbänken. Hon ringde Dave en sista gång. Desperationen växte för varje signal som gick fram. Han svarade inte nu heller. Hon måste lämna ett meddelande, spy ur sig vidrigheterna som fick själen att ruttna. Mercy tänkte på vad hon skulle säga, hur hon kunde berätta vad hon hade sett, men när den fjärde signalen gått fram och röstbrevlådans hälsningsmeddelande spelats upp rann orden ur henne av sig själva.

"Dave!" skrek hon. "Dave, herregud, var är du? Snälla, snälla ring upp mig. Jag kan inte tro ... Åh herregud, jag kan inte ... Snälla, ring mig. Snälla du. Jag behöver dig. Jag vet att du aldrig har ställt upp för mig tidigare, men nu behöver jag dig verkligen. Jag behöver din hjälp, älskling. Snälla, r-ring ..."

Hon tittade upp. Hennes mamma stod i köket. Bitty höll i Jons hand. Det kändes som om en knytnäve slog sig upp genom Mercys hals. Jon stirrade ned i golvet. Han kunde inte se på sin mamma. Bitty hade knäckt honom på samma sätt som hon knäckte alla andra.

Mercy hade svårt att få fram orden. "Vad gör du här?"

Bitty sträckte sig efter telefonen.

"Låt bli!" varnade Mercy henne. "Dave kommer snart hit. Jag berättade vad som hänt. Han är på väg hit."

Bitty avslutade samtalet innan Mercy hann prata färdigt. "Nej, det är han inte."

"Han sa att ..."

"Han har inte sagt något. Dave bor nere i sovbarackerna. Hans telefon fungerar inte där borta."

Mercy slog handen för munnen. Hon såg på Jon, men han vägrade titta på henne. Händerna började darra. Hon hade svårt att andas. Hon var rädd. Varför var hon så rädd?

"J-Jon." Hon stammade fram hans namn. "Se på mig, gubben. Det är ingen fara. Jag ska ta med dig härifrån."

Bitty stod framför Jon, men Mercy kunde ändå se hans nedåtvända ansikte. Tårarna rann ned mot t-shirtens krage.

"Lilla gubben", försökte Mercy. "Kom hit, är du snäll. Kom till mig."

"Han vill inte prata med dig", sa Bitty. "Jag vet inte vad du tror att du såg, men du beter dig alldeles hysteriskt."

"Jag vet för helvete vad jag såg!"

"Svär inte", snäste Bitty. "Vi måste prata om det här som vuxna människor. Kom med tillbaka till huset."

"Jag kommer aldrig att sätta foten i det där huset igen", väste Mercy. "Ditt jävla monster. Du är som Djävulen själv."

"Sluta genast upp med det där", krävde Bitty. "Varför ska du krångla till allt?"

"Jag såg ..."

"Vad såg du?"

Bilden dök upp i Mercys hjärna. Sammanflätade ben, en hand under Jons tröja, läpparna mot hans hjässa. "Jag vet precis vad jag såg, *mamma*."

Det skarpa tonfallet fick Jon att rycka till. Han kunde fortfarande inte se på henne. Mercys hjärta brast. Hon visste hur det kändes att böja huvudet i skam. Hon hade gjort det så länge att hon knappt visste hur man tittade upp längre.

"Jon", sa hon. "Det är inte ditt fel, gubben. Du har inte gjort något fel. Vi ska skaffa hjälp åt dig, okej? Allt kommer att ordna sig."

"Hjälp från vem?" frågade Bitty. "Vem skulle tro dig?"

Mercy hörde frågan eka genom alla sina levnadsår. När Papa hudflängde hennes rygg med ett rep. När Bitty slog henne så hårt med en träslev att blodet rann ned för armarna. När Dave tryckte en glödande cigarett mot hennes bröst tills stanken av hennes eget brända kött fick henne att kräkas.

Det var anledningen till att Mercy aldrig sagt något.

Vem skulle tro dig?

"Jag tänkte väl det." Bitty såg triumferande ut. Hon stack ned handen och flätade samman fingrarna med Jons.

Äntligen tittade han upp. Ögonen var röda. Läpparna skälvde.

Full av fasa såg Mercy hur han lyfte Bittys hand till munnen och gav den en mild kyss.

Mercy skrek som ett plågat djur.

All hennes smärta kom ut i ett ordlöst vrål. Hur hade hon kunnat låta det här ske? Hur hade hon förlorat sin son? Hon kunde inte låta honom stanna här. Hon kunde inte låta Bitty sluka honom helt och hållet.

Mercy hade kniven i handen innan hon visste vad hon gjorde. Hon ryckte Bitty från Jon, trängde upp henne mot köksbänken och höll knivspetsen mot hennes öga. "Din dumma jävel. Har du glömt vad jag sa tidigare idag? Jag ska se till att du hamnar i fängelse. Inte för att du legat med min pojke, utan för bokföringsbrott."

Att se arrogansen rinna av Bitty var det ljuvaste Mercy någonsin upplevt.

"Jag hittade liggarna längst in i skåpet. Känner Papa till dina svarta pengar?" Mercy såg på Bittys chockade min att hennes far inte visste någonting. "Det är inte bara honom du ska oroa dig för. Du har fuskat med skatten i åratal. Tror du att du kommer undan med det? Myndigheterna ger sig för fan på presidenter numera. De kommer inte att låta någon gammal hoptorkad pedofil vara ifred. Särskilt inte när jag ger dem bevisen."

"Du ..." Bitty svalde. "Du skulle aldrig ..."

"Jo, det skulle jag."

Mercy var klar. Hon stoppade kniven i fickan och hivade upp de två ryggsäckarna över axeln. När hon vände sig om för att säga åt Jon att röra på benen, hade han böjt sig ned så att Bitty kunde viska något i hans öra.

Gallan strömmade tillbaka upp i Mercys mun. Nu var det slut med tomma hot. Hon knuffade sin mamma så hårt att Bitty föll omkull på golvet. Sedan grep hon tag om Jons handled och släpade ut honom genom dörren.

Jon försökte inte komma loss och kämpade inte emot för att få henne att sänka farten. Han lät henne använda hans handled som ett roder för att styra honom därifrån. Mercy lyssnade på hans snabba andetag och tunga steg. Hennes enda plan var att ta sig någonstans dit Bitty inte skulle följa efter.

Det var inga problem att hitta stenblocket som märkte ut början av Repstigen. Hon tvingade Jon att gå före så att hon kunde hålla ögonen på honom. Båda tog sig snabbt från det ena repet till det andra och gled längs större delen av ravinens sida. Till sist var de nere på fast mark igen. Mercy tog på nytt tag om Jons handled och gick före. Hon ökade farten och började småspringa. Jon sprang bakom henne. Hon skulle göra det här. Hon skulle faktiskt göra det.

"Mamma ...", viskade Jon.

"Inte nu."

De plöjde genom skogen. Grenarna piskade mot kroppen, men Mercy brydde sig inte om det. Hon tänkte inte stanna. Hon fortsatte springa, med det starka månskenet som ledstjärna. De skulle söka skydd i ungkarlsstugorna i natt. Imorgon bitti skulle Dave dyka upp på jobbet. Kanske borde hon ta med sig Jon till Dave på en gång? De kunde följa stranden, ta en kanot och paddla över vattnet. Om Dave bodde i sovbarackerna skulle han ha fiskespön, bränsle, filtar, mat och skydd. Dave visste hur man överlevde. Han kunde prata med Jon och hålla honom trygg. Mercy kunde gå in till staden och hitta en advokat. Hon tänkte inte släppa greppet om campingen. Det skulle inte bli hon som lämnade stället på söndag. Mercy skulle ge föräldrarna till middagstid imorgon att packa ihop sina saker och försvinna. Fisken kunde göra som han ville, men hur som helst skulle Mercy och Jon gå segrande ur striden.

"Mamma", försökte Jon igen. "Vad tänker du göra?"

Mercy svarade inte. Hon såg månskenet reflekteras i sjön vid stigens slut. Den sista biten bestod av trappstegsliknande etapper byggda med syllar. De var bara en liten bit från ungkarlsstugorna.

"Mamma", sa Jon. Det var som om han vaknat ur en trans. Han började göra motstånd och försökte vrida sig ur hennes grepp. "Mamma, snälla."

Mercys grepp hårdnade och hon drog så kraftigt i honom att hon kände musklerna i ryggen protestera. När de nådde gläntan flämtade hon av ansträngning.

Hon släppte ryggsäckarna på marken. Det fanns cigarettfimpar överallt. Dave hade inte förberett sig på stormen. Allt låg precis där han lämnat det. Sågbockar och verktyg, en bensindunk med avskruvad kork, en vält generator. Platsens eländiga tillstånd var en skarp påminnelse om vem Dave egentligen var. Han tog inte hand om saker, än mindre om människor. Han orkade inte ens plocka upp efter sig själv. Mercy kunde inte lita på honom.

Hon skulle få klara sig själv igen.

"Mamma", sa Jon. "Kan du inte släppa det här? Låt mig gå till-baka."

Mercy såg på honom. Han hade slutat gråta, men hon hörde luften vissla igenom hans täppta näsa.

"Jag m-måste gå tillbaka. Hon sa att jag kunde gå tillbaka."

"Nej, gubben." Mercy lade handen på hans bröst. Hjärtat slog så hårt att hon kände det genom revbenen. En snyftning tvingade sig fram mellan hennes läppar. Den ohyggliga verkligheten kom ikapp henne, alltihop på en gång. Alla hemska saker som hennes mamma gjort mot sonen. Rötan som fått fäste i familjen.

"Se på mig, gubben", sa hon. "Du ska aldrig tillbaka dit. Det är bestämt nu."

"Jag ..."

Hon lade händerna om hans ansikte. "Jon, lyssna på mig. Vi ska ordna hjälp åt dig, okej?"

"Nej." Han drog bort Mercys händer från sitt ansikte och backade undan. "Bitty har ingen annan än mig. Hon behöver mig."

"Jag behöver dig!" Mercys röst var hes. "Du är min son. Jag behö-ver min son."

Jon skakade på huvudet. "Hur många gånger har jag bett dig lämna honom? Hur många gånger gick du tillbaka till hans säng trots att vi packat våra väskor för att ge oss av?"

Mercy kunde inte förneka det. "Du har rätt. Jag har svikit dig, men jag försöker gottgöra det nu."

"Jag behöver inte din hjälp", sa Jon. "Det var Bitty som skyddade mig. Det var hon som såg till att jag var trygg."

"Skyddade dig från vad? Det var hon som gjorde dig illa."

"Du vet vad Dave gjorde med mig", sa han. "Jag var bara fem. Han bröt min arm och du sa att jag måste förlåta honom."

"Vad?" Hela Mercys kropp skakade. Så hade det inte gått till. "Du ramlade ned från ett träd. Jag stod precis intill. Dave försökte fånga dig."

"Hon sa att du skulle påstå det. Men Bitty skyddade mig från honom. Du sa att jag måste förlåta honom, att jag skulle låta honom göra precis som han ville, så att han inte blev arg igen."

Mercy slog händerna för munnen. Bitty hade fyllt hans huvud med vidriga lögner.

"Jon." Hon sa det första hon kom att tänka på. "Vi ska gå till stuga tio."

"Vad?"

"Paret i stuga tio." Äntligen såg hon en utväg. Lösningen hade funnits där hela tiden. "Will Trent jobbar på Georgia Bureau of Investigation. Han kommer inte att låta Bullen sopa det här under mattan. Hans fru är läkare. Hon kan ta hand om dig medan jag berättar vad som hänt."

"Menar du Sophögen?" undrade Jon förskräckt. "Du kan inte ..."

"Jag kan, och jag ska." Mercy hade aldrig känt sig så säker på något i hela sitt liv. Sara hade sagt att hon litade på Will och att han var en god man. Han skulle ordna det här. Han skulle rädda dem båda två. "Så ska vi göra. Kom nu."

Mercy sträckte sig efter ryggsäckarna.

"Du kan dra åt helvete."

Jons iskalla röst fick Mercy att stelna till. Hon såg upp på honom. Hans ansikte var så hårt att det såg ut att vara hugget i marmor.

"Du bryr dig bara om att vinna", sa han. "Du vill bara ha mig för att du har förstått att du inte kan få mig."

Mercy förstod att hon måste vara mycket försiktig. Hon hade sett Jons ilska tidigare, men inte på det här viset. Ögonen var nästan svarta av vrede. "Har Bitty sagt det?"

"Jag har för fan sett det med egna ögon!" Saliven flög ur hans mun. "Titta, så patetisk du är. Du försöker inte skydda mig. Du springer till den där polisen för att du inte kan acceptera att jag har hittat någon som gör *mig* lycklig. Någon som bryr sig om *mig*. Någon som bara älskar *mig*."

Han lät så lik Dave att Mercy knappt kunde andas. Det där bottenlösa hålet, den eviga kvicksanden. Hennes eget barn hade sprungit vid hennes sida genom kvicksanden hela tiden, och Mercy hade inte ens lagt märke till det.

"Förlåt", sa hon. "Jag borde ha sett det. Jag borde ha vetat."

"Åt helvete med dina ursäkter. Jag behöver dem inte. Fan också!" Han slog ut med armarna. "Det här är precis vad hon varnade mig för. Hur fan ska jag kunna hindra dig nu?"

"Lilla gubben." Hon sträckte ut handen mot honom igen, men han slog undan den.

"Rör mig inte", varnade han. "Ingen annan än hon får röra mig." Mercy höll upp händerna för att visa att hon gav sig. Hon hade aldrig varit rädd för Jon tidigare, men nu var hon det. "Andas lite. Lugna ned dig."

"Det är du eller hon", sa han. "Hon sa det. Jag måste välja. Du eller hon."

"Lilla gubben, hon älskar dig inte. Hon manipulerar dig."

"Nej." Han skakade på huvudet. "Håll tyst. Jag måste tänka."

"Hon är en förövare", sa Mercy. "Hon gör så här mot pojkar. Hon nästlar sig in i deras tankar och förvrider dem så illa att ..."

"Håll tyst."

"Hon är ett monster", sa Mercy. "Varför tror du att din pappa är så trasig? Det beror inte bara på vad som hände honom i Atlanta."

"Håll tyst."

"Lyssna på mig", bad Mercy. "Du är inte alls speciell i hennes ögon. Hon gör precis samma sak mot dig som hon gjorde mot Dave."

Han kastade sig över henne innan Mercy hann förstå vad som hände. Händerna for ut och lindade sig om hennes hals. "Håll tyst, för helvete."

Mercy flämtade efter luft. Hon grep tag om hans handleder och försökte dra bort händerna. Han var för stark. Hon grävde in naglarna i Jons bröst och försökte sparka med fötterna. Ögonlocken började fladdra. Han var så mycket starkare än Dave och han tryckte för hårt.

"Din patetiska kärringjävel." Jons röst var dödligt låg. Han hade lärt sig av sin pappa att man inte skulle låta för mycket. "Det är inte jag som ska försvinna härifrån ikväll. Det är du."

Mercy var yr. Synfältet blev suddigt. Han skulle döda henne. Hon stack handen i fickan och lindade fingrarna om knivens röda plasthandtag.

Tiden saktade in tills den nästan kröp fram. Mercy gick igenom rörelserna i huvudet. Dra fram kniven. Skära honom i underarmen. Fanns det artärer där? Muskler? Hon fick inte skada honom. Han var redan så illa tilltygad att han knappt kunde bli hel igen. Hon borde visa honom kniven. Hotet skulle räcka. Det skulle få honom att sluta.

Hon hade fel.

Jon ryckte åt sig kniven. Han svingade den över huvudet, redo att köra den rakt i hennes bröst. Mercy duckade och kravlade sig undan på alla fyra. Hon kände luftdraget när bladet svischade förbi alldeles intill hennes huvud. Ett andra hugg var på väg, det visste hon. Hon tog ryggsäcken och höll upp den som en sköld. Bladet gled över det tjocka, impregnerade tyget. Hon gav inte Jon tid att hämta andan. I stället svingade hon ryggsäcken mot hans huvud så att han stapplade bakåt.

Instinkten tog över. Med ryggsäcken tryckt mot bröstet började hon springa, förbi den första stugan och sedan den andra. Jon följde efter och avståndet mellan dem minskade snabbt. Mercy rusade upp för trappan till den sista stugan. Slog igen dörren i hans ansikte. Låste den med fumliga fingrar. Hörde de höga dunsarna mot träet när han bankade på dörren med knytnävarna.

Mercy flämtade efter luft. Bröstkorgen hävde sig. Hon hörde Jon gå över verandan. Det kändes som om hjärtat satt uppe i halsen. Mercy lutade ryggen mot dörren, slöt ögonen och försökte höra sonens steg. Inte ett ljud. En vindil torkade svetten i hennes ansikte. Alla fönster utom ett var förspikade. Månskenet lyste blått över de grova träväggarna, golvet och Mercys skor och händer.

Mercy tittade upp.

Dave hade inte ljugit om torrötan i den tredje stugan. Den bakre väggen i sovrummet hade rivits bort helt. Jon hade slunkit in mellan reglarna. Han stod där med kniven i handen.

Mercy famlade med handen bakom sig. Fick upp låset, vred om handtaget, slängde upp dörren och vände sig om. Det kändes som om en slägga träffat henne mellan skulderbladen när Jon körde in kniven i hennes rygg ända ned till handtaget.

Kraften i hugget tog andan ur henne. Hon stirrade mot sjön. Munnen hängde öppen av fasa.

Jon drog ut kniven och högg in den igen. Och igen. Och igen.

Mercy snubblade från verandan, föll ned för trappan och landade på sidan.

Kniven skar genom armen. Bröstet, benet. Jon satt grensle över henne och högg med kniven i bröstkorgen och magen. Mercy försökte stöta bort honom och vrida sig undan, men inget kunde hejda honom. Jon krängde fram och tillbaka, körde kniven i hennes rygg, ryckte ut den och stötte in den på nytt. Hon kände benen splittras och organen spräckas. Kroppen fylldes av piss och skit och galla tills Jon inte längre högg med kniven utan slog henne med knytnävarna eftersom bladet gått av inuti hennes bröstkorg.

Plötsligt blev Jon stilla.

Mercy hörde honom flämta, som om han sprungit ett maraton. Angreppet hade krävt alla hans krafter. Han kunde knappt stå på benen. Han snubblade bort från henne. Mercy försökte andas in. Ansiktet låg nedtryckt i jorden. Hon rullade över på sidan. Varje liten del av kroppen värkte. Hon hade fallit i trappan. Fötterna låg fortfarande på verandan, men huvudet vilade på marken.

Jon var tillbaka.

Hon hörde vätska skvalpa omkring, men det var inte vågorna som slog mot stranden. Jon gick upp för trappan med bensindunken. Hon hörde honom hälla ut bensinen inuti stugan. Han tänkte bränna upp bevisen. Han tänkte bränna upp Mercy. Den tomma dunken landade vid hennes fötter.

Han gick tillbaka ned för trappan. Mercy tittade inte upp. Hon såg blodet droppa från hans fingrar. Stirrade på skorna som Bitty köpt åt honom i staden. Hon kunde känna hur Jon tittade ned på henne. Inte med sorg eller medlidande, utan med en likgiltighet som hon sett hos sin bror, sin far, sin man, sin mamma och sig själv. Hennes son var en McAlpine från topp till tå.

Den saken bevisades bara ytterligare av att han tände en tändsticka och slängde in den i stugan.

Elden flammade upp med ett sus och skickade en stöt av het luft mot henne. Mercy såg Jons blodstänkta skor klafsa i leran när han gick därifrån. Han var på väg tillbaka till huvudbyggnaden. Tillbaka till Bitty. Mercy andades väsande in. Ögonlocken fladdrade. Blodet bubblade i halsen. Det kändes som om hon flöt. Själen var på väg att lämna kroppen. Men det förväntade lugnet och känslan av att släppa taget uteblev. Det enda hon kände var ett iskallt mörker som kröp inåt från kanterna, precis som när sjön frös till på vintern.

Sedan såg hon Gabbie.

De två flög genom luften, men de var inte änglar i himlen. De hade kastats ur bilen vid Djävulskröken. Mercy vände sig om för att se på Gabbies ansikte, men det var bara en blodig massa. Ena ögat dinglade från ögonhålan. Flisor av tänder och ben trängde ut genom huden. Sedan kände Mercy en intensiv brännande hetta som ville sluka henne helt.

"Hjälp!" skrek Mercy. "Snälla!"

Hon öppnade ögonen och hostade. Blod stänkte ut över marken. Mercy låg fortfarande på sidan i verandatrappan. Röken fyllde luften. Hettan från elden var så intensiv att hon kände blodet torka på huden. Mercy tvingade sig att vrida på huvudet för att se vad som hände. Lågorna tog sig fram över verandan. Snart skulle de gnaga sig hela vägen fram till trappan och hitta hennes kropp.

Mercy stålsatte sig mot smärtan och rullade över på mage. Med hjälp av armbågarna drog hon sig bort från trappan. Den avbrutna kniven inuti bröstkorgen skrapade i marken som ett cykelstöd. Hon hasade sig framåt för att undkomma den hotande elden. Fötterna släpade orörliga efter henne. Byxorna var uppknäppta. Jord skyfflades in i dem och drog ned dem till fotlederna. Ansträngningen blev snabbt för mycket. Synfältet blev suddigt igen. Mercy tvingade sig att inte förlora medvetandet. Delilah hade sagt att McAlpines var svåra att ta död på. Mercy skulle inte leva länge nog för att se solen gå upp över bergen, men hon kunde åtminstone ta sig till den förbannade sjön.

Hennes sista ögonblick var, som vanligt, en ren kamp. Mercy gled in och ut ur medvetslösheten, tvingade sig varje gång en bit framåt innan hon svimmade igen. När hon äntligen kände vattnet mot ansiktet darrade armarna av ansträngning. Hon använde sina sista krafter för att rulla över på rygg. Hon ville se på fullmånen medan hon dog. Den var en sådan perfekt cirkel, som ett hål i allt det svarta. Hon lyssnade till hjärtslagen som långsamt pumpade ut blodet ur hennes kropp. Hon hörde vattnet klucka milt runt öronen.

Mercy visste att hon var nära döden och att inget kunde stoppa det. Men det var inte hennes eget liv som passerade revy framför ögonen.

Det var Jons.

Han lekte i Delilahs trädgård med sina små träleksaker. Kröp ihop längst bort i rummet när Mercy dök upp för det första umgängestillfället som rätten beslutat om. Slets ur Delilahs armar av Mercy utanför tingshuset. Satt i Mercys knä medan Fisken körde dem upp för berget. Gömde sig tillsammans med Mercy när Dave fick ett raseriutbrott. Gav Mercy böcker om Alaska och Montana och Hawaii för att de skulle ta sig iväg. Såg henne packa deras väskor om och om igen och sedan packa upp dem igen eftersom Dave skrivit en dikt eller skickat blommor. Togs om hand av Bitty medan Mercy smög iväg till någon av stugorna med Dave. Lämnades ensam med Bitty för att Mercy måste till sjukhuset på grund av ytterligare ett benbrott, ett skärsår som inte läkte eller några stygn som släppt.

Hela tiden knuffades han rakt i famnen på Mercys mamma – kvinnan som våldtog honom.

"Mercy."

Hon hörde namnet som en viskning inuti skallen. Hon kände hur huvudet vreds. Hon såg på världen som om hon tittade igenom fel ände av ett teleskop. Ett ansikte dök upp framför henne. Mannen i stuga tio. Polisen som var gift med den rödhåriga kvinnan.

"Mercy McAlpine", sa han. Rösten tonade ut som en siren som försvann i fjärran. Han skakade henne hela tiden, tvingade henne att inte ge upp. "Jag heter Will Trent. Jag är agent vid Georgia Bureau of Investigation. Du måste titta på mig nu. Du kommer att klara dig. Jag ska hämta hjälp."

"J-Jon ..." Mercy hostade fram namnet. Hon måste göra det här. Det var inte för sent. "Säg åt honom ... säg att han måste ... han måste bort från h-heh ..."

Wills ansikte flöt in och ut ur synfältet. Ena stunden var han där, nästa var han försvunnen.

"Sara! Hämta Jon! Skynda dig!" skrek han.

"N-nej ..." Mercy kände hur kroppen började darra. Smärtan var olidlig, men hon kunde inte ge upp nu. Hon hade en sista chans att ställa allt till rätta. "J-Jon får inte ... han får inte ... stanna ... Måste bort från ... från ..."

Will sa något, men Mercy förstod inte orden. Hon visste bara att det inte fick sluta så här mellan henne och Jon. Hon måste härda ut.

"Älskar ... älskar honom ... s-så mycket."

Mercy kände hjärtat sakta in. Andetagen var ytliga. Hon kämpade emot lockelsen att bara glida iväg. Jon måste få veta att han var älskad. Att det här inte var hans fel. Att han inte behövde bära på den här bördan utan kunde göra sig fri från kvicksanden.

"F-förlåt ..." Hon borde ha sagt det till Jon. Nu kunde hon bara be den här mannen att föra hennes sista ord vidare. "Förlåter ... honom ... Förlåter honom ..."

Will skakade Mercy så hårt att hon kände själen ryckas tillbaka in i kroppen. Han lutade sig över henne, med ansiktet intill hennes. Den här polisen. Den här gode mannen. Hon grabbade tag i hans skjorta och drog honom ännu närmare, stirrade så djupt in i hans ögon att hon nästan såg hans själ.

Hon måste tvinga in luft i lungorna innan hon kunde pressa ut orden. "F-förlåter honom ..."

Han nickade. "Okej ..."

Det var allt Mercy behövde höra. Hon släppte taget om skjortan. Huvudet föll ned i vattnet. Hon tittade upp på den vackra, perfekta månen. Vågorna drog i kroppen. Sköljde bort hennes synder och hennes liv. Stillheten kom till sist, och med den en överväldigande känsla av frid.

För första gången i hela sitt liv kände Mercy sig trygg.

EN MÅNAD EFTER MORDET

Will satt intill Amanda på soffan inne på hennes kontor. Amandas laptop stod på soffbordet. De tittade på inspelningen av Jons erkännande. Han hade en beige overall på sig. Händerna var inte fängslade med handklovar eftersom han tagits in på en ungdomspsykiatrisk klinik i stället för ett fängelse för vuxna. Delilah hade anlitat en toppadvokat från Atlanta. Jon skulle få sitta inlåst, men kanske inte för resten av livet.

"Allt blev svart", sa Jon på filmen. "Jag minns inte vad som hände sedan. Jag visste bara att hon skulle gå tillbaka till honom. Hon gick alltid tillbaka till honom. Hon lämnade mig alltid."

"Vem lämnade hon dig med?" Faiths röst var låg. Hon syntes inte i bild. "Vem?"

Jon skakade på huvudet. Han vägrade peka ut sin mormor, trots att hon var död. Bitty hade svalt en flaska morfin innan de hann gripa henne. Obduktionen hade visat att hon var döende i cancer. Kvinnan hade inte bara undkommit rättvisan, utan också en långdragen och smärtsam död.

"Vi går tillbaka till den där kvällen igen", sa Faith. "När du lämnat lappen om att du tänkte rymma, vart gick du då?"

"Jag gömde mig i hästhagen och nästa morgon gick jag till stuga nio, eftersom jag visste att den var tom."

"Knivhandtaget, då?"

"Jag visste att Dave ..." Jon tystnade lite. "Jag visste att Dave hade lagat toaletten, så jag trodde att handtaget skulle peka ut honom. Ni hade redan gripit honom för mordet. Han skulle ändå hamna i fängelse. Mercy sa att det inte var sant, men han bröt faktiskt min arm. Det är barnmisshandel."

"Okej." Faith gav sig inte in i någon diskussion, trots att de båda sett journalanteckningarna från armbrottet. Jon hade ramlat ur ett träd. "När Dave greps hade du redan rymt hemifrån. Vem berättade för dig vad som hade hänt?"

Jon skakade på huvudet. "Jag var tvungen att välja."

"Jon ..."

"Jag var tvungen att skydda mig själv", sa han. "Ingen annan tog hand om mig. Ingen annan brydde sig om mig."

"Vi går tillbaka till ..."

"Vem ska skydda mig nu?" frågade han. "Jag har ingen. Ingen alls."

Will vände bort ansiktet från skärmen när Jon började gråta. Han tänkte på sitt sista samtal med pojken. De hade suttit i sovrummet i stuga tio. Will hade sagt till Jon att misshandel var en komplicerad fråga, men nu verkade allt förbannat glasklart.

Skada inte barn.

"Okej", sa Amanda. "Du fattar poängen."

Hon slog igen datorn och tog sedan Wills hand ett tag. Sedan reste hon sig från soffan och gick till skrivbordet.

"Berätta hur utredningen kring hembränningen går", sa hon.

Will reste sig, glad att den känslosamma stunden var över. "Vi har Mercys liggare där alla utbetalningarna finns nedtecknade. Kalkylarken i Chucks dator avslöjar alla klubbar han sålde till. Vi samarbetar med ATF och skattemyndigheternas brottsutredare."

"Bra." Amanda satte sig vid skrivbordet och tog upp telefonen. "Mer, då?"

"Christopher godtar en dom för vållande till annans död för att ha förgiftat Chuck. Han sitter av femton år i utbyte mot att han vittnar mot sin pappa om mordet på Gabriella Ponticello. Dessutom har vi den andra versionen av campingens bokföring som visar att Cecil gjort sig skyldig till skattebrott. Han säger att han inte kände till det, men pengarna finns på hans konton."

Hon knappade på telefonen. "Mer, då?"

"Både Paul Ponticello och hans privatdetektiv har lämnat edsvurna utsagor om vad Dave sa till dem. Men det är hörsägen. Vi måste hitta Dave för att det ska bli helt vattentätt."

"Vi?" Amanda tittade upp. "Du jobbar inte med den delen av utredningen."

"Jag vet, men ..."

Amanda tystade honom med en vass blick. "Dave försvann dagen efter sin mammas självmord. Han har inte försökt kontakta Jon. Han använder inte telefonen. Han har inte varit i sin villavagn och finns inte på lägerplatsen. Norra Georgias fältkontor har efterlyst honom. Jag är säker på att han dyker upp så småningom."

Will gned sig om hakan. "Han har varit med om mycket, Amanda. Den enda familj han någonsin haft har just fallit samman."

"Han har fortfarande sin son kvar", påminde hon honom. "Och glöm inte vad han gjorde mot sin fru. Jag pratar inte bara om den fysiska och verbala misshandeln. Dave har vetat i många år att Mercy inte var ansvarig för Gabbies död. Han dolde det för henne för att kunna kontrollera henne."

Just den saken kunde Will inte säga något om, men det fanns annat. "Amanda ..."

"Wilbur", sa Amanda. "Dave McAlpine kommer inte att bli en bättre människa helt plötsligt. Han kommer aldrig att bli den far Jon behöver. Ingen logik, inga goda råd, ingen livsvisdom eller någon som helst mängd kärlek kommer att få honom på rätt köl. Han lever på det här viset eftersom han väljer att göra det. Han vet precis vem han är och accepterar det helt. Dave kommer inte att förändras eftersom han inte vill göra det."

Will gned sig om hakan igen. "Många skulle ha sagt samma sak om mig när jag var tonåring."

"Men du är ingen tonåring längre. Du är vuxen." Hon lade telefonen på skrivbordet. "Jag vet bättre än de flesta vad du fått övervinna för att ta dig så här långt. Du har förtjänat din lycka och du har rätt att njuta av den. Jag kommer inte att låta dig kasta bort alltihop i något missriktat försök att rädda alla andra. Särskilt inte folk som inte vill bli räddade. Man kan inte tjäna två herrar.

Det finns en anledning till att Stålmannen aldrig gifte sig med Lois Lane."

"De gifte sig faktiskt i *The Wedding Album*, 1996."

Hon tog upp telefonen och började skriva igen.

Will väntade på ett svar. Sedan mindes han hur bra hon var på att avsluta konversationer.

Han stoppade händerna i fickorna när han gick ned för trappan. Jon var ett kapitel för sig och Will borde vända blad. Will sträckte ut sin skadade hand för att öppna dörren. Knivsåret hade muterat. Sara hade inte skämtat när hon pratade om infektioner. Det hade gått en månad, men Will åt fortfarande tabletter stora som hålspetskulor.

Lamporna på hans våning var släckta. Tekniskt sett hade Will slutat för dagen, men Amanda hade inte klagat över att han stannade kvar. Däremot hade hon haft fel, inte bara för att Will helt klart var mer lik Läderlappen än Stålmannen.

Det var möjligt att förändras. Will hade firat sin artonårsdag på ett härbärge, sin nittonårsdag i häktet. När han fyllde tjugo gick han på college. Pojken som alltid fått kvarsittning för att han inte gjort färdigt läsuppgifterna hade tagit en collegeexamen i straffrätt. Den enda skillnaden mellan Will och Dave var att någon gett Will en chans.

"Hallå", ropade Faith från sitt kontor.

Will stack in huvudet. Faith tog bort katthår från byxorna med en klädrulle. Hon hade tagit med sig McAlpines katter till Atlanta för att lämna dem till katthemmet. Sedan hade Emma fått syn på dem och en av dem hade slunkit ur kattburen och dödat en fågel, och helt plötsligt hade Faith två katter som hette Hercule och Agatha.

"Någon jäkla unge på förskolan visade TikTok för Emma", sa hon. "Hon försöker stjäla min telefon hela tiden."

"Det skulle ha hänt förr eller senare."

"Jag trodde att jag hade mer tid på mig." Faith stoppade klädrullen i väskan. "Samtidigt bankar FBI på dörren och vill skynda på Jeremys ansökan. Varför händer allt så fort? Till och med färdiga middagsrätter får vila en minut efter att man tagit dem ur mikron."

Wills mage kurrade till. "Jag såg förhöret med Jon. Du gjorde ett bra jobb."

"Tja." Faith hissade upp väskan på axeln. "Jag läste färdigt Mercys brev till Jon. De var hjärtskärande. Jag kunde ha skrivit dem till Jeremy. Eller Emma. Mercy försökte vara en bra mamma. Jag hoppas att Jon når en punkt då han kan läsa dem en vacker dag."

"Han kommer dit", sa Will, främst för att han ville att det skulle vara sant. "Mercys dagbok, då?"

"Den är precis vad man kan vänta sig från en tolvårig flicka som var förälskad i sin adoptivbror och livrädd för sin våldsamma far."

"Säger Christopher något?"

"Han påstår fortfarande att han inte hade någon aning om vad som pågick och att Bitty aldrig rörde honom på det sättet. Jag antar att han inte var hennes typ." Faith ryckte på axlarna, men inte för att avfärda det hela utan för att det var alldeles för mycket. "Vet du att Mercy såg det hända med Dave? En del finns med i hennes dagbok och mycket i breven. Hur Bitty strök Dave över håret eller hur Dave låg med huvudet i Bittys knä när Mercy kom in i rummet. Han masserade hennes fötter och axlar. Det kändes konstigt. Mercy skrev själv att det kändes konstigt, menar jag. Men hon lade aldrig ihop två och två."

"Förövare groomar inte bara sina offer. De manipulerar omgivningen så att den som säger något verkar sjuk i huvudet."

"Vill du se något sjukt borde du läsa textmeddelandena mellan Bitty och Jon."

"Det gjorde jag", sa Will. Han hade blivit så illamående att han inte kunnat äta lunch.

"Hon hatade småbarn", sa Faith. "Minns du att Delilah sa att hon inte ens lyfte upp sina egna barn? Hon lät dem sitta i sina smutsiga blöjor. Sedan dök Dave upp och var precis hennes typ. Eller också gjorde hon honom yngre, så att han blev hennes typ. Tror du att Dave visste att hon utnyttjade Jon sexuellt hela tiden?"

"Jag tror att han förstod hur det hängde ihop i matsalen och gjorde vad han kunde för att rädda sin son."

"Jag tänker tro på det, eftersom alternativet är att han erkände för att rädda Bitty."

Det ville Will inte ens tänka på. Han hade andra saker som höll honom vaken om nätterna. "Jag är ledsen att jag missade Pauls tatuering."

"Tyst med dig", sa Faith. "Jag är ju dumskallen som hela tiden kallade Bitty för Daves psykotiska exflickvän utan att inse att hon faktiskt var det."

Will visste att han måste släppa saken. "Försök låta bli att göra sådana missar i framtiden."

"Jag ska göra mitt bästa." Faith flinade. "Hur lyckades jag hamna i ett Agatha Christie-mysterium med Virginia Andrews-knorr?"

Will gjorde en grimas.

"För tidigt?"

Will gjorde som Amanda och vände på klacken för att gå till sitt kontor. En välbekant lycka spred sig i bröstet när han hittade Sara sittande i soffan där inne. Hon hade tagit av sig skon och gned sin lilltå.

Han älskade att hennes ansikte sken upp när hon såg honom.

"Hej", sa hon.

"Hej."

"Jag slog tån i stolen." Hon tog på sig skon igen. "Tittade du på förhöret?"

"Ja." Will satte sig intill henne. "Hur gick lunchen med Delilah?"

"Jag tror att det är bra för henne att ha någon att prata med", sa Sara. "Hon gör allt hon kan för Jon. Det är svårt just nu eftersom han inte vill ta emot hjälp. När hon hälsar på stirrar han ned i golvet i en timme. Hon går och kommer tillbaka nästa dag och han stirrar bara ned i golvet igen."

"Han vet att hon är där", sa Will. "Tror du att det skulle hjälpa om Dave besökte Jon?"

"Det beslutet skulle jag lämna åt experterna. Jon har mycket att bearbeta. Dave har sitt eget bagage. Han måste hjälpa sig själv innan han kan hjälpa sin son."

"Amanda sa att Dave inte vill bli hjälpt eftersom trasigheten är allt han har."

"Hon har förmodligen rätt, men räkna inte ut Jon helt. Delilah tänker inte ge upp. Hon älskar honom verkligen och jag tror att det betyder mycket i sådana här situationer. Hopp är smittsamt."

"Är det din medicinska bedömning?"

"Min medicinska bedömning är att min man och jag borde gå

hem från jobbet så att vi kan äta stora mängder pizza, titta på *Buffy* och se till att min lilltå inte är den enda kroppsdelen som ömmar imorgon."

Will skrattade. "Jag måste skicka in den här rapporten, men vi ses hemma sedan."

Sara gav honom en väldigt trevlig kyss innan hon gick.

Will satte sig vid skrivbordet och knappade på tangentbordet så att skärmen tändes. Han skulle just stoppa i hörlurarna i öronen, när telefonen på skrivbordet ringde.

Han tryckte på högtalarknappen. "Will Trent."

"Trent", sa en mansröst. "Det här är sheriff Sonny Richter från Charlton County."

Will hade aldrig fått ett samtal från Georgias sydligaste county tidigare. "Hur kan jag stå till tjänst?"

"Vi stoppade en kille med trasig baklykta och hittade ett paket heroin fasttejpat under framsätet. Norra Georgias fältkontor har efterlyst honom, men han bad oss ringa dig. Han hävdar att han sitter på information som kan bytas mot en mildare dom."

Will visste vad som komma skulle innan mannen ens pratat färdigt.

"Han heter Dave McAlpine", sa sheriffen. "Vill du komma hit eller ska jag ringa fältkontoret?"

Will vred vigselringen runt fingret. Det smala metallbandet rymde så mycket. Han visste fortfarande inte vad han skulle göra med lättheten som fyllde bröstet varje gång han var i närheten av Sara. Han hade aldrig upplevt en så långvarig lycka tidigare. Det var en månad sedan bröllopet, men euforin han känt under vigseln hade fortfarande inte lagt sig. Tvärtom blev den starkare för varje dag som gick. Sara log mot honom eller skrattade åt ett av hans dumma skämt, och det kändes som om hjärtat förvandlats till en fjäril.

Amanda hade fel igen.

Kärlek kunde faktiskt få en man att förändras helt och hållet.

"Ring fältkontoret", sa Will till sheriffen. "Jag kan inte hjälpa honom."

FÖRFATTARENS TACK

Mitt första tack går som alltid till Kate Elton och Victoria Sanders, som har funnits där nästan sedan begynnelsen. Jag skulle också vilja tacka min kollega Bernadette Baker-Baughman, liksom Diane Dickensheid och teamet på VSA. Tack till Hillary Zaits Michael och alla på VME. Och på tal om det vill jag också tacka Liz Helden, som följde upp den där middagen i Atlanta, skapade magi och förde in Dan Thomsen i mitt liv. Ni är toppen.

På William Morrow vill jag särskilt tacka Emily Krump, Liate Stehlik, Heidi Richter-Ginger, Jessica Cozzi, Kelly Dasta, Jen Hart, Kaitlin Harri, Chantal Restivo-Alessi och Julianna Wojcik. På HarperCollins går mitt tack till Jan-Joris Keijzer, Miranda Mettes, Kathryn Cheshire och, sist men inte minst, den fantastiska och outtröttliga Liz Dawson.

David Harper har gett mig (och Sara) gratis medicinska råd alldeles för länge och jag är evigt tacksam för hans tålamod och vänlighet, särskilt när jag googlar mig ned i något kaninhål och måste fiskas upp med ett bestämt grepp om skrattmusklerna. Den ojämförlige Ramón Rodríguez var vänlig nog att föreslå några rätter som en puertoricansk kock skulle servera. Tony Cliff skapade kartan. Dona Robertsson svarade på ett par GBI-frågor. Självklart är eventuella misstag mina egna.

Sist men inte minst; ett tack till min pappa för att du håller ut, och till DA – mitt hjärta. Du kan alltid lita på mig. Jag kan alltid lita på dig.